Mireille Dubost

Avec la collaboration de
Marie Watiez

LA NUTRITION

3e édition

Chenelière
Éducation

La nutrition, 3e édition

Mireille Dubost

© 2006, 2000, 1985 Les Éditions de la Chenelière inc.

Édition : Michel Poulin
Coordination : Lina Binet
Révision linguistique : Renée Léo Guimont
Correction d'épreuves : Sarah Bernard
Infographie : Infoscan Collette
Conception graphique : Michel Bérard et Karina Dupuis
Conception de la couverture : Michel Bérard

**Catalogage avant publication
de Bibliothèque et Archives Canada**

Scheider, William L.

La nutrition
3e éd.

Comprend des réf. bibliogr. et un index.

ISBN 2-7651-0244-9

1. Nutrition. 2. Nutriments. 3. Alimentation. I. Dubost Bélair,
Mireille. II. Titre.

QP141.S342514 2005   613.2   C2005-941139-2

**Chenelière
Éducation**

7001, boul. Saint-Laurent
Montréal (Québec)
Canada H2S 3E3
Téléphone : (514) 273-1066
Télécopieur : (514) 276-0324
info@cheneliere-education.ca

ISBN 2-7651-0244-9

Dépôt légal : 1er trimestre 2006
Bibliothèque nationale du Québec
Bibliothèque nationale du Canada

Imprimé au Canada

3   4   5   6   ITG   12   11   10   09

Nous reconnaissons l'aide financière du gouvernement du Canada
par l'entremise du Programme d'aide au développement de l'industrie
de l'édition (PADIÉ) pour nos activités d'édition.

Chenelière Éducation remercie le gouvernement du Québec de
l'aide financière qu'il lui a accordée pour l'édition de cet ouvrage par
l'intermédiaire du Programme de crédit d'impôt pour l'édition de
livres (SODEC).

L'Éditeur a fait tout ce qui était en son pouvoir pour retrouver les
copyrights. On peut lui signaler tout renseignement menant à la
correction d'erreurs ou d'omissions.

DANGER

LE
PHOTOCOPILLAGE
TUE LE LIVRE

Avant-propos

Étudier la nutrition, c'est d'abord apprendre à mieux nous connaître. En approfondissant le lien éminemment vital qui nous unit à la nourriture, nous comprenons mieux comment notre organisme fonctionne et dans quelle mesure nos habitudes de vie influent sur notre santé. Nous pouvons alors saisir plus aisément le rapport particulier que nous entretenons avec la nourriture. Grâce à l'intérêt qu'elle porte à l'évolution et à la diversité de l'alimentation humaine, l'étude de la nutrition nous aide également à nous ouvrir sur le monde. Sur le plan personnel, un cours de base en nutrition constitue donc un investissement fructueux.

Ce volume est d'abord destiné à tous ceux et celles qui, au collège ou à l'université, suivent un cours d'initiation à la nutrition. Il intéressera non seulement les étudiants inscrits en diététique, mais aussi tous ceux et celles qui étudient dans le secteur de la santé (soins infirmiers, hygiène dentaire, éducation physique, etc.). Ouvrage de référence, il sera aussi utile aux personnes qui se préoccupent de leur alimentation et qui veulent y voir plus clair, mais ne pourra d'aucune façon se substituer à une consultation avec une ou un diététiste professionnel.

En français, les ouvrages vulgarisés portant sur les fondements de la nutrition ne sont pas plus nombreux qu'ils ne l'étaient lorsque la première édition de ce volume a été lancée en 1985 ; la présente édition continue donc de répondre à une demande manifeste. Une mise à jour s'imposait pour rendre compte de l'évolution rapide des connaissances dans le domaine et des nombreux changements qui en ont résulté durant les dernières années : nouvelles recommandations, nouveaux règlements touchant l'étiquetage nutritionnel des produits alimentaires et la vente des suppléments alimentaires, modification de la politique canadienne concernant l'enrichissement des aliments, nouvelles habitudes de consommation.

Comme l'édition précédente, ce volume est divisé en deux parties. La première est consacrée à l'énergie et aux diverses catégories de nutriments qui composent les aliments : glucides, lipides, protéines, vitamines, minéraux et eau. Elle se termine par un chapitre portant sur les recommandations découlant de l'étude de ces constituants, sur certains outils d'éducation en matière de nutrition et sur les effets de la transformation sur la valeur nutritive des aliments. La deuxième partie s'intéresse plus particulièrement aux aliments. Elle se compose de cinq chapitres, quatre portant sur les groupes qui sont à la base du *Guide alimentaire canadien pour manger sainement* – Produits céréaliers, Légumes et fruits, Produits laitiers, Viandes et substituts – et un cinquième, sur les autres aliments. Cette partie, qui prend en compte la réalité canadienne, décrit ce que sont les aliments et comment on les fabrique, informations qui s'avèrent essentielles à la compréhension de leur valeur nutritive. Elle rend compte également de la contribution de ces différents groupes d'aliments à la composition nutritionnelle du régime alimentaire canadien.

Les annexes, comme celles des éditions précédentes, fournissent au lecteur des informations utiles. On y trouve notamment un tableau résumant les apports nutritionnels de référence, le *Guide d'activité physique canadien pour une vie active saine* ainsi que des outils d'évaluation du poids corporel et de l'apport alimentaire. Cet ouvrage présente donc un intérêt qui dépasse le cadre didactique.

Remerciements

J'aimerais d'abord remercier Marie Watiez, Ph.D., psychosociologue de l'alimentation, qui a gentiment accepté de rédiger la section intitulée « Les déterminants du comportement alimentaire » dans le chapitre d'introduction ; son exposé permet de mieux comprendre les difficultés que nous éprouvons à modifier nos habitudes alimentaires, compréhension fondamentale pour faire de l'éducation en nutrition. J'aimerais également remercier mes collègues et amies du département de nutrition de l'Université de Montréal, dont le soutien inconditionnel a grandement été apprécié. Je suis particulièrement reconnaissante à Michèle Houde Nadeau, Dt.P., D.Sc., et à Christina Blais, Dt.P, M.Sc., pour le temps qu'elles ont pris à revoir plusieurs chapitres de cet ouvrage ainsi que pour leurs judicieux conseils. Merci également à Marguerite Desaulniers, M.Sc., ma complice de longue date, et à Marie-Claude Désilets, étudiante au doctorat, qui m'ont aidée à mettre à jour les tableaux de valeur nutritive,

ainsi qu'à Marielle Ledoux, Dt.P, Ph.D., pour son appui et ses sages recommandations.

Je tiens aussi à remercier les personnes suivantes qui ont chacune pris le temps de lire un chapitre de cet ouvrage et de guider mon travail de révision : Stéphanie Chevalier, Dt.P, Ph.D., chercheure au Centre de nutrition et des sciences de l'alimentation de l'Université McGill, Isabelle Galibois, Dt.P, Ph.D., et Hélène Jacques, Dt.P, Ph.D., toutes deux professeures au département des sciences des aliments et de nutrition de l'Université Laval. Merci également au comité de perfectionnement et de formation professionnelle de l'Université de Montréal pour l'aide financière accordée pour ce projet.

Enfin, qu'il me soit permis de remercier le personnel de la maison d'édition Chenelière Éducation, plus particulièrement Michel Poulin et Lina Binet, pour leur grand dévouement, ainsi que ma famille, qui m'a une fois de plus affectueusement soutenue dans ce beau projet.

MIREILLE DUBOST, Dt.P, M.Sc.
Université de Montréal, le 19 mai 2005

Table des matières

Chapitre 1

La science de la nutrition

Regardez la télévision, promenez-vous sur le Web, examinez les étalages dans les librairies, feuilletez les journaux et les magazines, visitez les boutiques d'alimentation : de toute évidence, la nutrition suscite un grand intérêt. Nos connaissances dans ce domaine étant plus étendues que jamais, nous sommes de plus en plus convaincus que des liens réels existent entre l'alimentation et la santé. Parfois, il nous arrive même d'imputer nos problèmes de santé à nos seules habitudes alimentaires et d'oublier que plusieurs de ces problèmes ont de multiples racines. Pourtant, si le maintien de la santé est largement tributaire d'une saine alimentation, celle-ci ne peut à elle seule prévenir et guérir toutes les maladies qui nous affectent.

Dans ce premier chapitre, nous verrons que la nutrition est une science qui s'inspire de nombreuses disciplines. Pour bien saisir l'influence qu'elle exerce sur notre bien-être, il faut s'appuyer sur les résultats d'expériences scientifiques dans lesquelles les facteurs confondants sont bien contrôlés. À ce jour, la recherche en nutrition nous permet d'identifier un grand nombre de composés alimentaires et de comprendre, du moins en partie, comment notre corps les utilise tout au long de notre vie et dans diverses circonstances.

Ce chapitre explique aussi comment les nutritionnistes procèdent pour évaluer l'apport alimentaire d'une personne, lors d'une consultation, ou d'un groupe, dans le cadre d'une recherche. Il met en lumière les très nombreux déterminants du comportement alimentaire humain, qu'il importe de bien comprendre si nous souhaitons modifier nos habitudes alimentaires.

La nutrition : une science pluridisciplinaire

La nutrition est la science qui étudie 1) comment nous nous procurons notre nourriture, 2) de quoi se compose cette nourriture, 3) comment nous parvenons à absorber les nutriments qui y sont contenus et 4) comment notre organisme utilise ces nutriments. Parce qu'elle repose en grande partie sur les sciences de base que sont la biochimie, la physiologie et la biologie cellulaire, la nutrition est une science relativement jeune. Elle n'a pris vraiment son essor qu'au XXe siècle.

Néanmoins, les écrits des Anciens tels Hippocrate, Aristote et Galien montrent que le rôle essentiel des aliments dans le maintien de la vie est reconnu depuis longtemps. Déjà, à cette époque, on attribuait de nombreux pouvoirs aux aliments, y compris des pouvoirs médicinaux. Ces croyances constituaient le fondement de règles alimentaires dont la logique était empirique, car on savait encore très peu de choses sur la composition des aliments.

Il a fallu attendre la fin du Moyen Âge pour que la pensée scientifique se structure et que les découvertes qui ont mené au développement des sciences modernes et, finalement, à celle de la nutrition s'effectuent : la description de l'anatomie humaine, le développement de la microscopie, l'isolement des éléments chimiques, l'élucidation des processus physiologiques (telles la respiration et la digestion), l'identification des substances organiques qui interviennent dans le métabolisme énergétique, etc. On en est venu bien sûr à soupçonner la présence, dans les aliments, de substances nutritives essentielles à la vie. Mais la plupart de ces substances n'ont été identifiées qu'au XXe siècle.

Depuis, la recherche en nutrition vise notamment à approfondir le rôle des éléments nutritifs dans l'organisme humain, à étudier leurs interactions et à cerner les besoins nutritionnels particuliers des populations. On continue d'étudier les aliments afin d'identifier tous les composés qui sont d'intérêt nutritionnel, y compris ceux présents à l'état de traces. De nouvelles techniques d'analyse (à l'aide d'isotopes stables, notamment) facilitent l'étude des échanges nutritifs au niveau de la cellule. Elles permettent également d'étudier les interactions entre la nutrition, la génétique et la santé, mises en lumière par des études fondamentales, cliniques et épidémiologiques. Enfin, la science de la nutrition s'intéresse au comportement alimentaire de l'être humain ainsi qu'aux facteurs, socioéconomiques, technologiques ou autres, qui déterminent son environnement alimentaire.

La nutrition : un déterminant majeur de la santé

Parce qu'elle intègre plusieurs autres sciences, la nutrition nous aide à mieux comprendre comment notre organisme fonctionne. Comme nous le constaterons maintes fois dans cet ouvrage, notre mode d'alimentation est un déterminant majeur de notre état de santé. Ce n'est toutefois pas le seul : à chaque étape de notre vie, notre état de santé résulte de l'interaction entre des facteurs qui sont non seulement d'ordre comportemental, mais aussi d'ordres biologique, social, économique, environnemental et culturel (voir le tableau 1.1). Bref, le principal défi de la recherche en nutrition consiste à cerner le rôle de l'alimentation dans la prévention et le traitement de la maladie en tenant compte des nombreux autres facteurs qui influencent la santé.

Qu'est-ce qu'un aliment ?

Défini simplement, un aliment est une substance, solide ou liquide, qui sert de nourriture à notre organisme. En effet, tous les aliments que nous ingérons contribuent à combler nos besoins nutritionnels, y compris nos besoins en eau et en énergie.

TABLEAU 1.1
Les déterminants de la santé

Le niveau de revenus et la situation sociale

Les réseaux de soutien social

Le niveau d'instruction

L'emploi et les conditions de travail

L'environnement social

L'environnement physique

Les habitudes de vie et les compétences d'adaptation personnelles

Le développement durant l'enfance

Le patrimoine biologique et génétique

Les services de santé

Le sexe

La culture

Source : Adapté de Santé Canada (2004).

L'être humain est un omnivore

L'évolution de notre espèce s'échelonne sur plusieurs millions d'années. Pendant tout ce temps, nous avons réussi à survivre grâce à notre remarquable capacité d'adaptation et avons donc pu évoluer dans des environnements très différents. Aujourd'hui, nous peuplons presque toutes les régions du globe, quels que soient le climat et les conditions qui y prévalent. Notre régime alimentaire a toujours été tributaire du milieu dans lequel nous vivons ; il varie ainsi du régime strictement végétarien de certains peuples d'Asie au régime principalement carnivore des populations des régions polaires.

Le développement de la science permet maintenant de comparer les régimes alimentaires ainsi que leurs effets sur la santé. Cette tâche est toutefois complexe en raison des nombreux autres facteurs qui déterminent l'état de santé d'une personne. Nous verrons dans les chapitres suivants que le régime alimentaire idéal n'a pas encore été établi. Cependant, on reconnaît le bien-fondé de modes d'alimentation bien adaptés à leur contexte environnemental.

**Figure 1.1
La composition de l'organisme humain**

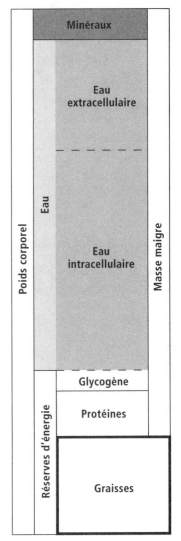

Source : Traduit et adapté de Shils et autres, 1994 (avec permission).

L'être humain étant omnivore, ses aliments peuvent être d'origine animale, végétale ou même minérale, pour autant qu'ils soient comestibles (voir l'encadré *L'être humain est un omnivore* ci-dessus). La définition d'un aliment comporte néanmoins une dimension culturelle, puisqu'il peut être accepté comme tel dans certaines cultures mais rejeté dans d'autres. En effet, ce n'est pas seulement en se fondant sur des considérations d'ordre biologique qu'une société établit ce qui se consomme et ce qui ne se consomme pas. Nous verrons plus loin qu'elle prend aussi en compte les valeurs qu'elle véhicule.

La définition d'un aliment varie également selon les individus. « Ce qui est un aliment pour une personne peut être un poison pour une autre », a écrit Lucrèce, un philosophe qui a vécu au Ier siècle avant J.-C. Pensons, par exemple, aux arachides, qui peuvent déclencher un choc anaphylactique chez une personne allergique à cet aliment. De façon moins dramatique, plusieurs autres denrées peuvent entraîner des effets indésirables en raison notamment de prédispositions génétiques particulières.

La composition des aliments

Les aliments sont constitués d'une multitude de composés chimiques. Toutefois, hormis l'eau, presque tous ces composés sont de nature organique. Ils sont formés principalement d'atomes de carbone, souvent liés à des atomes d'hydrogène et d'oxygène. Nous découvrirons dans les prochains chapitres que plusieurs de ces composés entrent dans l'une des catégories suivantes : les glucides, les lipides ou les protéines. Parce qu'ils sont des constituants alimentaires quantitativement importants, l'eau, les glucides, les lipides et les protéines forment ce qu'on appelle les **macronutriments** (voir le tableau 1.2, à la page 4). À l'exception de l'eau, les macronutriments sont une source d'énergie pour l'organisme humain (voir le chapitre 2). Ils y remplissent aussi plusieurs autres fonctions (voir les chapitres 3, 4 et 5). De plus, trois catégories de macronutriments, soit l'eau, les lipides et les protéines, constituent chacune une partie importante de la structure du corps humain (voir la figure 1.1).

Toutefois, les macronutriments ne suffisent pas à maintenir la vie. Les aliments contiennent aussi, en petites quantités, un très grand nombre de substances indispensables à l'organisme. Ces dernières se divisent en deux catégories (voir le tableau 1.2 ci-dessous) : les vitamines, toutes de nature organique (voir le chapitre 6), et les minéraux, des éléments chimiques (voir le chapitre 7). Ces **micronutriments essentiels** travaillent conjointement ou s'unissent à d'autres substances pour assurer l'harmonie des différents processus vitaux. L'importance de leur rôle semble disproportionnée en regard des quantités minimes dont l'organisme a besoin.

Enfin, les aliments peuvent renfermer d'autres constituants quantitativement mineurs qui, à ce jour, ne sont pas considérés comme indispensables à l'organisme humain, malgré les effets bénéfiques de certains d'entre eux. La plupart de ces substances sont de nature organique (voir le tableau 1.2).

TABLEAU 1.2　La composition des aliments

Nutriments	Structure de base	Source d'énergie
Macronutriments		
Eau	eau (H,O)	non
Protéines	acides aminés (C,H,O,N)	oui
Glucides (incl. fibres)	sucres (C,H,O)	oui
Lipides	acides gras, alcools (C,H,O)	oui
Micronutriments		
Vitamines	variable (C,H,O,N)	non
Minéraux	éléments chimiques	non
Autres substances		
Ex. : micronutriments non essentiels, caféine, éthanol, édulcorants de synthèse, etc.	variable	variable

L'utilisation des nutriments dans l'organisme

La fonction du système digestif

D'une certaine façon, on peut dire de la digestion des aliments qu'elle s'opère à l'extérieur de l'organisme. En effet, la fonction du système digestif est de fractionner les aliments pour que l'organisme assimile les nutriments qu'ils contiennent. À l'exception de l'eau, les macronutriments sont souvent présents dans les aliments sous forme de molécules trop volumineuses pour traverser la paroi du tube digestif (la muqueuse intestinale principalement) et passer dans la circulation sanguine. Quant aux micronutriments, ils doivent se détacher des molécules auxquelles ils sont liés pour pouvoir être absorbés. D'où le rôle indispensable du système digestif (voir *Le système digestif*, à la page 14).

Le rôle des nutriments dans l'organisme

Comme nous l'avons constaté précédemment, les nutriments qui pénètrent à l'intérieur de l'organisme après la digestion des aliments contribuent à la satisfaction des besoins nutritionnels de diverses façons :

1. Ils sont une **source d'énergie** nécessaire à la croissance et au fonctionnement normal des différents tissus et organes.
2. Ils sont des **éléments de structure** de ces différents tissus et organes, lesquels sont en constant renouvellement (voir la figure 1.1, à la page 3).
3. Enfin, ils servent de **catalyseurs** aux très nombreuses réactions métaboliques qui assurent le fonctionnement normal de l'organisme.

Certains nutriments peuvent remplir plusieurs fonctions dans l'organisme. Ainsi, en plus de constituer un élément de structure organique et une source d'énergie, les protéines forment d'importants catalyseurs métaboliques. Le manque ou l'excès d'un nutriment dans l'alimentation peut donc avoir de nombreuses conséquences. À plus ou moins long terme, une alimentation inadéquate entraîne l'apparition de symptômes qui reflètent 1) un déséquilibre entre l'apport et la dépense d'énergie, 2) la désintégration ou l'accumulation excessive de certaines structures organiques ou 3) le déroulement anormal de divers processus métaboliques.

L'évaluation de l'apport alimentaire

L'évaluation de l'apport alimentaire d'une personne peut constituer un bon indice de l'état de ses réserves nutritionnelles. Toutefois, pour évaluer adéquatement cet apport, il faut dresser préalablement un bilan aussi représentatif que possible de son alimentation habituelle. Cette tâche n'est pas simple. D'une part, on peut observer chez plusieurs individus une très grande variabilité de la consommation quotidienne d'énergie et d'éléments nutritifs. D'autre part, il arrive que des personnes ne mentionnent pas leur consommation réelle d'aliments lorsqu'elles sont interrogées, certaines ayant tendance à la réduire, d'autres, moins nombreuses, à l'exagérer. Une formation permettant de bien maîtriser les techniques d'entrevue s'avère donc essentielle.

Les méthodes permettant de dresser un bilan alimentaire

Pour dresser un bilan alimentaire, les nutritionnistes utilisent diverses méthodes. L'une d'elles, l'**histoire diététique**, consiste à établir le menu type de l'alimentation d'une personne en reconstituant tous les repas et toutes les collations qu'elle consomme habituellement au cours d'une journée. Cette information est souvent complétée à l'aide d'un **questionnaire de fréquence de consommation**. Ce questionnaire sert à déterminer les quantités de différents aliments consommés pendant une période donnée (par exemple, une journée, une semaine ou un mois). Il permet également d'évaluer la consommation d'aliments particuliers (par exemple, les légumes) avec plus de précision que l'histoire diététique.

L'histoire diététique et le questionnaire de fréquence de consommation sont tous les deux fondés sur le rappel de la consommation habituelle. Pour aider les gens à quantifier les portions d'aliments qu'ils consomment, les nutritionnistes ont souvent recours à des modèles d'aliments. Parfois, ils interrogent les parents ou amis responsables de la préparation des repas pour obtenir des précisions sur certains aliments.

Pour dresser le profil de l'alimentation habituelle d'une personne, le nutritionniste peut lui demander de remplir un **journal alimentaire**. Dans ce cas, il se sert de renseignements que la personne recueille elle-même. Pour être fiable, le

Pour aider les gens à quantifier les portions d'aliments qu'ils consomment, les nutritionnistes ont souvent recours à des modèles d'aliments.

journal alimentaire doit comporter plusieurs journées de menus complets et représentatifs de l'alimentation habituelle de l'individu qui le tient. En principe, les quantités d'aliments indiquées dans un journal alimentaire sont relativement précises puisqu'elles peuvent être mesurées au moment de l'ingestion. Il est également facile de donner une description détaillée des aliments consommés. Toutefois, cette méthode exige une bonne participation de la personne dont l'alimentation est évaluée, puisqu'il lui faut noter tout ce qu'elle mange, y compris les aliments consommés en dehors de la maison. L'annexe 5 décrit les instructions relatives à la tenue d'un journal alimentaire.

Comme nous le constaterons au long de cet ouvrage, les chercheurs en nutrition ont parfois à évaluer la consommation alimentaire de toute une population. Ils peuvent le faire sur un échantillon à partir de **rappels de 24 heures**, c'est-à-dire en dressant, pour chaque personne interrogée, la liste de tous les aliments ingérés au cours des 24 heures précédant l'enquête. Parfois, ils évaluent la consommation alimentaire d'une population de façon indirecte en calculant les quantités d'aliments négociées sur le marché de l'alimentation, bien qu'il soit impossible de vérifier avec exactitude si tous les produits achetés ont été consommés.

L'analyse d'un bilan alimentaire

Pour analyser un bilan alimentaire, les nutritionnistes se servent le plus souvent de **tables de composition des aliments**, c'est-à-dire de tableaux indiquant les quantités d'éléments nutritifs contenues dans divers aliments. Ces tables varient selon le pays où elles sont élaborées. L'information qu'elles fournissent tient compte du type d'alimentation prévalant dans un pays donné et du traitement des aliments. Il existe parfois des différences marquées dans la composition d'un aliment selon les endroits où il est produit. C'est le cas, notamment, d'aliments touchés par des politiques d'enrichissement en éléments nutritifs, lesquelles diffèrent souvent d'un pays à un autre.

De plus, il faut bien comprendre que les valeurs apparaissant dans les tables de composition des aliments correspondent généralement à des moyennes qui prennent en compte divers facteurs pouvant modifier la composition des aliments (voir le chapitre 8). Ces moyennes sont calculées à partir d'analyses chimiques effectuées sur des échantillons qui varient selon le type de culture ou d'élevage, la région géographique où l'aliment est produit, les conditions d'entreposage, les transformations industrielles, les méthodes de préparation domestique, etc. Par conséquent, la valeur nutritive d'un aliment acheté au supermarché peut différer sensiblement de celle qui apparaît dans une table de composition des aliments. Les tables de valeur nutritive ne donnent pas non plus d'information sur la biodisponibilité des nutriments ; par exemple, bien qu'elles attribuent habituellement une assez forte teneur en fer aux épinards, elles ne donnent aucun renseignement sur le taux d'absorption de ce type de fer, qui ne dépasse pourtant pas 5 %. Enfin, les tables de valeur nutritive sont souvent incomplètes ; elles contiennent habituellement très peu de données relatives à des éléments nutritifs peu connus, comme le chrome, le molybdène ou encore la biotine.

Au Canada, les tables de composition des aliments sont compilées à partir d'une banque de données gérée par Santé Canada et connue sous le nom de **Fichier canadien sur les éléments nutritifs**. Même si plusieurs données du Fichier proviennent d'une banque de données élaborée aux États-Unis par le département de l'Agriculture, elles ont été modifiées pour tenir compte du marché canadien.

Des **logiciels** permettent aussi d'analyser un bilan alimentaire à partir d'une banque de données tirées du Fichier canadien sur les éléments nutritifs. L'analyse d'un bilan alimentaire à l'aide d'une table de composition des aliments peut s'avérer

Établir le menu type de l'alimentation d'une personne est une des méthodes utilisées par les nutritionnistes pour dresser un bilan alimentaire.

une tâche fastidieuse ; tout dépend du nombre d'aliments que l'on analyse et des renseignements que l'on désire obtenir. Pour simplifier leur travail, les nutritionnistes ont donc souvent recours à des logiciels informatisés. Ces professionnels de la santé comptent parmi les rares personnes qui possèdent l'expertise nécessaire pour analyser correctement les résultats obtenus à l'aide de ces logiciels.

Les critères d'évaluation d'un bilan alimentaire

Il est possible d'évaluer un bilan alimentaire en comparant les quantités d'énergie et d'éléments nutritifs qui y sont contenues avec les besoins nutritionnels de la personne sur qui porte l'évaluation. Ces besoins sont estimés à partir de certains critères. Par exemple, pour établir les besoins en éléments nutritifs d'une personne en santé, les nutritionnistes se servent généralement de valeurs qui prennent en compte l'âge et le sexe de même que les besoins particuliers des femmes enceintes et de celles qui allaitent (voir le chapitre 8). Pour déterminer le besoin quotidien en énergie, ils utilisent des équations mathématiques comme celles qu'on trouve au chapitre 2.

Il est possible également d'évaluer un bilan alimentaire sans analyser en détail son contenu en énergie et en éléments nutritifs, c'est-à-dire en le comparant aux recommandations du *Guide alimentaire canadien pour manger sainement* (voir le chapitre 8). Pour qui connaît bien la valeur nutritive des aliments, cette analyse sommaire d'un bilan alimentaire permet souvent d'évaluer assez justement les habitudes alimentaires.

L'interprétation d'un bilan alimentaire

Quelle que soit la méthode employée pour analyser un bilan alimentaire, il faut interpréter les résultats obtenus avec prudence. Si ces résultats peuvent constituer de précieux indices sur l'état des réserves nutritionnelles d'une personne, ils ne permettent pas au nutritionniste de poser un diagnostic sûr. Même quand il prend en compte l'âge, le sexe, le niveau d'activité physique et certaines conditions particulières (comme la grossesse et l'allaitement), plusieurs autres facteurs peuvent modifier les besoins nutritionnels (voir l'encadré *Les facteurs qui influencent les besoins nutritionnels*). Ces facteurs comprennent l'hérédité, certaines habitudes de vie (comme la consommation d'alcool et le tabagisme), la maladie ou encore la prise de médicaments. Si bien que, dans diverses circonstances, une alimentation qui semble équilibrée peut ne pas combler adéquatement les besoins en énergie et en éléments nutritifs.

Pour évaluer correctement l'état nutritionnel d'une personne, les nutritionnistes n'évaluent donc pas seulement son apport alimentaire. Ils prennent également en compte son **histoire médicale** et celle de sa famille, de même que diverses **mesures anthropométriques**, comme le poids, la taille, l'épaisseur du pli cutané, le diamètre ou la circonférence de certaines parties du corps (tête, thorax, abdomen, bras, cuisse, etc.). Ces mensurations sont utilisées pour évaluer le rythme de croissance des nourrissons et des enfants, la quantité de tissu musculaire présente dans l'organisme ou encore le niveau des réserves de graisse corporelle (voir le chapitre 2).

Lorsqu'ils soupçonnent qu'une personne souffre de malnutrition, les nutritionnistes procèdent à un **examen physique**, qui leur permettra d'identifier les symptômes et signes cliniques pouvant être liés à un déséquilibre nutritionnel, que ce soit au niveau de la peau, de la bouche, des yeux, des ongles, des cheveux, etc. Au besoin, leur interprétation de l'état nutritionnel d'un individu se fonde sur les résultats de **tests biochimiques** effectués sur des échantillons de sang et d'urine. Ces tests peuvent déceler une carence en un nutriment avant même que des symptômes cliniques se manifestent. Toutefois, des résultats anormaux n'indiquent pas nécessairement une lacune alimentaire ; ils sont parfois l'indice d'une absorption

Les facteurs qui influencent les besoins nutritionnels

Âge

Sexe

Niveau d'activité physique

Grossesse, allaitement

Hérédité

Habitudes de vie (consommation d'alcool, tabagisme, etc.)

Maladie

Médicaments

inadéquate, d'un processus de destruction organique accéléré ou d'un taux d'excrétion anormalement élevé. Enfin, dans certains cas, les nutritionnistes ont aussi recours à des **tests fonctionnels** pour évaluer l'état nutritionnel ; ces tests permettent d'établir si la compétence du système immunitaire, la capacité musculaire ou encore la fonction neurologique sont atteintes.

Une fois son état nutritionnel évalué, une personne peut juger souhaitable de modifier ses habitudes alimentaires, que ce soit par mesure de prévention ou pour corriger un problème nutritionnel bien établi. Toutefois, la complexité du comportement alimentaire humain rend généralement cette tâche difficile. Pour pouvoir le modifier de façon durable, il est utile de comprendre comment il se façonne.

Les déterminants du comportement alimentaire

De nombreux facteurs modulent nos choix d'aliments et les quantités que nous ingérons. À ce sujet, le chapitre 2 traite des mécanismes physiologiques, d'ordre neuroendocrinien, qui aident l'organisme à ajuster sa prise de nourriture selon les besoins en énergie. Ce chapitre explique aussi comment des facteurs génétiques, environnementaux, socioculturels et affectifs influent sur ces mécanismes de contrôle biologique et modifient la capacité de l'organisme à se maintenir en équilibre énergétique. Chez l'être humain, l'alimentation est effectivement une activité complexe. Elle répond à divers besoins liés au corps, mais aussi à l'individu, ainsi qu'à ses rapports avec son groupe, sa société et son environnement. Dans une approche biopsychosociale globale (voir la figure 1.2), l'acte alimentaire est analysé ici comme une réponse à la recherche d'un équilibre tant énergétique et nutritionnel que psychologique et socioculturel.

Les déterminants biologiques et génétiques du comportement alimentaire

Plusieurs **déterminants biologiques et génétiques** caractérisent dès la naissance notre rapport à l'alimentation. L'être humain est **omnivore**. Cette **caractéristique fondamentale universelle** lui permet depuis des millénaires de survivre et de s'adapter à son environnement en se nourrissant de toutes sortes de denrées animales et végétales. Il profite donc d'une immense variété d'aliments pour se nourrir et équilibrer son alimentation. Cette condition le conduit toutefois à la dépendance à

Figure 1.2
Les déterminants du
comportement alimentaire

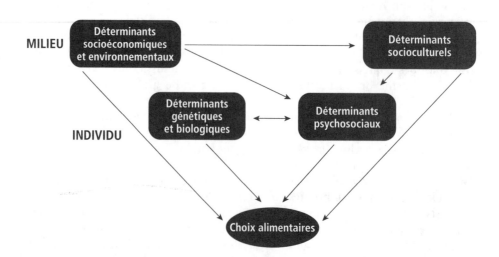

cette variété, l'obligeant à diversifier continuellement ses choix. Depuis toujours, l'être humain oscille entre l'attrait des aliments nouveaux (néophilie alimentaire) et leur crainte (néophobie alimentaire). Pourtant, il doit se familiariser avec eux pour répondre à tous ses besoins.

Sur le plan individuel, chacun naît avec un bagage génétique déterminant ses **capacités sensorielles** et ses **seuils de sensibilité** aux stimulations gustatives. Le système sensoriel humain permet d'apprécier le goût, l'arôme, la texture, l'aspect, la température des aliments. Les individus ne perçoivent pas tous la saveur sucrée ou salée avec la même intensité; certains ne supportent pas l'amertume de la bière et d'autres adorent les fruits acides. Un facteur génétique intervient donc dans le développement des préférences et des aversions.

Les **besoins nutritionnels** font aussi partie des déterminants biologiques du comportement alimentaire et ils varient selon le niveau d'activité et le cycle de la vie. Ainsi, les personnes actives physiquement et les adolescents en pleine croissance ont tendance à consommer des aliments à haute densité calorique pour combler leurs besoins en énergie. Les femmes enceintes ou celles qui allaitent apportent souvent des modifications à leur alimentation courante. Il en va de même pour les personnes souffrant de maladies qui affectent leur état physique ou mental.

Au-delà de ces facteurs biologiques et génétiques, les choix alimentaires sont largement dominés par des déterminants environnementaux, culturels et psychosociaux liés aux expériences et aux apprentissages.

Les déterminants environnementaux et socioéconomiques

Pour faire face à la pénurie ou à la famine, l'homme s'est toujours adapté à la saisonnalité des productions agricoles. Dans les sociétés occidentales, la révolution industrielle et les grands changements socioéconomiques survenus depuis la moitié du XXe siècle ont complètement transformé l'environnement alimentaire ainsi que les modes de vie et de consommation.

La **disponibilité des ressources alimentaires** dépend maintenant en grande partie de l'approvisionnement au niveau national et des échanges commerciaux internationaux. D'importants réseaux de distribution permettent d'offrir les denrées au niveau local. La situation économique d'un pays, ses politiques gouvernementales et son organisation sociale ont aussi une incidence sur l'approvisionnement alimentaire (pensons, par exemple, à l'impact des politiques gouvernementales sur le libre-échange).

La production alimentaire, en particulier le secteur agricole, est elle-même influencée par de nombreux **facteurs environnementaux** (qualité du sol, climat, proximité des cours d'eau, etc.). Quant à la qualité et à la quantité de ces ressources alimentaires, elles sont déterminées par les **facteurs de progrès de l'industrie agroalimentaire** (conservation, production d'aliments transformés et de mets préparés), mais aussi par le développement considérable de la distribution (magasins à grandes surfaces, centres commerciaux), de la restauration rapide et des chaînes de restaurants de toutes origines (où l'on sert, par exemple, des hamburgers, des mets chinois, de la pizza, des déjeuners, etc.).

L'**immigration**, l'**importation**, les **échanges internationaux** et la démocratisation des voyages ont conduit à une mondialisation des goûts. Les cuisines ethniques se sont intégrées aux aliments traditionnels. Aujourd'hui, dans les grandes villes, on peut acheter toutes sortes de fruits et légumes du monde entier à longueur d'année.

De même, de multiples **facteurs socioéconomiques et démographiques** ont eu un impact sur l'évolution des habitudes alimentaires dans les pays industrialisés: l'urbanisation, l'élévation du niveau de vie et d'instruction, l'augmentation du travail féminin, le rythme de vie plus intense, la diminution du temps consacré à l'alimentation, le vieillissement de la population, la hausse de l'espérance de vie, la baisse de la natalité et la réduction de la famille. La modernité alimentaire se traduit par une forme de déstructuration du repas et de la fonction sociale de l'alimentation : on mange moins en famille, plus souvent en solitaire, sur le pouce ou on grignote à toute heure du jour.

Par ailleurs, les consommateurs des pays riches vivent dans une **abondance alimentaire paradoxale**. Alors que leur environnement leur offre toujours plus à consommer, leurs besoins en énergie diminuent grâce à l'amélioration de leur mode de vie (mécanisation du travail, transports, chauffage, loisirs sédentaires comme la télévision, les jeux vidéo et Internet). La variété des produits, leur accessibilité (nombre croissant de restaurants, de casse-croûte, de dépanneurs, étendue des heures d'ouverture, etc.) et la taille des portions ne cessent de croître. En tout temps et partout, les gens peuvent se procurer des produits alimentaires peu coûteux.

Cette profusion alimentaire est par ailleurs mise en valeur par la **publicité**, qui nous incite constamment à consommer davantage. Omniprésentes dans tous les médias, les annonces publicitaires ont un impact considérable sur nos pratiques d'achats. Valorisant les attributs nutritionnels et psychosensoriels des produits, la publicité utilise à la fois un discours persuasif plus ou moins informatif et des valeurs symboliques séductrices qui influencent directement nos choix alimentaires.

Avec le développement de médias de masse comme la publicité et la diffusion de la mode, le **culte du corps** et l'**idéal de minceur** sont devenus des normes sociales. L'**image corporelle** de nombreuses femmes se trouve ainsi perturbée par des stéréotypes qui associent beauté et jeunesse à la minceur. L'extrême minceur des mannequins, valorisée par l'industrie de la mode, est d'ailleurs impossible à atteindre pour la plupart des gens. Ainsi, une grande partie des femmes occidentales, même celles qui ont un poids normal, vivent avec une obsession de la minceur et tentent de contrôler leur poids (voir le chapitre 2). Ce contrôle s'exerce notamment sur l'acte de manger et sur le choix des aliments.

Le **pouvoir d'achat** d'un individu détermine fortement ses choix d'aliments. Un faible pouvoir d'achat limite l'accès aux ressources alimentaires. Au Canada, le chômage, les emplois précaires ou mal rémunérés, les handicaps physiques ou mentaux qui rendent inaptes au travail, les dépenses élevées en soins de santé diminuent le pouvoir d'achat. Malgré l'abondance et la variété des aliments, de nombreuses personnes craignent de manquer de nourriture quotidiennement.

En raison de notre rythme de vie intense, le temps devient une ressource précieuse. Selon nos **occupations quotidiennes** reliées au travail, à la vie privée et aux loisirs, nous consacrons plus ou moins de temps à l'achat et à la préparation des aliments. Cela modifie la qualité et la variété de notre alimentation. Il en va de même pour nos **habiletés**, qu'il s'agisse de cuisiner, de conserver les denrées ou encore d'entretenir un potager. À notre époque, la transmission des savoir-faire culinaires d'une génération à l'autre semble avoir moins d'importance que du temps de nos grands-mères.

Les déterminants socioculturels

Depuis l'origine des temps et dans toutes les civilisations, manger est un **acte profondément social** et fortement teinté de notre culture d'origine et de celle du lieu où nous vivons. Chaque groupe social a ses propres règles de « comestibilité » basées sur la **culture**, la **morale** et la **religion**. Ces règles encadrent les choix alimentaires d'une société et servent de repères à tous ses membres. Par exemple, manger du chien ou des insectes est commun en Chine, en Afrique et en Amérique du Sud, tandis que c'est inconcevable en Amérique du Nord ; de même, manger de la viande de cheval paraît impossible en Grande-Bretagne, alors que c'est une viande très appréciée ailleurs ; enfin, consommer du bœuf est interdit en Inde, la vache étant un animal sacré dans ce pays.

Ces normes socioculturelles s'appliquent aussi à la **cuisine** et aux **manières à table**. Selon nos origines régionales ou ethniques, nous avons des goûts spécifiques, des recettes traditionnelles (tourtière, sauce à spaghetti, couscous, assaisonnements, desserts) et des coutumes (souper à 18 h ou à 20 h, rituels des fêtes comme Noël ou la Saint-Valentin). Ces habitudes témoignent de notre appartenance à un milieu socioculturel, ethnique et religieux.

Dans toutes les cultures, manger est indissociable de la **fonction sociale de l'alimentation**. Le commerce, l'échange et le partage de nourriture nouent et maintiennent les relations humaines. Rien ne symbolise mieux la convivialité, la communauté, l'hospitalité, la fête que le repas. Les réunions de famille ou entre amis se passent souvent à table. C'est au cours des repas que l'on fête les événements heureux (naissances, mariages, succès, retrouvailles, etc.) et que l'on prend parfois d'importantes décisions. Les gens échangent ainsi plus aisément et plus intimement que dans d'autres situations de rencontres. Comme si partager un repas, un café, une tasse de thé, un verre de vin ou une bière nous rapprochait les uns des autres. L'être humain recherche donc naturellement la **convivialité** et le **partage à table**.

L'acte de manger comprend aussi une **dimension symbolique**. Nous dégustons un plat familial ou croquons dans un fruit autant pour leurs bienfaits que pour les images (de l'enfance, de la nature) et les significations (sur le plan de la tradition, de l'exotisme) que nous associons à ces aliments. Par exemple, le lait est souvent vu comme le symbole de l'enfance, image renforcée par les symboles de santé et de croissance. Pour certains, au contraire, c'est un symbole négatif associé au rejet de l'enfance, au dégoût ou à la maladie. Le chocolat, symbole universel de plaisir sensoriel et affectif, peut aussi être perçu comme un symbole d'interdit et de culpabilité.

Les **symboles** et les **valeurs** que nous associons aux aliments viennent des mythes, de la religion et de la culture ambiante (savoir populaire, discours médical, médias, publicité). Ils dépendent aussi de notre histoire familiale et personnelle. Ils évoluent selon les époques au sein d'une même culture. Ainsi, l'alimentation devient un langage à l'intérieur d'un groupe social ; par ce codage symbolique, chaque aliment est identifiable.

En résumé, la société de consommation a atténué les repères environnementaux (saisons, frontières) et socioculturels (rituels familiaux ou religieux). L'alimentation quotidienne est plus individualiste qu'autrefois et dépend davantage des conditions de vie des gens, notamment de leur budget, de leur emploi du temps, de leurs goûts et même de leur humeur.

Les déterminants psychosociaux et émotionnels

Le nourrisson dépend de la nourriture pour répondre à son besoin vital et physiologique de la faim, mais aussi de sa mère ou de la personne qui le nourrit. Dès cette première relation se mettent en place l'apprentissage du besoin physiologique de la faim (signaux et réponses appropriés), la construction des liens affectifs, le début de la communication non verbale et l'expérience du plaisir. Chez le jeune enfant, les aliments prennent, au fur et à mesure des expériences agréables ou non, une **dimension affective** positive ou négative reliée au plaisir. Ces **conditionnements de la petite enfance** peuvent influencer tout au long de la vie notre rapport à la nourriture et nos comportements alimentaires.

Plus tard dans l'enfance et à l'adolescence, les **apprentissages alimentaires** se poursuivent au sein de la **famille**, à la **garderie**, à l'**école**, au contact des **pairs** et des **éducateurs**. Afin de s'adapter à son groupe familial, social et culturel, l'individu construit ses goûts, son savoir, ses symboles, ses croyances, ses valeurs, ses conduites et ses choix relativement à la nourriture. Le **rôle des parents et de l'entourage social** est essentiel dans ce processus de socialisation alimentaire.

L'enfant apprend d'abord par la **familiarisation**. Ce processus lui permet de découvrir et d'accepter l'ensemble des aliments consommés par la famille en y étant simplement exposé. À force de voir des plats sur la table, comme une corbeille de fruits, l'enfant se met à en manger naturellement. Ensuite, par l'**observation** et l'**imitation**, il copie les pratiques alimentaires les plus fréquentes et les plus valorisées dans la famille ou l'entourage. La qualité du contexte affectif est primordiale : la relation entre l'enfant et la personne qui le nourrit ou l'affection qu'il porte à un modèle (vedettes, personnages, héros) peut le mener à aimer ou à détester un aliment. C'est pourquoi nous aimons tant les desserts de nos grands-mères et que les jeunes s'identifient à leurs idoles en sirotant des boissons gazeuses valorisées dans des annonces publicitaires où apparaissent ces vedettes.

Les enfants apprennent aussi sous la **pression sociale des principes éducatifs**. Ils affinent leurs connaissances et leurs conduites à table sur la base des conseils (« fais ceci ou cela »), des approbations (« c'est bien, mange tes légumes »), des désapprobations (« on ne fait pas ça à table », « on ne mange pas de sucreries avant le souper ») et des explications nutritionnelles qu'ils reçoivent. Ce sont des **renforcements positifs ou négatifs** qui guident leurs choix alimentaires.

Lorsque les individus ont atteint l'âge adulte, les **études**, le **milieu de travail**, la **vie de couple**, les **groupes de loisirs et de sport**, les **professionnels de la santé** et le **discours médical** peuvent modifier leurs connaissances et leur comportement alimentaire. De même, l'**appartenance à des mouvements philosophiques ou religieux** peuvent les conduire à choisir leurs aliments selon certains préceptes et principes associés, par exemple, au végétarisme ou à l'alimentation naturelle.

Même si elles sont plus ou moins rationnelles, nos **connaissances sur la nutrition** déterminent nos goûts et nos choix alimentaires. Certaines personnes se tournent vers des aliments réduits en matières grasses parce qu'elles sont préoccupées par le lien entre les graisses alimentaires et les maladies cardiovasculaires. D'autres intègrent les fibres (pain brun, légumes) à leur alimentation pour profiter de leurs bienfaits sur la santé. Les **campagnes d'éducation en nutrition** ont permis d'élargir nos connaissances en la matière ; toutefois, cela n'est généralement pas suffisant pour entraîner des changements permanents de notre comportement alimentaire.

L'ensemble des facteurs mentionnés précédemment sont en partie à l'origine de nos **préférences et aversions alimentaires**. Nos capacités sensorielles, nous l'avons déjà vu, déterminent génétiquement la formation des goûts. Cependant, nos **expériences gustatives** influent aussi en retour sur notre système sensoriel. La teneur en sel ou en sucre de notre alimentation habituelle modifie notre perception des diverses saveurs alimentaires.

Un **facteur d'apprentissage** neurophysiologique intervient aussi sur la perception du goût. Les sensations agréables de la digestion d'un bon plat conditionnent notre préférence. De même, une réaction physiologique peut engendrer des dégoûts. C'est le cas de mauvaises expériences (nausées, troubles digestifs, allergies) que nous associons directement à un aliment incriminé même si celui-ci n'est pas à l'origine du désagrément. Notons que la **maladie** et la **prise de médicaments** peuvent aussi modifier nos capacités sensorielles et nos perceptions gustatives.

Des **croyances** peuvent inciter des gens à rejeter catégoriquement des aliments qu'ils n'ont jamais goûtés parce qu'ils les considèrent comme immangeables. En général, il s'agit de substances d'origine animale (gibier, cheval, abats, huîtres, poisson cru, insectes, etc.). Il en est de même pour le contexte affectif dans lequel les expériences alimentaires sont acquises. Le fait d'être forcé à tout manger un aliment, de manger dans un contexte affectif perturbé ou de vivre un événement traumatisant peut provoquer des dégoûts très profonds envers la nourriture. En revanche, on aime généralement les aliments offerts par des proches en récompense ou en cadeau (sucreries, gâteaux, chocolat).

Enfin, un banal **déséquilibre émotionnel** peut avoir des répercussions sur le comportement alimentaire d'une personne. Les malaises intérieurs s'expriment de différentes façons. Nombreux sont ceux pour qui manger, jeûner, grignoter, surconsommer représentent des moyens de rétablir un équilibre rompu et de **rechercher un mieux-être** ; par exemple, manger permet à certains de compenser un besoin d'affection ou un vide intérieur (besoin de se réaliser). Des émotions, telles que la tristesse, l'angoisse, la frustration et l'ennui, ainsi que le stress peuvent nous conduire à ressentir l'envie de manger (ou l'inverse) en vue d'apaiser ces désagréments psychologiques. Quant aux émotions positives (joie, excitation, soulagement, sentiment de puissance), elles peuvent entraîner également des perturbations sur le plan alimentaire comme le grignotage, la surconsommation ou le manque d'appétit.

En conclusion

Une bonne façon de comprendre la complexité des facteurs qui déterminent le comportement alimentaire humain est d'envisager l'acte alimentaire sous l'angle des **multiples plaisirs de manger**. L'être humain ne peut survivre sans se nourrir. Les bienfaits de la nature ont gratifié ce comportement de l'atout considérable du plaisir, qui existe dès la naissance et se manifeste sous diverses formes tout le long de la vie :

- le plaisir physique du ventre plein (satiété) ;
- le plaisir sensoriel (goûts, odeurs) ;
- le bien-être physique de se sentir en forme (bonne nutrition et saine alimentation) ;
- le plaisir social du repas (convivialité, partage, communication) ;
- la joie des liens familiaux et culturels (traditions culinaires, repas de fêtes, découvertes gastronomiques) ;
- le bien-être psychologique (affection chez le jeune enfant, réconfort à tout âge).

La complexité et la richesse des déterminants du comportement alimentaire humain deviennent ainsi un véritable défi pour tout intervenant en santé. La difficulté de changer un comportement alimentaire repose sur le fait que les habitudes se sont construites depuis l'enfance à partir des goûts, des attitudes, des connaissances et des comportements profondément ancrés et renforcés par l'environnement. Tant sur le plan individuel que sur le plan collectif par l'entremise de campagnes d'éducation en nutrition, il est souhaitable d'envisager l'alimentation dans une approche globale qui tient compte de l'ensemble des facteurs impliqués. En mangeant, l'être humain recherche naturellement divers plaisirs biopsychosociaux. Cet aspect ne devrait jamais être négligé lorsqu'un spécialiste intervient auprès d'une personne ou d'un groupe cible pour améliorer ses habitudes alimentaires.

Pour en savoir plus ● ● ●

Le système digestif

Comme tous les organismes pluricellulaires supérieurs, nous possédons un système digestif grâce auquel nous assimilons les nutriments contenus dans les aliments que nous ingérons. Comme les autres systèmes de notre organisme, le système digestif est constitué de tissus et d'organes qui s'acquittent de leurs tâches de manière ordonnée. Dans un premier temps, ces tissus et ces organes décomposent les aliments en les soumettant à un ensemble complexe de processus mécaniques et chimiques; c'est ce qu'on appelle la **digestion des aliments**. Cette étape libère des particules suffisamment petites pour être assimilées à l'intérieur de l'organisme; s'ensuit alors l'**absorption des nutriments**, que le système circulatoire se charge de distribuer dans tout l'organisme. L'absorption est un processus sélectif, dans la mesure où le système digestif assure la **protection du milieu intérieur** contre le passage de substances non désirées ou encore de micro-organismes.

Anatomie générale

Le système digestif est situé au centre du corps (voir la figure 1.3); il est composé du tube digestif et d'organes connexes. Le tube digestif d'un adulte mesure de 4 à 5 m (beaucoup plus lorsqu'il est mesuré après la mort). Il part de la bouche, passe par le pharynx, l'œsophage, l'estomac, l'intestin grêle, le côlon (gros intestin) et le rectum, et se termine par l'anus. Chaque segment du tube digestif a une structure anatomique particulière, qui le rend apte à s'acquitter d'opérations précises (voir la figure 1.4, à la page 16). Les aliments progressent à l'intérieur du tube digestif grâce à sa **motilité**, laquelle est assurée par les contractions involontaires du tissu musculaire qui entoure les différents segments.

D'autres organes, dont les glandes salivaires, le foie et le pancréas, sont reliés au tube digestif par des canaux. Ces organes sécrètent des substances qui participent à la digestion des aliments. Enfin, diverses hormones coordonnent les activités digestives. De plus, un circuit nerveux régule

Figure 1.3
Le système digestif

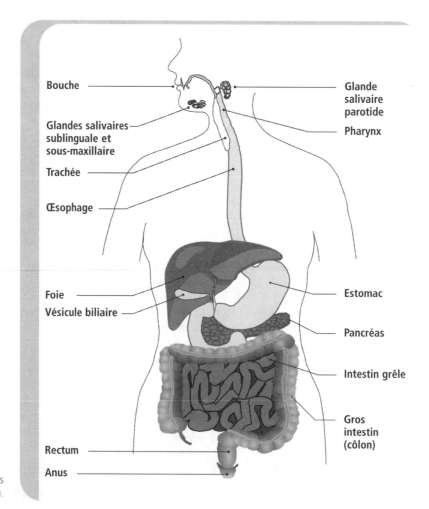

Source: Adapté de Vander et autres
(1995, p. 538).

simultanément la progression des aliments dans le tube digestif et la sécrétion des substances nécessaires à leur digestion.

La figure 1.4 résume brièvement les fonctions des différents segments du tube digestif. Examinons ce qui s'y passe lorsque nous consommons des aliments.

La bouche, le pharynx et l'œsophage

Le fractionnement mécanique et chimique des aliments commence dans la bouche. Les dents broient et déchirent les aliments pour qu'ils soient avalés sans difficulté. En même temps, les glandes salivaires sécrètent la **salive**. L'eau et le mucus de la salive humidifient et liquéfient les aliments. De plus, une enzyme de la salive, l'**amylase salivaire** (ou ptyaline), amorce la digestion de l'amidon, un composé qui entre dans la catégorie des glucides (voir le chapitre 3).

Toutes ces activités transforment les aliments en une masse appelée **bol alimentaire**. En s'appuyant contre le palais, la langue dirige le bol alimentaire vers le pharynx pour qu'il soit avalé. Le **réflexe de déglutition**, qui est aussitôt déclenché, assure la progression rapide du bol alimentaire à l'intérieur du pharynx. De concert avec certains muscles pharyngés, le palais mou (la partie postérieure du palais) obstrue l'orifice des fosses nasales, pendant que l'épiglotte (petit clapet cartilagineux) et les tissus entourant les cordes vocales empêchent le bol alimentaire de s'engager dans les voies respiratoires, l'obligeant plutôt à descendre dans l'**œsophage**. L'œsophage relie le pharynx à l'estomac ; il a la forme d'un tube et mesure environ 30 cm. Les aliments y sont acheminés jusqu'à l'estomac grâce à des ondes péristaltiques.

L'estomac

L'estomac est un sac formé en bonne partie de tissu musculaire, qui peut s'élargir pour recevoir de grandes quantités de nourriture. L'arrivée du bol alimentaire dans l'estomac provoque la sécrétion dans le sang d'une hormone, la **gastrine**, qui est synthétisée dans les glandes situées dans la paroi de l'estomac. En agissant sur certaines cellules de l'estomac, la gastrine stimule la production de **suc gastrique**, une solution riche en acide chlorhydrique (HCl) et en mucus. La vue des aliments et l'anticipation d'un repas stimulent aussi la production de suc gastrique.

En se contractant, les parois de l'estomac permettent au suc gastrique de s'amalgamer au bol alimentaire, le transformant en **chyme**. L'acide contenu dans le chyme atténue l'action de l'amylase salivaire, mais stimule celle de la **pepsine**, une enzyme sécrétée par l'estomac en même temps que le suc gastrique. Son activation permet d'y amorcer la digestion des protéines (voir le chapitre 5). Dans la partie supérieure de l'estomac, un sphincter (anneau musculaire), le **cardia**, empêche les aliments de remonter dans l'œsophage. À la base de l'estomac, un autre sphincter, le **pylore**, se charge de les évacuer ; sous la poussée d'ondes péristaltiques, le pylore s'ouvre et se referme, laissant passer chaque fois de petites quantités d'aliments partiellement digérées, qui se retrouvent dans l'intestin grêle.

L'intestin grêle (petit intestin)

L'intestin grêle (ou petit intestin) est l'endroit **par excellence de la digestion et de l'absorption**. Mesurant un peu plus de 2,5 m, l'intestin grêle se divise en trois parties : le **duodénum**, le **jéjunum** et l'**iléon**. Sa paroi interne présente de larges replis couverts de millions de petites papilles, nommées villosités. Les **villosités** ont un pourtour irrégulier, chacune d'entre elles se développant en centaines de microvillosités. Grâce à ces nombreux replis, l'intestin grêle a une surface d'absorption équivalente à 600 fois celle d'une surface lisse (voir la figure 1.5, à la page 17). Dépliée, cette surface équivaut à celle d'un court de tennis.

Lorsque le contenu de l'estomac atteint l'intestin grêle, sa muqueuse libère dans le sang deux hormones qui influent sur la fonction exocrine du **pancréas** (sa fonction endocrine fabrique l'insuline). Ces deux hormones stimulent la sécrétion de divers composés à l'intérieur du duodénum (la première portion de l'intestin grêle). Une première hormone, la **sécrétine**, entraîne la sécrétion d'ions bicarbonates, qui neutralisent l'acide contenu dans le chyme pour éviter qu'il n'endommage la muqueuse intestinale. Une seconde hormone, la **cholécystokinine (CCK)**, incite le pancréas à sécréter des enzymes digestives, dont l'activation dépend de la présence des ions bicarbonates. En plus d'agir au niveau du pancréas, la cholécystokinine pousse la **vésicule biliaire** à se contracter ; la bile fabriquée par le foie qui y est stockée est alors déversée dans le duodénum.

La motilité de l'intestin grêle permet au suc pancréatique et à la bile de se mêler au chyme. Leur action, conjuguée à celle des enzymes digestives produites par la muqueuse de l'intestin grêle, conduit à la digestion des glucides (voir le chapitre 3), des lipides (voir le chapitre 4) et des protéines (voir le chapitre 5) contenus dans les aliments ingérés. La plupart des nutriments ainsi libérés traversent la muqueuse de l'intestin grêle et sont absorbés dans l'organisme. Les nutriments hydrosolubles (les monosaccharides, les acides aminés, les vitamines hydrosolubles et les minéraux) passent directement dans le courant sanguin, qui les transporte au foie avant de les distribuer dans tout l'organisme. Les nutriments liposolubles (les triacylglycérols, le cholestérol, les phospholipides et les vitamines liposolubles) sont d'abord transportés dans le système lymphatique avant de rejoindre le courant sanguin.

La muqueuse de l'intestin grêle n'est pas complètement perméable. Les besoins de l'organisme déterminent en partie les quantités de nutriments qui la traversent. Pour être absorbés, les nutriments issus de la digestion utilisent différents mécanismes de transport : 1) le transport passif (par simple

Figure 1.4 La fonction des organes digestifs

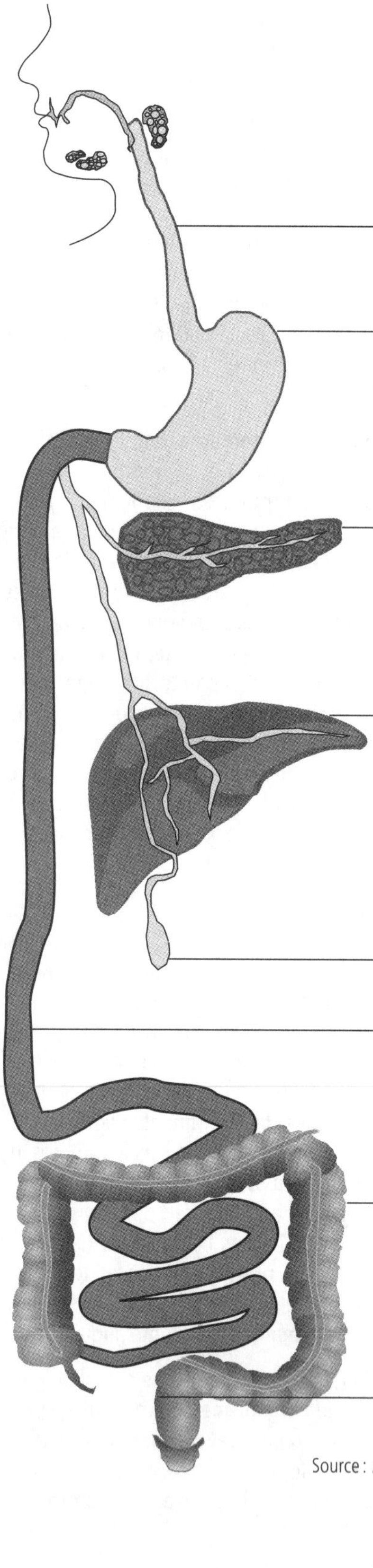

Organe	Sécrétions exocrines	Fonctions
Bouche et pharynx		Mastication (digestion mécanique; déclenchement du réflexe de déglutition)
Glandes salivaires	Sel et eau	Humectage des aliments
	Mucus	Lubrification
	Amylase	Enzyme de digestion des polysaccharides
Œsophage		Déplacement du bol alimentaire jusqu'à l'estomac à l'aide des ondes péristaltiques
	Mucus	Lubrification
Estomac		Mise en réserve, brassage et dissolution des aliments, et début de leur digestion; régulation de l'évacuation des aliments dissous dans l'intestin grêle
	HCl	Solubilisation des particules alimentaires
	Pepsine	Enzyme de digestion des protéines
	Mucus	Lubrification et protection de la surface épithéliale
Pancréas		Sécrétion d'enzymes et d'ions bicarbonate; fonctions endocrines non digestives
	Enzymes	Digestion des glucides, des lipides, des protéines et des acides nucléiques
	Bicarbonates	Neutralisation de l'acide chlorhydrique pénétrant dans l'intestin grêle en provenance de l'estomac
Foie		Sécrétion de la bile; plusieurs autres fonctions non digestives
	Sels biliaires	Émulsification des lipides
	Bicarbonates	Neutralisation de l'acide chlorhydrique pénétrant dans l'intestin grêle en provenance de l'estomac
	Produits de déchets organiques et oligoéléments	Élimination dans les fèces
Vésicule biliaire		Mise en réserve et concentration de la bile entre les repas
Intestin grêle		Digestion et absorption de la plupart des substances; brassage et propulsion du contenu
	Enzymes	Digestion des aliments
	Sel et eau	Maintien de la fluidité du contenu luminal
	Mucus	Lubrification
Gros intestin (côlon)		Mise en réserve, concentration et fermentation des matières non digérées; brassage et propulsion du contenu
	Mucus	Lubrification
Rectum		Défécation

Source: Adapté de Vander et autres. *Physiologie humaine*, 3ᵉ éd., Montréal, Chenelière/McGraw-Hill, 1995, p. 541.

Figure 1.5   La structure de la muqueuse de l'intestin grêle

Les replis de la muqueuse recouvrant l'intérieur de l'intestin grêle sont appelés valvules conniventes. Les extensions à la surface des valvules conniventes se nomment villosités. Les villosités sont constituées d'une seule couche de cellules muqueuses ; la partie de la membrane cellulaire située du côté luminal est elle-même formée de microvillosités. Tous ces replis augmentent d'environ 600 fois la surface d'absorption de l'intestin grêle.

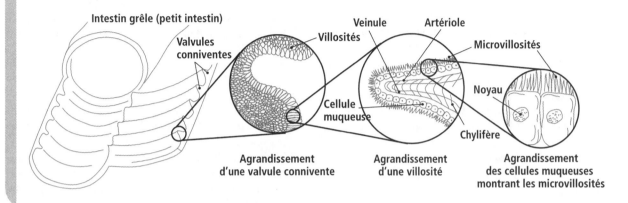

diffusion), 2) le transport facilité par un transporteur ou 3) le transport actif nécessitant, en plus d'un transporteur, un apport d'énergie. La muqueuse intestinale agit aussi comme une barrière, car elle possède de nombreux mécanismes de défense contre des micro-organismes pathogènes et contre le passage de substances étrangères. De fait, l'intestin est maintenant considéré comme le principal organe du système immunitaire humain.

Le côlon (gros intestin)

Le côlon (ou gros intestin) est plus court mais de plus fort calibre que l'intestin grêle. Aucune enzyme digestive n'est sécrétée dans le côlon. Son rôle est de récupérer les résidus du chyme et de les préparer pour l'**élimination**. Afin de concentrer les résidus, la majeure partie de l'eau qui entre dans le côlon traverse la muqueuse et est absorbée dans l'organisme.

Avant d'être éliminés, les résidus du chyme sont métabolisés en partie par l'importante **flore bactérienne** qui habite normalement le côlon (voir le chapitre 3). Plus de 400 espèces bactériennes composeraient cette flore, dont l'activité métabolique s'avère généralement bénéfique. Certains des produits résultant de ces réactions de fermentation sont absorbés dans l'organisme. Les résidus du chyme qui ne sont pas dégradés se joignent à des bactéries pour former les matières fécales, éliminées par l'anus. Chez une personne en santé, il s'écoule de 55 à 72 heures entre l'ingestion alimentaire et l'expulsion des matières fécales qui en résultent ; c'est à l'intérieur du côlon que le séjour des constituants alimentaires est le plus long.

Résumé

La **nutrition** est une science relativement jeune qui s'inspire de nombreuses disciplines. Elle étudie comment nous nous procurons notre nourriture, de quoi se compose cette nourriture, comment nous parvenons à absorber les nutriments qui y sont contenus et comment notre organisme utilise ces nutriments.

Un **aliment** est une substance, solide ou liquide, qui sert de nourriture à notre organisme. La définition d'un aliment comporte aussi une dimension culturelle, puisqu'il

peut être accepté comme tel dans certaines cultures mais rejeté dans d'autres.

Les aliments sont constitués d'une multitude de composés chimiques. Hormis l'eau, presque tous ces composés sont de nature organique ; plusieurs entrent dans l'une des catégories suivantes : les glucides, les lipides ou les protéines. Parce qu'ils sont des constituants alimentaires quantitativement importants, l'eau, les glucides, les lipides et les protéines forment ce qu'on appelle les **macronutriments** (voir le tableau 1.2, à la page 4). Un très grand nombre de substances sont présentes en petites quantités dans les aliments. Ces substances comprennent les **micronutriments essentiels**, les vitamines et les minéraux, ainsi que divers autres constituants qui ne sont pas considérés comme indispensables à l'organisme humain (voir le tableau 1.1, à la page 2).

Le **système digestif** sert à fractionner les aliments pour que l'organisme puisse assimiler leurs nutriments. Il est constitué de tissus et d'organes qui décomposent les aliments en les soumettant à un ensemble complexe de processus mécaniques et chimiques ; c'est ce qu'on appelle la **digestion des aliments**. Cette étape libère des particules suffisamment petites pour être assimilées dans l'organisme ; s'ensuit alors l'**absorption des nutriments**, que le système circulatoire se charge de distribuer dans tout le corps. Diverses hormones coordonnent les activités digestives.

Les nutriments remplissent diverses **fonctions** à l'intérieur de l'organisme : ils constituent une **source d'énergie**, ils forment des **éléments de structure organique** et servent de **catalyseurs** aux nombreuses réactions métaboliques qui s'y déroulent. Le manque ou l'excès d'un nutriment dans l'alimentation peut donc avoir de nombreuses conséquences.

L'**évaluation de l'apport alimentaire** d'une personne peut constituer un bon indice de l'état de ses réserves nutritionnelles. Pour dresser un bilan aussi représentatif que possible de l'alimentation habituelle d'un individu, on peut utiliser diverses méthodes, comme l'**histoire diététique**, le **questionnaire de fréquence de consommation** et le **journal alimentaire**. Pour évaluer la consommation alimentaire d'une population, il existe d'autres outils, dont le **rappel de 24 heures**.

Pour analyser un bilan alimentaire, on se sert le plus souvent de **tables de composition des aliments**. Les valeurs inscrites dans ces tables correspondent généralement à des moyennes qui tiennent compte de facteurs pouvant modifier la composition des aliments. Au Canada, les tables de composition des aliments sont compilées à partir d'une banque de données gérée par Santé Canada et connue sous le nom de **Fichier canadien sur les éléments nutritifs**. Des **logiciels** permettent d'analyser un bilan alimentaire à partir d'une banque informatisée de données tirées du Fichier canadien sur les éléments nutritifs.

On peut évaluer un bilan alimentaire en comparant les quantités d'énergie et d'éléments nutritifs qui y sont contenues avec les **besoins nutritionnels** de la personne sur qui porte l'évaluation. Toutefois, plusieurs facteurs peuvent modifier les besoins nutritionnels. Pour évaluer correctement l'état nutritionnel d'un individu, les nutritionnistes n'évaluent donc pas seulement son apport alimentaire. Ils tiennent compte également de son **histoire médicale** et de **mesures anthropométriques**. Lorsqu'ils soupçonnent qu'une personne souffre de malnutrition, les nutritionnistes procèdent à un **examen physique** qui leur permet d'identifier les symptômes et signes cliniques pouvant être liés à un déséquilibre nutritionnel. Au besoin, leur interprétation de l'état nutritionnel d'une personne se fonde sur les résultats de **tests biochimiques** effectués sur des échantillons de sang et d'urine. Enfin, dans certains cas, les nutritionnistes ont aussi recours à des **tests fonctionnels**.

Bien qu'il soit parfois souhaitable de modifier nos habitudes alimentaires, la tâche s'avère souvent difficile en raison de la complexité du **comportement alimentaire humain**. En effet, de nombreux facteurs modulent nos choix d'aliments et les quantités que nous ingérons. En mangeant, l'être humain recherche naturellement divers plaisirs biopsychosociaux. Cet aspect ne devrait jamais être négligé lorsque nous intervenons auprès d'une personne ou d'un groupe ciblé pour améliorer ses habitudes alimentaires.

Références

BERGSTROM, I.L.M. « Are we measuring what we intend to measure ? Different techniques of food preparation and cooking : implication for dietary surveys », *Proceedings of the Nutrition Society*, vol. 55, 1996, p. 671-678.

BINGHAM, S.A. et autres. « Comparison of dietary assessment methods in nutritional epidemiology : weighed records v. 24 h recalls, food-frequency questionnaires and estimated-diet records », *The British Journal of Nutrition*, vol. 72, 1994, p. 619-643.

BOURLIOUX, P. et autres. « The intestine and its microflora are partners for the protection of the host », *American Journal of Clinical Nutrition*, vol. 78, 2003, p. 675-683.

BRAY, G.A. « On the shoulders of giants », *American Journal of Clinical Nutrition*, vol. 48, 1988, p. 929-935.

CARPENTER, K.J., A.E. HARPER et R.E. OLSON. « Experiments that changed nutritional thinking », *Journal of Nutrition*, vol. 127, suppl., 1997, p. 1017S-1053S.

CYPEL, Y.S. et M.J. SLESINSKI. « Individual dietary intake methods : considerations for clinicians », *Topics in Clinical Nutrition*, vol. 9, n° 3, 1994, p. 56-63.

FISCHLER, C. *L'Homnivore*, Paris, Odile Jacob, 1990 ; coll. Poche, Odile Jacob, 2001.

FRENCH, S.A., M. STORY et R.W. JEFFERY. « Environmental influences on eating and physical activity », *Annual Review of Public Health*, vol. 22, 2001, p. 309-35.

FURST, T. et autres. « Food choice : A conceptual model of the process », *Appetite*, vol. 26, 1996, p. 247-266.

HESS, M.A. « Taste : The neglected nutritional factor », *Journal of the American Dietetic Association*, vol. 97, suppl. 2, 1997, p. S205-S207.

KUBENA, K. « Accuracy in dietary assessment : on the road to good science », *Journal of the American Dietetic Association*, vol. 100, n° 7, 2000, p. 775-776.

LAPPALAINEN, R. et autres. « Difficulties in trying to eat healthier : descriptive analysis of perceived barriers for healthy eating », *European Journal of Clinical Nutrition*, vol. 51, suppl. 2, 1997, p. S36-S40.

LETARTE, A., L. DUBÉ et V. TROCHE. « Similarities and differences in affective and cognitive origins of food likings and dislikes », *Appetite*, vol. 28, 1997, p. 115-129.

LIVINGSTONE, M. et A.E. BLACK. « Markers of the validity of reported energy intake », *Journal of Nutrition*, vol. 133, 2003, p. 895S-920S.

NADEAU, M.H. et M. LEDOUX. « L'évaluation nutritionnelle : aspects cliniques et anthropométriques », *Nutrition ? science en évolution*, vol. 1, 2003, p. 10-13.

NESTLE, M. *Food Politics : How the Food Industry Influences Nutrition and Health*, University of California Press, 2002.

OLSON, R.E. « Evolution of nutrition research », In *Present Knowledge in Nutrition*, 6ᵉ éd., M.L. Brown (réd.), Washington, D.C., International Life Sciences Institute, 1990, chap. 59.

PETIT, J. « Facteurs environnementaux de l'alimentation et attitudes alimentaires », *Manger en garderie : un art de vivre au quotidien*, Laval, Beauchemin, 1994, p. 211-215.

PETIT, J. « Facteurs psychologiques de l'alimentation et attitudes alimentaires », *Manger en garderie : un art de vivre au quotidien*, Laval, Beauchemin, 1994, p. 10-29.

ROSS, S.A. et autres. « New technologies for nutrition research », *Journal of Nutrition*, vol. 134, 2004, p. 681-685.

ROZIN, P. « Sociocultural influences on human food selection », dans Capaldi, E.D. *Why we eat what we eat - The psychology of eating*, Washington, American Psychological Association, 1996.

SANTÉ CANADA. *La santé de la population – Qu'est-ce qui détermine la santé ?*, 2004. Site Internet : <www.hc-sc.gc.ca>.

VANDER, A.J. et autres. *Physiologie humaine*, 3ᵉ éd., Montréal, Chenelière/McGraw-Hill, 1995.

ZEISEL, S.H. et autres. « Nutrition : a reservoir for integrative science », *Journal of Nutrition*, vol. 131, 2001, p. 1319-1321.

Ressources supplémentaires

Services correctionnels du Canada – Régimes alimentaires religieux :
www.csc-scc.gc.ca/text/prgrm/chap/diet/diete-05_f.shtlm

Fichier canadien sur les éléments nutritifs, 2005
(données sur la valeur nutritive des aliments) :
www.santecanada.gc.ca/fcenenligne

Sites Internet recommandés dans le domaine de la nutrition

Conseil canadien des aliments et de la nutrition :
www.ccfn.ca

Extenso – Centre de référence sur la nutrition humaine
(affilié à l'Université de Montréal) :
www.extenso.org

Gouvernement du Québec : Campagne « Vas-y, fais-le
pour toi ! »
   Site de la campagne : www.vasy.gouv.qc.ca
   Site consacré à la nutrition et à l'alimentation :
   www.msss.gouv.qc.ca/nutrition

Les diététistes du Canada : www.dietitians.ca

L'Ordre professionnel des diététistes du Québec :
www.opdq.org

Réseau canadien de la santé :
www.canadian-health.network.ca

Partie 1

L'énergie
et les nutriments

Chapitre 2

L'énergie

Le changement est l'essence même de la vie. C'est en étant en continuelle transformation que la matière vivante se définit. Or l'énergie est nécessaire au changement.

Les organismes vivants ont besoin d'énergie pour croître, se reproduire, se mouvoir et assurer leur intégrité. Ainsi, toutes les cellules de l'organisme humain utilisent de l'énergie. Elles en consomment à la fois pour remplir leurs fonctions particulières et pour assurer la régulation de leurs activités fondamentales.

Pour équilibrer ces dépenses énergétiques, l'organisme doit se procurer de l'énergie nouvelle. Comme sources d'énergie, il utilise trois catégories de composés organiques – les glucides, les lipides et les protéines – en raison de leur richesse en liens carbone-hydrogène. Plusieurs vitamines et minéraux interviennent dans les processus visant à libérer l'énergie que ces nutriments contiennent.

Ce chapitre étudie les facteurs qui influencent le bilan énergétique global et la façon dont l'organisme utilise l'énergie que lui procurent les aliments. Il traite également d'un sujet qui est source de bien des préoccupations, celui du contrôle du poids corporel.

Les formes d'énergie utiles au monde vivant

Les organismes vivants tirent l'énergie dont ils ont besoin de diverses sources. Les plantes, qui sont des organismes phototrophes, captent directement l'**énergie rayonnante** du soleil grâce à des molécules spéciales, comme la chlorophylle. Elles s'en servent pour élaborer, à partir de l'eau (H_2O) et du gaz carbonique (CO_2), les composés organiques essentiels à leur croissance et à leur fonctionnement ; ce processus, appelé photosynthèse, libère de l'oxygène (O_2) dans l'air (voir le chapitre 3).

L'énergie emmagasinée à l'intérieur des molécules organiques est de l'**énergie chimique**. C'est ce type d'énergie que les animaux (y compris l'être humain) utilisent ; pour cette raison, on dit qu'ils sont des organismes chimiotrophes. Grâce à un système enzymatique complexe, ils dégradent, par divers processus oxydatifs, les molécules organiques qu'ils ingèrent ou puisent à même leurs réserves. De là le rôle essentiel de l'oxygène dans la respiration animale, rôle qui a été élucidé au XVIIIe siècle par le chimiste français Antoine Laurent de Lavoisier.

Une partie de l'énergie libérée par l'oxydation de la matière organique est inévitablement transformée en **énergie thermique (chaleur)**, contribuant ainsi au maintien de la température de l'organisme. Le reste est conservé sous forme d'énergie chimique, par la synthèse de nouvelles molécules, ou est transformé, soit en **énergie mécanique**, ce qui permet à l'organisme de se mouvoir, soit en **énergie électrique**, nécessaire à la transmission nerveuse. Éventuellement, toute l'énergie tirée de la matière organique est transformée en énergie thermique.

Les unités de mesure de l'énergie

Deux unités de mesure de l'énergie sont employées en nutrition, le **kilojoule (kJ)** et la **kilocalorie (kcal)**. Le joule (0,001 kJ) et la calorie (0,001 kcal) sont des unités beaucoup trop petites pour quantifier l'énergie emmagasinée dans la matière organique ou celle dépensée par l'organisme humain (voir l'encadré *Calorie ou kilocalorie ?*, à la page suivante).

Le **kilojoule (kJ)** permet de quantifier diverses formes d'énergie. Au Canada, cette unité de mesure est reconnue officiellement depuis 1979, année où la Commission sur le système métrique adoptait le Système international (SI) d'unités de mesure. Lorsque la quantité d'énergie mesurée s'élève à plusieurs milliers de kilojoules, on peut utiliser le **mégajoule (MJ)**, qui équivaut à 1000 kilojoules.

Quant à la **kilocalorie (kcal ou Cal)**, l'unité traditionnelle en nutrition, elle sert uniquement à mesurer l'énergie thermique. Les premiers nutritionnistes utilisaient la kilocalorie pour quantifier la chaleur dégagée par la combustion des aliments ou par le corps humain. Ils arrivaient ainsi à déterminer la valeur énergétique des aliments et la dépense d'énergie de l'organisme. Pour cette raison, la kilocalorie demeure populaire dans le langage courant (voir l'encadré *Calorie ou kilocalorie ?*).

Les règles de conversion des unités de mesure de l'énergie sont les suivantes :

$$1 \text{ kilocalorie (kcal)} = 4,184 \text{ kilojoules (kJ)}$$
$$1 \text{ kilojoule (kJ)} \quad = 0,239 \text{ kilocalorie (kcal)}$$
$$1 \text{ mégajoule (MJ)} = 1000 \text{ kilojoules (kJ)}$$

L'équation énergétique

Pour maintenir son intégrité, un animal qui a terminé sa croissance doit se procurer régulièrement, sous forme de matière organique, une quantité d'énergie équivalente à celle qu'il dépense. L'**apport d'énergie** et la **dépense d'énergie** sont les deux variables de l'équation suivante, qui permet d'établir le bilan énergétique d'un organisme :

$$\text{Bilan énergétique} = \text{apport d'énergie} - \text{dépense d'énergie}$$

Calorie ou kilocalorie ?

Les formes d'énergie dans le monde vivant se quantifient à l'aide d'unités de mesure, dont le joule et la calorie. Le **joule (J)** permet de mesurer plusieurs formes d'énergie, y compris l'énergie thermique ; un joule équivaut au travail produit par l'application d'une force de un newton sur une distance de un mètre. Quant à la **calorie (cal)**, elle sert uniquement à mesurer l'énergie thermique ; une calorie équivaut à la quantité de chaleur nécessaire pour élever la température de un gramme d'eau de un degré Celsius dans des conditions standardisées.

Le joule et la calorie, des unités extrêmement petites, ne sont pas pratiques en nutrition. C'est pourquoi on utilise plutôt le **kilojoule (kJ)** et la **kilocalorie (kcal)**, qui équivalent respectivement à 1000 joules et à 1000 calories. Soulignons qu'il existe deux abréviations pour désigner la kilocalorie : « kcal » et « **Cal** » (avec un c majuscule), une abréviation différente de « cal » (avec un c minuscule), qui désigne la petite calorie. Dans le langage populaire, le terme « calorie » fait nécessairement référence à la kilocalorie, appelée aussi grande calorie.

Lorsque la quantité d'énergie qu'un organisme ingère ne lui permet pas de combler sa dépense d'énergie, son bilan énergétique est négatif ; il doit alors puiser dans ses réserves, et sa masse corporelle diminue. À l'inverse, lorsque l'apport d'énergie excède la dépense d'énergie, le bilan énergétique est positif ; l'organisme ajoute le surplus à ses réserves, et sa masse corporelle augmente. Pour établir le bilan énergétique d'une personne, il importe donc de bien connaître chacune des composantes de l'équation énergétique.

L'apport énergétique

Les aliments procurent à l'organisme l'énergie dont il a besoin. Ils sont constitués d'une multitude de composés organiques, dont plusieurs peuvent être utilisés comme source d'énergie. Ces composés sont habituellement regroupés, selon leur ressemblance chimique, en trois grandes classes de nutriments énergétiques : les **glucides**, les **lipides (graisses)** et les **protéines**. L'alcool (l'éthanol) contenu dans certaines boissons est également utilisé comme source d'énergie.

La dégradation de ces molécules riches en énergie est amorcée dans le tube digestif par la digestion des aliments (voir le chapitre 1). Les produits qui en résultent sont ensuite absorbés dans l'organisme et acheminés par voie sanguine aux cellules, qui en assument la combustion. En effet, la machinerie cellulaire est dotée d'un système enzymatique complexe, particulièrement efficace pour libérer l'énergie contenue dans la matière organique (voir l'encadré *La production d'énergie à l'intérieur de la cellule*, à la page 27). Une partie de cette énergie est inévitablement dissipée sous forme de chaleur. Les cellules récupèrent ce qui reste en le stockant temporairement à l'intérieur d'un intermédiaire chimique, l'**adénosine triphosphate** ou **ATP**. L'ATP est la forme sous laquelle les cellules utilisent l'énergie. Les molécules d'ATP servent en quelque sorte de monnaie d'échange de l'énergie pour la réalisation des divers processus métaboliques.

La valeur énergétique des aliments

Les travaux visant à déterminer la valeur énergétique des aliments se sont amorcés au XIXᵉ siècle. On procédait alors par **calorimétrie**, c'est-à-dire qu'on mesurait la quantité de chaleur provenant de la combustion complète des aliments dans une **bombe calorimétrique** (voir la figure 2.1). Il s'agit d'un appareil à l'intérieur duquel se trouve un compartiment en acier qui contient de l'oxygène, un élément indispensable pour oxyder (« brûler ») la matière organique et libérer l'énergie

Figure 2.1
Une bombe calorimétrique

Dans une bombe calorimétrique, on détermine la chaleur qui se dégage de la combustion complète d'un aliment en mesurant l'élévation de la température de l'eau entourant le compartiment où brûle l'aliment.

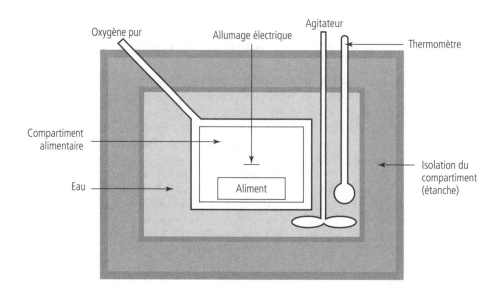

Figure 2.2
La détermination de la valeur énergétique des nutriments à partir de leur chaleur de combustion

Chaleur de combustion (kcal/g)

Glu 4,10	Lip 9,45	Pro 5,65	EtOH 7,10

↓   ↓   ↓   ↓

Pertes d'énergie dans les matières fécales et dans l'urine

↓

Valeur énergétique physiologique (kcal/g)

Glu 4,0	Lip 9,0	Pro 4,0	EtOH 7,0

(kJ/g)

Glu 17,0	Lip 37,0	Pro 17,0	EtOH 29,0

Légende
Glu = glucides
Lip = lipides
Pro = protéines
EtOH = alcool (éthanol)

qu'elle renferme. On y place une petite quantité d'un aliment donné, puis on actionne un système d'allumage qui déclenche sa combustion. Pour évaluer la valeur énergétique de l'aliment, on mesure la variation de température de l'eau dans laquelle baigne le compartiment qui renferme l'aliment ; bonne conductrice, cette eau sert à absorber la **chaleur de combustion**. Une autre méthode, l'oxycalorimétrie, consiste à mesurer la quantité d'oxygène nécessaire à la combustion complète d'un aliment.

La calorimétrie permet de mesurer la **chaleur de combustion** des aliments, c'est-à-dire leur valeur énergétique potentielle. Toutefois, l'organisme n'utilise pas la totalité de l'énergie emmagasinée à l'intérieur des aliments. En effet, il ne digère ni n'absorbe entièrement les aliments ingérés. De plus, une fois absorbés, certains nutriments énergétiques ne sont que partiellement utilisés comme source d'énergie.

Pour évaluer de façon plus juste la valeur énergétique des aliments à l'intérieur de l'organisme, on a donc pris en compte la façon dont ce dernier utilise les différents types de nutriments énergétiques contenus dans les aliments (voir la figure 2.2 ci-contre). Pour ce faire, on a d'abord mesuré séparément la chaleur de combustion des glucides, des lipides, des protéines et de l'alcool. Puis, on a procédé à des études métaboliques permettant de mesurer les pertes fécales et urinaires pour chaque classe de nutriments ingérés. En tenant compte du potentiel énergétique que représentent ces pertes, on en est arrivé à établir pour chaque classe de nutriments la **valeur énergétique physiologique**, soit la quantité d'énergie utilisable par l'organisme. Ainsi, on évalue à 4 kcal (17 kJ) la quantité d'énergie que procure un gramme de glucides. La valeur énergétique physiologique des protéines est identique, soit 4 kcal (17 kJ) au gramme. Dans le cas des lipides, la valeur est de 9 kcal (37 kJ) au gramme, tandis que pour l'alcool, elle est de 7 kcal (29 kJ) au gramme. Ces valeurs sont aussi appelées **facteurs énergétiques**.

La figure 2.2 montre que les glucides et les lipides contenus dans les aliments sont relativement bien utilisés par l'organisme ; leur chaleur de combustion n'excède que de peu leur valeur énergétique physiologique. Dans le cas des protéines, la valeur énergétique physiologique équivaut à une réduction d'environ 30 % de la chaleur de combustion. En effet, lorsque les protéines sont utilisées comme source d'énergie dans l'organisme, seulement une partie de leur structure est oxydée à cette fin ; le reste est rejeté dans l'urine sous forme d'urée (voir le chapitre 5).

La production d'énergie à l'intérieur de la cellule

Les cellules de l'organisme tirent la majeure partie de l'énergie nécessaire au maintien de leur intégrité de trois classes de composés organiques : les glucides, les lipides et les protéines (voir la figure 2.3). La dégradation de ces composés est assurée par des réactions chimiques qui nécessitent de l'oxygène et conduisent principalement à la production de gaz carbonique (CO_2) et d'eau.

Figure 2.3   Les principales voies métaboliques permettant l'utilisation de l'énergie chimique contenue dans les glucides, les lipides et les protéines

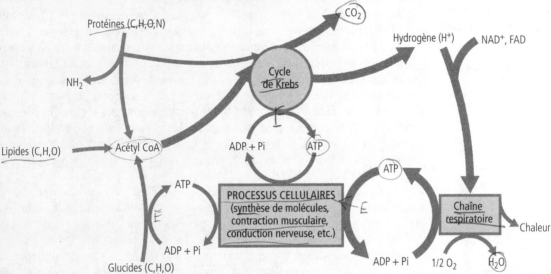

Bien que la structure chimique des composés énergétiques diffère selon la classe à laquelle ils appartiennent, ils sont tous principalement constitués d'atomes de carbone, d'oxygène et d'hydrogène. Si bien qu'une fois leur dissociation amorcée ils sont transformés en composés intermédiaires similaires. Dans le cas des protéines, la phase initiale de la dissociation libère en plus le groupement azoté (NH_2) propre à la structure protéique (voir le chapitre 5).

Le principal composé intermédiaire se formant au cours de la dégradation des glucides, des lipides et des protéines est l'**acétylcoenzyme A (acétyl CoA)**. Sa formation se fait à l'aide de la coenzyme A, elle-même dérivée de l'acide pantothénique, une vitamine du groupe B. Dans les mitochondries des cellules, l'acétyl CoA et les autres produits intermédiaires du catabolisme des nutriments énergétiques sont totalement dégradés grâce à une série d'enzymes qui forment ce qu'on appelle le **cycle de Krebs**, ou **cycle des acides tricarboxyliques**. À l'intérieur de cette voie métabolique, ces composés sont dégradés par petites étapes. Le cycle complet entraîne la production de gaz carbonique et la libération graduelle d'atomes d'hydrogène riches en énergie libre.

Une fois libérés, les atomes d'hydrogène sont captés par des coenzymes, la NAD⁺ et la FAD, dérivées respectivement de la niacine et de la riboflavine, deux vitamines du groupe B. Ces coenzymes suivent alors une deuxième voie métabolique, où

entrent en action une série d'enzymes contenant du fer et du cuivre et formant ce qu'on appelle la **chaîne respiratoire**. Dans cette voie, les atomes d'hydrogène se combinent à l'oxygène pour former de l'eau, une réaction qui libère de l'énergie.

C'est donc la formation d'eau qui contribue le plus à libérer l'énergie provenant de la dégradation de la matière organique. Toutefois, la réaction entre l'oxygène et l'hydrogène n'est pas directe ; autrement, la quasi-totalité de l'énergie libérée se dissiperait alors sous forme de chaleur. Le passage des atomes d'hydrogène à l'intérieur de la chaîne respiratoire permet de libérer leur énergie de façon graduelle. De cette façon, presque la moitié de l'énergie libérée est captée par la formation d'**adénosine triphosphate (ATP)** à partir d'**adénosine diphosphate (ADP)**.

L'ADP renferme deux molécules de phosphate. Quand une troisième molécule de phosphate s'ajoute à ces dernières, l'énergie est enfermée dans la nouvelle liaison chimique qui se forme. On obtient alors de l'ATP, principale molécule porteuse de l'énergie provenant de la dégradation de la matière organique. En se départant d'un groupement phosphate, l'ATP transmet cette énergie aux processus cellulaires qui en ont besoin, et l'ADP est régénérée. De petites quantités d'ATP sont également produites à différentes étapes de la dégradation des molécules énergétiques.

La capacité de production de l'ATP à l'intérieur de la chaîne respiratoire peut varier. Par exemple, certaines substances pharmacologiques, comme la caféine et la nicotine, diminuent la production d'ATP, ce qui se traduit par une plus grande dissipation de l'énergie sous forme de chaleur. Des facteurs génétiques influenceraient également l'efficacité de la production de l'ATP à l'intérieur de la chaîne respiratoire.

**Figure 2.4
La comparaison de la valeur énergétique de deux aliments**

La valeur énergétique d'un aliment dépend des proportions relatives de glucides, de lipides (graisses) et de protéines qu'il renferme ; l'eau ne constitue pas une source d'énergie pour l'organisme.

Glucides	1,3 %
Lipides	33,1 %
Protéines	24,9 %
Eau	36,8 %
Énergie	403 kcal

100 g de fromage cheddar

Glucides	20,0 %
Lipides	0,1 %
Protéines	1,7 %
Eau	77,5 %
Énergie	86 kcal

100 g de pomme de terre bouillie

Le calcul de la valeur énergétique d'un aliment

Maintenant que l'on connaît précisément la valeur énergétique physiologique des différentes classes de nutriments énergétiques, il n'est plus nécessaire de recourir à la calorimétrie pour quantifier l'énergie alimentaire. Il suffit de mesurer les quantités (en grammes) de glucides, de lipides, de protéines et, au besoin, d'alcool contenues dans un aliment et de les multiplier par leur facteur énergétique respectif. La somme des valeurs obtenues correspond à la valeur énergétique totale de l'aliment. Ainsi, sachant qu'un œuf de gros calibre contient 1 g de glucides, 5 g de lipides et 6 g de protéines, on évaluera à 4 kcal la part de l'énergie provenant des glucides, à 45 kcal celle provenant des lipides et à 24 kcal celle provenant des protéines. En additionnant les trois parts, on obtient la valeur énergétique totale de l'œuf, soit 73 kcal (305 kJ)[1].

La valeur énergétique d'un aliment dépend donc de la nature des nutriments énergétiques qu'il renferme et de leurs quantités. Un aliment composé exclusivement de lipides, comme l'huile végétale, est nécessairement plus concentré en énergie qu'un aliment exclusivement composé de glucides, comme le sucre blanc. De plus, la valeur énergétique des aliments varie selon leur teneur en eau. Un aliment riche en eau contient proportionnellement moins de nutriments énergétiques qu'un aliment pauvre en eau. La figure 2.4 permet de comparer la valeur énergétique de deux aliments, le cheddar et la pomme de terre bouillie, dont les teneurs en nutriments énergétiques et en eau diffèrent. Le cheddar, riche en lipides et en protéines et pauvre en glucides, fournit plus d'énergie qu'une quantité équivalente de pomme de terre. Plus riche en glucides et en eau, la pomme de terre contient beaucoup moins de protéines et, surtout, de lipides.

L'évaluation de l'apport en énergie

La valeur énergétique des aliments apparaît dans les tables de composition des aliments, dans les banques de données contenues dans les logiciels d'analyse nutritionnelle ainsi que sur l'étiquette de la plupart des produits préemballés. On peut donc calculer l'apport en énergie du régime alimentaire d'une personne en faisant un bilan le plus représentatif possible de sa consommation habituelle d'aliments, une tâche souvent complexe (voir le chapitre 1). Il suffit ensuite d'additionner la valeur énergétique des aliments consommés pour obtenir l'apport total en énergie, généralement exprimé sur une base quotidienne.

La dépense énergétique totale (DÉT)

L'organisme utilise l'énergie qu'il tire des aliments de bien des manières. Pour simplifier les choses, on divise souvent sa **dépense énergétique totale (DÉT)** en trois composantes : le métabolisme de base, l'activité physique et l'effet thermique de l'alimentation.

---

1. Soulignons qu'il s'agit d'une valeur approximative. Dans les tables de composition, on établit la valeur énergétique des aliments en mesurant très précisément (sans arrondir) les quantités de nutriments énergétiques qui y sont contenues. De plus, on tient compte du fait que les facteurs énergétiques propres à chaque catégorie de nutriments énergétiques diffèrent légèrement selon l'aliment dans lequel ils se trouvent.

Le métabolisme de base (MB)

Le métabolisme de base (MB)[2] correspond à la quantité d'énergie qu'un organisme à jeun et éveillé dépense lorsqu'il est maintenu à la température ambiante dans un état de repos physique et mental. Le MB représente donc la somme quasi minimale d'énergie dont les cellules ont besoin, car il excède de peu la dépense énergétique qui s'effectue pendant le sommeil dans des conditions similaires. **Chez la majorité des gens, le MB représente la composante la plus importante de la dépense énergétique totale (DÉT).**

Le MB permet l'entretien des tissus, le maintien de la température corporelle et la réalisation des fonctions physiologiques indispensables, comme la respiration, la circulation et la filtration du sang, l'activité nerveuse et hormonale. Le tableau 2.1 indique la contribution relative de divers tissus et organes au MB. Nous pouvons constater que ce sont les organes, notamment le foie, le cerveau, le cœur et les reins, qui contribuent le plus à cette dépense (un peu plus de 50 % dans leur ensemble), en dépit du fait qu'ils ne représentent qu'une faible proportion de la masse totale de l'organisme (seulement 5 %). L'activité métabolique particulièrement élevée de ces organes explique leur forte contribution au MB. Viennent ensuite les muscles, dont l'activité métabolique est moindre que celle des organes, mais qui, en raison de leur masse, contribuent de façon significative à la dépense énergétique de base ; même au repos, les muscles maintiennent leur tonus et un certain état de contraction. Tous ces tissus et organes forment la majeure partie de la **masse active**. Le tissu adipeux, qui renferme la graisse corporelle, n'est pas compris dans la masse active, car son activité métabolique est relativement faible.

TABLEAU 2.1
La contribution de divers organes et tissus au métabolisme de base (MB) d'un homme adulte pesant environ 75 kg

Organes et tissus	Poids* (kg)	Taux métabolique (kcal/kg/jour)	Dépense énergétique (kcal/jour)	Contribution au MB (%)
Foie	1,8	200	360	20
Cerveau	1,6	240	385	21
Cœur	0,3	440	135	7,5
Reins	0,3	440	135	7,5
Muscles	33-34	13	430-440	24
Tissu adipeux (graisse)	13-14	5	65-70	3,5
Autres organes et tissus**	25	12	300	16,5
			= 1810-1825	

* Données obtenues à l'aide de l'imagerie par résonance magnétique.

** Incluent les intestins, le pancréas, les poumons, la peau, le sang, les glandes endocrines et le tissu conjonctif.

Source : Adapté de Müller, M.J. et autres (2002).

2. La quantité d'énergie dépensée par l'organisme pour le maintien des processus vitaux est aussi appelée « métabolisme de repos » (MR). Les conditions dans lesquelles le MB et le MR sont mesurés diffèrent légèrement. Le MB est mesuré le matin après une période de jeûne d'au moins 12 heures. Le MR peut être mesuré à différents moments de la journée et seulement trois ou quatre heures après le dernier repas. Pour cette raison, le MR excède légèrement (de 10 à 20 %) le MB.

La mesure du métabolisme de base

Les premières recherches visant à évaluer le MB utilisaient la **calorimétrie directe**. Cette méthode consistait à mesurer, en un temps donné, la quantité de chaleur dégagée par l'organisme, laquelle reflète la quantité d'énergie qu'il utilise. On plaçait un sujet dans une chambre isolée et équipée d'un système de circulation d'eau, appelée chambre calorimétrique. L'augmentation de la température de l'eau permettait de mesurer l'énergie dégagée par l'organisme. Toutefois, de nos jours, cette méthode d'évaluation est rarement utilisée.

Pour quantifier l'énergie dépensée par l'organisme, on se sert maintenant de la **calorimétrie indirecte**. Cette méthode consiste à déterminer indirectement la dépense d'énergie à partir de la consommation d'oxygène (O_2), laquelle est proportionnelle à la quantité d'énergie dépensée. L'organisme d'une personne à jeun et au repos produit en moyenne 4,82 kcal d'énergie pour chaque litre (L) de O_2 consommé. Dans ces conditions, si la consommation de O_2 est estimée à 15 L/heure, le taux du MB sera égal à 72,3 kcal/heure, soit 1735 kcal (7270 kJ)/jour. Une analyse plus poussée des échanges respiratoires permet en plus de déterminer la nature des substrats énergétiques utilisés par l'organisme.

Les déterminants du métabolisme de base

Plusieurs facteurs déterminent le taux du MB ; c'est pourquoi il varie d'une personne à une autre et tout au long de la vie. La **stature** et la **constitution de l'organisme** sont deux facteurs importants. Les gens de forte stature ont des exigences plus élevées en énergie que ceux de petite taille. En outre, une personne ayant beaucoup de muscles et peu de graisse corporelle a un besoin d'énergie plus grand qu'une autre de même poids ayant moins de masse musculaire active et plus de graisse corporelle. C'est d'ailleurs pour cette raison que les femmes ont un MB généralement inférieur à celui des hommes de poids comparable (de 5 à 10 % de moins en moyenne). La constitution corporelle des femmes diffère de celle des hommes ; il est tout à fait normal que le corps féminin contienne proportionnellement plus de tissus adipeux et moins de masse musculaire que le corps masculin.

L'**âge** exerce aussi une influence sur le métabolisme de base (voir la figure 2.5 à la page suivante). Pendant l'enfance et l'adolescence, le taux du MB est proportionnel au rythme de croissance, lequel reflète la vitesse de synthèse de nouveaux tissus. Le taux du MB, exprimé par unité de surface corporelle, atteint son apogée pendant les premières années de vie, quand le rythme de croissance est à son maximum. Par la suite, le taux ralentit en parallèle avec le rythme de croissance. Au début de l'âge adulte, ce taux se stabilise, puis il continue à décliner avec le vieillissement de l'organisme (de 2 à 3 % par décennie après l'âge de 25 ans). Ce phénomène s'explique par la perte progressive de masse active.

La **sécrétion hormonale** a un effet important sur le taux du MB, qui est contrôlé en majeure partie par les glandes endocrines. La thyroxine, une hormone sécrétée par la glande thyroïde et renfermant de l'iode, stimule particulièrement l'activité métabolique. Les pathologies qui affectent la glande thyroïde, comme l'hyper-thyroïdie (trop grande production de thyroxine) et l'hypothyroïdie (production insuffisante de thyroxine), modifient nettement le taux du MB. Les catécholamines (l'adrénaline et la noradrénaline) ont comme effet d'accélérer le taux métabolique.

Plusieurs **autres facteurs** déterminent le MB. Par exemple, son taux s'accroît pendant la grossesse et dans certaines situations particulières, notamment lorsque l'organisme doit se défendre contre des agents infectieux ou qu'il tente de maintenir la température corporelle dans des conditions de froid ou de chaleur extrême. Par contre,

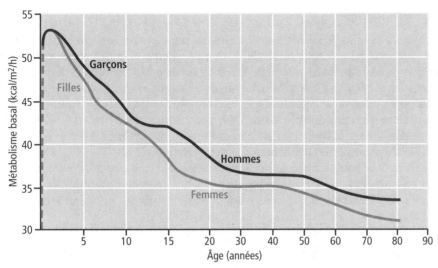

Figure 2.5
L'influence de l'âge
sur le taux du métabolisme
de base

Exprimé par unité de surface corporelle, le taux du métabolisme de base atteint son apogée entre la 1re et la 2e année de vie. Par la suite, il décline progressivement.

Source : Adapté de Mitchell H.H. *Comparative Nutrition of Man and Domestic Animals*, vol. 1. New York, Academic Press, 1962, p. 43.

le taux du MB s'abaisse dans les situations de jeûne et de famine. Enfin, diverses substances non nutritives, comme la caféine contenue dans certaines boissons (voir le chapitre 13) et la nicotine du tabac, accélèrent le taux métabolique.

L'estimation du métabolisme de base

L'étude du métabolisme humain a permis de mettre au point diverses équations mathématiques pour évaluer le taux du MB en tenant compte de certains facteurs qui l'influencent. Les équations présentées dans le tableau 2.2 sont tirées du rapport d'un comité d'experts canadiens et américains publié en 2002 par l'Institut de médecine américain. Ces équations sont dérivées de mesures de calorimétrie indirecte. Elles varient selon le sexe et prennent en compte l'âge (A) en années, la taille (T) en mètres et le poids (P) en kilogrammes.

Selon ces équations, le métabolisme de base d'une femme de 25 ans mesurant 1,64 m et pesant 60 kg est d'environ 1350 kcal par jour, alors que celui d'un homme du même âge mesurant 1,74 m et pesant 70 kg est d'environ 1700 kcal par jour. Ces quantités d'énergie ne correspondent qu'aux besoins de base de ces deux individus. Elles ne tiennent pas compte des autres besoins énergétiques de l'organisme.

TABLEAU 2.2   Les équations de l'Institut
de médecine américain (2002) pour estimer le métabolisme
de base (MB) chez l'adulte ($\geq$ 19 ans)

Femmes :   MB (kcal/jour) = 247 − (2,67 × A) + (401,5 × T) + (8,6 × P)

Hommes :   MB (kcal/jour) = 293 − (3,8 × A) + (456,4 × T) + (10,12 × P)

où   A = l'âge en années
     T = la taille en mètres
     P = le poids en kilogrammes

Source : U.S. National Academy of Sciences, Institute of Medecine (2002).

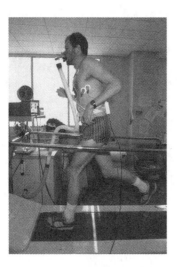

La mesure de la dépense énergétique par calorimétrie indirecte s'effectue à partir de la consommation d'oxygène, laquelle est proportionnelle à la quantité d'énergie dépensée.

L'activité physique

L'organisme utilise de l'énergie non seulement pour assurer le déroulement normal des processus nécessaires à sa survie, mais aussi pour se mouvoir ou encore maintenir le tonus musculaire que nécessitent certaines positions (assise, debout, etc.). Cette somme d'énergie liée à l'activité physique constitue une deuxième composante de la dépense énergétique totale (DÉT) ; elle varie beaucoup, aussi bien d'une personne à une autre que chez un même sujet. Elle peut ne représenter que 15 % de la DÉT d'une personne confinée au lit par la maladie, alors que, chez l'athlète, près de 50 % de la DÉT (parfois plus) provient de l'activité physique.

Hormis le poids corporel, plusieurs facteurs déterminent la quantité d'énergie que nous dépensons pour nous acquitter chaque jour de nos multiples activités. Tout dépend des activités que nous pratiquons, du temps que nous leur accordons et de l'intensité avec laquelle nous les exécutons.

La mesure de la dépense énergétique liée à diverses activités physiques

La calorimétrie indirecte (voir *La mesure du métabolisme de base*, à la page 30) est souvent utilisée en recherche pour mesurer l'activité physique. On peut ainsi comparer la consommation d'oxygène (O_2) relative à une activité particulière avec celle que nécessite le MB. Cette méthode permet d'exprimer l'intensité de l'activité sous la forme d'un multiple du MB en utilisant le MET[3] (*metabolic equivalent*) comme unité de mesure.

Ainsi, une activité qui n'augmente que de 50 % la consommation de O_2 au repos (comme manger ou parler) équivaut à 1,5 MET, alors qu'une activité qui nécessite une consommation d'O_2 cinq fois plus élevée que celle observée au repos (comme marcher d'un bon pas) équivaut à 5 METs. Le tableau 2.5, à la page 35, classe diverses activités physiques selon leur valeur en METs.

Soulignons qu'il est possible d'estimer la dépense énergétique associée à la pratique d'une activité à partir de sa valeur en METs, sachant qu'un MET équivaut à environ 1 kcal par kg de poids par heure. En marchant d'un bon pas pendant une heure, une personne qui pèse 60 kg dépense donc environ 300 kcal, soit 210 kcal de plus qu'en restant assise à parler.

L'effet thermique de l'alimentation

La troisième composante de la dépense énergétique totale (DÉT) correspond à la somme d'énergie que l'organisme dépense pour digérer les aliments, absorber et transporter les nutriments, et stocker les surplus, avant de libérer l'énergie retenue à l'intérieur des molécules ingérées. Les études de calorimétrie indirecte confirment que la consommation d'aliments augmente la dépense d'énergie de l'organisme au repos. C'est ce qu'on appelle l'**effet thermique de l'alimentation (ETA)**, qui varie selon la composition du régime alimentaire. L'ETA représente entre 7 et 10 % de la DÉT de l'organisme.

L'estimation de la dépense énergétique totale (DÉT)

Il n'est pas facile de mesurer précisément la DÉT habituelle d'une personne. On peut tenter de l'estimer en dressant le bilan des activités que cette personne accomplit sur une base quotidienne (y compris le nombre d'heures qu'elle consacre au sommeil), puis en additionnant les dépenses énergétiques que ces activités représentent. Il reste ensuite à ajuster la somme pour tenir compte de l'ETA. Toutefois, établir le profil

---

3. Un MET équivaut à 3,5 ml d'O_2 par kg de poids par minute, ce qui correspond à la consommation moyenne d'O_2 d'une personne à jeun et au repos.

le plus représentatif possible des activités quotidiennes d'une personne demeure une tâche complexe. On peut lui demander de remplir un questionnaire détaillé, qui a été rédigé à cette fin, ou encore de tenir un journal d'activités pendant plusieurs jours. On peut aussi utiliser un podomètre, un petit appareil qui enregistre les pas, mais l'estimation de la dépense énergétique à partir de l'information qu'il génère demeure imprécise.

Dans les laboratoires de physiologie, on a parfois recours à divers appareils peu encombrants qui détectent les mouvements corporels ou mesurent le rythme cardiaque et estiment la dépense énergétique à partir d'équations mathématiques qui intègrent ces données. On utilise aussi de plus en plus la **méthode de l'eau doublement marquée**. Elle évalue avec précision la DÉT d'une personne à partir de l'estimation de la quantité de gaz carbonique (CO_2) qu'elle produit, sans influencer son profil d'activité habituel.

C'est à partir de mesures effectuées à l'aide de la méthode de l'eau doublement marquée que l'Institut de médecine américain a établi, en 2002, les quantités d'énergie recommandées aux Canadiens et aux Américains en santé et actifs. Ces recommandations, qui font partie des apports nutritionnels de référence (ANREF), sont présentées dans le tableau 2.3. Elles ne constituent toutefois que des valeurs de référence, puisqu'elles correspondent aux besoins en énergie d'individus dont le poids, la taille et le niveau d'activité sont bien définis.

TABLEAU 2.3 Les besoins énergétiques estimés (BÉE) des femmes et des hommes adultes

Taille (m)	Poids (kg) pour un IMC = 18,5	Poids (kg) pour un IMC = 24,9	Niveau d'activité	BÉE (kcal/jour)*			
				Femmes		Hommes	
				IMC = 18,5	IMC = 24,9	IMC = 18,5	IMC = 24,9
1,5	41,6	56,2	Sédentaire	1625	1762	1848	2080
			Faible actif	1803	1956	2009	2267
			Actif	2025	2198	2215	2506
			Très actif	2291	2489	2554	2898
1,65	50,4	68	Sédentaire	1816	1982	2068	2349
			Faible actif	2016	2202	2254	2566
			Actif	2267	2477	2490	2842
			Très actif	2567	2807	2880	3296
1,8	59,9	81	Sédentaire	2015	2221	2301	2635
			Faible actif	2239	2459	2513	2884
			Actif	2519	2769	2782	3200
			Très actif	2855	3141	3225	3720

* Pour chaque année au-dessus de 30 ans, soustraire 7 kcal/jour pour les femmes et 10 kcal/jour pour les hommes. Ajouter ces valeurs pour chaque année en dessous de 30 ans.

Source : U.S. National Academy of Sciences, Institute of Medecine (2002).

Pour estimer avec plus de précision le besoin énergétique particulier d'un adulte en santé, il est préférable de calculer sa DÉT à l'aide des équations suivantes, proposées également par l'Institut de médecine américain (2002). Ces équations prennent en compte l'âge (A) en années, le coefficient d'activité (CA) établi à partir du niveau d'activité physique, le poids (P) en kilogrammes et la taille (T) en mètres. Il est nécessaire de se référer au tableau 2.4 de la page 34 pour déterminer le niveau d'activité physique (NAP).

Femmes : $\text{DÉT} = 387 - (7{,}31 \times A) + CA \times [(10{,}9 \times P) + (660{,}7 \times T)]$
Où $CA = 1{,}00$ si NAP de catégorie « sédentaire »
$1{,}14$ si NAP de catégorie « faiblement actif »
$1{,}27$ si NAP de catégorie « actif »
$1{,}45$ si NAP de catégorie « très actif »

Hommes : $\text{DÉT} = 864 - (9{,}72 \times A) + CA \times [(14{,}2 \times P) + (503 \times T)]$
Où $CA = 1{,}00$ si NAP de catégorie « sédentaire »
$1{,}12$ si NAP de catégorie « faiblement actif »
$1{,}27$ si NAP de catégorie « actif »
$1{,}54$ si NAP de catégorie « très actif »

TABLEAU 2.4   La détermination du niveau d'activité physique (NAP)

Catégories de NAP (selon le facteur d'activité)*	Exemples de profils d'activités accomplies sur une **base quotidienne** selon la classification du tableau 2.5 (ci-contre)**
Sédentaire (< 1,4)	Activités de la vie quotidienne (incluent jusqu'à 30 min de marche lente [3 km/h] comme promener le chien ou marcher jusqu'à l'auto ou l'autobus)
Faiblement actif (1,4 – < 1,6)	NAP sédentaire + 60 à 75 min d'activités d'intensité légère ou NAP sédentaire + 30 min d'activités d'intensité légère + 15 min d'activités d'intensité moyenne
Actif*** (1,6 – < 1,9)	NAP sédentaire + 60 à 90 min de marche rapide (6,5 km/h) ou NAP sédentaire + 60 min d'activités d'intensité moyenne + 10 min d'activités d'intensité élevée ou NAP sédentaire + 45 min d'activités d'intensité élevée
Très actif (1,9 – < 2,5)	NAP sédentaire + 90 min d'activités d'intensité moyenne + 45 min d'activités d'intensité élevée ou NAP sédentaire + 90 à 105 min d'activités d'intensité élevée

   * Le facteur d'activité est un multiple du MB qui prend en compte l'intensité (la valeur en METs) des activités accomplies dans une journée et le temps qui leur est consacré. Il inclut l'effet thermique de l'alimentation.

  ** Ne considérer que le temps de travail effectif (celui qui exclut les pauses) pour estimer le temps consacré à une activité. Si une activité est pratiquée occasionnellement, estimer le temps sur une période assez longue (une semaine par exemple), puis calculer la moyenne sur une base quotidienne.

*** Niveau d'activité recommandé pour favoriser une bonne santé et réduire le risque de maladie.

Source : Adapté de U.S. National Academy of Sciences, Institute of Medecine (2002).

**TABLEAU 2.5   La classification de diverses activités physiques
selon leur valeur en METs**

Activités d'intensité légère **(≤ 4 METs)**	**METs**
Billard	2,5
Curling	4,0
Gymnastique douce, à la maison ou à la piscine	3,5 – 4,0
Jardinage (effort léger)	4,0
Marche lente (3 – 3,5 km/h)	2,5
Marche d'un pas modéré (4,5 – 5 km/h)	3,3
Natation (effort léger)	4,0
Ping-pong	4,0
Taï chi	4,0
Volley-ball récréatif	4,0

Activités d'intensité moyenne **(4,1 – 8,0 METs)**	**METs**
Badminton récréatif	4,5
Basket-ball	6,0 – 8,0
Bicyclette (promenade, de 16 à 19 km/h)	6,0
Bicyclette stationnaire (effort léger à modéré)	5,5 – 7,0
Conditionnement physique (effort modéré)	5,5 – 6,0
Cyclisme (vitesse modérée, de 16 à 22 km/h)	6,0 – 8,0
Danse aérobique	5,0 – 7,0
Danse sociale rapide	5,5
Golf (en marchant avec les bâtons)	4,5
Hockey sur gazon ou sur glace	8,0
Jardinage (effort modéré)	5,0 – 6,0
Jogging (< 8 km/h)	7,0
Marche d'un pas rapide (6,5 km/h)	5,0
Marche d'un pas très rapide (8 km/h)	8,0
Marche en montant (charge < 4 kg)	7,0
Marche en montant (charge de 4,5 à 19 kg)	7,5 – 8,0
Natation (effort modéré)	6,0 – 8,0
Patinage sur glace ou sur route	5,5 – 7,0
Planche à roulettes	5,0
Racquetball récréatif	7,0
Ski (effort léger à vigoureux)	5,0 – 8,0
Ski de fond (effort léger à modéré)	7,0 – 8,0
Soccer récréatif	7,0
Tennis	5,0 – 8,0
Volley-ball de compétition	8,0

Activités d'intensité élevée **(8,1 – 12,0 METs)**	**METs**
Conditionnement physique (effort vigoureux)	10,0 – 12,0
Cyclisme (vitesse élevée allant de 22 à 30 km/h)	10,0 – 12,0
Football de compétition	9,0
Handball	12,0
Jogging (10 km/h)	10,0
Judo ou karaté	10,0
Natation rapide ou water-polo	10,0
Racquetball de compétition	10,0
Saut à la corde (modéré ou rapide)	10,0 – 12,0
Ski de fond (effort vigoureux)	9,0
Soccer de compétition	10,0
Squash	12,0

N. B. : Pour connaître la valeur en METs d'autres activités physiques, on peut consulter
le compendium publié par l'École de santé publique de l'Université de la Caroline du Sud.
(Voir les références à la fin du chapitre.)

Notons que la consommation d'une quantité d'énergie équivalente à la DÉT permet de maintenir le poids corporel stable. Pour diminuer le poids, il est nécessaire de réduire la valeur de la DÉT estimée ; pour l'augmenter, il faut hausser cette valeur.

L'exemple de Fanny

Fanny est une femme de 30 ans pesant 58 kg et mesurant 1,63 m. Elle occupe un emploi sédentaire et marche environ sept heures par semaine d'un pas modéré pour ses déplacements. Pendant l'hiver, elle nage à la piscine de son quartier pendant environ une heure et demie par semaine. Durant la belle saison, elle remplace la natation par des promenades en vélo. Enfin, elle fait des exercices d'étirement à la maison tous les matins pendant 15 minutes environ.

Fanny est donc une personne « faiblement active », puisqu'elle s'adonne surtout à des activités d'intensité légère (environ 75 minutes par jour en moyenne) ; elle n'alloue que 12 ou 13 minutes par jour en moyenne à des activités d'intensité moyenne (la natation) et seulement pendant l'hiver. On peut évaluer les besoins énergétiques de Fanny à l'aide de l'équation de l'Institut de médecine américain pour la femme : *CA*

$$387 - (7,31 \times 30) + 1,14 \times [(10,9 \times 58) + (660,7 \times 1,63)] = 2109 \text{ kcal/jour}$$

Fanny doit donc consommer environ 2 100 kcal par jour pour combler son besoin en énergie et maintenir son poids corporel stable. Si elle augmentait suffisamment son niveau d'activité physique pour atteindre la catégorie « actif », son besoin quotidien en énergie augmenterait d'un peu plus de 200 kcal, pour se situer à 2330 kcal. En outre, Fanny réduirait son risque de maladie, puisque **le niveau d'activité physique de catégorie « actif » est celui recommandé pour maintenir une bonne santé**. Les bienfaits de la pratique régulière de l'activité physique sont énumérés dans le tableau 2.6.

La régulation du poids corporel

Nous avons vu que, pour maintenir son intégrité, un organisme doit ingérer suffisamment d'énergie alimentaire pour remplacer l'énergie qu'il dépense. Lorsqu'il y parvient, il est en équilibre énergétique.

Le plus souvent, l'équilibre énergétique se traduit par la stabilité du poids corporel. Cependant, il arrive que celui-ci fluctue de façon sensible en dépit d'un apport d'énergie alimentaire équivalent à la dépense énergétique. C'est le cas lorsque des facteurs modifient l'état d'hydratation. Le corps humain étant en grande partie composé d'eau (voir le chapitre 1), un changement dans la quantité d'eau corporelle entraîne nécessairement une modification du poids corporel, jusqu'à ce qu'un nouvel équilibre hydrique s'établisse. D'autres facteurs peuvent influer sur le poids corporel sans nécessairement modifier l'équilibre énergétique de l'organisme. Par exemple, si, grâce à l'entraînement physique, la perte de tissu adipeux est compensée par le gain d'une quantité équivalente d'énergie sous forme de tissu musculaire, le poids corporel augmentera, car le tissu musculaire étant gorgé d'eau, il est donc proportionnellement plus lourd.

Si l'état du bilan énergétique de l'organisme n'est pas le seul facteur qui détermine le poids corporel, il est néanmoins le principal facteur d'influence à moyen et à long terme (voir le tableau 2.7 à la page suivante). Un bilan énergétique négatif peut conduire à une **insuffisance pondérale**, et un bilan énergétique positif, à un **excès de poids** et à l'**obésité**. Dans les deux cas, le poids corporel diffère de celui considéré comme « normal ». Toutefois, le poids corporel « normal » ne se définit pas aisément.

TABLEAU 2.6
Les bienfaits de la pratique régulière de l'activité physique

Améliore la forme physique

Aide à construire et à maintenir les os, les muscles et les articulations en santé

Aide à contrôler le poids corporel

Réduit les risques de maladies cardiovasculaires, de cancer du côlon et de diabète de type 2

Aide à contrôler la pression sanguine

Favorise le bien-être psychologique et l'estime de soi

Réduit les sentiments de dépression et d'anxiété

Source : Traduit de Keim et autres (2004).

TABLEAU 2.7 Les relations entre l'état du bilan énergétique
            et le poids corporel

Bilan énergétique	Comparaison entre l'apport et la dépense d'énergie	Répercussion sur le poids corporel
Positif	Apport > Dépense	Gain de poids
En équilibre	Apport = Dépense	Poids stable
Négatif	Apport < Dépense	Perte de poids

L'évaluation du poids corporel

Les critères fondés sur les risques pour la santé

La littérature scientifique établissant un lien entre le poids corporel et l'état de la santé est abondante. Un poids excessif augmente les risques de décès prématuré et de problèmes de santé tels les maladies cardiovasculaires, le diabète de type 2, l'hypertension artérielle, les maladies de la vésicule biliaire et des articulations, les troubles pulmonaires, certains cancers et divers problèmes psychosociaux. Pour sa part, un poids insuffisant est lié à la malnutrition, à l'ostéoporose, à l'infertilité et à la diminution de la fonction immunitaire. Pour cette raison, on tente souvent d'évaluer le poids corporel de façon objective en se fondant sur les statistiques de morbidité et de mortalité qui lui sont associées.

L'indice de masse corporelle (IMC)

Fondé sur un large éventail de données épidémiologiques, cliniques et médicales, le calcul de l'indice de masse corporelle (IMC) est un bon moyen d'évaluer le risque que représente le poids corporel pour la santé. L'IMC est déterminé à partir des mesures du poids en kilogrammes et de la taille en mètres. On le calcule de la façon suivante :

$$IMC = \frac{poids \ (kg)}{[taille \ (m)]^2}$$

Ainsi, une personne pesant 58 kg et mesurant 1,62 m a un IMC égal à 22. On peut aussi déterminer son IMC à l'aide d'un nomogramme, comme celui proposé à l'annexe 4, à la page 336. Quelle que soit la façon dont on l'obtient, la valeur de l'IMC est exprimée en kg/m². Pour connaître sa signification, il suffit de la situer parmi les catégories de l'IMC présentées dans le tableau 2.8 (voir à la page 38). Nous pouvons constater qu'un IMC égal à 22 se situe dans la catégorie associée au plus faible risque de problèmes de santé. Les personnes dont l'IMC se situe à l'intérieur de cette catégorie, soit entre 18,5 et 25, ont un **poids normal**.

Une personne a un **excès de poids** quand son IMC est égal ou supérieur à 25 mais demeure en deçà de 30. Dans cette catégorie de l'IMC, le risque de problèmes de santé est accru. Ceux qui ont un excès de poids ont avantage à « se surveiller », en particulier lorsqu'ils présentent des prédispositions génétiques ou des habitudes de vie associées à une augmentation des risques de problèmes de santé, comme les maladies cardiovasculaires (voir le chapitre 4). Lorsque l'IMC d'un individu est égal ou supérieur à 30, ce dernier souffre d'**obésité**. Cette catégorie de l'IMC comporte trois classes d'obésité étant donné que le risque de maladies augmente de façon exponentielle chez les personnes obèses.

TABLEAU 2.8 La classification de l'indice de masse corporelle (IMC)
selon le risque de problèmes de santé

Classification	Catégorie de l'IMC	Risque de développer des problèmes de santé
Poids insuffisant	< 18,5	Accru
Poids normal	18,5 – 24,9	Moindre
Excès de poids	25,0 – 29,9	Accru
Obésité		
Classe I	30,0 – 34,9	Élevé
Classe II	35,0 – 39,9	Très élevé
Classe III	≥ 40,0	Extrêmement élevé

Source : Santé Canada (2003). (Voir l'annexe 4.)

Enfin, le risque de problèmes de santé augmente également lorsque l'IMC se situe en deçà de 18,5. Toutefois, la relation entre le poids corporel et la maladie est plus complexe dans cette catégorie de l'IMC que dans les autres. Un **poids insuffisant** peut être un signe de troubles alimentaires ou d'une maladie sous-jacente ; il faut donc faire preuve de prudence en évaluant le poids dans cette catégorie de l'IMC.

Il importe de souligner que les valeurs du système de classification de l'IMC sont pertinentes pour évaluer le poids corporel **des hommes et des femmes de 18 à 65 ans**. Dans les autres groupes d'âge, l'échelle doit être ajustée, bien que les données disponibles pour le faire demeurent limitées. De plus, lorsqu'on interprète une valeur d'IMC, il faut tenir compte de certains facteurs, l'estimation du risque pour la santé pouvant être modifiée chez les jeunes adultes dont la croissance n'est pas terminée, les personnes naturellement très minces, celles qui ont une forte musculature ainsi que certains groupes ethniques ou raciaux.

Enfin, il faut bien comprendre qu'en définitive, c'est l'accumulation excessive de tissu adipeux (graisse corporelle) qui est dommageable pour la santé. Or, l'IMC ne permet pas de mesurer directement la quantité de tissu adipeux, malgré leur étroite corrélation (voir l'encadré *Les méthodes de mesure de la graisse corporelle*, à la page 40). Ainsi, l'IMC des personnes qui ont une forte musculature excède souvent la limite jugée normale, alors que leur composition corporelle ne présente pas nécessairement de risque accru de problèmes de santé.

La localisation de l'excès adipeux

Si le poids corporel relatif (l'IMC) tend malgré tout à refléter la quantité de graisse corporelle, il ne donne aucune indication sur sa répartition dans l'organisme. Or, la littérature scientifique démontre bien que les effets métaboliques liés à un stockage excessif de tissu adipeux varient selon l'endroit où la graisse tend à s'accumuler. Ainsi, les risques de maladies cardiovasculaires, d'hypertension artérielle et de diabète de type 2 sont plus élevés lorsque le tissu adipeux tend à s'accumuler au niveau du tronc et de l'abdomen (profil androïde) plutôt qu'au niveau des hanches, des cuisses et des fesses (profil gynoïde). La figure 2.6 montre les caractéristiques physiques de ces deux profils.

Grâce à une technique assistée par ordinateur, la tomographie axiale, on peut visualiser la distribution du tissu adipeux dans l'organisme. On dispose aussi d'un certain nombre de méthodes pour localiser l'excès adipeux de façon simple et

Figure 2.6
L'illustration
de l'obésité androïde
et de l'obésité gynoïde

Profil androïde   Profil gynoïde

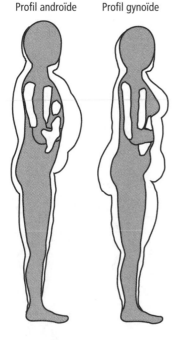

pratique. L'une d'elles consiste à mesurer le **tour de taille (TT)** à l'aide d'un ruban à mesurer (voir l'annexe 4). Un tour de taille supérieur aux valeurs inscrites dans le tableau 2.9 indique une tendance à accumuler la graisse corporelle au niveau abdominal ; il est donc considéré comme un indicateur de risque de maladie.

Le profil de poids au Canada

On peut dresser le profil de poids au Canada en se servant des données recueillies par Statistique Canada en 2003 dans le cadre de l'Enquête sur la santé dans les collectivités canadiennes (ESCC). Selon ces données, un adulte canadien sur deux a un poids corporel associé à un risque de problèmes de santé. En effet, 3 % des participants à cette étude âgés de 18 ans et plus avaient un poids insuffisant (IMC < 18,5), 33 % présentaient un excès de poids (IMC ≥ 25 mais < 30) et 15 % étaient obèses (IMC = ou > 30) (voir la figure 2.7).

Notons que les valeurs de poids et de taille rapportées dans cette enquête ont été recueillies par questionnaire plutôt que mesurées précisément. Étant donné que les gens ont tendance à sous-estimer leur poids et à surestimer leur taille, le taux d'obésité enregistré minimise probablement la prévalence du problème dans la population canadienne. Des valeurs de poids et de taille rapportées permettent tout de même de suivre la tendance. Le taux d'obésité chez les adultes canadiens s'est accru depuis 1995, puisqu'il se situait alors à 13 %. Au Canada, cette tendance à la hausse serait toutefois moins marquée que celle observée aux États-Unis.

Les données de l'Enquête sur la santé dans les collectivités canadiennes indiquent des différences selon le sexe. Plus de femmes (4 %) que d'hommes (1 %) ont un poids insuffisant, dont 11 % des jeunes femmes âgées de 18 à 24 ans. Par contre, plus d'hommes que de femmes présentent un excès de poids (41 % contre 26 %) ou sont considérés comme obèses (16 % contre 14 %). Tant chez les hommes que chez les femmes, le groupe d'âge de 55 à 64 ans présente les taux d'obésité les plus élevés.

Ces données reflètent relativement bien la situation qui prévaut dans plusieurs pays industrialisés. L'excès de poids corporel y est beaucoup plus répandu que la maigreur, et cette dernière touche plus souvent les femmes que les hommes. En dépit des efforts déployés dans les populations favorisées pour combattre l'excès pondéral, le problème ne semble pas s'atténuer. Il atteint même les populations les plus pauvres, puisque la surcharge pondérale et l'obésité sont de plus en plus fréquentes dans les pays en voie de développement.

Les critères fondés sur d'autres considérations

En se fondant sur des mesures comme l'indice de masse corporelle et le tour de taille, les professionnels de la santé tentent d'évaluer le poids corporel de façon objective et d'encourager les gens à atteindre un poids réaliste en tenant compte des risques pour la santé. Or, les enquêtes de santé publique révèlent que le grand public a souvent une conception différente de ce que doit être un poids acceptable. Le jugement que les femmes portent sur leur poids est particulièrement sévère, comme en font foi les résultats de la dernière enquête sociale et de santé menée au Québec. Interrogées sur leur désir de changer de poids, une Québécoise sur deux ayant un poids-santé et près de 10 % des Québécoises ayant un poids insuffisant ont répondu vouloir peser moins. Plusieurs enquêtes de santé publique effectuées au Canada et aux États-Unis affichent également un taux élevé d'insatisfaction par rapport au poids corporel.

Il est dramatique de constater que cette préoccupation touche aussi une grande proportion de jeunes, en particulier des adolescentes. Interrogées lors de la dernière Enquête sociale et de santé effectuée auprès des jeunes Québécois, seulement une fille sur trois âgées de 12 à 16 ans a dit ne rien faire concernant son poids, c'est-à-dire ne prendre aucune mesure dans le but de le changer ou de le maintenir. Des troubles du

---

TABLEAU 2.9
Les valeurs indiquant un excès de graisse abdominale

	Tour de taille (TT)
Chez la femme :	> 88 cm
Chez l'homme :	> 102 cm

Source : Santé Canada (2003). (Voir l'annexe 4.)

calcule !

Figure 2.7
La distribution de la population canadienne selon l'indice de masse corporelle (IMC)

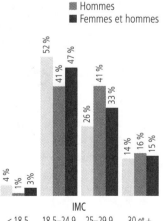

Source : Statistique Canada (2004).

Les méthodes de mesure de la graisse corporelle

On peut diviser l'organisme en deux parties : 1) la masse grasse, constituée du tissu adipeux servant à stocker la graisse corporelle, et 2) la masse maigre, qui renferme l'eau et les autres tissus. Si la présence de tissu adipeux dans l'organisme s'avère indispensable (voir le chapitre 4), une accumulation excessive perturbe plusieurs processus métaboliques. L'effet négatif de l'excès pondéral et, plus encore, de l'excès abdominal sur l'état de santé est en grande partie attribuable à l'excès de graisse corporelle. Selon l'âge, une masse grasse représentant plus de 20 à 25 % du poids corporel chez l'homme et plus de 30 à 37 % du poids corporel chez la femme est considérée comme excessive.

L'hydrodensitométrie

Bien que l'on conçoive aisément l'intérêt de quantifier la graisse corporelle, sa mesure n'est pas simple ; les méthodes de recherche exigent généralement du temps et un appareillage spécialisé. L'une d'elles, appelée hydrodensitométrie, consiste à mesurer la densité corporelle à partir du poids et de l'estimation du volume corporel par immersion dans l'eau. Le calcul de la densité corporelle permet d'évaluer à la fois la masse grasse et la masse maigre.

L'impédance bioélectrique

D'autres méthodes servent à mesurer la masse grasse par différence en déterminant d'abord la quantité de masse maigre, puis en la soustrayant du poids corporel total. L'une d'elles, l'impédance bioélectrique, est de plus en plus utilisée, même en milieu clinique. Il s'agit d'estimer la masse maigre à partir de la mesure de l'eau corporelle. On obtient cette mesure grâce à un appareil conçu pour faire circuler un léger courant électrique dans l'organisme. Puisque le passage du courant est gêné par la graisse, on mesure l'eau corporelle selon le degré de conductibilité électrique. Les résultats sont influencés par l'état d'hydratation du sujet et par d'autres facteurs qu'il importe de bien contrôler.

La mesure des plis cutanés

On peut estimer directement le pourcentage de graisse corporelle à partir de la somme du tissu adipeux sous-cutané. Il suffit de mesurer l'épaisseur du pli cutané à certains endroits du corps à l'aide d'un instrument appelé adipomètre (voir la photo ci-contre). Tout comme l'impédance bioélectrique, la mesure des plis cutanés peut être utilisée en milieu clinique. Pour être fiable, elle doit être faite par un professionnel expérimenté.

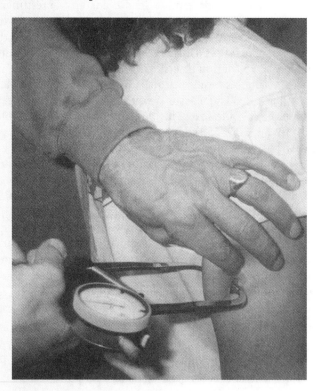

L'adipomètre permet de mesurer l'épaisseur du pli cutané à différents endroits du corps, dont la partie postérieure du bras, au niveau du triceps.

L'IMC, un bon modèle

En pratique, la détermination du poids corporel demeure la seule mesure pouvant servir à l'autoévaluation du degré d'adiposité, puisqu'elle n'exige aucune habileté spéciale. Le poids corporel semble étroitement lié au niveau de graisse corporelle si l'on tient compte de la taille. À cet égard, l'indice de masse corporelle (IMC), que l'on obtient en divisant le poids (en kilogrammes) par le carré de la taille (en mètres), s'avère particulièrement utile. En comparant notre IMC à des normes de référence fondées sur des statistiques liées à l'état de santé, il est possible de porter un jugement objectif sur notre poids corporel. Celui-ci, toutefois, reflète non seulement la quantité de tissu adipeux mais aussi de masse maigre, laquelle comprend notamment les muscles et le squelette. L'IMC peut donc être marginalement élevé en raison d'une musculature ou d'une ossature particulièrement développées. De plus, le poids corporel ne fournit aucune indication sur la répartition de la graisse à l'intérieur de l'organisme, un élément qui influe grandement sur le risque de problèmes de santé liés à l'excès adipeux.

comportement alimentaire, comme le recours répété à des régimes hypoénergétiques sévères et l'anorexie, sont souvent la cause d'une insuffisance de poids chez les jeunes femmes. Les considérations d'ordre esthétique et l'influence des médias qui valorisent la minceur à outrance seraient en partie à l'origine des préoccupations de beaucoup de femmes par rapport à leur poids corporel.

Il reste que l'excès pondéral, en particulier chez les hommes, demeure un problème préoccupant. Il faut donc continuer de mettre en œuvre des programmes de consultation et d'éducation pour inciter les gens à porter un jugement réaliste sur leur poids et les aider à mieux le contrôler s'il compromet leur santé. Toutefois, selon le Groupe de travail provincial sur la problématique du poids (GTPPP), créé par l'Association pour la santé publique du Québec, **le contrôle du poids ne relève pas seulement de la responsabilité individuelle; notre environnement est aussi en cause** (voir *La régulation de l'apport alimentaire – Les facteurs d'influence*, à la page 42). Par conséquent, pour aider les gens à mieux contrôler leur poids, des actions concertées doivent être entreprises à de multiples niveaux, tant publics que privés (intervention des secteurs agroalimentaire et socioculturel, aménagement de lieux favorisant l'activité physique, etc.). L'Organisation mondiale de la santé (OMS) recommandait cette approche en 2004 dans sa *Stratégie mondiale pour l'alimentation, l'exercice physique et la santé*: «*Les gouvernements ont un rôle central à jouer en créant, en coopération avec d'autres acteurs, un environnement qui incite et aide les individus, les familles et les communautés à faire, dans le domaine de l'alimentation et de l'exercice physique, des choix sains qui améliorent la qualité de la vie.*»

Les facteurs qui influent sur la régulation du poids corporel

Nous avons observé que la régulation du poids corporel chez l'adulte résulte d'un rapport entre la prise de nourriture et la dépense d'énergie. Un mécanisme aide l'organisme humain à réguler à la fois la prise de nourriture et la dépense énergétique afin de maintenir un poids normal. La nature exacte de ce mécanisme et les raisons de sa défaillance chez certaines personnes demeurent imprécises. Nous savons que son fonctionnement est modulé par divers facteurs d'ordres physiologique, génétique, environnemental et psychologique. Le déséquilibre pondéral peut donc être la manifestation de plusieurs problèmes sous-jacents.

La régulation de l'apport alimentaire

Les mécanismes physiologiques

Il est normal de manger quand nous avons faim. Cette sensation provient d'une partie du cerveau appelée **hypothalamus**. Quand notre corps a besoin de nourriture, l'hypothalamus le signale à l'estomac, ce qui cause la sensation de faim. Une fois la nourriture consommée, l'hypothalamus envoie un message de satiété, et nous nous sentons rassasiés.

Comment l'hypothalamus décèle-t-il que l'organisme a besoin de nourriture ou, au contraire, qu'il en a suffisamment consommé? Plusieurs **facteurs nerveux et neuro-endocriniens** agiraient directement ou indirectement sur l'hypothalamus. Le système digestif renferme des récepteurs qui servent à détecter la présence d'aliments. Parmi eux on trouve les afférences gustatives et olfactives, les récepteurs de distension gastrique ainsi que des chémorécepteurs dans la paroi de l'intestin et dans le pancréas, qui sont sensibles aux changements dans la composition du contenu de la lumière intestinale ou du sang. Tous ces récepteurs envoient leurs messages à l'hypothalamus par les voies nerveuses (principalement le nerf vague) ou par l'intermédiaire de messagers chimiques qui voyagent dans le sang. Ces derniers incluent la cholécystokinine et le peptide YY, que l'intestin sécrète lorsqu'il détecte la présence d'aliments. L'hypothalamus réagit alors en stimulant des voies nerveuses qui génèrent des signaux de satiété et, en même temps, inhibent ceux de la faim.

L'insuline, une hormone sécrétée par le pancréas en réponse à l'augmentation du niveau de glucose dans le sang (voir le chapitre 3), aurait une action semblable sur l'hypothalamus, alors que la ghréline, une hormone sécrétée par l'estomac lorsqu'il est vide, a l'effet opposé.

Les voies nerveuses de l'hypothalamus modulent les mécanismes de la faim et de la satiété en produisant diverses substances, appelées **neurotransmetteurs**. Ainsi, des neurotransmetteurs comme le neuropeptide Y et l'orexine stimulent la consommation d'aliments alors que plusieurs autres, comme la sérotonine, l'inhibent. La composition des aliments peut modifier les concentrations relatives de certains neurotransmetteurs au niveau du système nerveux central. Il en va de même pour plusieurs médicaments. Ceux qui augmentent la concentration de sérotonine sont d'ailleurs utilisés comme dépresseurs de l'appétit.

L'organisme possède donc un système nerveux et neuroendocrinien complexe qui lui permet d'ajuster sa consommation alimentaire selon ses besoins immédiats. À plus long terme, il doit cependant moduler l'activité de ce système selon l'état de ses réserves corporelles. Il y parvient grâce à la présence dans le sang d'un « marqueur » du niveau de la graisse corporelle, appelé leptine, qui est fabriqué dans le tissu adipeux. Par son action au niveau de l'hypothalamus, la leptine modifie la consommation d'aliments. Ainsi, l'appétit est stimulé quand le taux de leptine dans le sang est faible ; en revanche, l'appétit diminue quand ce taux est élevé.

Les facteurs d'influence

a) Les **facteurs génétiques** – Qu'advient-il des mécanismes qui régulent la prise de nourriture chez les personnes qui deviennent obèses ? Plusieurs hypothèses ont été avancées en réponse à cette question. Une première concerne l'hérédité. On a identifié de nombreux variants de gènes qui prédisposent au surpoids, tant chez l'homme que chez l'animal. Or plusieurs de ces variants codent des molécules directement liées à la prise alimentaire (voir *L'influence de l'hérédité sur la régulation du poids corporel*, à la page 44). En évoluant dans un environnement abondant en aliments, les personnes porteuses de ces variants seraient donc génétiquement prédisposées à la surconsommation.

b) Les **facteurs liés à l'environnement** – Le développement économique et industriel des sociétés modernes a favorisé l'émergence de nombreux facteurs environnementaux qui interviennent dans les mécanismes qui régulent la consommation d'aliments en perturbant le décodage des signaux internes émis par l'organisme. Parmi ces facteurs, il y a la **très grande disponibilité d'aliments attrayants**. On sait que les caractéristiques des aliments, en touchant les centres de perception psychosensorielle, influencent de manière déterminante les choix alimentaires. Chez l'animal, on peut d'ailleurs provoquer une suralimentation par la présentation d'une nourriture variée, alléchante et toujours disponible, à l'image de celle dont disposent les populations bien nanties où sévit l'excès pondéral. Les stratégies de marketing utilisées par l'industrie alimentaire visent à exploiter les qualités sensorielles des aliments, de sorte que, bien souvent, ils sont appréciés bien plus pour ces qualités-là que pour leur valeur nutritionnelle.

Les qualités sensorielles des **aliments riches en matières grasses** semblent exercer sur nous un attrait particulièrement puissant, qui rend souvent inopérants les mécanismes de satiété. Étant concentrés en énergie, ces aliments augmentent l'apport énergétique du régime sans accroître de façon aussi substantielle le volume d'aliments ingéré. De fait, plusieurs études indiquent que les gens ont souvent tendance à se suralimenter lorsqu'on leur présente une variété d'aliments riches en matières grasses.

Cette même tendance existe en présence d'**aliments riches en sucres**, dont la saveur est universellement appréciée. Toutefois, l'influence des aliments sucrés sur la consommation totale d'énergie varie selon la forme (solide ou liquide) sous laquelle ces aliments se présentent. En examinant l'effet d'une addition de sucre dans l'alimentation de sujets de poids normal, des chercheurs ont observé que, lorsque cet ajout était sous forme de bonbons, les sujets arrivaient à maintenir leur consommation d'énergie stable en réduisant leur consommation alimentaire habituelle. Toutefois, lorsque le sucre était ajouté sous forme de boisson gazeuse, l'apport énergétique total augmentait, puisque la consommation alimentaire habituelle demeurait inchangée. Les **boissons sucrées**, comme les boissons gazeuses régulières et les jus de fruits, rassasieraient donc moins que les aliments solides renfermant la même quantité de sucre. Il est possible que le type de sucre contenu dans les aliments sucrés détermine également leur effet sur la consommation d'énergie (voir le chapitre 3).

L'abondance de nourriture bon marché pousse aussi les gens à manger au-delà de leurs besoins énergétiques. Il a été démontré que la consommation d'un aliment s'accroît quand on augmente la **grosseur de la portion**. Or, la grosseur des contenants de plusieurs aliments de fabrication industrielle et surtout celle des portions d'aliments offerts dans le milieu de la restauration ont augmenté de façon phénoménale durant les dernières décennies. En outre, manger nécessite de moins en moins d'effort, compte tenu de l'offre grandissante d'aliments préemballés déjà prêts à être consommés, une caractéristique qui influe positivement sur les quantités consommées. Aussi mangeons-nous plus de noix quand elles sont déjà écalées ! L'environnement joue également un rôle dans la régulation biologique de la prise alimentaire en influençant le **style de vie**. Par exemple, les gens accordent peu de place aux repas en raison de leurs horaires chargés. Ils mangent donc rapidement, sans que l'organisme puisse exprimer ses véritables besoins. Souvent, ils ne prennent pas le temps de les écouter pendant qu'ils mangent, surtout s'ils sont occupés à faire autre chose, comme regarder la télévision.

Enfin, la mécanisation des tâches et du transport a considérablement réduit le **niveau d'activité physique** dans les populations industrialisées. Les résultats d'une étude dans laquelle on a comparé les dépenses énergétiques dues à l'activité physique de différents groupes d'individus indiquent que le niveau d'activité peut influencer la régulation de la prise alimentaire. La quantité relative de tissu adipeux demeure dans les limites acceptables lorsque la somme d'énergie dépensée au-delà du métabolisme de repos est d'au moins 24 kcal/kg de poids/jour (voir la figure 2.8 à la page 44). En deçà de cette valeur, la masse adipeuse varie grandement et est souvent excessive ; en étant inactif, l'organisme perd en quelque sorte sa capacité d'ajuster son apport alimentaire à sa dépense d'énergie. Il est possible que ce défaut d'ajustement résulte du fait que les besoins en nutriments essentiels deviennent alors prioritaires, et qu'ils sont plus faciles à combler quand l'apport alimentaire est élevé.

c) Les **autres facteurs** – On sait que diverses circonstances de la vie peuvent entraîner de réelles distorsions dans le comportement alimentaire. Des **facteurs d'ordre affectif** peuvent masquer les sensations de faim et de satiété et perturber les mécanismes physiologiques qui régulent la consommation d'aliments. Il est possible d'amener un animal à consommer plus de nourriture qu'il ne le fait normalement en lui imposant un stress, par exemple en lui pinçant la queue régulièrement. Chez l'humain, des sentiments de frustration (la privation de nourriture par désir de maigrir peut en provoquer un), de tension ou d'anxiété peuvent mener à des excès alimentaires ; ils servent alors à diminuer les stress quotidiens. Dans certains cas, les excès alimentaires sont des réactions à des conflits émotifs profonds dont la résolution est possible par une intervention psychothérapeutique.

Figure 2.8
La relation entre le taux
de graisse corporelle et
la dépense énergétique
(excluant le métabolisme
de repos)

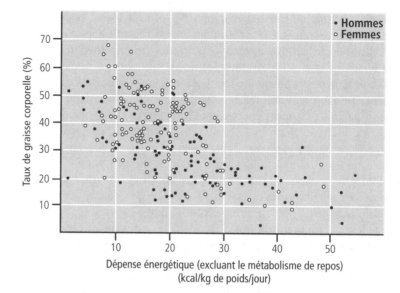

Source : Adapté de Saris, W.H.M.
(1996, p. S110-S115).

Enfin, plusieurs **médicaments** peuvent perturber les mécanismes de régulation de l'apport alimentaire et entraîner une modification du poids corporel. Par exemple, les personnes qui prennent des médicaments aidant à contrôler l'humeur, comme les antidépresseurs et les anxiolytiques, voient souvent leur poids augmenter.

L'influence de l'hérédité sur la régulation du poids corporel

Les prédispositions familiales influencent le poids corporel. Elles peuvent toutefois s'exercer tant par la transmission du bagage génétique que par l'influence parentale sur l'alimentation ou l'activité physique et le partage d'un environnement commun.

Bien que l'importance relative de l'hérédité se mesure difficilement, des études portant entres autres sur des jumeaux confirment que le bagage génétique influence le poids corporel ; chez l'animal, ce fait est clairement établi. De nombreuses recherches en cours tentent d'isoler les facteurs héréditaires en cause dans le développement de l'obésité. Selon un bilan scientifique publié en 2003, plus de 300 gènes pourraient jouer un rôle dans la régulation du poids corporel. Un défaut d'un seul gène (celui codant la leptine, par exemple) peut entraîner le développement d'une obésité précoce et massive, dite monogénique. Toutefois, ce type d'anomalie génétique est rarement en cause chez l'homme. La recherche a plutôt permis d'identifier des « variants » de gènes qui, tout en étant fonctionnels, confèrent une certaine susceptibilité au stockage de la graisse corporelle quand la nourriture est abondante, et le besoin d'énergie, réduit. Si on ne peut nier l'influence des gènes sur le poids, il faut bien comprendre qu'ils doivent interagir avec des facteurs environnementaux propices à la suralimentation pour causer l'obésité.

Comment l'influence de l'hérédité s'exerce-t-elle sur le développement de l'obésité ? Il semble que ce soit le plus souvent par une action sur la prise alimentaire. Nous avons vu que de nombreux acteurs (hormones et neurotransmetteurs) sont impliqués dans les mécanismes de la faim et de la satiété. Un grand nombre de gènes codent ces molécules de même que les récepteurs auxquels elles doivent se lier pour pouvoir remplir leurs fonctions. Des variations génétiques feraient en sorte de favoriser les signaux de faim aux dépends des signaux de satiété, conduisant ainsi à la surconsommation lorsque la nourriture est abondante.

Des variants de gènes permettraient aussi à l'organisme de mieux utiliser les glucides et les lipides comme sources d'énergie, c'est-à-dire en perdant moins d'énergie sous forme de chaleur et en la conservant davantage sous forme d'adénosine triphosphate (ATP) (voir l'encadré *La production d'énergie à l'intérieur de la cellule*, à la page 27). Il serait ainsi en mesure d'entreposer une plus grande part des nutriments ingérés sous forme de tissu adipeux. Ces différences quant à l'efficacité métabolique expliqueraient pourquoi deux personnes dont l'alimentation et le niveau d'activité sont similaires peuvent ne pas avoir la même capacité à maintenir leur poids corporel stable.

Enfin, des facteurs génétiques pourraient agir au niveau du tissu adipeux pour y faciliter l'entreposage des graisses, soit en modulant l'action de certaines enzymes, soit en augmentant la capacité d'expansion des cellules adipeuses ou encore leur nombre.

Les moyens de contrôle du poids corporel

Le maintien d'un poids normal

Les personnes qui ont un poids normal ont avantage à le maintenir stable. Plusieurs y arrivent de façon quasi automatique; l'apport alimentaire et la dépense d'énergie s'équilibrent sans qu'il soit nécessaire d'y porter une attention particulière. Pour d'autres personnes, le maintien d'un poids corporel stable exige plus d'efforts.

Pour éviter que l'équilibre entre l'apport et la dépense d'énergie ne se rompe, nous devons apprendre à reconnaître et à respecter les sensations de faim et de satiété, les deux signaux physiologiques qui aident à réguler la prise alimentaire. Il faut en même temps tenter d'échapper aux pièges dans l'environnement – tels l'omniprésence des étalages et des publicités d'aliments ainsi que le gigantisme des formats – qui perturbent l'écoute de ces signaux et nous incitent à manger au-delà de nos besoins.

Si nous maintenons un bon niveau d'activité physique, nous avons souvent plus de facilité à ajuster notre apport d'aliments en fonction de notre dépense d'énergie. En outre, quand nous sommes suffisamment actifs, la masse musculaire est mieux protégée. Cela freine le ralentissement du métabolisme de repos observé avec l'âge et facilite le contrôle du poids corporel.

Un bon moyen de réguler l'apport d'énergie est de limiter la consommation d'aliments préparés avec de bonnes quantités de matières grasses et de sucres, puisqu'ils augmentent les risques de suralimentation en raison de leur haute densité énergétique (voir *La régulation de l'apport alimentaire*, à la page 41). La densité énergétique de l'alimentation est rarement excessive lorsque les légumes, les fruits et les produits céréaliers peu transformés y occupent une place de choix. Nous pouvons aussi mieux contrôler notre consommation d'énergie en limitant notre consommation de boissons sucrées. Quant aux produits « réduits en sucre » ou « réduits en matières grasses », une mise en garde s'impose au sujet de ces aliments. Plusieurs d'entre eux, notamment les produits de boulangerie, ne sont pas beaucoup moins riches en énergie. Recourir à ces produits sans apporter d'autres modifications à son alimentation peut ne pas produire l'effet escompté sur le poids corporel, surtout si leur usage excède la consommation habituelle. C'est du moins l'hypothèse avancée pour expliquer que, malgré la très grande popularité de ces produits dans la population nord-américaine, on n'observe aucune amélioration du contrôle du poids corporel.

Les stratégies recommandées lorsque l'IMC se situe en dehors des limites de poids normal

L'absence d'excès adipeux

Un nombre grandissant de personnes éprouvent des difficultés à maintenir un poids normal. Toutefois, nous l'avons déjà vu, l'indice de masse corporel (IMC) d'une personne peut se situer en dehors des limites jugées normales sans que le risque de problèmes liés à l'insuffisance ou à l'excès pondéral augmente. C'est le cas notamment des personnes qui sont naturellement minces ou qui ont une musculature très développée. Elles maintiennent souvent un poids corporel stable tout en étant actives et en ayant un apport alimentaire adéquat qui s'ajuste spontanément à leur dépense énergétique. L'équilibre établi n'a donc pas lieu d'être modifié.

L'insuffisance pondérale volontaire

D'autres personnes, surtout les jeunes femmes, maintiennent un poids volontairement bas en raison de considérations esthétiques, qui sont principalement dictées par la mode et les pressions sociales. Elles y parviennent au prix d'efforts soutenus, en limitant presque toujours leur apport alimentaire, parfois très sévèrement, et en ayant recours à divers autres moyens qui ne sont pas sans comporter des risques pour la santé (voir *Les régimes amaigrissants*, à la page 48). Ce problème peut engendrer des troubles du comportement alimentaire, comme les compulsions qui caractérisent la boulimie, et contribue souvent à l'apparition de l'anorexie nerveuse (voir l'encadré *L'anorexie nerveuse*, à la page 47). Ces personnes pourront atteindre et maintenir un poids corporel compatible avec une bonne santé en plaçant leurs objectifs pondéraux à un niveau plus réaliste et en écoutant les signaux de leur organisme.

L'excès adipeux

Beaucoup de gens ont un IMC élevé en raison d'un excès de tissu adipeux ; une réduction durable de leur poids corporel s'avérerait bénéfique sur le plan de la santé. Cependant, tout dépend du moyen utilisé. Le taux de succès à long terme du traitement de l'obésité demeure faible en dépit des efforts et des sommes d'argent colossales qui y sont investis. Le recours répété à des méthodes de contrôle du poids à court terme entraîne la personne dans ce qu'on appelle le **syndrome du yoyo**. Ces fluctuations de poids comportent-elles des risques pour la santé ? Le sujet prête à controverse. Toutefois, selon une étude prospective réalisée auprès de femmes américaines, le syndrome du yoyo est lié à un gain de poids à long terme, lequel accroît le risque de problèmes de santé. Les fluctuations de poids seraient aussi liées à une baisse de la fonction immunitaire qui protège l'organisme contre les infections. De plus, sur le plan psychologique, les échecs répétés sont pénibles à vivre et portent atteinte à l'estime de soi.

Lorsqu'un individu envisage de perdre un excès de graisse corporelle, il doit d'abord consulter pour en connaître la cause. Si un conflit émotionnel sous-jacent perturbe les mécanismes de régulation de l'apport alimentaire de cette personne, il est préférable qu'elle consulte un thérapeute professionnel qualifié. Toutefois, en de nombreux cas, l'obésité résulte tout simplement de mauvaises habitudes de vie. Pour atteindre un meilleur équilibre entre l'apport alimentaire et la dépense énergétique, il est essentiel d'adopter de saines habitudes alimentaires (voir le chapitre 8) et d'être davantage actif, comme le suggère le *Guide d'activité physique canadien* (voir l'annexe 2).

Si la solution paraît évidente, en pratique, il en va tout autrement. Changer ses habitudes de vie de façon permanente exige des efforts. De plus, la perte pondérale s'accompagne de divers effets secondaires (fatigue, intolérance au froid, changements d'humeur, constipation, sécheresse de la peau, anomalies métaboliques, etc.) dont la gravité dépend du rythme de perte de poids et des moyens utilisés pour y parvenir (voir *Les régimes amaigrissants*, à la page 48). Il importe donc d'éviter les méthodes draconiennes et de tenir compte de ses préférences et de ses besoins propres. Éventuellement, on peut recourir à l'assistance d'un professionnel de la santé qualifié qui ne risque pas de se trouver en conflit d'intérêts quant aux moyens qu'il propose, ce qui est le cas quand un spécialiste recommande ses propres produits.

Enfin, le poids corporel de certains individus peut demeurer élevé en dépit d'habitudes de vie saines et de l'absence de troubles émotifs sous-jacents. Chez ces personnes, des facteurs génétiques seraient intimement liés au poids, car les efforts qu'elles doivent faire pour maintenir leur IMC à l'intérieur de l'intervalle recommandé sont intenses et souvent vains. Ces gens sont donc susceptibles d'avoir un rapport aux aliments conflictuel, à l'instar des personnes qui maintiennent un poids insuffisant en limitant volontairement leur consommation de nourriture de façon chronique.

Les professionnels de la santé sont de plus en plus nombreux à reconnaître que le bien-être physique et mental des personnes prédisposées à l'excès adipeux se fonde sur une alimentation équilibrée, un niveau d'activité physique suffisant et l'acceptation du poids corporel qui en résulte. Certaines études montrent que les personnes obèses dotées d'une bonne capacité cardiovasculaire ne courent pas plus de risques de souffrir de problèmes de santé que les personnes non obèses qui maintiennent la même forme physique. En bout de ligne, ce qu'il faut, c'est maintenir dans les limites jugées souhaitables les différents paramètres (niveaux de glucose et de lipides dans le sang, tension artérielle, condition cardiovasculaire, etc.) utilisés pour évaluer l'état de santé général.

Mais il faut du temps pour apprendre à accepter un corps qui n'est pas « standard ». L'image négative que les personnes obèses ont généralement d'elles-mêmes reflète malheureusement l'image que la société véhicule d'elles. Dans le monde occidental, ces individus sont désavantagés sur les plans social, économique et psychologique. Il n'est donc pas étonnant de voir apparaître des troubles psychologiques chez plusieurs personnes obèses, qu'elles se doivent de résoudre pour pouvoir accepter leur corps et se sentir bien. Des mesures d'intervention visant à modifier la perception du poids corporel qu'a l'ensemble de la société, y compris les très jeunes, faciliteraient beaucoup les choses aux personnes dont le bagage génétique favorise l'accumulation de la graisse corporelle. Il n'y a pas si longtemps, ce bagage était un atout précieux pour survivre dans les périodes de famine et il le demeure probablement encore aujourd'hui pour plusieurs populations du monde.

L'anorexie nerveuse

L'anorexie nerveuse est une maladie d'origine psychologique qui engendre la maigreur. Elle touche particulièrement les adolescentes, plus souvent celles qui sont dociles, qui ont de bons résultats scolaires et qui sont admirées de leurs parents et de leurs pairs. Les adolescentes qui souffrent d'anorexie nerveuse sont obsédées par la minceur. Elles utilisent plusieurs stratagèmes pour éviter de manger et vont jusqu'à se faire vomir. Souvent inconscientes de leur état d'émaciation de plus en plus prononcé, elles continuent de se percevoir comme « grosses » et se laissent littéralement mourir de faim.

L'anorexie nerveuse freine l'apparition des signes de maturation sexuelle, comme les menstruations et le développement de la pilosité. De fait, le refus de manger semble souvent indiquer une peur de grandir, de devenir adulte. Il semble être déclenché par des événements vécus difficilement sur le plan psychologique, comme le début des menstruations ou le passage à l'école secondaire ou au collège. Certains psychologues croient que c'est aussi une façon pour ces adolescentes d'exercer un contrôle sur certains aspects de leur vie, de chercher leur identité et de prouver leur indépendance. Le traitement de l'anorexie nerveuse est complexe ; certaines victimes doivent être nourries artificiellement. Si les problèmes psychologiques ne sont pas résolus, le désordre ne peut pas être corrigé de façon durable. La psychothérapie procure d'abord du soutien, puis amène progressivement la personne à assumer de plus en plus de responsabilités quant à son alimentation.

Pour en savoir plus ◦ ◦ ◦

Les régimes amaigrissants

L'industrie de l'amaigrissement est particulièrement lucrative. Aux États-Unis seulement, les gens dépensent plus de 30 milliards de dollars annuellement dans l'espoir de corriger un poids corporel excessif ou insatisfaisant. Une multitude de moyens sont proposés pour maigrir. Les régimes amaigrissants comptent parmi les plus populaires. On les propose dans les magazines destinés surtout aux femmes, en complément à divers produits vendus sans ordonnance ou à l'intérieur de programmes offerts dans les cliniques ou les clubs d'amaigrissement, sous forme de livres, de vidéocassettes ou même sur Internet.

On peut classer les régimes amaigrissants en deux catégories :

* **Les régimes fondés sur la restriction énergétique** – Cette catégorie comprend de nombreux régimes dont l'apport en énergie se situe nettement en deçà des besoins énergétiques courants (par exemple, un régime fournissant 1200 kcal/jour). Certains de ces régimes se composent d'un nombre restreint d'aliments, alors que d'autres, plus souples, propose une plus grande variété d'aliments ; la plupart excluent cependant divers aliments riches en énergie et souvent considérés comme peu nutritifs. La grosseur des portions à consommer est généralement précisée. Le rythme de perte de poids varie selon le degré de restriction que le régime représente par rapport aux besoins énergétiques. Cette catégorie comprend également les régimes à base de substituts de repas de même que les régimes non calculés en énergie, mais qui s'avèrent le plus souvent hypoénergétiques parce qu'axés sur la restriction des matières grasses.

* **Les régimes fondés sur divers modes d'action non démontrés scientifiquement** – Cette catégorie comprend divers régimes, comme les régimes riches en protéines et très pauvres en glucides (ex.: Atkins, The Zone), les régimes dissociés fondés sur les « combinaisons alimentaires » (ex.: Fit for Life) ou conçus pour limiter la sécrétion d'insuline (ex.: Montignac), les diètes « de rotation » ou encore celles qui sont fondées sur les groupes sanguins (ex.: D'Adamo). On leur prête des modes d'action non étayés de façon rigoureusement scientifique, comme une meilleure utilisation des nutriments énergétiques, l'inhibition du stockage des graisses corporelles, le maintien du métabolisme de repos, etc.).

Les pertes de poids que tous ces régimes peuvent entraîner résultent essentiellement du déficit énergétique créé par les choix imposés. Au début, il est normal que le rythme de la perte de poids soit rapide en raison de la perte d'eau consécutive à la restriction alimentaire, mais il tend à se stabiliser une fois l'équilibre hydrique rétabli dans l'organisme. Ce phénomène est accentué lorsque le régime s'avère suffisamment restreint en glucides pour produire un effet « cétogène », c'est-à-dire pour favoriser la formation de corps cétoniques. Les corps cétoniques sont des lipides incomplètement métabolisés en raison d'un manque de glucides dans l'alimentation (voir le chapitre 3). Comme l'organisme les élimine principalement dans l'urine, il s'ensuit une forte diurèse en début de traitement, laquelle se traduit par une perte de poids qui peut paraître spectaculaire, mais qui est en grande partie due à la perte d'eau.

Si bon nombre de régimes amaigrissants donnent des résultats à court terme, ils comportent généralement des **lacunes** qui diminuent nettement leur efficacité à long terme et les rend trop souvent néfastes pour la santé. Ces lacunes sont les suivantes :

* La **standardisation de l'apport énergétique** – C'est le cas d'un grand nombre de régimes populaires. Leur restriction énergétique n'étant pas ajustée aux besoins des gens qui les adoptent, le rythme de perte de poids varie grandement d'une personne à une autre. Cette perte peut s'effectuer trop rapidement, même chez les personnes dont les besoins énergétiques nécessaires au maintien de leur poids ne sont pas particulièrement élevés. Or, une perte de poids trop rapide réduit la masse musculaire ; de plus, elle comporte des risques pour la santé (voir l'encadré *Les effets secondaires potentiels de la perte de poids*, à la page 50), surtout si aucun suivi médical n'est assuré. Selon l'Association pour la santé publique du Québec, un organisme autonome de santé publique, **la moyenne de perte de poids ne devrait pas dépasser de 0,5 kg à 1 kg par semaine.**

* La **monotonie des menus et leur non-conformité aux recommandations nutritionnelles** – Plusieurs régimes ne comportent pas les quantités minimales d'aliments recommandées dans le *Guide alimentaire canadien pour manger sainement* (voir le chapitre 8). Les groupes d'aliments le plus souvent touchés sont les produits céréaliers et les produits laitiers. Ces régimes ont une valeur nutritive réduite en raison du manque de variété ; ils peuvent également être déséquilibrés quant à leur composition en protéines, en glucides et en lipides. Par exemple, certains régimes excluent pour ainsi dire toute source de matières grasses ; d'autres restreignent sévèrement les glucides, de sorte que les menus proposés sont pauvres en produits céréaliers, en légumes, en fruits et en lait.

* La **rigidité des menus, qui ne peuvent être ajustés selon les goûts, les préférences, les ressources ou encore les diverses activités sociales de la personne**

qui y a recours – Plusieurs régimes à la mode comportent des menus fixes, obligeant les personnes qui les suivent à faire abstraction de leurs propres goûts et préférences ; par conséquent, ils sont voués à l'échec et, en plus, engendrent des comportements alimentaires compulsifs. Certains nécessitent l'achat d'aliments préparés ou encore de suppléments, ce qui peut augmenter de façon substantielle le budget alloué à la nourriture. Enfin, il est souvent difficile de concilier un régime amaigrissant peu varié ou composé d'aliments précis avec les activités sociales liées à la prise de nourriture (par exemple, un repas pris en famille ou au restaurant).

- **L'absence d'éléments reconnus pour favoriser le succès à long terme des cures d'amaigrissement** – Les chances de succès à long terme d'une cure d'amaigrissement ne reposent pas uniquement sur l'aspect nutritionnel. Deux autres éléments s'avèrent des adjuvants appréciables : 1) un programme d'activités physiques sensé et bien adapté au mode de vie et 2) le recours à diverses techniques empruntées à la psychologie pour faciliter le changement du comportement alimentaire et des autres habitudes de vie. Or, les directives qui accompagnent plusieurs régimes amaigrissants populaires font abstraction de ces éléments. Certains suggèrent à la personne d'y avoir recours, mais, en pratique, cette dernière est laissée à elle-même.

- **L'absence de mises en garde ou de mention de contre-indications** – Réduire son poids a des effets indésirables et comporte des risques pour la santé, surtout si la perte de poids s'effectue rapidement (voir l'encadré de la page 50). La personne qui désire entreprendre une cure devrait être informée de ces dangers. Un suivi médical s'avère indispensable si elle souffre de problèmes cardiovasculaires ou si elle est soumise à une restriction énergétique draconienne. De plus, l'amaigrissement est contre-indiqué chez les femmes qui sont enceintes ou qui allaitent. Il en va de même chez les personnes qui ont des problèmes d'ordre émotif ; dans ces conditions, une démarche pour perdre du poids est nécessairement vouée à l'échec.

- **L'irréalisme quant à la perte de poids attendue, la fausseté des allégations quant au mode d'action ou aux vertus du régime** – Ceux qui vivent de l'industrie de l'amaigrissement utilisent toutes sortes d'astuces pour attirer une clientèle vulnérable et généralement mal informée. On fait souvent miroiter une perte de poids rapide, substantielle, sans efforts et permanente, en prétendant des actions dont les fondements scientifiques s'avèrent tordus quand ils ne sont pas carrément inexistants. Hormis la perte d'eau qui survient à court terme, seule une balance énergétique négative se traduit par une perte de poids. De plus, la probabilité de maintenir le poids abaissé diminue lorsque la perte de poids s'effectue rapidement. Selon l'Association pour la santé publique du Québec, **une perte de poids modérée, de l'ordre de 5 à 10 % du poids initial, suffit à améliorer la santé, pour autant que la perte est maintenue.**

Comme nous pouvons le constater, le procès des régimes amaigrissants populaires est particulièrement incriminant. Il en va de même pour l'industrie de l'amaigrissement dans son ensemble. Les produits et les méthodes pour maigrir pullulent en dépit de leur efficacité limitée, des risques pour la santé que plusieurs comportent et de la publicité souvent trompeuse qui les entoure. Combien de fois nous vante-t-on les mérites d'un programme, d'un régime ou d'un produit dont l'efficacité à long terme, et souvent même à court terme, n'a jamais été démontrée ?

Dans notre société, les conseils en matière d'amaigrissement, tout comme ceux relatifs à la santé en général, sont prodigués à l'intérieur d'un cadre législatif qui comporte beaucoup de zones grises. L'Association pour la santé publique du Québec (ASPQ) déplore cette situation, à la suite de son analyse critique des produits, services et moyens amaigrissants offerts sur le marché québécois. Si certaines pratiques, comme l'apposition de réclames sur l'étiquette d'un produit amaigrissant, sont régies par des règlements, par contre, aucun titre ni permis n'est exigé pour intervenir auprès de ceux qui se préoccupent de leur poids corporel. De plus, relativement peu de pratiques déloyales aboutissent à des condamnations en raison du peu de ressources allouées pour leur faire la lutte.

Pour se prémunir contre l'abus de confiance dont il est trop souvent victime, le public doit apprendre à demeurer insensible aux publicités sensationnalistes et à dénoncer ceux qui tentent de l'exploiter. Il a tout avantage à chercher l'appui dont il a besoin auprès de professionnels de la santé dûment reconnus (c'est le cas des diététistes professionnels) et à revoir sa façon de juger le poids corporel, c'est-à-dire à le voir de manière réaliste et empathique, en faisant abstraction des stéréotypes véhiculés par les médias.

Les effets secondaires potentiels de la perte de poids*

Fatigue	Intolérance au froid	Perte de tissu musculaire	Dérèglement des menstruations
Faiblesse	Peau sèche	Hypotension orthostatique	Anémie
Maux de tête	Sommeil perturbé	Déséquilibre électrolytique	Troubles de la vésicule biliaire
Constipation, diarrhée	Comportement alimentaire compulsif	Troubles cardiaques	Goutte

* Effets variables selon l'importance du déficit énergétique et les moyens utilisés pour perdre du poids.

Résumé

Tous les processus vitaux nécessitent de l'énergie. Ce sont les aliments qui procurent à l'organisme l'énergie dont il a besoin. L'énergie emmagasinée dans les aliments, tout comme celle que l'organisme utilise, s'exprime en kilocalories (kcal ou Cal) ou en kilojoules (kJ).

Pour évaluer la valeur énergétique d'un aliment, on mesure son contenu en glucides, en lipides, en protéines et, au besoin, en alcool, puis on multiplie chaque quantité de nutriments par son **facteur énergétique**: 4 kcal/g pour les glucides, 9 kcal/g pour les lipides, 4 kcal/g pour les protéines et 7 kcal/g pour l'alcool. La somme des valeurs ainsi obtenues correspond à la valeur énergétique de l'aliment.

Pour maintenir son intégrité, l'organisme doit ingérer suffisamment d'énergie pour compenser sa **dépense énergétique totale (DÉT)**. La DÉT de l'organisme se partage en trois composantes:

• **Le métabolisme de repos (MR)** – C'est la quantité d'énergie dépensée pour assurer les fonctions vitales quand un individu est à jeun et maintenu dans un état de repos physique et mental. Chez la majorité des gens, le MR représente la composante la plus importante de la DÉT. Le MR est influencé par plusieurs facteurs, notamment la taille et la composition de l'organisme, l'âge, la sécrétion hormonale, la grossesse, la maladie, le climat; c'est pourquoi il varie d'une personne à une autre et tout au long de la vie.

• **L'activité physique (AP)** – L'AP est la quantité d'énergie dépensée par l'organisme pour se mouvoir ou simplement maintenir le tonus musculaire dans certaines positions (assise, debout, etc.). Hormis le poids corporel, plusieurs facteurs influencent la somme d'énergie dépensée pour l'AP: type d'activité pratiqué, temps accordé à l'activité, intensité de l'activité. Chez une personne confinée au lit, l'AP peut ne représenter que 15 % de la DÉT alors que chez l'athlète cette proportion atteint 50 %, parfois plus.

• **L'effet thermique de l'alimentation (ETA)** – Cette composante correspond à la quantité d'énergie nécessaire pour digérer, absorber et utiliser les aliments avant que l'organisme ne puisse en tirer de l'énergie. De façon générale, l'ETA représente de 7 à 10 % de la DÉT.

En pratique, on peut estimer la DÉT d'une personne à partir d'équations mathématiques qui varient selon le sexe et prennent en compte le poids corporel, la taille, le niveau d'activité physique et l'âge. Chez l'adulte, le calcul de la DÉT permet d'estimer le **besoin énergétique**, soit la quantité d'énergie alimentaire nécessaire pour maintenir un poids corporel stable. Lorsque l'apport est inférieur à la dépense, le bilan énergétique est négatif; l'organisme doit alors puiser dans ses réserves, et sa masse diminue. À l'inverse, lorsque l'apport d'énergie excède la dépense, le bilan énergétique est positif; l'organisme ajoute le surplus à ses réserves, et sa masse augmente. La graisse corporelle constitue la principale réserve d'énergie de l'organisme.

Un déséquilibre entre l'apport et la dépense d'énergie peut conduire à la maigreur ou à l'obésité. Dans les deux cas, le poids corporel diffère de celui qui est considéré comme « normal ». L'**indice de masse corporelle (IMC)** est une mesure qui permet d'évaluer le poids corporel de façon objective, c'est-à-dire en se fondant sur les statistiques de mortalité et de morbidité qui lui sont associées. La mesure du **tour de taille (TT)** permet de mieux cerner les risques que représente l'excès pondéral pour la santé étant donné qu'ils varient selon l'endroit où la graisse corporelle tend à s'accumuler ; une accumulation au niveau abdominal augmente ce risque.

L'organisme possède un mécanisme lui permettant de réguler à la fois la prise de nourriture et la dépense énergétique afin de maintenir le poids corporel normal. Dans le fonctionnement de ce mécanisme interviennent des facteurs d'ordres physiologique, génétique, environnemental et psychologique. Par conséquent, le déséquilibre pondéral peut être la manifestation de plusieurs problèmes sous-jacents.

Les moyens suivants s'avèrent utiles pour favoriser le maintien d'un **poids normal** :

- Apprendre à reconnaître les signaux de faim et de satiété que l'organisme émet pour favoriser la régulation de l'apport alimentaire.

- Maintenir un bon niveau d'activité physique puisqu'il est alors plus facile d'ajuster son apport alimentaire en fonction de sa dépense d'énergie. L'activité physique permet également de protéger la masse musculaire, laquelle contribue de façon significative à la dépense énergétique de l'organisme.

- Avoir une alimentation équilibrée et surveiller sa consommation d'aliments riches en matières grasses et en sucre ; ils augmentent les risques de suralimentation en raison de leur haute densité énergétique.

- Recourir à l'assistance d'un thérapeute professionnel qualifié si la nourriture sert à pallier un conflit émotionnel profond.

Ces moyens s'avèrent utiles aux personnes qui présentent un excès de poids. Cependant, leur bien-être physique et mental ne dépend pas seulement d'une alimentation équilibrée et d'un niveau d'activité physique adéquat, mais aussi de l'acceptation du poids corporel qui en résulte. Pour leur faciliter la tâche, l'ensemble de la société aurait avantage à revoir sa façon de juger le poids corporel, c'est-à-dire à faire preuve de réalisme et d'empathie, et à ne pas tenir compte des stéréotypes véhiculés par les médias.

Quel que soit leur fondement, les régimes à la mode fonctionnent tous de la même manière : les pertes de poids qu'ils provoquent résultent essentiellement du déficit énergétique créé par les choix imposés. Bon nombre de régimes comportent des lacunes qui limitent grandement leur efficacité à long terme et les rendent parfois dangereux pour la santé.

Références

AINSWORTH, B.E. *The Compendium of Physical Activities Tracking Guide.* Prevention Research Center, Norman J. Arnold School of Public Health, University of South Carolina, janvier 2002. Site Internet : <http://prevention.sph.sc.edu/tools/docs/documents_compendium.pdf>.

ASSOCIATION POUR LA SANTÉ PUBLIQUE DU QUÉBEC. *Maigrir. Pour le meilleur et non le pire. Guide sur les principes d'une saine gestion du poids et analyse critique des produits et services amaigrissants,* ASPQ Éditions, 2004. Site Internet : <www.aspq.net>.

BARLOW, C.E. et autres. « Physical fitness, mortality and obesity », *International Journal of Obesity,* vol. 19, suppl. 4, 1995, p. S41-S44.

BLUNDELL, J.E. et J.L. MACDIARMID. « Fat as a risk factor for overconsumption : satiation, satiety, and patterns of eating », *Journal of the American Dietetic Association,* vol. 97, suppl., 1997, p. S63-S69.

BOUCHARD, C. « Can obesity be prevented? », *Nutrition Reviews,* vol. 54, n° 4, 1996, p. S125-S130.

COSTENTIN, J. « Éléments de physiologie et de neurobiologie de la prise alimentaire », *Annales pharmaceutiques françaises,* vol. 62, 2004, p. 92-102.

DERAT-CARRIÈRE, F. « L'impédancemétrie en pratique diététique courante » (1re partie), *Information diététique,* n° 3, 1995, p. 5-8.

DIMEGLIO, D.P. et R.D. MATTES. « Liquid versus solid carbohydrate : effects on food intake and body weight », *International Journal of Obesity,* vol. 24, 2000, p. 794-800.

FERRÉ, P. « L'obésité : aspects physiologiques, cellulaires et moléculaires », *Oléagineux, corps gras, lipides*, vol. 10, n° 2, 2003, p. 119-123.

FIELD, A.E. et autres. « Association of weight change, weight control practices and weight cycling among women in the Nurses' Health Study II », *International Journal of Obesity*, vol. 28, 2004, p. 1134-1142.

FOREYT, J.P. et G.K. GOODRICK. « Evidence for success of behavior modification in weight loss and control », *Annals of International Medicine*, vol. 119, n° 7, partie 2, 1993, p. 698-701.

FROGUEL, P. « Approches génomiques de l'obésité : vers la compréhension d'un syndrome complexe », *Annales d'endocrinologie*, vol. 61, suppl. au n° 6, 2000, p. 50-55.

FUMERON, F. « Obésité : d'un syndrome monogénique exceptionnel aux interactions entre gènes multiples et environnement nutritionnel », *Oléagineux, corps gras, lipides*, vol. 10, n° 2, 2003, p. 109-114.

GALE, S., V.D. CASTRACANE et C.S. MANTZOROS. « Energy homeostasis, obesity and eating disorders : recent advances in endocrinology », *Journal of Nutrition*, vol. 134, 2004, p. 295-298.

GIBBS, W.W. « Gaining on fat », *Scientific American*, vol. 275, n° 2, 1996, p. 88-94.

GOLBERG, J.P. et autres. « The obesity crisis : don't blame it on the pyramid », *Journal of the American Dietetic Association*, vol. 104, 2004, p. 1141-1147.

GORTMAKER, S.L. et autres. « Social and economic consequences of overweight in adolescence and in young adulthood », *The New England Journal of Medicine*, vol. 329, 1993, p. 1008-1012.

GROUPE DE TRAVAIL PROVINCIAL SUR LA PROBLÉMATIQUE DU POIDS (GTPPP). *Les problèmes reliés au poids au Québec : un appel à la mobilisation*, Association pour la santé publique, Montréal, 2003. Site Internet : <www.aspq.net/docs/poids/mobilisation.pdf>.

HAUS, G. et autres. « Key modifiable factors in weight maintenance : fat intake, exercise, and weight cycling », *Journal of the American Dietetic Association*, vol. 94, 1994, p. 409-413.

INSTITUT DE LA STATISTIQUE DU QUÉBEC. *Enquête sociale et de santé 1998*, Sainte-Foy, gouvernement du Québec, 2001. Site Internet : <www.stat.gouv.qc.ca>.

INSTITUT DE LA STATISTIQUE DU QUÉBEC. *Enquête sociale et de santé auprès des enfants et des adolescents québécois. Volet nutrition*, Sainte-Foy, gouvernement du Québec, 2004. Site Internet : <www.stat.gouv.qc.ca>.

KEIM, N.L., C.A. BLANTON et M.J. KRETSCH. « America's obesity epidemic : measuring physical activity to promote an active lifestyle », *Journal of the American Dietetic Association*, vol. 104, 2004, p. 1398-1409.

KORNER, J. et R.L. LEIBEL. « To eat or not to eat – How the gut talks to the brain », *The New England Journal of Medicine*, vol. 349, 2003, p. 926-928.

KRAL, T.V.E., L.S. ROE et B.J. ROLLS. « Combined effects of energy density and portion size on energy intake in women », *American Journal of Clinical Nutrition*, vol. 79, 2004, p. 962-968.

LEDOUX, M. et autres. « Correlation between cardiovascular disease risk factors and simple anthropometric measures », *Canadian Medical Association Journal*, vol. 157, n° 1, suppl., 1997, p. S46-S53.

LEVITSKY, D.A. et T. YOUN. « The more food young adults are served, the more they overeat », *Journal of Nutrition*, vol. 134, 2004, p. 2546-2549.

MENDELSON, R. « Aux prises avec l'obésité – Mieux vaut miser sur la prévention », *Rapport*, vol. 10, n° 1, 1995, p. 5-6.

MILLER, W.C. « Health promotion strategies for obese patients », *Healthy Weight Journal*, vol. 11, n° 3, 1997, p. 47-48.

MÜLLER, M.J. et autres. « Metabolically active components of fat-free mass and resting energy expenditure in humans : recent lessons from imaging technologies », *Obesity Reviews*, vol. 3, 2002, p. 113-122.

NEBELING, L. et autres. « Weight cycling and immunocompetence », *Journal of the American Dietetic Association*, vol. 104, 2004, p. 892-894.

NICOLAÏDIS, S. « Physiologie de la prise alimentaire. Faim et satiété. Régulation du poids corporel », dans *Alimentation et nutrition humaines*, H. Dupin et autres (réd.), Paris, ESF, 1992, p. 389-416.

ORGANISATION MONDIALE DE LA SANTÉ. *Stratégie mondiale pour l'alimentation, l'exercice physique et la santé*, Genève, 2004. Site Internet : <www.who.int/hpr/NPH/docs/consultation_document_french.pdf>.

PÉRUSSE, L. et C. BOUCHARD. « Bases génétiques de l'obésité au Québec », *Médecine/Sciences*, vol. 19, 2003, p. 937-942.

PI-SUNYER, F.X. « Short-term medical benefits and adverse effects of weight loss », *Annals of International Medicine*, vol. 119, n° 7, partie 2, 1993, p. 722-726.

POLIVY, J. « Psychological consequences of food restriction », *Journal of the American Dietetic Association*, vol. 96, 1996, p. 589-592.

« Position of The American Dietetic Association : Weight management », *Journal of the American Dietetic Association*, vol. 102, 2002, p. 1145-1155.

« Regulation of body weight », Special issue, *Science*, vol. 280, 1998, p. 1363-1390.

ROLLS, B.J. et D.L. MILLER. « Is the low-fat message giving people a license to eat more ? », *Journal of the American College of Nutrition*, vol. 16, n° 6, 1997, p. 535-543.

SANTÉ CANADA. *Lignes directrices canadiennes pour la classification du poids chez les adultes*, Ottawa, 2003. Site Internet : <www.santecanada.ca/nutrition>.

SARIS, W.H.M. « Physical inactivity and metabolic factors as predictors of weight gain », *Nutrition Reviews*, vol. 54, n° 4, 1996, p. S110-S115.

SARIS, W.H.M. « Sugars, energy metabolism and body weight control », *American Journal of Clinical Nutrition*, vol. 78, suppl., 2003, p. 850S-857S.

STATISTIQUE CANADA. Enquête sur la santé dans les collectivités canadiennes, 2003. *Indicateurs de la santé* (82-221-X1F), vol. 2004, n° 1, 2004.

STIPANUK, M.H. *Biochemical and Physiological Aspects of Human Nutrition*, Toronto, W.B. Saunders Company, 2000.

U.S. NATIONAL ACADEMY OF SCIENCES, INSTITUTE OF MEDICINE. *Dietary Reference Intakes for Energy, Carbohydrate, Fiber, Fat, Fatty Acids, Cholesterol, Protein and Amino Acids (Macronutrients)*, Washington, D.C., National Academy Press, 2002. Site Internet : <www.nap.edu>.

WANSINK, B. « Environmental factors that increase the food intake and consumption volume of unknowing consumers », *Annual Reviews of Nutrition*, vol. 24, 2004, p. 455-479.

WEBER, J. « Energy balance and obesity », *Proceedings of the Nutrition Society*, vol. 62, 2003, p. 539-543.

WORLD HEALTH ORGANIZATION. *Diet, nutrition and the prevention of chronic diseases. Report of a Joint WHO/FAO Expert Consultation*, WHO Technical Report Series 916, Genève, 2003. Site Internet : <www.who.int/hpr/NPH/docs/who_fao_expert_report.pdf>.

ZIEGLER, O., D. QUILLIOT et B. GUERCI. « Facteurs nutritionnels et régulation de la balance énergétique », *Annales d'Endocrinologie*, vol. 61, suppl. au n° 6, 2000, p. 12-23.

Ressources supplémentaires

Association pour la santé publique du Québec et Option consommateurs. *Ça va Sabine ?* (« photoroman » qui s'adresse surtout aux adolescentes).

Association pour la santé publique du Québec et Option consommateurs. *Maigrir… ou être comme je suis* (guide sur les produits, services et moyens amaigrissants).

« Bien dans sa tête, bien dans sa peau ». Programme de promotion d'une image corporelle saine et de prévention des problèmes liés au poids auprès des jeunes en milieu scolaire. Pour plus d'information, consulter le site d'ÉquiLibre, mentionné ci-après.

ÉquiLibre. Groupe d'action sur le poids (autrefois le Collectif action alternative en obésité ou CAAO). Site Internet : <www.equilibre.ca>.

Chapitre 3

Les glucides *carbs*

Les glucides occupent une place de choix dans l'alimentation de la majorité des êtres humains. Dans les sociétés faiblement industrialisées, les glucides représentent jusqu'à 80 % de l'apport en énergie du régime alimentaire. Dans les sociétés plus riches, la part des glucides dans l'alimentation est moins élevée, mais elle atteint néanmoins près de 50 %.

Il est vrai que plusieurs aliments riches en glucides, particulièrement en amidon, comme les céréales, les tubercules et les légumineuses, sont des sources d'énergie relativement abordables. Il est donc tout à fait naturel qu'ils constituent des aliments de base traditionnels, et ce, depuis les débuts de l'agriculture il y a environ 10 000 ans. Parmi les glucides, on trouve également les sucres, dont la saveur est unanimement appréciée. L'un d'eux, le glucose, tire d'ailleurs son nom – à l'instar des glucides – du mot grec *glukus*, qui signifie doux. Enfin, l'intérêt nutritionnel des fibres alimentaires, majoritairement constituées de glucides, n'est plus à démontrer.

Figure 3.1
Les monosaccharides importants en nutrition

Le glucose, le galactose et le fructose ont tous les trois la même formule chimique, $C_6H_{12}O_6$, mais l'arrangement de leurs atomes d'oxygène et d'hydrogène est différent. (Les zones ombrées illustrent ces différences.)

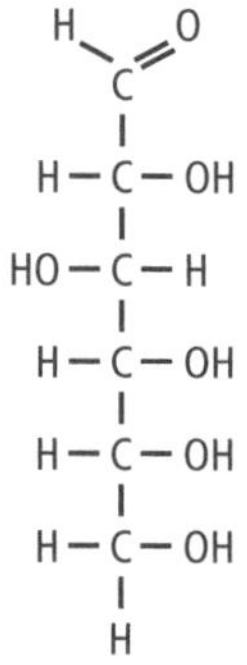

Glucose

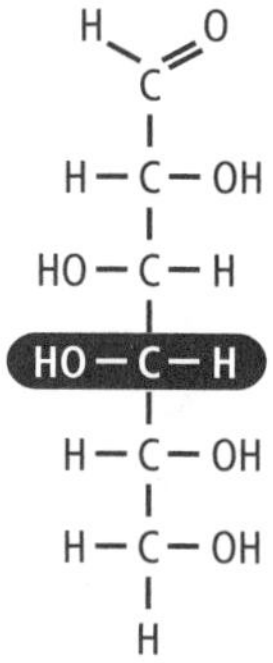

Galactose

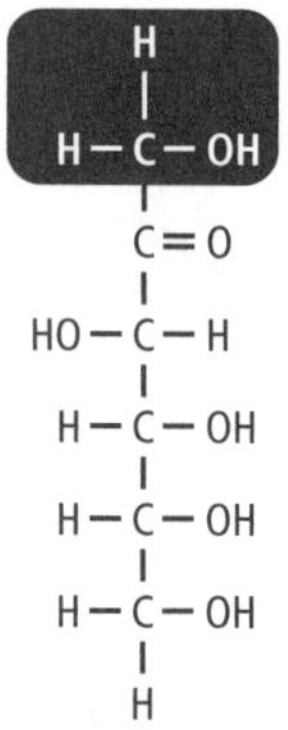

Fructose

Que sont les glucides ?

Les glucides sont des substances organiques composées d'atomes de carbone (C), d'hydrogène (H) et d'oxygène (O) disposés selon un arrangement moléculaire particulier. De façon générale, pour chaque atome de carbone, on note la présence de deux atomes d'hydrogène et de un atome d'oxygène, comme dans une molécule d'eau (voir la figure 3.1). C'est pourquoi les glucides sont aussi appelés hydrates (eau) de carbone.

La plupart des glucides que nous consommons se forment dans les plantes, lesquelles sont à la base de la chaîne alimentaire. Par un processus appelé photosynthèse (voir la figure 3.2), les plantes captent l'énergie solaire pour l'emmagasiner sous forme de glucides, qu'elles synthétisent à partir de gaz carbonique (CO_2) et d'eau, libérant en même temps de l'oxygène dans l'air :

$$6CO_2 + 6H_2O \xrightarrow{\text{énergie solaire}} C_6H_{12}O_6 + 6O_2$$

La classification des glucides

L'unité de base des glucides est le monosaccharide. Les monosaccharides se combinent pour former des glucides de poids moléculaire variable. On classe généralement les glucides selon le nombre de monosaccharides qu'ils renferment (voir le tableau 3.1).

Les glucides composés d'un seul monosaccharide, à l'état libre, et ceux composés de deux monosaccharides liés l'un à l'autre, appelés disaccharides, forment ce que plusieurs appellent les **sucres**. Les glucides composés de plusieurs monosaccharides – parfois quelques milliers – sont des **polysaccharides**. On peut diviser ces derniers en deux catégories, selon qu'ils sont assimilables ou non par l'organisme humain.

TABLEAU 3.1 La classification et les sources naturelles des glucides

Composantes des glucides	Sources naturelles
Sucres (glucides simples) -ose	
Monosaccharides libres	
Glucose dextrose	Miel, fruits, légumes
Fructose lévulose	Miel, fruits, légumes
Galactose	Très limitées
Disaccharides	
Sucrose (saccharose) sucre de table	Canne ou betterave à sucre, sève de l'érable, fruits, légumes (mélasse, cassonade)
Lactose	Lait
Maltose	Malt (orge germé)
Polysaccharides (glucides complexes)	
Assimilables	
Amidon	Céréales, tubercules, légumineuses, certains fruits
Glycogène	Rares (le foie et les mollusques notamment)
Non assimilables	
Fibres alimentaires (à l'exclusion de la lignine)	Légumineuses, céréales à grains entiers et de son, légumes, fruits, noix et graines

oligosaccharides

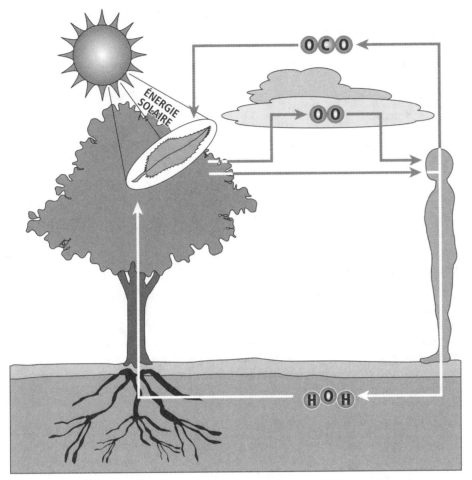

Figure 3.2
La photosynthèse
et le cycle de l'énergie

Grâce à la chlorophylle contenue dans les chloroplastes des feuilles vertes, les plantes captent l'énergie solaire et l'emmagasinent en synthétisant des glucides à partir du gaz carbonique (CO_2) qui compose l'air et de l'eau (H_2O) tirée du sol. Ce processus, appelé « photosynthèse », libère de l'oxygène (O_2), un gaz essentiel à la survie des hommes et des animaux. Ces derniers utilisent l'oxygène pour métaboliser les aliments qu'ils ingèrent et répondre ainsi à leur besoin en énergie. Le CO_2 et l'eau rejetés ensuite par la respiration et dans l'urine peuvent être réutilisés pour la photosynthèse.

Le principal polysaccharide assimilable présent dans l'alimentation est l'amidon. Quant aux polysaccharides non assimilables, ils forment la majeure partie des fibres alimentaires.

Les sucres : les monosaccharides et les disaccharides

Les **monosaccharides** sont aussi appelés « oses ». Ce sont les glucides les plus simples. Leur formule chimique est la suivante : $C_nH_{2n}O_n$, où n correspond au nombre d'atomes de carbone dans la molécule. Plusieurs monosaccharides existent dans la nature. Trois d'entre eux ont une importance particulière en nutrition : le **glucose** (ou dextrose), qui est un nutriment énergétique de choix pour les cellules de l'organisme, le **fructose** (ou lévulose) et le **galactose**. Tous les trois contiennent six atomes de carbone et ont la même formule chimique : $C_6H_{12}O_6$. Ils ne diffèrent l'un de l'autre que par l'arrangement de leurs atomes d'hydrogène et d'oxygène (voir la figure 3.1, à la page 56). Un autre monosaccharide, le ribose, est un élément de structure du matériel génétique. Ce sucre, qui contient cinq atomes de carbone, n'est présent qu'en faible quantité dans les aliments.

Les **disaccharides** sont des molécules formées de deux monosaccharides. Les disaccharides qui ont une importance en nutrition sont le **sucrose** (aussi appelé saccharose ou sucre de table), le **lactose** (le sucre du lait) et le **maltose**. Tous les trois contiennent au moins une molécule de glucose (voir la figure 3.3). Dans le sucrose, le glucose est lié au fructose, dans le lactose, il est lié au galactose et dans le maltose, il est lié à une autre molécule de glucose.

Figure 3.3
Les disaccharides importants en nutrition

Chacun est constitué de deux monosaccharides.

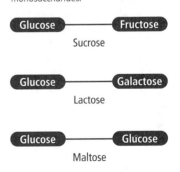

Les sucres se distinguent par leur saveur sucrée plus ou moins prononcée, laquelle dépend entre autres de la position de certains atomes à l'intérieur des molécules. Lorsqu'on compare des solutions de sucres différents mais de même concentration, on obtient le classement suivant, par ordre décroissant de saveur sucrée :

fructose
    sucrose
        glucose
            maltose
                galactose
                    lactose

Les aliments contiennent aussi des substances au goût sucré qui sont dérivées des sucres, nommées **sucres-alcools** (voir l'encadré ci-dessous). De plus, il existe des molécules non glucidiques dotées de pouvoir sucrant (voir *Les édulcorants intenses : de faux sucres*, à la page 79).

Les polysaccharides

Les monosaccharides se combinent pour former des glucides complexes ou **polysaccharides**. À l'intérieur des molécules de polysaccharides, les monosaccharides sont liés les uns aux autres par deux types de liaisons : 1) des liaisons que les enzymes digestives humaines peuvent briser, qui sont présentes dans les **polysaccharides assimilables**, et 2) des liaisons qui résistent à l'action enzymatique humaine, qui sont présentes dans les **polysaccharides non assimilables**, lesquels composent la majeure partie des fibres alimentaires.

Les polysaccharides assimilables

Le polysaccharide assimilable le plus abondant dans l'alimentation est l'**amidon**, qui constitue une forme de stockage de l'énergie chez les plantes. Cette molécule est

Les sucres-alcools (ou polyalcools)

Les sucres-alcools, aussi appelés polyalcools, sont des dérivés des sucres. Au Canada, les sucres-alcools autorisés dans les aliments et les boissons incluent entre autres le sorbitol, le mannitol, le xylitol et l'isomalt. Bien que certains d'entre eux soient présents naturellement dans plusieurs végétaux, dont certains fruits, leur extraction n'est pas rentable, car ils ne s'y trouvent qu'en petites quantités. Ils sont plutôt produits commercialement à partir de divers glucides par un procédé d'hydrogénation. Le pouvoir sucrant des sucres-alcools est équivalent ou inférieur à celui du sucrose.

En théorie, la valeur énergétique des sucres-alcools est comparable à celle des sucres. Toutefois, leur absorption au niveau intestinal est limitée ; de plus, une fois à l'intérieur de l'organisme, certains d'entre eux sont peu ou pas métabolisés. Par conséquent, les sucres-alcools fournissent moins d'énergie que le sucre (2 ou 3 kcal plutôt que 4 kcal par gramme). Consommés en grande quantité, les sucres-alcools peuvent causer de la flatulence et de la diarrhée ; on ne peut donc les ajouter qu'en quantités limitées dans la fabrication des aliments.

Les sucres-alcools ont l'avantage de ne pas être cariogènes, c'est-à-dire qu'ils résistent à l'action des bactéries, dont la présence dans la plaque dentaire contribue au développement de la carie. Pour cette raison, on les trouve entre autres dans certaines confiseries ; plusieurs gommes à mâcher dites sans sucre en contiennent. Puisqu'ils procurent une texture similaire à celle obtenue avec le sucre, on les utilise de concert avec un édulcorant intense dans des aliments à saveur sucrée dont on veut contrôler la valeur énergétique (voir *Les édulcorants intenses : de faux sucres*, à la page 79). Dans l'industrie, le sorbitol sert aussi à fabriquer la vitamine C.

composée de plusieurs unités de glucose réunies en longues chaînes linéaires (amylose) ou ramifiées (amylopectine) (voir la figure 3.4). Les proportions d'amylose et d'amylopectine dans l'amidon varient selon la source de ce dernier. L'amidon est dépourvu de pouvoir sucrant. En cuisine, il sert d'épaississant puisqu'il forme un gel lorsqu'on le cuit dans l'eau, ce qui le rend d'ailleurs plus digestible. L'amidon peut s'hydrolyser (se briser) partiellement sous l'action de la chaleur, d'une enzyme ou en milieu acide. Il y a alors formation de **dextrines**, des molécules plus petites que l'amidon (voir la figure 3.4). Les propriétés fonctionnelles des dextrines diffèrent sensiblement de celles de l'amidon.

Enfin, le **glycogène** ressemble à l'amidon des plantes. Il n'est constitué lui aussi que d'unités de glucose, réunies dans ce cas en chaînes fortement ramifiées (jusqu'à 100 000 unités de glucose peuvent former un même polymère !). Les animaux et les hommes emmagasinent leurs réserves d'énergie glucidique sous cette forme, plus précisément dans le foie et les muscles. Le glycogène est très peu présent dans les aliments, même dans les viandes de boucherie où il se dégrade très rapidement une fois l'animal abattu. Son rôle est plus important à l'intérieur de l'organisme vivant.

Les polysaccharides non assimilables (ou fibres alimentaires)

Les polysaccharides non assimilables sont des molécules complexes non digérées à l'intérieur de l'intestin grêle et qui, par conséquent et contrairement à la majorité des nutriments que nous consommons, aboutissent dans le côlon (gros intestin). Ces polysaccharides sont composés de glucose et de galactose, mais aussi d'autres sucres, comme le xylose, l'arabinose et le mannose, ainsi que de certains dérivés des sucres, comme l'acide galacturonique, dérivé du galactose.

La très grande majorité des polysaccharides non assimilables sont synthétisés dans les plantes, la plupart en tant que constituants de la paroi des cellules végétales, mais d'autres aussi dans les exsudats des cellules sécrétoires ; ils sont donc presque tous d'origine végétale[1].

Ces polysaccharides comprennent les substances suivantes :

- la cellulose et les bêta-glucannes (des molécules formées d'unités de glucose, tout comme l'amidon, mais dont les liaisons résistent à l'action enzymatique à l'intérieur de l'intestin grêle) ;
- les hémicelluloses (de structure moléculaire variée) ;
- la pectine (utilisée pour faire les gelées et les confitures) ;
- les gommes végétales, les mucilages et les extraits d'algues (souvent employés comme additifs alimentaires pour leurs propriétés émulsifiantes et épaississantes).

Habituellement, on regroupe ces polysaccharides non assimilables sous l'appellation de **fibres alimentaires**, terme englobant aussi la lignine, un élément non digestible provenant de la structure des plantes (notamment du bois) mais de nature non glucidique. Les fibres alimentaires sont souvent divisées en deux classes, selon qu'elles sont ou non solubles dans l'eau ; on parle alors de **fibres solubles** et de **fibres insolubles** (voir le tableau 3.2, à la page suivante). La solubilité des fibres influence leur comportement dans les aliments et à l'intérieur du tube digestif. Soulignons que l'expression « fibres brutes » n'a plus cours aujourd'hui. Elle correspond à la façon dont on dosait les fibres auparavant ; on sait maintenant que les valeurs ainsi obtenues sous-estimaient de beaucoup la teneur en fibres des aliments.

---

1. Font exception à cette règle la gomme xanthane, un additif alimentaire qui est produit par une bactérie, ainsi que la chitine, qui provient de la carapace des crustacés.

Figure 3.4
Les polysaccharides assimilables importants en nutrition

Chacun est formé d'unités de glucose.

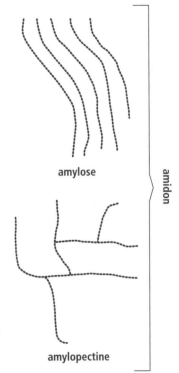

amylose

amidon

amylopectine

glycogène

dextrines

TABLEAU 3.2
polysaccharides non assimilables
La classification des fibres alimentaires
amidons résistants

• **Fibres solubles**

    Pectine

    Hémicelluloses solubles

    Bêta-glucannes *cellulose*

    Gommes, mucilages et extraits d'algues

• **Fibres insolubles**

    Cellulose

    Hémicelluloses insolubles

    Lignine*

* La lignine est la seule composante des fibres alimentaires à n'être pas un glucide.

Au sens large, le terme « fibres alimentaires » comprend aussi l'**amidon résistant**. Dans les végétaux, l'amidon cru est présent sous forme de granules enfermés dans une matrice ; il est donc difficilement accessible aux enzymes sécrétées dans l'intestin grêle. L'hydratation et la cuisson de l'amidon brisent cette matrice et augmentent de façon substantielle sa digestibilité. Malgré tout, même cuits, les aliments contenant de l'amidon renferment souvent de petites quantités d'amidon non digestible (environ 10 % du total) qu'on appelle amidon résistant. Enfin, font aussi partie des glucides non assimilables l'**inuline** ainsi que diverses molécules appelées **oligosaccharides** (parce que de plus petite dimension que les polysaccharides), comme le raffinose, le stachyose et les oligofructoses. Ces substances sont responsables de la flatulence (production de gaz intestinaux) associée à la consommation de légumineuses et de certains légumes. Il est possible de réduire la teneur en oligosaccharides ainsi que l'effet gazogène des légumineuses en les faisant tremper dans l'eau, que l'on renouvellera avant la cuisson.

Les sources de glucides

Les sources de sucres

Le règne végétal nous procure la majorité des glucides que nous consommons. Deux monosaccharides, le **glucose** et le **fructose**, y sont présents à l'état libre, principalement dans les fruits et les légumes (voir le tableau 3.1, à la page 56). Leur concentration dans ces aliments ne dépasse guère 15 %, sauf dans les fruits séchés où elle est plus élevée. Une autre source naturelle de glucose et de fructose est le miel produit par les abeilles à partir du nectar des fleurs ; dans cet aliment, la concentration de ces sucres est particulièrement élevée. Le glucose et le fructose sont aussi présents en grande concentration dans les sirops fabriqués à partir d'aliments riches en glucides, comme le sirop de maïs et les sirops de glucose-fructose dérivés de l'amidon de maïs, ou encore dans le sucre inverti obtenu par l'hydrolyse du sucre de table. Quant au **galactose**, on ne le trouve pas à l'état libre dans les aliments, sinon en très faibles quantités.

Deux disaccharides, le maltose et le sucrose, proviennent également du règne végétal. Le **maltose** est peu présent dans les aliments, hormis ceux qui contiennent de l'amidon partiellement hydrolysé. Le **sucrose** est présent naturellement dans plusieurs fruits et légumes, de même que dans la canne à sucre et la betterave à sucre, les deux matières premières à partir desquelles on l'extrait sur une base commerciale (voir le chapitre 13). La source la plus concentrée de sucrose est le sucre granulé blanc qui, selon la loi canadienne, doit renfermer au moins 99,8 % de sucrose, qu'il soit tiré de la canne à sucre ou de la betterave à sucre. Les produits provenant des sirops obtenus pendant le raffinage du sucre, comme la mélasse et la cassonade (sucre brun), sont aussi des sources concentrées de sucrose. Il en est de même pour les produits dérivés de la sève de l'érable.

Le **lactose** est un sucre d'origine animale, fabriqué dans la glande mammaire des mammifères femelles. On le trouve donc en bonne quantité dans le lait ; celui de la vache en contient 5 % et celui de la femme, 7 %. Malgré tout, le lait n'a pas une saveur sucrée très prononcée en raison du très faible pouvoir sucrant du lactose. Soulignons que l'écrémage du lait, qu'il soit partiel ou total, ne modifie pas vraiment sa teneur en lactose (voir le tableau 3.3), puisque les sucres sont solubles dans l'eau et non dans les graisses. On trouve aussi du lactose dans les autres produits laitiers, mais les quantités varient beaucoup (voir le tableau 3.3). Comparés au lait, les produits laitiers fermentés comme le yogourt et le babeurre ont une teneur réduite en lactose, car les bactéries qui y sont ensemencées transforment une partie du lactose en acide lactique. Quant aux fromages, la plupart contiennent très

TABLEAU 3.3   La teneur de divers aliments en lactose

Aliments	Portion	Lactose (g)
Lait entier, 3,3 % m.g.	250 ml	12,6
Lait écrémé	250 ml	11,4
Yogourt nature, < 1 % m.g.	175 ml	6,7
Babeurre	250 ml	9,6
Fromage cheddar	50 g	0,4
Fromage cheddar fondu	50 g	4,9
Fromage mozzarella	50 g	< 0,1*
Fromage neufchâtel	50 g	0,5
Fromage à la crème	30 ml	0,5
Fromage cottage crémeux (4,5 % m.g.)	125 ml	0,7
Fromage ricotta fait de lait entier	125 ml	1,9
Crème glacée à la vanille, 11 % m.g.	125 ml	4,5
Lait glacé à la vanille	125 ml	3,6
Yogourt glacé à la vanille	125 ml	3,3
Pouding au chocolat prêt à manger	125 ml	2,6
Crème à fouetter, 35 % m.g.	60 ml	1,7
Chocolat au lait	40 g	3,0

produits fermentés [annotation manuscrite]

* U.S.D.A. Nutrient Database for Standard Reference (données de 2004).

Source : Fichier canadien sur les éléments nutritifs (2001).

lait vache -5% / femme -7% [annotation manuscrite]

lactose →acide lactique [annotation manuscrite]

peu de lactose puisque, en plus de subir l'action bactérienne, ce dernier est éliminé au moment de l'égouttage du caillé.

Plusieurs aliments préparés comme les pâtisseries, les friandises, les confitures et les gelées, les boissons gazeuses et aromatisées aux fruits, les yogourts aux fruits ou aromatisés, plusieurs fruits en conserve ou surgelés, les desserts congelés et nombre de céréales pour le petit-déjeuner, contiennent de bonnes quantités de sucres divers. On en ajoute aussi, en plus petites quantités, dans d'autres aliments comme le beurre d'arachide, la sauce tomate, le ketchup, la sauce type mayonnaise, les vinaigrettes, les soupes en conserve ou en sachets, les viandes préparées et certains légumes en conserve. Leur présence est toujours indiquée sur l'étiquette apposée par le fabricant ; ils apparaissent dans la liste des ingrédients sous diverses appellations, selon la source de sucre utilisée.

Les sources d'amidon

L'amidon est un glucide qui s'accumule dans certains organes végétaux. Les aliments riches en amidon, qu'on appelle aussi **féculents**, sont donc tous d'origine végétale. Ce sont :

- les céréales et leurs dérivés (farines, semoules, produits de boulangerie, pâtes alimentaires, céréales pour le petit-déjeuner, etc.) ;
- les légumineuses (haricots, pois, lentilles) ;
- plusieurs tubercules, comme la pomme de terre et la patate douce, ou encore le manioc (dont on tire le tapioca), le taro, l'igname et le topinambour ;
- certains fruits souvent utilisés en tant que légumes, telles la banane plantain et la châtaigne (aussi appelée marron).

La banane plantain tout comme la pomme de terre est riche en amidon.

La teneur en amidon des végétaux varie entre autres selon leur stade de maturité et influence l'usage qu'on en fait. Par exemple, les graines des gousses de légumineuses matures sont riches en amidon, alors que celles des gousses immatures, dont certaines variétés sont consommées en légumes d'accompagnement (petits pois, haricots verts et jaunes), en contiennent moins. À l'inverse, la teneur en amidon de la banane s'amenuise avec le mûrissement, ce qui lui donne un goût plus sucré, car sa teneur en sucre augmente proportionnellement. Enfin, les noix et les graines contiennent aussi un peu d'amidon, mais elles se distinguent surtout par leur teneur élevée en matières grasses (voir le chapitre 4).

Les sources de fibres alimentaires

Les fibres alimentaires sont produites presque exclusivement dans le règne végétal. Les aliments d'origine animale, comme la viande, le poisson, le lait et les œufs, en sont totalement dépourvus. Les aliments qui constituent une source de fibres alimentaires comprennent les végétaux à la base de notre alimentation, soit :

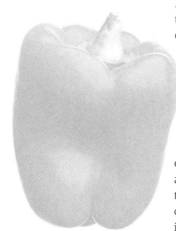

- les légumes et les fruits ;
- les céréales à grains entiers (non raffinées) ;
- les noix et les graines ;
- les légumineuses, catégorie d'aliments dont la teneur en fibres est la plus élevée.

Toutefois, la façon dont ces aliments sont transformés détermine leur contenu en fibres alimentaires. Par exemple, le raffinage du blé, qui consiste à retirer le germe ainsi qu'une bonne partie du son recouvrant ce grain, en réduit grandement la teneur en fibres alimentaires (voir le chapitre 9). L'extraction du jus des légumes et des fruits s'effectue en éliminant leur partie fibreuse, riche en fibres alimentaires insolubles. Les aliments d'origine végétale ne sont donc pas tous riches en fibres alimentaires. Les manipulations industrielles et domestiques influent aussi sur les quantités de fibres alimentaires, solubles et insolubles, contenues dans les végétaux que nous consommons. Par exemple, bien qu'elle améliore nettement la digestibilité des légumineuses, la cuisson réduit aussi leur teneur en fibres, transformant une partie de celles-ci en sucres.

Enfin, on trouve presque toujours un mélange de fibres solubles et de fibres insolubles dans les aliments qui contiennent des fibres. Cependant, il arrive souvent que les fibres insolubles prédominent ; dans le son de blé, notamment, plus de 90 % des fibres sont insolubles. Quant au son d'avoine, il renferme proportionnellement plus de fibres solubles ; celles-ci représentent un peu plus du tiers du total des fibres qui y sont contenues.

Les quantités de glucides dans les aliments

Le tableau 3.4, à la page suivante, indique les quantités et les types de glucides (sucres, amidon, fibres alimentaires) contenus dans divers aliments. Les aliments riches en glucides, nous l'avons déjà vu, incluent les produits céréaliers, les fruits, certains légumes (comme la pomme de terre), le lait et le yogourt, les légumineuses ainsi que plusieurs aliments appartenant au groupe « autres aliments ». On peut trouver des données sur le contenu en glucides d'un très grand nombre d'aliments dans les tables de composition des aliments et les banques de données contenues dans les logiciels d'analyse nutritionnelle. On trouve aussi ces renseignements dans le tableau de valeur nutritive présenté sur l'étiquette de la plupart des aliments préemballés. Ce tableau fournit également de l'information sur les quantités de sucres et de fibres (parfois aussi sur les quantités d'amidon et de sucres-alcools)

TABLEAU 3.4 La teneur en glucides de divers aliments

Aliments	Portion	Glucides (g)*	Type de glucides**
Produits céréaliers			
Pain de blé entier	1 tranche	13	a + f
Couscous cuit	125 ml	22	a
Riz blanc à grains longs, à l'étuvée, cuit	125 ml	23	a
Spaghetti cuit	250 ml	42	a
Gruau cuit	175 ml	19	a + f
Flocons de maïs	250 ml	23	a
Blé filamenté	1 biscuit	20	a + f
Céréale granola maison	75 ml	21	a + f + s
Crêpe nature, recette maison	1 (15 cm dia)	20	a + s
Légumes et fruits			
Pomme de terre bouillie	1	27	a + f
Haricots jaunes ou verts, bouillis	125 ml	5	a + f + s
Petits pois, en conserve	125 ml	11	a + f + s
Tomate	1	6	s + f
Pomme non pelée	1	21	s + f
Orange	1	15	s + f
Jus d'orange frais	250 ml	27	s
Pêches en conserve dans leur jus	2 moitiés	18	s + f
Pêches en conserve dans un sirop épais	2 moitiés	32	s + f
Produits laitiers			
Lait partiellement écrémé (2 % m.g.)	250 ml	12	s
Fromage cheddar	50 g	1	s
Fromage cottage crémeux (4,5 % m.g.)	125 ml	3	s
Yogourt nature (2 % – 4 % m.g.)	175 ml	12	s
Yogourt avec fruits au fond (2 % – 4 % m.g.)	175 ml	32	s
Viandes et substituts			
Bœuf maigre cuit	100 g	0	–
Poulet rôti, viande seulement	100 g	0	–
Truite arc-en-ciel cuite au four	100 g	0	–
Foie de veau braisé	100 g	3	g
Haricots rouges bouillis	250 ml	43	a + f
Lentilles bouillies	250 ml	42	a + f
Pois chiches bouillis	250 ml	47	a + f
Amandes rôties à sec, non blanchies	60 ml	8	a + f + s
Graines de tournesol rôties à sec	60 ml	8	a + f + s
Autres aliments			
Bonbons durs	2	12	s
Boisson aux raisins	250 ml	30	s
Boisson gazeuse de type cola	250 ml	27	s
Boisson gazeuse de type cola, « diète »	250 ml	< 1	–
Biscuits avec brisures de chocolat	2 biscuits	27	a + s
Gâteau au chocolat glacé	1 morceau	36	a + s
Croustilles de pomme de terre, nature	20	19	a

* Source : Fichier canadien sur les éléments nutritifs (2001).
** Type de glucides : a = amidon
      f = fibres alimentaires
      g = glycogène
      s = sucres

sucre ajouter dans les aliments commercialisés

contenues dans ces aliments. La quantité de sucres indiquée correspond au total des sucres, autant ceux naturellement présents dans un aliment que ceux ajoutés pendant son traitement ou sa préparation. Elle ne désigne donc pas uniquement la quantité de sucrose (sucre blanc) présente dans cet aliment.

L'utilisation des glucides dans l'organisme

La digestion et l'absorption des glucides

Tout comme les protéines et les lipides, les glucides assimilables contenus dans les aliments doivent être digérés avant d'être absorbés par l'organisme. Seuls les **monosaccharides** à l'état libre passent directement à travers la paroi de l'intestin grêle, le plus souvent grâce à un mécanisme qui en facilite le transport ; ils sont alors entraînés dans le courant sanguin (la veine porte) qui les transporte au foie (voir la figure 3.5). Par définition, les fibres alimentaires sont exclues de ce processus.

Les **disaccharides** arrivent intacts dans l'intestin grêle. Ils y sont scindés en deux par les disaccharidases, des enzymes situées sur les villosités intestinales (voir la figure 1.5, à la page 17). La maltase divise le maltose en deux molécules de glucose, la sucrase (aussi appelée saccharase ou invertase) divise le sucrose en glucose et en fructose, et la lactase (aussi appelée β-galactosidase) divise le lactose en glucose et en galactose. Ces monosaccharides sont alors prêts à être absorbés dans la circulation sanguine. L'absence ou l'insuffisance de disaccharidases entraîne une intolérance aux disaccharides – l'intolérance au lactose est la plus répandue (voir le chapitre 11).

Quant à l'**amidon**, sa digestion est amorcée dans la bouche sous l'action de l'amylase salivaire (ou ptyaline), une enzyme présente dans la salive qui est neutralisée au cours de son passage dans l'estomac. Le fractionnement de l'amidon en dextrines puis en maltose se poursuit dans l'intestin grêle grâce à une enzyme synthétisée par le pancréas, l'amylase pancréatique. Le maltose ainsi libéré est finalement digéré par

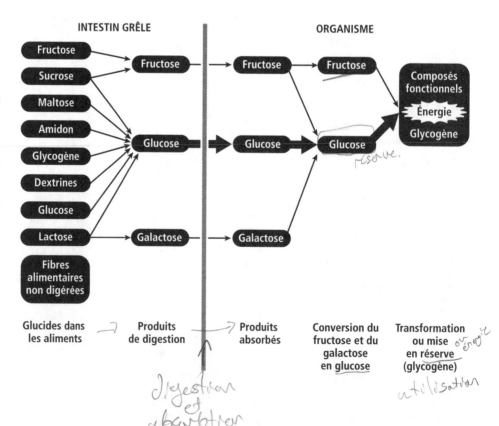

**Figure 3.5
L'utilisation des glucides par l'organisme**

Les glucides alimentaires sont transformés en monosaccharides dans l'intestin grêle grâce aux enzymes digestives. Une fois absorbés, presque tout le galactose et une grande partie du fructose sont convertis en glucose. Le glucose et le reste du fructose sont principalement utilisés comme source d'énergie, mais le glucose sert aussi à la synthèse de composés fonctionnels. L'excédent est mis en réserve sous forme de glycogène.

la maltase intestinale. Le glucose est le produit final de la digestion de l'amidon. Il en va de même pour la petite quantité de glycogène ingérée.

L'influence des glucides sur le niveau de glucose (sucre) sanguin

Les monosaccharides issus de la digestion des glucides sont absorbés dans le sang puis acheminés vers le foie. Il s'agit principalement de glucose, mêlé à des quantités variables, mais habituellement moindres, de fructose et de galactose, selon la composition du régime. Étant donné que le galactose et une partie du fructose sont convertis en glucose au moment de leur passage dans le foie, c'est essentiellement du glucose qui est libéré dans la circulation sanguine et dirigé vers les cellules de l'organisme. Le glucose est donc le sucre sanguin, celui présent en plus grande quantité dans le sang. Le niveau de glucose qui circule dans le sang est appelé **glycémie**. Après un repas, la glycémie augmente à un niveau qui dépend non seulement de la quantité de glucides consommée et absorbée, mais aussi de la rapidité avec laquelle l'organisme utilise le glucose qui arrive dans le sang. Une hormone sécrétée par le pancréas, l'insuline, permet aux cellules de l'organisme de capter le glucose sanguin (voir l'encadré *Le contrôle du glucose sanguin*, à la page 67). Quand nous ingérons des glucides, le pancréas ajuste sa sécrétion d'insuline à la vitesse d'apparition du glucose dans le sang afin d'en éviter l'accumulation excessive.

Outre la quantité et le type de glucides consommés, plusieurs facteurs déterminent la vitesse d'apparition du glucose dans le sang. Notons d'abord la taille et la consistance du repas ainsi que son contenu en matières grasses, en protéines et en fibres, tous des facteurs qui influencent la rapidité avec laquelle les aliments sont évacués de l'estomac et hydrolysés à l'intérieur de l'intestin grêle. Ainsi, un repas riche en matières grasses séjourne plus longtemps dans l'estomac ; la digestion des glucides présents dans ce type de repas s'en trouve ralentie. En outre, certains traitements appliqués aux aliments modifient la digestibilité de leurs glucides. Par exemple, la cuisson ou encore l'extrusion des céréales (un procédé utilisé notamment dans la fabrication de plusieurs céréales pour le petit-déjeuner) facilitent l'attaque enzymatique de l'amidon, le rendant ainsi rapidement assimilable. Enfin, le degré d'activité des enzymes digestives et la capacité des divers mécanismes de transport des monosaccharides à l'intérieur de la muqueuse intestinale influencent également la vitesse d'apparition du glucose dans le sang.

Les facteurs qui déterminent le taux de glucose sanguin consécutif à l'ingestion d'un aliment sont donc multiples. C'est la raison pour laquelle des aliments qui contiennent des quantités identiques de glucides assimilables n'ont pas nécessairement le même « **indice glycémique** ». Celui-ci se mesure en comparant l'effet sur la glycémie d'un aliment donné avec celui que procure un aliment de référence dont les glucides sont rapidement digérés et absorbés par l'intestin. Un aliment a un indice glycémique élevé si son ingestion produit une augmentation de la glycémie comparable à celle provoquée par l'ingestion d'une solution de glucose pur ou de pain blanc. En revanche, il est considéré à faible indice glycémique si sa consommation entraîne une hausse moins subite et moins prononcée de la glycémie en dépit d'une teneur comparable en glucides assimilables (voir *L'indice glycémique des aliments*, à la page 77).

Le métabolisme du glucose

Le glucose sanguin est un combustible de choix pour un grand nombre de cellules (voir le tableau 3.5, à la page suivante). Pour certaines d'entre elles, notamment les globules rouges et les cellules qui forment le système nerveux, c'est pour ainsi dire la seule **source d'énergie**. À l'intérieur des cellules, la dissolution complète du glucose en présence d'oxygène entraîne la production de gaz carbonique et d'eau et libère l'énergie emmagasinée dans la molécule (voir le chapitre 2). En l'absence d'oxygène, le glucose est métabolisé de façon incomplète, entraînant ainsi la production de lactate.

TABLEAU 3.5 Les substrats énergétiques utilisés par différents organes et tissus

Organes ou tissus	Substrats énergétiques
Cerveau	Glucose, corps cétoniques
Tissu musculaire	Glucose, acides gras libres, triacylglycérols, certains acides aminés
Cœur	Acides gras libres, triacylglycérols, corps cétoniques, glucose, lactate
Foie	Acides aminés, acides gras libres, lactate, glycérol, glucose, alcool
Intestin	Glucose, glutamine (un acide aminé)
Globules rouges	Glucose
Reins	Glucose, acides gras libres, corps cétoniques, lactate, glutamine
Tissu adipeux	Glucose, triacylglycérols

Source : Traduit et adapté de Stipanuk, M.H. (2000).

Lorsque la quantité de glucose qui transite par le foie excède les besoins immédiats des cellules, le surplus est emmagasiné dans le foie et les muscles sous forme de **glycogène**. Entre les repas ou lorsque les besoins en glucose sont élevés (au cours d'une activité physique intense, par exemple), le glycogène est reconverti en glucose. La quantité de glycogène que le foie et les muscles peuvent stocker est toutefois limitée. De façon générale, elle correspond à la quantité d'énergie dont l'organisme a besoin pendant 12 à 24 heures, ce qui est bien peu par rapport à la quantité d'énergie que représentent les réserves de graisse corporelle. Il en va de même chez l'athlète, malgré sa plus grande capacité à stocker le glycogène musculaire.

On sait depuis longtemps que l'excédent de glucose non converti en glycogène peut être transformé par le foie en acides gras. Ceux-ci sont regroupés sous forme de triacylglycérols avant d'être acheminés vers le tissu adipeux, où sont entreposées les **réserves de graisse** de l'organisme (voir le chapitre 4). Mais plusieurs études indiquent que cette voie métabolique est relativement peu utilisée. Un apport élevé de glucose dans la circulation sanguine entraîne plutôt une utilisation accrue de ce sucre par les tissus qui recourent principalement aux triacylglycérols pour combler leurs besoins énergétiques, facilitant ainsi le stockage des lipides provenant de l'alimentation.

En plus de servir de substrat énergétique, le glucose participe à plusieurs **autres fonctions** dans l'organisme. Il est transformé en ribose, un sucre qui entre dans la composition du matériel génétique, ou encore en glycérol, une substance nécessaire au transport et à l'entreposage des lipides. Il est nécessaire à la synthèse du lactose à l'intérieur des glandes mammaires au cours de la production de lait maternel. Enfin, après sa transformation en glucosamine ou autres sucres enrichis d'azote, le glucose sert à la synthèse de molécules complexes comme les glycoprotéines et les mucopolysaccharides, qui se trouvent dans des éléments de structure de l'organisme (cartilage, os, peau) ou encore dans divers composés fonctionnels (enzymes, hormones, anticorps, liquides articulaire et oculaire, anticoagulants).

Le contrôle du glucose sanguin

Chez une personne en santé, la concentration de glucose dans le sang, appelée **glycémie**, est relativement stable, variant généralement entre 3,6 et 8,0 mmol par litre, et ce, malgré l'apport intermittent de quantités plus ou moins importantes de glucides par l'alimentation. Il en est ainsi grâce à l'intervention de diverses hormones. Sans elles, la glycémie atteindrait des niveaux nuisibles au bon fonctionnement de l'organisme. Elle serait très élevée (hyperglycémie) immédiatement après un repas et s'abaisserait considérablement (hypoglycémie) pendant les périodes de jeûne.

Le rôle du pancréas

Pour prévenir ces fluctuations dangereuses, deux hormones jouent un rôle de premier plan : l'insuline et le glucagon. L'**insuline** est sécrétée par certaines cellules du pancréas quand la glycémie s'élève par suite de l'ingestion d'aliments contenant des glucides. Elle réduit le taux de glucose sanguin en stimulant l'utilisation de celui-ci par les tissus, qui le transforment en énergie ou le stockent sous forme de glycogène, selon les besoins immédiats des cellules. L'action de l'insuline permet de ramener le taux de sucre sanguin à un niveau normal après un repas. Par contre, lorsque la glycémie s'abaisse de façon importante, d'autres cellules du pancréas sécrètent du **glucagon**. Le glucagon augmente le niveau de glucose sanguin en stimulant sa synthèse à partir de certains acides aminés ainsi que la dégradation du glycogène emmagasiné dans le foie. L'insuline et le glucagon jouent donc des rôles opposés. Plusieurs autres hormones favorisent aussi l'élévation du taux de glucose sanguin. L'une des plus importantes est l'épinéphrine (adrénaline), une sorte d'hormone de défense sécrétée dans des situations où l'organisme est soumis à un stress ou à un danger ; elle stimule entre autres la transformation du glycogène en glucose, lequel constitue une source d'énergie rapidement mobilisable en cas de lutte ou de fuite.

Le diabète sucré

Un contrôle hormonal inadéquat de la glycémie favorise l'apparition du diabète sucré ou de l'hypoglycémie. Le **diabète sucré** est une maladie qui se développe lorsque le pancréas cesse de produire de l'insuline (diabète de type 1) ou encore, beaucoup plus souvent et généralement plus tardivement, lorsque l'organisme devient résistant à l'action de l'insuline et que la quantité sécrétée est insuffisante pour assurer un contrôle adéquat de la glycémie (diabète de type 2). Dans les deux cas, la glycémie s'élève de façon exagérée, car le glucose s'accumule dans le sang. L'hyperglycémie non contrôlée entraîne l'apparition de diverses complications qui peuvent mener au coma, en plus de favoriser le développement, à moyen ou à long terme, de maladies graves touchant les vaisseaux sanguins, les reins, les yeux et le système nerveux. Dans le cas du diabète de type 1, divers facteurs – peut-être un virus ou encore une réponse auto-immunitaire – seraient responsables de la destruction des cellules du pancréas qui sécrètent l'insuline ; le traitement nécessite donc des injections quotidiennes d'insuline dont les doses sont ajustées selon la consommation de glucides. Pour ce qui est du diabète de type 2, l'obésité est mise en cause, en particulier lorsque l'excédent de graisse se trouve surtout au niveau abdominal. Le contrôle du poids corporel s'avère donc souvent le meilleur traitement (voir le chapitre 2), bien qu'on y allie fréquemment la prise de médicaments destinés à normaliser la glycémie (appelés hypoglycémiants oraux). Partout dans le monde, le diabète de type 2 est une préoccupation majeure dans le domaine de la santé publique, en raison de l'augmentation phénoménale de sa prévalence au cours des dernières décennies.

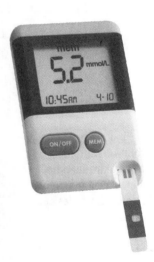

Les personnes qui souffrent de diabète peuvent utiliser un appareil comme celui-ci pour mesurer leur glycémie.

L'hypoglycémie

À l'opposé du problème d'hyperglycémie associé au diabète se trouve celui de l'**hypoglycémie**, c'est-à-dire une baisse du taux de glucose sanguin en deçà des limites jugées normales. Des épisodes d'hypoglycémie peuvent survenir occasionnellement, par exemple, lorsque l'organisme est soumis à un jeûne prolongé et que les réserves de glycogène sont réduites. Diverses pathologies (tumeur du pancréas, maladie hépatique ou héréditaire, etc.) en favorisent l'apparition chronique. Dans la majorité des cas, l'hypoglycémie survient plusieurs heures après la fin d'un repas. Cependant, lorsqu'elle apparaît assez tôt après un repas et qu'on ne peut en déterminer la cause, on la qualifie d'**hypoglycémie réactionnelle idiopathique**. Il se peut que ce type d'hypoglycémie soit dû à une production excessive d'insuline, elle-même provoquée par la hausse subite de la glycémie après un repas riche en glucides. Cette hypothèse expliquerait la baisse de la glycémie, marquée bien que passagère, survenant de deux à quatre heures après un repas. Étant donné que l'hypoglycémie affecte principalement les fonctions cérébrales, elle se traduit notamment par de l'anxiété, des palpitations, un défaut de concentration et une fatigue excessive. Cependant, la sécrétion d'épinéphrine en période de tension, de stress ou d'anxiété peut provoquer des symptômes similaires. Il est donc indispensable de mesurer la glycémie au moment de l'apparition de ces symptômes, avant de poser un diagnostic d'hypoglycémie réactionnelle idiopathique. Bien qu'on parle beaucoup de cette forme d'hypoglycémie, elle est relativement rare et touche surtout les femmes âgées de 30 à 50 ans ayant un poids normal ou légèrement insuffisant. Elle peut être contrôlée en limitant la consommation d'aliments très sucrés et en répartissant le plus possible la prise d'aliments au cours de la journée. De cette façon, il est possible d'éviter qu'un repas copieux, particulièrement riche en glucides, ne stimule de façon exagérée la sécrétion d'insuline. Le régime devrait fournir en même temps un apport adéquat en protéines, en lipides (matières grasses) et en fibres alimentaires, trois types de nutriments qui ralentissent l'absorption des glucides au niveau intestinal.

Le rôle des fibres alimentaires dans le tube digestif

Les fibres alimentaires étant composées principalement de polysaccharides non assimilables, elles traversent la majeure partie du tube digestif sans subir de transformation significative. Néanmoins, elles y exercent diverses actions. Leur présence dans les aliments augmente généralement le temps de mastication. Certaines fibres, particulièrement les fibres solubles comme la pectine et les gommes végétales, augmentent la viscosité du bol alimentaire et ralentissent, de ce fait, le passage des aliments dans l'estomac et l'intestin grêle ; la digestion et l'absorption des nutriments sont ainsi prolongées, ce qui permet d'éviter les hausses subites de nutriments (comme le glucose) dans le sang après un repas. Plusieurs fibres ont également la propriété de lier diverses substances, par exemple des minéraux, des sels biliaires ou encore des substances carcinogènes, dont l'absorption dans l'organisme semble réduite en leur présence.

Mais l'effet le mieux démontré des fibres alimentaires demeure la **régularisation de la fonction intestinale** au niveau du côlon. Étant donné leur part importante dans les résidus de la digestion aboutissant dans le côlon, les fibres alimentaires donnent du volume aux selles. Certaines fibres ont un grand pouvoir d'absorption de l'eau, ce qui contribue à l'augmentation du volume des selles et les ramollit. L'augmentation de volume stimule les contractions péristaltiques du côlon et fait avancer le contenu intestinal, tandis que l'eau piégée en facilite le glissement. En quantité suffisante, les fibres alimentaires permettraient au poids des selles d'atteindre le seuil critique (environ 200 g/jour) à partir duquel le côlon fonctionne normalement, une condition essentielle à la normalisation du temps de transit des aliments à l'intérieur du tube digestif (voir la figure 3.6 ci-contre).

Si les fibres alimentaires arrivent à peu près intactes dans le côlon, plusieurs y subissent des modifications grâce à l'**action de la flore bactérienne** qui s'y trouve. Les fibres solubles, en particulier, sont facilement décomposées par les enzymes sécrétées par les bactéries du côlon. Ces dernières utilisent les sucres ainsi libérés comme nourriture et se multiplient dans l'intestin, contribuant à l'augmentation de

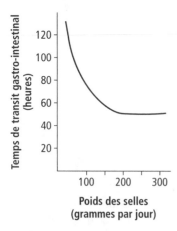

**Figure 3.6
L'évolution du temps de transit gastro-intestinal des aliments en fonction du poids des selles**

Source : Adapté de Spiller, G.A. et M. Spiller (2001).

la masse fécale, en partie constituée de résidus bactériens. Dans le côlon, la décomposition des fibres par les bactéries libère également diverses substances volatiles, comme des acides gras à chaîne courte (acides acétique, propionique et butyrique) ainsi que certains gaz (gaz carbonique, hydrogène, méthane). Les acides gras à chaîne courte sont rapidement absorbés par la muqueuse du côlon ; ils lui servent de nourriture mais sont aussi acheminés jusqu'au foie, où ils sont utilisés pour diverses fonctions ou encore comme source d'énergie. Les fibres alimentaires sont donc, de façon indirecte, une source d'énergie pour l'organisme ; évidemment, cette modeste part ne comble qu'une faible proportion des besoins énergétiques des populations industrialisées. Quant à la production de gaz, elle est responsable de la flatulence qui accompagne souvent les régimes riches en fibres.

Les fibres alimentaires ont donc de multiples effets à l'intérieur du tube digestif. Ces effets varient selon l'origine végétale et le traitement que les fibres subissent au cours de la transformation des aliments. Ainsi, la mouture du son de blé en fines particules, ou encore sa cuisson, réduisent sa capacité à augmenter le volume des selles. De plus, les réactions peuvent varier d'une personne à une autre malgré une consommation identique de fibres.

Les glucides et la santé

Les régimes riches en produits végétaux peu ou pas raffinés, fournissant de l'amidon et des fibres alimentaires, sont généralement associés à une plus faible incidence de problèmes de santé que les régimes riches en matières grasses. Les effets nocifs sur la santé d'une insuffisance de glucides en tant que source d'énergie sont bien connus, et ceux qu'entraîne la carence en fibres alimentaires, de mieux en mieux démontrés. On continue toutefois de se questionner sur les risques que représente un trop grand apport de sucres, notamment de sucrose.

L'insuffisance de glucides en tant que source d'énergie

Les glucides assimilés par l'organisme sont essentiels à son bon fonctionnement. Si la quantité consommée est insuffisante pour combler les besoins des cellules, en particulier celles dont ils constituent la principale source d'énergie, l'organisme puise dans ses réserves de glycogène et met en branle divers processus compensatoires. L'un d'eux, appelé **néoglucogénèse**, lui permet de fabriquer du glucose à partir de certains acides aminés (voir le chapitre 5) provenant des protéines alimentaires, ou encore, lorsque l'alimentation est sévèrement restreinte, de ses propres protéines. La déficience en glucides peut donc entraîner la destruction de tissus maigres, ceux des muscles en particulier, puisque l'organisme les utilise alors pour fabriquer du glucose (voir le chapitre 5), ne pouvant transformer en glucose qu'une petite fraction (le glycérol) des triacylglycérols entreposés dans les graisses corporelles.

Une faible consommation de glucides entraîne aussi une augmentation de l'utilisation des graisses en tant que source d'énergie. Toutefois, l'organisme ne peut alors les oxyder complètement en gaz carbonique et en eau. Or, la décomposition incomplète des lipides provoque la formation de substances appelées **corps cétoniques**. Certains organes peuvent utiliser les corps cétoniques pour leurs besoins énergétiques (voir le tableau 3.5, à la page 66) et l'organisme peut en éliminer une partie dans l'urine. Cependant, une trop grande accumulation de ces produits dans le sang mène à un état appelé **cétose**. La cétose indique un déséquilibre du métabolisme des glucides et des lipides dans l'organisme ; elle peut se traduire par de la fatigue, de la déshydratation, une perte d'appétit, des nausées et des vomissements. Pour éviter la cétose, il suffit de consommer chaque jour 130 g de glucides transformables en glucose, mais des apports beaucoup plus importants sont recommandés pour favoriser le fonctionnement optimal de l'organisme (voir *Les recommandations nutritionnelles touchant les glucides et les tendances de consommation*, à la page 73).

L'insuffisance de fibres alimentaires

On associe l'insuffisance de fibres alimentaires à divers problèmes de santé, en particulier aux maladies du côlon et du rectum comme la constipation, la diverticulose, les hémorroïdes et les fissures anales, souvent elles-mêmes liées à la difficulté de faire progresser un volume réduit de selles dans le côlon. La carence en fibres pourrait également être en cause dans le développement du cancer du côlon, des maladies cardiovasculaires, du diabète sucré et de l'obésité.

On rencontre surtout ces problèmes de santé dans les sociétés industrialisées, dont l'alimentation se distingue non seulement par sa faible teneur en fibres alimentaires, mais aussi par sa composition en plusieurs autres composés nutritionnels. Des facteurs, comme la sédentarité, certaines prédispositions génétiques, l'exposition au stress, le tabagisme et la consommation d'alcool contribuent aussi au développement de maladies, d'où la difficulté à cerner l'influence spécifique d'une carence en fibres. L'hypothèse voulant que cette dernière soit un facteur digne de mention a été popularisée dans les années 1970 par deux médecins britanniques, les docteurs Burkitt et Trowell. Ces derniers en vinrent à émettre cette hypothèse après avoir constaté que les habitants des régions rurales d'Afrique, dont l'alimentation est en grande partie composée de végétaux non raffinés, souffrent beaucoup moins fréquemment de certains problèmes de santé que les Occidentaux ou les Africains des régions urbaines, qui consomment une nourriture souvent plus raffinée.

Les pathologies du côlon

Les résultats des recherches effectuées depuis les années 1970 montrent qu'une alimentation pauvre en fibres alimentaires augmente le risque de contracter une maladie du côlon. La **constipation** se traduit par une défécation peu fréquente et qui exige des efforts. La **diverticulose** se caractérise par la présence de petites hernies dans la muqueuse du côlon, vraisemblablement causées par la pression qui y est exercée pour enrayer la stagnation des selles. Les matières fécales s'y accumulent, provoquant de l'inflammation, de la douleur et même des hémorragies, des symptômes qu'on associe à la diverticulite. Quant aux **hémorroïdes** et aux **fissures anales**, elles peuvent résulter d'une trop forte pression pendant l'expulsion des selles. Associées à une hydratation adéquate, les fibres s'avèrent souvent utiles pour prévenir et traiter ces problèmes de santé, vraisemblablement parce qu'elles donnent aux selles suffisamment de volume pour permettre le bon fonctionnement du côlon. Leur efficacité peut cependant être limitée lorsque ces problèmes sont dus à d'autres maladies ou à la prise de médicaments.

Des données tirées d'enquêtes épidémiologiques associent aussi la carence en fibres à une augmentation du risque de contracter un **cancer du côlon ou du rectum**. Bien que ce sujet demeure controversé, plusieurs études, réalisées principalement sur des animaux de laboratoire, montrent que diverses fibres ont un effet protecteur contre ce type de cancer. Certains chercheurs croient que cet effet bénéfique des fibres résulte de leur interaction avec un certain nombre de substances toxiques, présentes dans les selles, qui peuvent endommager la paroi du côlon. En plus d'avoir un effet de dilution sur ces substances, les fibres auraient la capacité de les lier et d'accélérer leur passage à l'intérieur du côlon, ce qui réduit le temps de contact avec la muqueuse colique. Il semble aussi que les fibres modifient favorablement l'activité des populations bactériennes du côlon, qui influent elles-mêmes sur le métabolisme de ces substances. Enfin, il est possible que les fibres s'avèrent bénéfiques tout

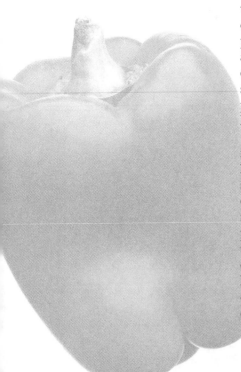

simplement parce que leur présence dans l'alimentation est liée à celle d'autres composés végétaux ayant un effet de protection contre le cancer (les antioxydants, par exemple).

Les maladies cardiovasculaires

L'un des principaux facteurs de risque de maladies cardiovasculaires est l'élévation du cholestérol dans le sang, plus particulièrement celle du « mauvais » cholestérol (voir le chapitre 4). La présence de fibres dans l'alimentation contribue à maintenir un niveau de cholestérol sanguin normal. Cependant, toutes les fibres ne font pas baisser le taux de cholestérol sanguin. Les plus efficaces sont les fibres solubles, comme celles que contiennent plusieurs fruits et légumes, certaines céréales (comme l'avoine roulée et l'orge) et les légumineuses. Le psyllium, un mucilage utilisé depuis longtemps comme laxatif, s'avère également efficace. Les fibres ne sont cependant qu'un des nombreux facteurs ayant une incidence sur le taux de cholestérol sanguin et le risque de maladies cardiovasculaires (voir le chapitre 4).

L'obésité

Une augmentation de la teneur en fibres de notre régime alimentaire peut nous aider à maintenir un poids corporel stable. Fournissant du volume mais peu d'énergie, les fibres diluent la valeur énergétique du repas tout en procurant un effet de satiété. De plus, comme nous devons mastiquer longtemps les aliments riches en fibres, cela empêche un trop grand apport d'énergie avant que n'apparaisse la sensation de satiété. Les résultats d'une étude conduite pendant 12 ans auprès de plus de 70 000 infirmières américaines ont montré que celles ayant le plus augmenté leur apport en fibres alimentaires au cours de cette période avaient pris moins de poids que les autres. Cependant, une alimentation riche en fibres a une efficacité limitée dans le traitement à long terme de l'obésité car les facteurs qui influencent le poids corporel sont multiples (voir le chapitre 2).

Le diabète sucré

Les fibres solubles facilitent le contrôle de la glycémie en ralentissant la digestion des glucides et l'absorption intestinale du glucose, et en influençant de façon favorable la sécrétion de diverses hormones. Elles semblent jouer un rôle dans la prévention du diabète sucré, possiblement en contribuant à prévenir l'obésité, un facteur qui accroît de façon significative la prévalence du diabète de type 2.

L'excès de sucres

Les chercheurs ont souvent tenté de déterminer l'influence de la consommation excessive de glucides, particulièrement de sucres, sur l'évolution de troubles pathologiques comme l'obésité, le diabète sucré, les maladies cardiovasculaires, la carie dentaire et l'hypoglycémie réactionnelle, ou encore sur l'apparition de troubles du comportement, comme l'hyperactivité chez l'enfant et même la délinquance juvénile. Depuis le milieu des années 1980, ils revoient régulièrement la littérature à ce sujet, mais leurs conclusions demeurent divergentes sur certains points. La controverse est en partie attribuable au fait qu'on ajoute maintenant plusieurs mélanges de sucres aux aliments, ne se limitant plus au sucrose (ou sucre blanc). Or, les sucres n'ont pas tous le même effet sur le plan métabolique. Il devient donc difficile de cerner leur rôle dans le développement des maladies.

De façon générale, on peut dire que la consommation de sucre n'incite pas aux **comportements répressibles**. Une étude particulièrement bien contrôlée, publiée en 1994 dans le *New England Journal of Medicine*, montre que l'ajout de sucrose

Malgré la croyance populaire, l'agitation des enfants pendant une fête ne serait pas imputable à la consommation de sucre, mais plutôt à la fête elle-même.

au régime alimentaire n'influence pas les résultats de tests psychomoteurs et comportementaux, et ce, tant chez les enfants normaux que chez ceux considérés comme sensibles au sucre. Théoriquement, le sucre aurait plutôt un effet apaisant puisque, au même titre que n'importe quelle autre source de glucose, il favorise dans le cerveau la synthèse de sérotonine, un médiateur chimique qui agit un peu comme un somnifère. Les parents et les personnes s'occupant des enfants ont souvent l'impression que le niveau d'agitation de ceux-ci augmente lorsqu'ils consomment des aliments sucrés. Ce phénomène s'explique par le fait que les aliments sucrés figurent au menu de bien des fêtes, lesquelles accroissent tout naturellement le niveau d'agitation de la plupart des enfants.

On peut aussi dire que, chez certaines personnes ayant des prédispositions particulières, la consommation de grandes quantités de sucres (sucrose et fructose en particulier) produit une **élévation chronique des lipides sanguins**, plus particulièrement des triacylglycérols (triglycérides), surtout s'il y a accumulation excessive de graisse au niveau abdominal. Cet effet s'accompagne souvent d'une augmentation du mauvais cholestérol (celui des LDL) et d'une baisse du bon cholestérol (celui des HDL), augmentant ainsi le risque de maladies cardiovasculaires (voir le chapitre 4). Un excès de sucre est également impliqué dans la physiopathologie de l'**hypoglycémie réactionnelle idiopathique**, bien que la prévalence de ce problème demeure faible (voir l'encadré *Le contrôle du glucose sanguin*, à la page 67).

Enfin, on sait que le sucre contribue au développement de la **carie dentaire** puisqu'il sert de nourriture aux bactéries présentes dans la plaque dentaire, laquelle se forme sur les dents lorsque l'hygiène buccodentaire est inadéquate. Ces bactéries utilisent le sucre pour produire des acides qui endommagent l'émail des dents, entraînant ainsi des caries. Les sucres qui ont un pouvoir « cariogène » incluent le sucrose, le fructose, le glucose et, dans une moindre mesure, le lactose. Dans le monde, on a longtemps lié la prévalence de la carie dentaire à la consommation de sucrose. Aujourd'hui, cette association tend à disparaître dans les pays industrialisés, où des facteurs comme l'hygiène dentaire et l'emploi de fluorures contrecarrent de façon significative l'effet cariogène des aliments renfermant du sucre. Le pouvoir cariogène de ces aliments dépendrait également de leur fréquence de consommation, de leur composition et de leur consistance. Pour leur part, les sucres-alcools (voir à la page 58) et les édulcorants intenses (voir à la page 79) ne provoquent pas de caries.

Existe-t-il un lien entre la consommation de sucre et la prévalence de l'**obésité** ? Compte tenu de l'état actuel de la recherche, il est difficile de se prononcer sur cette question. Plusieurs études épidémiologiques montrent une relation inverse entre la consommation totale de sucres et le poids corporel (exprimé selon l'indice de masse corporelle). Ainsi, selon ces données, les grands consommateurs de sucres risqueraient moins de présenter un excès de poids que les personnes qui en consomment peu. Il est possible que plusieurs grands consommateurs de sucres soient des gens actifs physiquement qui maintiennent un poids normal en comblant leurs besoins énergétiques élevés par la consommation d'une bonne quantité d'aliments, y compris des aliments sucrés. Par ailleurs, les résultats des enquêtes nutritionnelles peuvent fausser la relation entre la consommation de sucre et le poids corporel, les personnes ayant un excès de poids étant plus sujettes que les autres à taire leur consommation d'aliments « camelotes » (souvent riches en sucres). Plusieurs études cliniques montrent que la consommation d'énergie s'accroît quand on ajoute du sucre à l'alimentation, surtout sous la forme d'une boisson (voir le chapitre 2). En outre, les sucres n'auraient pas tous le même effet sur l'organisme. Selon certains chercheurs, un apport élevé en fructose, un sucre de plus en plus présent dans notre alimentation, aurait peu d'effet de satiété, favorisant ainsi la surconsommation. Bref, la relation entre la consommation de sucre et l'obésité n'est pas simple, de nombreux facteurs intervenant dans le contrôle du poids corporel.

La relation entre la consommation de sucre et le **diabète** de type 2 s'avère tout aussi complexe, ce type de diabète étant fortement lié à l'excès de poids, en particulier quand l'accumulation de graisse s'effectue principalement au niveau abdominal. Des données cumulées tout au long du xxe siècle montrent que l'augmentation de la prévalence du diabète de type 2 est non seulement liée à la baisse de la consommation de fibres alimentaires, mais aussi à l'augmentation de la consommation du sucre ajouté aux aliments. Celle-ci ne serait toutefois pas liée au développement du diabète de type 1, qui résulte de la destruction des cellules du pancréas productrices d'insuline (voir l'encadré *Le contrôle du glucose sanguin*, à la page 67).

Les recommandations nutritionnelles touchant les glucides et les tendances de consommation

Les glucides totaux

Compte tenu de la variabilité des besoins énergétiques dans la population, il est compréhensible que les recommandations concernant les glucides, tout comme celles touchant les lipides, soient exprimées par rapport à la quantité d'énergie consommée plutôt qu'en valeurs absolues. S'appuyant sur la publication en 2002 du rapport d'un comité d'experts canadiens et américains sur les apports nutritionnels de référence (ANREF), **Santé Canada recommande que 45 à 65 % de l'énergie que nous fournissent les aliments provienne des glucides contenus dans diverses sources**.

Par exemple, une personne qui consomme en moyenne 2400 kcal par jour devrait en consommer au moins 1080, mais au plus 1560, sous forme de glucides (voir l'encadré ci-après). Étant donné qu'un gramme de glucides fournit à l'organisme 4 kcal, l'alimentation de cette personne devrait contenir de 270 à 390 g de glucides. Bien que ces valeurs semblent élevées, il s'agit là d'apports en glucides relativement faciles à obtenir, comme l'illustre le tableau 3.4, à la page 63.

Comment évaluer l'apport souhaitable en glucides de son régime alimentaire

Recommandé : 45 à 65%

1. Déterminer sa consommation habituelle d'énergie.
   Par exemple : 2400 kcal par jour.

2. Calculer la quantité minimale d'énergie qu'on doit consommer sous forme de glucides, sachant qu'elle devrait représenter au moins 45 % de la quantité totale d'énergie ingérée.
   Par exemple : 45 % de 2400 kcal = 45/100 × 2400 kcal = 1080 kcal.

3. Calculer la quantité maximale d'énergie qu'on devrait consommer sous forme de glucides, sachant qu'elle devrait représenter au plus 65 % de la quantité totale d'énergie ingérée.
   Par exemple : 65 % de 2400 kcal = 65/100 × 2400 kcal = 1560 kcal.

4. Transformer ces quantités d'énergie en grammes de glucides, sachant que 1 g de glucides équivaut à 4 kcal.
   Par exemple : 1080 kcal/4 kcal/g = 270 g et 1560 kcal/4 kcal/g = 390 g

   Donc, en consommant 2400 kcal quotidiennement, on devrait ingérer de 270 à 390 g de glucides par jour.

Il n'est pas nécessaire de calculer précisément son apport en glucides pour suivre les recommandations. En pratique, une personne peut combler ses besoins nutritifs, y compris ceux en glucides, en s'inspirant du *Guide alimentaire canadien pour manger sainement* (voir le chapitre 8). Bien que chacun des quatre groupes d'aliments qui forment ce guide fournisse des glucides, deux d'entre eux, soit les « Produits céréaliers » et les « Légumes et fruits », en sont particulièrement riches. Ainsi, dans le régime alimentaire canadien, ils représenteraient à eux seuls au moins 65 % de l'apport total en glucides. C'est d'ailleurs grâce à leur richesse en glucides et en nutriments essentiels que ces deux groupes occupent les arcs extérieurs de l'arc-en-ciel illustrant le *Guide alimentaire canadien pour manger sainement*. Le groupe « Autres aliments » est une source additionnelle de glucides, puisqu'il réunit plusieurs aliments concentrés en sucres comme les confiseries et les boissons gazeuses ordinaires ; la contribution au régime alimentaire de ces aliments devrait être limitée compte tenu de leur faible valeur nutritive (voir le chapitre 13).

Une enquête visant à établir le profil de l'alimentation des Québécois âgés de 18 à 74 ans a permis de constater que les glucides y fournissent en moyenne 47 % de l'énergie consommée. Selon une enquête effectuée dans l'ensemble de la population canadienne adulte, cette part varie de 50 à 56 %, selon l'âge et le sexe. Dans l'ensemble, les Canadiens puisent donc une quantité suffisante de glucides dans leur alimentation. Toutefois, comme nous le verrons dans la section *Les fibres alimentaires* ci-après ainsi que dans la deuxième partie du livre, les Canadiens auraient avantage à réduire leur consommation de glucides raffinés et à manger plus souvent des produits céréaliers à grains entiers, des légumes, des fruits, des légumineuses et des noix.

Les sucres

Étant donné qu'il est difficile de cerner le lien entre la consommation de sucre et l'état de la santé, comment peut-on formuler une recommandation à ce sujet ? Les sucres naturellement présents dans les aliments de base comme les fruits, le lait et les légumes ne causent pas de problèmes puisque leur concentration n'est pas très élevée et qu'ils sont associés à un grand nombre de nutriments essentiels. En revanche, plusieurs aliments riches en sucres « ajoutés » au moment de leur fabrication ont une faible valeur nutritive. Quand ces aliments occupent une large place dans l'alimentation, les besoins nutritionnels de l'organisme peuvent être difficiles à combler. Pour cette raison, le comité d'experts des ANREF recommande que les sucres « ajoutés » ne représentent pas plus de 25 % de notre consommation d'énergie. Évidemment, la part des sucres « ajoutés » dans l'énergie que nous consommons est difficile à quantifier. Mieux vaut donc ne pas abuser de ces aliments du groupe « Autres aliments » contenant surtout du sucre (voir le chapitre 13) et manger plutôt des aliments appartenant aux quatre groupes de base du *Guide alimentaire canadien pour manger sainement* (voir le chapitre 8).

Notons que cette recommandation ne fait pas l'unanimité. Selon un groupe d'experts de l'Organisation des Nations Unies pour l'alimentation et l'agriculture (la FAO) ainsi que de l'Organisation mondiale de la santé (l'OMS), nous devrions restreindre encore plus (à moins de 10 % de l'énergie consommée) notre consommation de sucres « ajoutés » en raison de l'augmentation phénoménale, durant les dernières décennies, de la prévalence de l'excès de poids, tant dans les populations industrialisées que dans celles de pays en voie de développement. Selon ce groupe d'experts, nous devrions notamment surveiller notre consommation de boissons sucrées, y compris celle des jus de fruits (voir le chapitre 2).

Les fibres alimentaires

Il n'est pas facile d'estimer la quantité de fibres alimentaires que devrait contenir un régime alimentaire équilibré, étant donné la complexité de leurs actions sur l'organisme. Selon le rapport susmentionné sur les ANREF, la quantité de fibres jugée adéquate pour les adultes de 19 à 50 ans est de 25 g par jour pour les femmes et de 38 g par jour pour les hommes, ou de **14 g pour chaque apport de 1000 kcal**, et ce, pour les deux sexes. Cette recommandation rejoint celles qui prévalent dans d'autres populations occidentales. L'enquête effectuée auprès de la population canadienne adulte situe l'ingestion quotidienne moyenne de fibres alimentaires entre 14 et 21 g (soit entre 6 et 9 g/1000 kcal consommées) selon l'âge et le sexe, un niveau de consommation typique des populations occidentales.

Il semble donc que bon nombre d'entre nous aurions avantage à incorporer plus souvent des aliments riches en fibres dans notre alimentation. Nous pouvons mesurer notre consommation de fibres alimentaires en utilisant les valeurs qui apparaissent sur l'étiquette des aliments préemballés et en ayant recours aux tables de composition des aliments. Il arrive que ces valeurs diffèrent sensiblement d'une source à une autre puisqu'il existe différentes méthodes pour évaluer le contenu en fibres des aliments. Nous pouvons aussi mesurer de façon approximative notre consommation de fibres en nous référant à l'encadré suivant. Il suffit, pour chacune des catégories qui s'y trouvent, de multiplier le nombre de portions consommées en une journée par la valeur indiquée, puis d'additionner les valeurs ainsi obtenues.

Nous pouvons aussi nous inspirer de ces sources d'information pour augmenter notre apport en fibres alimentaires. Les allégations relatives aux fibres apparaissant sur l'emballage des produits alimentaires (ex. : « Cet aliment est une source de fibres alimentaires ») s'avèrent également utiles puisqu'elles sont réglementées. Elles signifient que l'aliment fournit au moins 2 g de fibres par portion déterminée (soit celle indiquée dans le tableau de valeur nutritive).

Il est préférable d'augmenter graduellement notre consommation de fibres, afin de permettre aux bactéries du côlon d'adapter leur métabolisme à un apport accru de substrats fermentescibles. Nous devons également nous hydrater suffisamment si nous maintenons une alimentation riche en fibres, puisque leur action au niveau du côlon dépend entre autres de la quantité d'eau qu'elles piègent.

On met parfois en garde les personnes qui sont tentées d'exagérer leur consommation de fibres, craignant que cela ne perturbe l'absorption de minéraux comme le calcium, le zinc et le magnésium. Certains aliments riches en fibres contiennent effectivement des phytates et des oxalates, substances qui ont un grand pouvoir de liaison avec les minéraux. Cependant, les fibres elles-mêmes n'auraient pas vraiment d'effet négatif sur l'absorption des minéraux et certaines fibres pourraient même avoir un effet positif. Chez les personnes bien portantes, la consommation d'aliments riches en fibres provenant de sources variées (souvent riches en nutriments essentiels) n'aurait donc pas d'effets nuisibles sur l'état des réserves nutritionnelles, pourvu que le régime alimentaire soit équilibré. Les suppléments de fibres (y compris le son) devraient toutefois être utilisés avec prudence, d'autant plus qu'ils comportent un risque d'obstruction intestinale lorsqu'ils sont consommés en grande quantité ou avec une quantité insuffisante de liquide. Un faible apport de liquide augmente l'absorption d'eau au niveau du côlon, ce qui peut rendre les matières fécales très dures et donc difficiles à évacuer quand des suppléments de fibres sont ingérés.

Méthode pour évaluer approximativement la consommation de fibres alimentaires

Selon certains experts, afin de profiter vraiment des bienfaits que procurent les fibres alimentaires, nous devrions en absorber environ 14 g/1000 kcal consommées, ce qui équivaut à environ 34 g pour une personne consommant 2400 kcal par jour. Selon diverses enquêtes, nous en ingérons souvent beaucoup moins.

Le tableau suivant nous permet de déterminer de façon approximative la quantité de fibres alimentaires contenue dans notre alimentation habituelle. La journée choisie doit être aussi représentative que possible. Pour chacune des catégories d'aliments inscrites dans le tableau, il suffit de multiplier le nombre de portions que nous avons consommées durant cette journée par la teneur en fibres indiquée; d'additionner ensuite les valeurs obtenues pour connaître notre apport quotidien en fibres alimentaires (en grammes). Pour améliorer la fiabilité de notre estimation, nous devons déterminer notre apport en fibres pendant au moins trois jours puis calculer la moyenne. Nous pouvons également nous inspirer de ce tableau pour modifier nos choix d'aliments si notre consommation de fibres s'avère insuffisante.

Catégories d'aliments	Nombre de portions	×	Fibres/ portion (g)	=	Fibres totales (g)
Légumes, à l'exclusion des jus (250 ml de laitue; 125 ml d'autres légumes)	_____	×	2	=	_____
Fruits, à l'exclusion des jus (1 fruit entier; 1/2 pamplemousse; 125 ml de fruits en morceaux ou de baies; 60 ml de fruits séchés)	_____	×	2,5	=	_____
Légumineuses (125 ml cuites)	_____	×	7	=	_____
Noix et graines (60 ml; 30 ml de beurre de noix)	_____	×	2,5	=	_____
Produits céréaliers à grains entiers (à l'exclusion des céréales pour le petit-déjeuner) (1 tranche de pain de blé entier; 125 ml de pâtes alimentaires de blé entier; riz brun ou autre céréale entière; 1 muffin au son)	_____	×	2,5	=	_____
Produits céréaliers raffinés (à l'exclusion des céréales pour le petit-déjeuner) (mêmes portions que pour les produits céréaliers de grains entiers)	_____	×	1	=	_____
Céréales pour le petit-déjeuner (vérifier sur l'emballage)	_____ *	×	_____	=	_____
			TOTAL (grammes)	=	_____

* Nombre de portions consommées compte tenu de la portion indiquée sur l'emballage.

Source: Adapté de Consumer Report on Health, mars 1995.

Pour en savoir plus ● ● ●

L'indice glycémique des aliments

Qu'est-ce que l'indice glycémique ?

L'indice glycémique sert à mesurer l'effet de l'ingestion d'un aliment sur le niveau de sucre sanguin. L'expression fait référence au terme « glycémie » souvent utilisé pour désigner le niveau de sucre sanguin.

Il est facile de mesurer la glycémie d'une personne à partir d'une petite quantité de sang, prélevée sur le bout d'un doigt par exemple. On peut le faire à intervalles réguliers pendant les deux heures qui suivent l'ingestion d'un aliment et tracer un graphique indiquant l'évolution de la glycémie au fil du temps. Lorsque l'aliment renferme des glucides qui se digèrent et s'absorbent rapidement, on obtient une courbe similaire à la courbe A apparaissant à la figure 3.7 : la glycémie augmente rapidement, atteint un plateau, puis redescend. S'il s'agit d'un aliment dont les glucides se digèrent et s'absorbent lentement, la hausse de la glycémie est moins prononcée, comme l'illustre la courbe B.

En mesurant l'aire sous la courbe, on peut donc évaluer dans quelle mesure l'ingestion d'un aliment influe sur la glycémie dite postprandiale. On peut ainsi comparer l'effet sur la glycémie de différents aliments avec celui d'un aliment de référence dont les glucides sont rapidement assimilés, tel le glucose pur. Accordons par exemple la valeur de 100 à l'aire sous la courbe de la glycémie obtenue à la suite de l'ingestion d'une solution renfermant 50 g de glucose. Calculons ensuite l'aire obtenue après la consommation d'un aliment dont la portion renferme elle aussi 50 g de glucides assimilables (principalement sous forme de sucres ou d'amidon). Si cette surface représente 70 % de celle qui est obtenue avec le glucose, on lui accordera la valeur de 70 et l'on dira de cet aliment qu'il a un indice glycémique égal à 70.

Des exemples d'indices glycémiques

L'indice glycémique (IG) est donc une valeur qui permet de comparer l'élévation de la glycémie suivant l'ingestion d'un aliment donné avec celle suivant l'ingestion d'une quantité comparable de glucides assimilables contenus dans un aliment de référence, soit une solution de glucose pur ou bien du pain blanc. Le tableau 3.6 ci-après présente l'indice glycémique de divers aliments qui renferment tous de bonnes quantités de glucides assimilables et dont l'effet sur la glycémie a été comparé à celui du glucose pur. Les intervalles ont été établis à partir des valeurs rapportées dans la littérature pour un même aliment. Hormis des considérations d'ordre méthodologique, plusieurs facteurs expliquent les écarts que l'on observe. Dans le cas du riz blanc par exemple, on évoquera la variété, le traitement qu'il a subi, le mode et le temps de cuisson.

Si l'on s'attarde aux sucres, on note que leurs indices glycémiques varient grandement. Comparé au glucose, le fructose a un indice glycémique particulièrement bas. Fait intéressant, l'indice glycémique du sucrose (qui se compose entre autres de fructose) ne représente que les deux tiers environ de celui du glucose et se compare à celui d'aliments riches en amidon, tels le pain blanc, les pommes de terre en purée ou encore le riz brun. La consommation de ces aliments a donc le même effet sur la glycémie que la consommation de sucre blanc.

Plusieurs fruits frais, le lait, le yogourt et les légumineuses (y compris les arachides) comptent parmi les aliments glucidiques

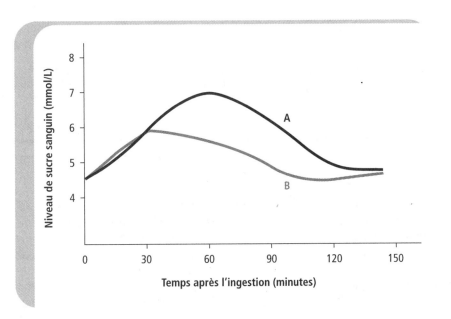

Figure 3.7
L'évolution du niveau de sucre sanguin suivant l'ingestion de glucides rapidement assimilables (courbe A) et lentement assimilables (courbe B)

Source : Adapté de Scheuk, S. et autres (2003).

TABLEAU 3.6   L'indice glycémique (IG) de divers aliments*

Aliments	IG	Aliments	IG
Sucres concentrés		**Légumes cuits**	
Fructose	19	Igname	51
Lactose	46	Patate sucrée	48-59
Miel	55	Maïs sucré	59
Sucrose (sucre blanc)	68	Betterave	64
Glucose	100	Pomme de terre, au four ou bouillie	54-63
		, en purée	67-73
Céréales cuites		, en purée, instantanée	80-86
Orge, perlé	22-29	Rutabaga	72
Seigle	29-39	Panais	97
Bulghur (blé concassé)	46-53		
Riz blanc	38-72	**Fruits frais**	
brun	66	Cerises	22
Millet	71	Pamplemousse	25
		Pêche	28
Pâtes alimentaires cuites		Pomme	34-39
Spaghetti, semoule raffinée	32-50	Poire	41
, blé entier	42	Orange	40-51
		, jus	46
Céréales pour le petit-déjeuner**		Raisins	43
All Bran (K)	50-51	Banane	46-62
Gruau, cuit	49-69		
Blé filamenté	67-83	**Produits laitiers**	
Cheerios (GM), Corn Bran (QO)	74-75	Lait, écrémé	32
Corn Flakes (K), Rice Krispies (K)	80-86	, entier	34
		Yogourt	36
Produits de boulangerie			
Pain de seigle, entier	41-66	**Légumineuses**	
Pain de blé, concassé	48-58	Arachides	13
, entier	52-72	Haricots de soja, cuits	15
, blanc	69-71	Lentilles, cuites	18-32
, pita, blanc	57	Haricots rouges (« kidney »), cuits	29-46
Biscuits à l'avoine ou Digestive	54-59	Pois chiches, cuits	31-36
Pizza au fromage	60	Haricots pinto, cuits	39
Muffins (saveurs variées)	59-69		
Craquelins, type soda	74		
Biscuits Graham (CB**)	74		

* Les valeurs canadiennes ont été retenues pour tous les aliments, à l'exception des sucres concentrés, dont les valeurs sont des moyennes calculées à partir de divers résultats.

** Fabricants : K = Kellogg's ; GM = General Mills ; QO = Quaker Oats ; CB = Christie Brown

Source : Foster-Powell, K., S.H.A. Holt et J.C. Brand-Miller. « International table of glycemic index and glycemic load values, 2002 », *American Journal of Clinical Nutrition*, vol. 76, 2002, p. 5-56.

ayant un faible indice glycémique (< 55). Il en est de même des pâtes alimentaires et de certaines céréales cuites. Les aliments ayant un indice glycémique élevé (> ou = 70) comprennent entre autres le millet, plusieurs céréales pour le petit-déjeuner prêtes à manger, certains produits de boulangerie, les pommes de terre en purée instantanée, le rutabaga et le panais. À l'exception de ces deux légumes, les aliments à indice glycémique élevé sont souvent riches en amidon raffiné (donc en glucose) et de texture bien aérée ; par conséquent, ils sont rapidement digérés dans l'intestin grêle. De plus, ils renferment relativement peu de matières grasses, un ingrédient qui ralentit la digestion des aliments.

L'indice glycémique et la santé

Comparés aux aliments à indice glycémique élevé, les aliments à faible indice glycémique réduisent le besoin de l'organisme en insuline, puisque leur consommation entraîne une hausse moins subite et moins prononcée de la glycémie. La consommation d'aliments à faible indice glycémique serait donc plus avantageuse sur le plan métabolique, en particulier lorsque l'organisme est résistant à l'action de l'insuline, ce qui est le cas chez plusieurs personnes présentant un excès de poids. Des études épidémiologiques montrent qu'une alimentation renfermant un bon nombre d'aliments à faible indice glycémique réduit le risque de développer le diabète de type 2 (celui associé à l'excès de poids). On a aussi observé une réduction des risques de maladies cardiovasculaires et de cancer (du côlon et du rectum notamment). Enfin, ce type d'alimentation semble avoir un plus grand pouvoir de satiété, ce qui faciliterait le contrôle du poids corporel. Notons toutefois que les aliments à faible indice glycémique ne sont pas nécessairement moins riches en énergie que ceux à indice glycémique élevé. Le fait qu'ils se digèrent et s'absorbent lentement n'affecte en rien leur valeur énergétique.

Il faut bien comprendre que la consommation d'aliments à faible indice glycémique n'est pas une panacée. Dans le milieu scientifique, le sujet suscite la controverse, car certaines études ne peuvent établir de lien entre l'indice glycémique de l'alimentation et la santé. Bien qu'il ait un faible indice glycémique, le fructose n'est pas nécessairement avantageux pour la santé (voir la sous-section *L'excès de sucres*, à la page 71). En outre, un certain nombre d'aliments à indice glycémique élevé possèdent une bonne valeur nutritive et ont certainement leur place dans une alimentation équilibrée, dont le principe fondamental demeure la variété. Il reste que, dans l'ensemble, nous aurions fort probablement avantage à choisir plus souvent des aliments à faible indice glycémique.

Pour en savoir plus ○ ○ ○

Les édulcorants intenses : de faux sucres

Que sont les édulcorants intenses ?

Les édulcorants intenses sont des substances au pouvoir sucrant remarquable, bien que leur structure chimique n'ait souvent rien en commun avec celle des sucres ou des glucides en général. Le pouvoir sucrant des édulcorants intenses est à ce point élevé que de très faibles doses suffisent à donner aux aliments une saveur sucrée agréable. Certaines de ces substances ont été découvertes de façon fortuite au cours

de recherches en laboratoire. Plusieurs ont fait l'objet de multiples études visant à vérifier leur innocuité. Le tableau 3.7 présente la liste des édulcorants intenses permis au Canada et indique leur pouvoir sucrant par rapport au sucrose, de même que leur valeur énergétique. À l'exception de la thaumatine, toutes ces substances sont synthétiques. Santé Canada contrôle l'utilisation de ces additifs par les fabricants de produits alimentaires en indiquant dans quelles conditions ils sont autorisés et en fixant les doses maximales jugées sécuritaires.

TABLEAU 3.7 Le pouvoir sucrant et la valeur énergétique des édulcorants intenses autorisés au Canada

Édulcorants intenses	Ressemblance chimique	Pouvoir sucrant*	kcal/g
Synthétiques :			
Saccharine**	–	400	0
Cyclamates**	–	30	0
Aspartame	protéine	200	4***
Sucralose	sucrose	600	0
Acésulfame K	–	130 à 200	0
Naturel :			
Thaumatine	protéine	3000	4***

* Le pouvoir sucrant est défini par rapport à celui du sucrose, auquel on accorde un pouvoir sucrant égal à 1 puisqu'il sert de sucre de référence.
** Au Canada, cet édulcorant n'est pas autorisé dans les aliments et les boissons.
*** En pratique, la contribution de cet édulcorant à la valeur énergétique des aliments est négligeable puisqu'il n'y est ajouté qu'en très faible concentration.
Source : Adapté de Beauchamp, G.K. (1999).

La **saccharine** et les **cyclamates** sont sur le marché depuis plusieurs décennies déjà. Ces deux petites molécules n'ont aucune valeur énergétique. D'abord approuvés pour remplacer le sucre de table et servir de substituts dans les aliments et boissons, ces composés ne sont désormais autorisés qu'à titre d'édulcorants de table (en sachets, par exemple) depuis que des études ont soulevé des doutes sur leur innocuité. La saccharine ne peut d'ailleurs être vendue que dans les pharmacies.

L'aspartame, le sucralose et l'acésulfame-potassium sont trois édulcorants de synthèse autorisés à la fois en guise d'édulcorants de table et de substituts du sucre dans les aliments et boissons. L'**aspartame** est de nature protéique puisque sa synthèse résulte de la combinaison de deux acides aminés, l'acide aspartique et la phénylalanine. Sa valeur énergétique est équivalente à celle des protéines, mais sa contribution à l'apport énergétique des aliments est négligeable en raison des très faibles concentrations qui s'y trouvent. L'aspartame est instable à la chaleur et perd son pouvoir sucrant lorsqu'on le chauffe, ce qui limite son utilisation dans les aliments. Les médias remettent parfois en cause l'innocuité de l'aspartame, mais aucune étude sérieuse ne permet d'appuyer ces allégations négatives. Comme son nom le suggère, le **sucralose** a une structure très similaire à celle du sucrose. Il est d'ailleurs synthétisé à partir du sucrose, mais les modifications apportées à la molécule lui permettent de résister à l'action enzymatique et empêchent, de ce fait, son assimilation dans l'organisme. Sa valeur énergétique est donc nulle. On peut chauffer les aliments qui contiennent du sucralose sans en altérer la saveur sucrée. Il en est de même des aliments sucrés à l'**acésulfame-potassium**, le plus récent des édulcorants de synthèse approuvés au Canada. La valeur énergétique de cette petite molécule est, elle aussi, égale à zéro. Soulignons que, lorsqu'ils sont vendus comme édulcorants de table, l'aspartame, le sucralose et l'acésulfame-potassium sont généralement mélangés à une substance de support de nature glucidique (comme des malto-dextrines); par conséquent, la valeur énergétique indiquée sur l'emballage de ces produits n'est pas nulle.

Quant à la **thaumatine**, c'est un édulcorant naturel extrait d'un fruit tropical. À l'instar de plusieurs autres édulcorants provenant des végétaux, son pouvoir sucrant est étonnamment élevé. Sa structure chimique est de nature protéique. La thaumatine est autorisée pour l'instant dans très peu d'aliments; on peut en trouver dans certaines gommes à mâcher.

Le rôle des édulcorants intenses

Contrairement au sucre, les édulcorants intenses n'ont aucun pouvoir cariogène. Pour cette raison, on les substitue souvent au sucre dans des produits comme la gomme à mâcher et les sirops pour le rhume. Ils n'ont également aucun effet sur le taux de sucre sanguin; les personnes diabétiques peuvent donc en faire usage.

En réduisant la teneur en sucres des aliments sucrés, les édulcorants intenses en diminuent la valeur énergétique, à moins que celle-ci ne soit compensée par l'ajout de substances nutritives comme les matières grasses. On peut se demander dans quelle mesure les aliments dits « sans sucre » sont utiles dans le contrôle du poids corporel. En théorie, l'usage de plusieurs de ces produits contribue à réduire l'apport en énergie du régime alimentaire. Des études cliniques démontrent que le recours aux aliments sucrés avec un édulcorant intense peut faciliter la perte de poids chez les personnes qui suivent un programme d'amaigrissement. Il reste que la présence accrue des produits réduits en énergie sur le marché de l'alimentation est liée non pas à une baisse, mais bien à une hausse de la prévalence de l'obésité dans nos populations. En pratique, la réduction de l'apport énergétique serait généralement moindre que celle à laquelle on peut s'attendre, probablement parce qu'il y a compensation par l'ingestion accrue d'autres aliments.

Résumé

Les glucides sont des substances organiques composées de carbone (C), d'hydrogène (H) et d'oxygène (O). L'unité de base des glucides est le monosaccharide. Les monosaccharides se combinent pour former des glucides de poids moléculaire variable; on les divise généralement en deux catégories :

- **Les sucres** — Ils se distinguent par leur saveur sucrée plus ou moins prononcée. Ils comprennent les monosaccharides à l'état libre (glucose, fructose, galactose) et les disaccharides (sucrose, lactose et maltose). Dans l'intestin, les monosaccharides traversent la muqueuse intestinale pour être assimilés à l'intérieur de l'organisme; les disaccharides doivent d'abord être scindés en deux grâce à l'action d'enzymes digestives.

- **Les polysaccharides** — Ce sont de grosses molécules composées de plusieurs monosaccharides et dépourvues de pouvoir sucrant. Certains polysaccharides sont assimilables dans l'organisme, car ils sont facilement dégradés par les enzymes digestives. D'autres résistent à l'action enzymatique et ne sont donc pas assimilables. Le principal polysaccharide assimilable présent dans l'alimentation est l'amidon. Quant aux polysaccharides non assimilables, ils forment la majeure partie de ce qu'on appelle les fibres alimentaires.

Le règne végétal nous procure la majorité des glucides que nous consommons. Parmi les **sucres**, on compte le sucrose (ou sucre blanc), extrait de la canne à sucre et de la betterave à sucre, mais aussi présent dans les fruits et les légumes. La cassonade, la mélasse et les produits de l'érable sont en bonne partie composés de sucrose. On en ajoute aussi dans bon nombre d'aliments préparés. D'autres sucres, comme le glucose et le fructose, se retrouvent dans le miel, les fruits et les légumes, ainsi que dans plusieurs sirops. Quant au galactose, il n'existe à l'état libre qu'en très petite quantité dans les aliments. Il forme aussi une partie du lactose, seul sucre d'origine animale. Le lactose est fabriqué dans la glande mammaire des mammifères femelles et se retrouve donc en bonne quantité dans le lait.

D'autres substances au goût sucré sont utilisées comme édulcorants. Il s'agit, pour la plupart, de produits de synthèse, tels des dérivés des sucres nommés **sucres-alcools** (ex. : sorbitol, mannitol), ou encore des substances dont la structure chimique n'a généralement rien à voir avec celle des glucides, mais qui possèdent un pouvoir sucrant remarquable. Ces **édulcorants intenses** sont, notamment, l'aspartame, le sucralose et l'acésufame-potassium. Leur ajout dans les aliments est soumis aux normes établies par Santé Canada.

Les **polysaccharides** présents dans les aliments sont fabriqués par les plantes. Les aliments riches en **amidon**, aussi appelés féculents, comprennent les céréales et leurs dérivés, les légumineuses (haricots, pois, lentilles, etc.), les tubercules (telle la pomme de terre) ainsi que certains fruits souvent utilisés comme légumes (banane plantain, châtaigne). Plusieurs de ces aliments sont également riches en **fibres alimentaires**, un type de glucides contenus dans les végétaux à la base de notre alimentation : légumes et fruits, céréales à grains entiers (non raffinées), noix et graines, légumineuses. Toutefois, la façon dont nous transformons ces aliments influe sur leur contenu en fibres alimentaires.

Le **glucose** est la principale substance libérée par la digestion des glucides assimilables ; le foie transforme aussi en glucose les autres monosaccharides absorbés. Ce sucre constitue donc le principal glucide utilisé par l'organisme. Diverses hormones maintiennent la quantité de glucose dans le sang à un niveau qui favorise le bon fonctionnement de l'organisme. En plus de servir à la synthèse de diverses substances, le glucose s'avère un combustible de choix pour un grand nombre de cellules, en particulier les globules rouges et les cellules qui forment le système nerveux. Lorsque la quantité de glucides consommée excède les besoins immédiats des cellules, le surplus est emmagasiné sous forme de glycogène ou métabolisé de façon à favoriser l'accumulation de graisse corporelle.

L'insuffisance de glucides assimilables dans l'alimentation entraîne une utilisation accrue des graisses comme source d'énergie, ce qui peut mener à un état pathologique appelé cétose. S'il y a en même temps déficit énergétique, l'insuffisance de glucides assimilables peut modifier la masse musculaire, puisque l'organisme s'en sert pour fabriquer du glucose à partir de certains acides aminés contenus dans les protéines musculaires. Pour équilibrer le niveau de glucides, de lipides et de protéines dans l'organisme et atteindre un état de santé optimal, **on recommande que 45 à 65 % de l'énergie que nous fournissent les aliments provienne des glucides contenus dans diverses sources**. Pour ce faire, nous pouvons nous inspirer du *Guide alimentaire canadien pour manger sainement* (voir le chapitre 8). Bien que chacun des quatre groupes d'aliments de ce guide fournisse des glucides, deux d'entre eux, soit les « Produits céréaliers » et les « Légumes et fruits », y contribuent plus particulièrement.

Compte tenu de leur faible valeur nutritive, les **aliments concentrés en sucres**, comme les confiseries et les boissons gazeuses, ne devraient occuper qu'une place limitée dans notre alimentation. Les sucres contribuent en outre au développement de la carie dentaire et peuvent augmenter le taux des lipides sanguins chez certaines personnes. Toutefois, la consommation actuelle de sucres dans les pays industrialisés ne semble pas être liée à l'apparition de troubles du comportement, telle l'hyperactivité chez l'enfant, mais on continue de se questionner sur son lien avec le développement de l'obésité et du diabète de type 2.

Quant aux **fibres alimentaires**, elles traversent le tube digestif sans subir de transformation jusqu'à ce qu'elles atteignent le côlon. À l'intérieur de celui-ci, elles favorisent la régularisation de l'élimination intestinale. Certaines d'entre elles subissent aussi l'action de la flore bactérienne du côlon. Les produits libérés lors de cette dégradation partielle des fibres sont en partie absorbés dans l'organisme, où ils exercent des actions apparemment bénéfiques pour lui, en plus de constituer une modeste source d'énergie. Dans les enquêtes épidémiologiques, l'insuffisance de fibres dans le régime alimentaire est souvent liée à divers problèmes de santé comme les maladies du côlon et du rectum, les maladies cardiovasculaires, le diabète et l'obésité. Bien que d'autres facteurs entrent également en jeu dans l'étiologie de ces maladies, il serait sûrement avantageux d'incorporer plus souvent des aliments riches en fibres dans notre alimentation.

Références

AGRICULTURE ET AGROALIMENTAIRE CANADA. *Food group sources of nutrients in the average canadian diet* (à partir des données de l'Enquête sur les dépenses alimentaires de 2001).

AMERICAN DIETETIC ASSOCIATION. « Position of the American Dietetic Association : Health implications of dietary fiber », *Journal of the American Dietetic Association*, vol. 102, n° 7, 2002, p. 993-1000.

AMERICAN DIETETIC ASSOCIATION. « Position of the American Dietetic Association : Use of nutritive and non-nutritive sweeteners », *Journal of the American Dietetic Association*, vol. 104, n° 2, 2004, p. 255-275.

ANDERSON, J.W., B.M. SMITH et N.J. GUSTAFSON. « Health benefits and practical aspects of high-fiber diets », *American Journal of Clinical Nutrition*, vol. 59, suppl., 1994, p. 1242S-1247S.

BEAUCHAMP, G.K. « Factors affecting sweetness », *World Review of Nutrition and Dietetics*, vol. 85, 1999, p. 10-17.

BEHALL, K.M. et J.C. HOWE. « Contribution of fiber and resistant starch to metabolizable energy », *American Journal of Clinical Nutrition*, vol. 62, suppl., 1995, p. 1158S-1160S.

BLACKBURN, G.L. « Sweeteners and weight control », *World Review of Nutrition and Dietetics*, vol. 85, 1999, p. 77-87.

BRAND-MILLER, J.C. « Glycemic load and chronic disease », *Nutrition Reviews*, vol. 61, n° 5, 2003, p. S49-S55.

BRAY, G.A., S.J. NIELSEN et B.M. POPKIN. « Consumption of high-fructose corn syrup in beverages may play a role in the epidemic of obesity », *American Journal of Clinical Nutrition*, vol. 79, 2004, p. 537-543.

COOK-FULLER, C.C. (réd.). *Annual Editions : Nutrition 96/97*, 8e éd., Guilford CT, Dushkin Publishing Group/Brown & Benchmark Publishers, 1996.

COUDRAY, C. et autres. « Effect of soluble or partly solube dietary fibres supplementation on absorption and balance of calcium, magnesium, iron and zinc in healthy young men », *European Journal of Clinical Nutrition*, vol. 51, 1997, p. 375-380.

CUMMINGS, J.H. et autres. « Review. A new look at dietary carbohydrate : chemistry, physiology and health », *European Journal of Clinical Nutrition*, vol. 51, 1997, p. 417-423.

DUPIN, H. et autres. *Alimentation et nutrition humaines*, Paris, ESF éditeur, 1992.

FRIED, S.K. ET S.P. RAO. « Sugars, hypertriglyceridemia and cardiovascular disease », *American Journal of Clinical Nutrition*, vol. 78, suppl., 2003, p. 873S-880S.

GRAY-DONALD, K., L. JACOBS-STARKEY et L. JOHNSON-DOWN. « Foods habits of Canadians : reduction in fat intake over a generation », *Canadian Journal of Public Health*, vol. 91, 2000, p. 381-385.

GROSS, L.S. et autres. « Increased consumption of refined carbohydrates and the epidemic of type 2 diabetes in the United States : an ecological assessment », *American Journal of Clinical Nutrition*, vol. 79, 2004, p. 774-779.

HARRIES, K., D. EDWARDS et K. SHUTE. « Case report : Hazards of a "healthy" diet », *Annals of the Royal College of Surgeons of England*, vol. 80, 1998, p. 72.

HELLERSTEIN, M. « Do carbohydrates turn into fat ? », *Perspectives in Nutrition*, 3e éd., G.M. Wardlaw et P.M. Insel (réd.), Toronto, Mosby, 1996, p. 260-261.

HIGGINBOTHAM, S. et autres. « Dietary glycemic load and risk of colorectal cancer in the Women's Health Study », *Journal of the National Cancer Institute*, vol. 96, n° 3, 2004, p. 229-233.

INSTITUT NATIONAL DE LA NUTRITION. *Le Point INN. La prévention du diabète de type 2 – une priorité nationale. Partie I – Fréquence et prévalence du diabète et des styles de vie contributifs*, étude n° 32, 2002.

JÉQUIER, É. « Carbohydrates as a source of energy », *American Journal of Clinical Nutrition*, vol. 59, suppl., 1994, p. 682S-685S.

LEAN, M.E.J. et C.R. HANKEY. « Aspartame and its effects on health », *The British Medical Journal*, vol. 329, 2004, p. 755-756.

LI, B.W., K.W. ANDREWS et P.R. PEHRSSON. « Individual sugars, soluble and insoluble dietary fiber contents of 70 high consumption foods », *Journal of Food Composition and Analysis*, vol. 15, 2002, p. 715-723.

LIEBERMAN, L.S. « Dietary, evolutionary and modernizing influences on the prevalence of type 2 diabetes », *Annual Reviews of Nutrition*, vol. 23, 2003, p. 345-377.

LIU, S. et autres. « Relation between changes in intakes of dietary fiber and grain products and changes in weight and development of obesity among middle-aged women », *American Journal of Clinical Nutrition*, vol. 78, 2003, p. 920-927.

LUDWIG, D.S. et R.H. ECKEL (éd.). « Is the glycemic index important in human nutrition ? », Proceedings of a symposium held at Experimental Biology 2001, Orlando, FL, *American Journal of Clinical Nutrition*, vol. 76 (suppl.), 2002, p. 261S-298S.

MARGARETA, E. et G.L. NYMAN. « Importance of processing for physico-chemical and physiological properties of dietary fiber », *Proceedings of the Nutrition Society*, vol. 62, 2003, p. 187-192.

ROBERTS, S.B. « High-glycemic index foods, hunger, and obesity : is there a connection ? », *Nutrition Reviews*, vol. 58, nº 6, 2000, p. 163-169.

ROSSANDER, L., A.-S. SANDBERG et B. SANDSTROM. « The influence of dietary fibre on mineral absorption and utilisation », dans *Dietary Fibre? A Component of Food*, T.F. Schweizer et C.A. Edwards (réd.), New York, Springer-Verlag, 1992, chap. 11.

SANTÉ CANADA. « Aspartame », Ottawa, 2002. Site Internet : <www.hc-sc.gc.ca/food-aliment/cs-ipc/chha-edpcs/f_aspartame>.

SANTÉ QUÉBEC, BERTRAND, L. (sous la dir. de). *Les Québécoises et les Québécois mangent-ils mieux? Rapport de l'Enquête québécoise sur la nutrition*, 1990, Montréal, ministère de la Santé et des Services sociaux, gouvernement du Québec, 1995.

SARIS, W.H.M. « Sugars, energy metabolism and body weight control », *American Journal of Clinical Nutrition*, vol. 78, suppl., 2003, p. 850S-857S.

SERVICE, F.J. (éd). « Hypoglycemic Disorders », *Endocrinology and Metabolism Clinic of North America*, vol. 28, nº 3, septembre 1999.

SLATTERY, M.L. et autres. « Plant foods, fiber and rectal cancer », *American Journal of Clinical Nutrition*, vol. 79, 2004, p. 274-281.

SPILLER, G.A. (éd.). *CRC Handbook of Dietary Fiber in Human Nutrition*, 3e éd., New York, CRC Press, 2001.

STIPANUK, M.H. *Biochemical and Physiological Aspects of Human Nutrition*, Toronto, W.B. Saunders Company, 2000.

TOUGER-DECKER, R. et C. VAN LOVEREN. « Sugars and dental caries », *American Journal of Clinical Nutrition*, vol. 78, suppl., 2003, p. 881S-892S.

U.S. NATIONAL ACADEMY OF SCIENCES, INSTITUTE OF MEDICINE. *Dietary Reference Intakes for Energy, Carbohydrate, Fiber, Fat, Fatty Acids, Cholesterol, Protein and Amino Acids (Macronutrients)*, Washington, D.C., National Academy Press, 2002. Site Internet : <www.nap.edu>.

WALKER, R. « Natural versus "artificial" sweeteners : regulatory aspects », *World Review of Nutrition and Dietetics*, vol. 85, 1999, p. 117-124.

WHITE, J.W. et M. WOLRAICH. « Effect of sugar on behavior and mental performance », *American Journal of Clinical Nutrition*, vol. 62, suppl., 1995, p. 242S-249S.

WOLRAICH, M.L. et autres. « Effects of diets high in sucrose and aspartame on the behavior and cognitive performance of children », *New England Journal of Medicine*, vol. 330, 1994, p. 301.

WOODWARD, M. et A.R.P. WALKER. « Sugar consumption and dental caries : Evidence from 90 countries », *British Dental Journal*, vol. 176, nº 8, 1994, p. 297-302.

WORLD HEALTH ORGANIZATION. *Diet, nutrition and the prevention of chronic diseases. Report of a Joint WHO/FAO Expert Consultation*, WHO Technical Report Series 916, Genève, 2003. Site Internet : <www.who.int/hpr/NPH/docs/who_fao_expert_report.pdf>.

Chapitre 4

Les lipides

Les matières grasses, le cholestérol et la lécithine appartiennent au groupe chimique des **lipides**, une classe de nutriments dont le nom provient du mot grec *lipos*, qui signifie graisse.

La contribution des lipides à l'apport en énergie du régime alimentaire varie de façon marquée d'une population à une autre. Le niveau de développement économique semble être un facteur déterminant pour expliquer ces disparités. En effet, les habitants des pays développés consomment traditionnellement plus de lipides que ceux des pays en voie de développement. De plus, l'urbanisation entraîne une augmentation de la consommation de lipides dans les pays en développement. Le gain économique semble donc aller de pair avec l'enrichissement du régime alimentaire en lipides.

De toute évidence, les aliments riches en matières grasses exercent sur nous un attrait particulier, malgré leur coût relativement élevé. Nous apprenons dès notre jeune âge à apprécier cette source concentrée d'énergie, qui améliore la saveur et l'arôme des aliments et leur confère des textures variées et agréables. Le fait que plusieurs aliments riches en matières grasses contiennent aussi de bonnes quantités de sucre ou de sel, deux saveurs généralement appréciées, explique sans doute pourquoi nous les retrouvons si souvent dans nos menus.

Des études épidémiologiques montrent qu'il existe un lien entre l'apport du régime alimentaire en lipides et les taux de maladies dites de pléthore, comme les maladies cardiovasculaires, l'obésité, le diabète de l'adulte et certains cancers. Les lipides se retrouvent donc souvent au banc des accusés lorsqu'on tente de déterminer les facteurs nutritionnels impliqués dans le développement de ces pathologies. À tel point que, après avoir atteint un niveau considéré comme « critique » par plusieurs, la consommation de lipides a définitivement chuté dans bon nombre de pays développés, y compris au Canada.

En dépit de la publicité souvent négative qui les entoure, les lipides demeurent des composés organiques essentiels. Ce chapitre traite précisément des fonctions organiques des lipides et de leur rôle présumé dans le développement des maladies de pléthore, notamment celles qui affectent le système cardiovasculaire.

Que sont les lipides?

Les lipides sont composés principalement d'atomes de carbone (C) et d'hydrogène (H); des atomes d'oxygène (O) y sont présents, mais ils ne représentent qu'une faible proportion de la masse lipidique (voir la figure 4.1 ci-dessous). C'est d'ailleurs grâce à leur richesse en liens carbone-hydrogène que les lipides sont d'aussi bonnes sources d'énergie pour l'organisme humain; comme nous l'avons mentionné précédemment, l'organisme tire 9 kcal (37 kJ) de chaque gramme de lipide, c'est-à-dire plus du double de la quantité d'énergie qu'il peut tirer d'un gramme de glucide ou de protéine (voir le chapitre 2).

Figure 4.1
Quelques acides gras importants en nutrition

Les acides gras se différencient par le nombre d'atomes de carbone et par le nombre de doubles liaisons qu'ils renferment.

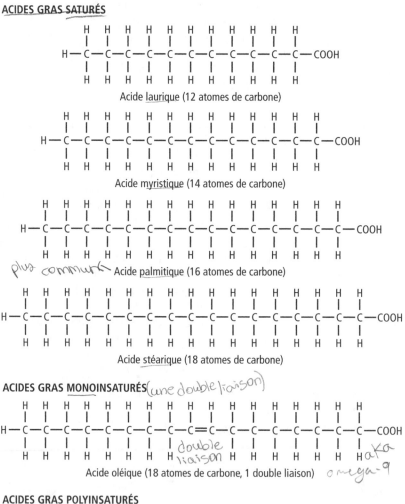

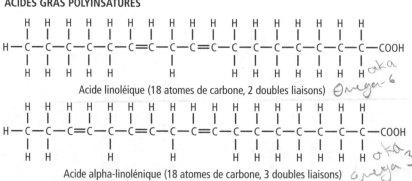

Les lipides se distinguent des autres composés par leur insolubilité dans l'eau. Si l'on essaie de mêler de l'huile et de l'eau, les gouttelettes d'huile se regroupent en une couche distincte sur l'eau. Toutefois, les lipides peuvent se dissoudre dans des produits comme l'éther, le chloroforme et le benzène ; mélangée à l'un de ces produits, l'huile disparaît comme du sucre dans l'eau.

Les acides gras : la base des lipides

L'unité de base des lipides est l'**acide gras**. Les molécules d'acide gras sont des chaînes plus ou moins longues d'atomes de carbone liés à des atomes d'hydrogène, se terminant par une fonction acide (–COOH) (voir la figure 4.1). La plupart des acides gras ont un nombre pair d'atomes de carbone, habituellement entre 4 et 24.

Les acides gras se distinguent aussi par le nombre de liaisons doubles qu'ils renferment (voir la figure 4.1). Il faut savoir que l'atome de carbone forme toujours quatre liaisons chimiques (voir l'annexe 7). C'est pourquoi, en plus de se lier les uns aux autres pour former une chaîne, les atomes de carbone peuvent chacun lier deux atomes d'hydrogène (trois lorsqu'ils sont situés à une extrémité). Mais il arrive que des liaisons doubles se forment entre les atomes de carbone, réduisant ainsi le nombre d'atomes d'hydrogène qui peuvent s'y rattacher. Un acide gras ne renfermant que des liaisons simples est un **acide gras saturé**, puisque tous ses atomes de carbone sont saturés d'atomes d'hydrogène. Un acide gras renfermant une ou plusieurs doubles liaisons est un **acide gras insaturé**, puisqu'il manque un atome d'hydrogène à au moins deux atomes de carbone. Lorsqu'il n'y a qu'une seule double liaison à l'intérieur de la chaîne d'atomes de carbone, on dit que c'est un **acide gras monoinsaturé** ; quand au moins deux doubles liaisons y sont présentes, il s'agit d'un **acide gras polyinsaturé**.

Des acides gras qui se distinguent par la longueur de leur chaîne et leur degré de saturation sont illustrés dans la figure 4.1. Ces acides gras ont une importance particulière en nutrition. Parmi les acides gras saturés, l'**acide palmitique** est le plus répandu ; l'**acide stéarique** vient en deuxième place, suivi de l'**acide myristique** et de l'**acide laurique**. Nous verrons dans la section *Les lipides et la santé* (voir la page 102) que les acides gras saturés (en particulier l'acide palmitique et l'acide myristique) contribuent à augmenter le niveau de cholestérol dans le sang, à l'inverse de l'**acide oléique**, un acide gras monoinsaturé, qui est l'acide gras le plus abondant dans la nature. Quant à l'**acide linoléique** et à l'**acide alpha-linolénique**, ils sont tous deux des acides gras polyinsaturés qui, en plus d'avoir un effet bénéfique sur le taux de cholestérol sanguin, sont dits essentiels. En effet, ils doivent être présents dans notre alimentation puisqu'ils interviennent dans plusieurs réactions métaboliques importantes (voir *Le rôle des acides gras essentiels et de leurs dérivés*, à la page 100) et que l'organisme humain ne peut les fabriquer lui-même.

Enfin, dans un acide gras insaturé, on précise souvent où est située la première double liaison qui suit le groupement méthyle (CH_3-), car cela influence la façon dont cet acide gras est utilisé dans l'organisme. Pour ce faire, on numérote les atomes de carbone en commençant par celui qui forme le groupement méthyle, appelé carbone **oméga** (du nom de la dernière lettre de l'alphabet grec)[1]. Ainsi, nous pouvons constater à la figure 4.1 que l'acide alpha-linolénique est un acide gras insaturé oméga-3, puisque la première double liaison apparaît sur le carbone 3 ; l'acide linoléique est quant à lui un acide gras insaturé oméga-6 et l'acide oléique, un acide gras insaturé oméga-9.

---

1. Dans la littérature scientifique, on utilise la lettre grecque « ω » ou encore la lettre « n » comme abréviation du terme « oméga ».

Les propriétés physiques des acides gras

La structure moléculaire d'un acide gras détermine ses propriétés physiques, y compris son **point de fusion**. Le point de fusion est la température à laquelle une substance passe de l'état solide à l'état liquide lorsqu'on la soumet à l'action de la chaleur. Le point de fusion des acides gras est fonction de la longueur de la chaîne carbonée (voir le tableau 4.1 ci-dessous) ; les matières grasses riches en acides gras à chaînes longues, tels l'acide palmitique et l'acide stéarique, ont un point de fusion plus élevé que celles riches en acides gras à chaînes moins longues. À l'inverse, les doubles liaisons diminuent grandement le point de fusion des acides gras à chaînes longues, car elles les amènent à se replier sur eux-mêmes (voir la figure 4.2), ce qui confère de la fluidité aux matières grasses qui les contiennent. Étant riches en acides gras insaturés, les huiles sont liquides à la température ambiante.

**Figure 4.2
La configuration spatiale
des acides gras**

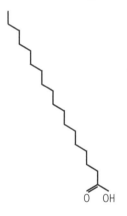

Acide gras saturé
(linéaire)

Acide gras insaturé
(replié)

TABLEAU 4.1   Les points de fusion* de quelques acides gras**

Acides gras	Nombre d'atomes de carbone	Nombre de liaisons doubles	Point de fusion (°C)
A. laurique	12	0	44
A. palmitique	16	0	63
A. stéarique	18	0	70
A. oléique	18	1	13
A. linoléique	18	2	−5
A. alpha-linolénique	18	3	−11

* Température à laquelle un solide passe à l'état liquide lorsqu'on le soumet à l'action de la chaleur.
** Adapté de Burr (1992).

La présence de doubles liaisons à l'intérieur des acides gras insaturés rend aussi ces derniers plus sujets à l'**oxydation** et aux altérations qui résultent du **chauffage**. Cette fragilité des acides gras insaturés augmente avec le nombre de doubles liaisons. Une fois oxydés, les acides gras polyinsaturés essentiels ne peuvent plus remplir leurs fonctions dans l'organisme. Les antioxydants comme la vitamine E aident à protéger les acides gras insaturés contre les dommages oxydatifs responsables de la rancidité des huiles (voir *L'extraction des huiles*, au chapitre 13).

Les graisses et les huiles

Peu d'acides gras existent sous une forme libre dans la nature. Un grand nombre sont liés au glycérol, une petite molécule formée de trois atomes de carbone qui peut lier jusqu'à trois molécules d'acides gras (voir la figure 4.3). Lorsqu'on attache une molécule d'acide gras au glycérol (réaction appelée estérification), on obtient un monoacylglycérol (ou monoglycéride). Combiné à deux molécules d'acide gras, le glycérol devient un diacylglycérol (ou diglycéride), et combiné à trois molécules d'acide gras, il devient un triacylglycérol (ou triglycéride). Ces substances constituent l'essentiel des graisses et des huiles.

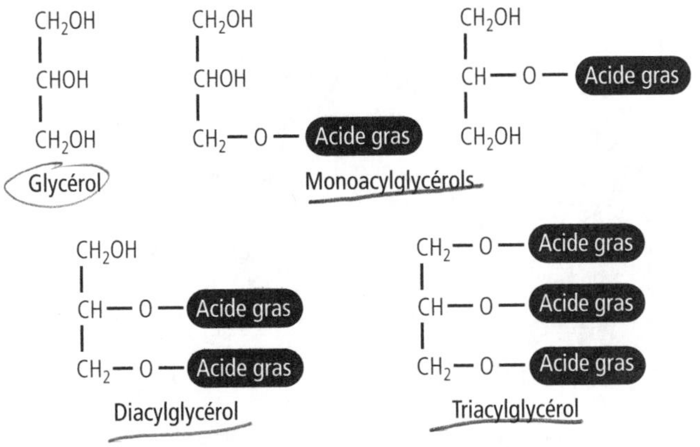

Figure 4.3
Les graisses

Les graisses sont constituées d'une molécule de glycérol liée à une, deux ou trois molécules d'acide gras.

Dans l'organisme, les **monoacylglycérols** et les **diacylglycérols** sont des intermédiaires dans le métabolisme des triacylglycérols. On en trouve aussi dans les aliments, mais généralement en faible quantité. Étant solubles à la fois dans les matières grasses et dans l'eau, ils sont surtout utilisés par les fabricants d'aliments comme agents émulsifiants, à l'instar de la lécithine (voir *Les constituants lipidiques quantitativement mineurs*, à la page 96). Les monoacylglycérols et les diacylglycérols sont des additifs alimentaires relativement inoffensifs dont la présence dans les aliments est généralement indiquée sous l'appellation « mono et diglycérides ».

Les **triacylglycérols** constituent la quasi-totalité des graisses et des huiles contenues dans les aliments et dans l'organisme. Il s'agit de la forme sous laquelle sont stockés les acides gras dans les tissus de réserve des animaux et des plantes. Les trois acides gras contenus dans un triacylglycérol sont parfois identiques mais, dans la majorité des cas, les acides gras sont différents, ce qui explique la très grande diversité des matières grasses naturelles, dont les points de fusion sont liés à la nature des acides gras qui y sont contenus.

Les graisses et les huiles alimentaires

Les lipides contenus dans les aliments sont en grande partie des graisses et des huiles. On désigne généralement sous l'appellation « graisses » les matières grasses ayant tendance à être solides à la température ambiante, et sous l'appellation « huiles » celles qui s'y trouvent sous forme liquide. L'alimentation contient des graisses et des huiles dites visibles, par exemple celles qu'on tartine, et d'autres qu'on dit invisibles car elles sont incorporées aux aliments.

Les sources de matières grasses (et donc de lipides) dans le régime alimentaire des Canadiens sont indiquées à la figure 4.4, à la page 90. Le groupe d'aliments dont la contribution est la plus importante est évidemment celui des « Autres aliments », puisqu'il comprend plusieurs aliments presque exclusivement composés de matières grasses, tels l'huile, la margarine, le beurre et la mayonnaise, ou qui en renferment de bonnes quantités, notamment les pâtisseries et les croustilles (voir le tableau 4.2, à la page 91) ; les aliments de ce groupe fournissent d'ailleurs à eux seuls un peu plus du tiers des matières grasses que nous consommons. La contribution du groupe « Viandes et substituts » et celle du groupe « Produits laitiers » sont également importantes, bien que les quantités de matières grasses contenues dans ces aliments varient considérablement (voir le tableau 4.2). Certains d'entre eux, comme les charcuteries, les fromages réguliers, les noix et les graines, sont particulièrement riches en lipides, alors que d'autres, par exemple le lait écrémé, les légumineuses et certains poissons, en contiennent peu. La teneur en matières grasses des « Produits céréaliers » varie également. Des aliments tels que le riz et les pâtes consommés

Figure 4.4
La distribution des matières grasses dans le menu des Canadiens

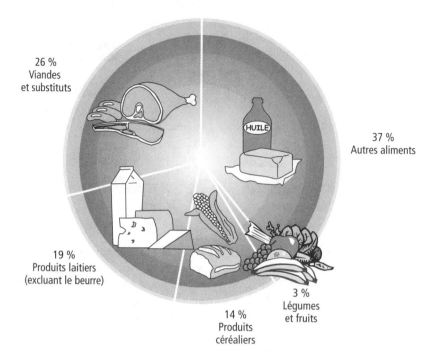

26 %
Viandes
et substituts

37 %
Autres aliments

19 %
Produits laitiers
(excluant le beurre)

3 %
Légumes
et fruits

14 %
Produits
céréaliers

Source : Agriculture et Agroalimentaire Canada (2001).

nature en renferment très peu, puisque les céréales sont naturellement pauvres en matières grasses. À l'opposé, les craquelins, les muffins et autres produits de boulangerie peuvent en fournir de bonnes quantités, car ils sont souvent préparés avec des corps gras. Enfin, les légumes et les fruits, à l'exception de l'avocat, sont naturellement pauvres en matières grasses.

Afin d'évaluer la contribution d'un aliment à l'apport en matières grasses du régime alimentaire, il faut considérer à la fois sa richesse en matières grasses et la taille de la portion consommée (voir le tableau 4.2). Par exemple, les matières grasses contenues dans le lait entier ne représentent peut-être que 3,3 % du poids total de cet aliment, mais une portion de 250 ml de lait entier fournit néanmoins 9 g de lipides, soit une quantité de matières grasses équivalente à celle contenue dans 10 ml (2 cuillères à café) de beurre ou de margarine, deux aliments constitués à 80 % de matières grasses. Nous pouvons aussi examiner la contribution des matières grasses à la quantité d'énergie fournie par un aliment. Dans le lait entier, les matières grasses comptent pour environ la moitié de l'énergie, le reste provenant des protéines et des glucides qui y sont aussi présents ; dans le beurre ou la margarine, la quasi-totalité de l'énergie fournie est attribuable aux matières grasses puisque ces deux corps gras sont pratiquement dépourvus des autres nutriments énergétiques.

La composition des graisses et des huiles animales

Il existe des similitudes dans la composition en acides gras des graisses et des huiles alimentaires selon le règne (animal ou végétal) auquel elles appartiennent. Les **acides gras saturés et monoinsaturés** composent en bonne partie la fraction lipidique des aliments dérivés du règne animal (voir le tableau 4.3, à la page 92) ; de façon générale, les acides gras polyinsaturés y sont relativement peu représentés. C'est d'ailleurs pour cette raison que la plupart des corps gras d'origine animale ont tendance à être solides à la température ambiante. Les matières grasses contenues dans le lait de vache comptent parmi les plus fortement saturées ; elles contiennent entre

TABLEAU 4.2 La teneur en lipides de divers aliments

Aliments	Portion	Lipides (g)
Produits laitiers		
Lait entier, 3,3 % m.g.	250 ml	9
Lait, partiellement écrémé, 2 % m.g.	250 ml	5
Lait, partiellement écrémé, 1 % m.g.	250 ml	3
Lait, écrémé (0,2 % m.g.)	250 ml	0,5
Boisson de soja (2 % m.g.)	250 ml	5
Fromage suisse, emmental, 28 % m.g.	50 g	14
Fromage cheddar, fondu, 31 % m.g.	50 g	16
Fromage cheddar fondu, fait de lait écrémé, 6 % m.g.	50 g	3
Yogourt nature, 2 % – 4 % m.g.	175 ml	5
Crème glacée à la vanille, 11 % m.g.	125 ml	8
Lait glacé à la vanille, 4 % m.g.	125 ml	3
Crème à café, 15 % m.g.	30 ml	5
Viandes et substituts		
Bœuf, noix de ronde, maigre, rôti	100 g	7
Bœuf haché maigre, grillé	100 g	15
Porc, milieu de longe, maigre, grillé	100 g	8
Porc, milieu de longe, maigre + gras, grillé	100 g	13
Saucisse au porc et bœuf, fumée	100 g	30
Veau de lait, escalope, sautée	100 g	3
Poulet, poitrine, viande seulement, rôti	100 g	2
Poulet, cuisse + dos, viande seulement, rôti	100 g	7
Poulet, cuisse + dos, viande + peau, rôti	100 g	17
Aiglefin cuit au four	100 g	1
Morue de l'Atlantique, cuite au four	100 g	1
Saumon de l'Atlantique, cuit au four	100 g	12
Sardines en conserve dans l'huile	100 g	11
Œuf poché	2 (100 g)	10
Haricots rouges bouillis (0,5 % m.g.)	250 ml	1
Pois chiches (garbanzo) bouillis (3 % m.g.)	250 ml	5
Tofu ordinaire, nature (sels de Ca et Mg) (4 % m.g.)	100 g	4
Arachides grillées à sec (50 % m.g.)	60 ml	18
Graines de tournesol rôties à sec (50 % m.g.)	60 ml	16

Aliments	Portion	Lipides (g)
Produits céréaliers		
Pain de blé entier	1 tranche	1
Riz blanc à grains longs, à l'étuvée, cuit	125 ml	traces
Spaghetti cuit	250 ml	1
Flocons de maïs	250 ml	traces
Céréale muslix, amandes et raisins	75 ml	1
Craquelins au blé entier	6 carrés	4
Croissant au beurre	1	12
Muffin au son de blé	1	7
Biscuits à l'avoine avec raisins secs	2	8
Légumes et fruits		
Pomme de terre bouillie	1	traces
Carottes bouillies	125 ml	traces
Mangue	1/2	traces
Poire	1	1
Avocat (de Californie)	1/2	15
Autres aliments		
Huile de tournesol	10 ml	9
Beurre	10 ml	8
Margarine molle	10 ml	8
Mayonnaise, régulière	10 ml	7
Mayonnaise, teneur réduite en m.g.	10 ml	3
Vinaigrette italienne	10 ml	7
Vinaigrette italienne, teneur réduite en énergie	10 ml	traces
Croustilles de pomme de terre, nature	20	14
Tarte aux pacanes	1 pointe	27

Source : Santé Canada. Fichier canadien sur les éléments nutritifs, 2001.

TABLEAU 4.3
La classification des aliments de base d'origine animale selon le type d'acides gras prédominant dans la fraction lipidique

Aliments dont les lipides sont principalement constitués d'acides gras saturés (AGS) et monoinsaturés (AGMI)

Produits laitiers	62 % d'AGS	29 % d'AGMI	4 % d'AGPI
Viande (bœuf, porc, agneau, veau)	40-50 % d'AGS	36-45 % d'AGMI	4-11 % d'AGPI
Volaille (poulet, dinde, canard, oie)	28-33 % d'AGS	43-57 % d'AGMI	11-23 % d'AGPI
Œuf	31 % d'AGS	43 % d'AGMI	15 % d'AGPI

Aliments dont les lipides sont principalement constitués d'acides gras monoinsaturés (AGMI), polyinsaturés (AGPI) ou les deux

Poisson	13-37 % d'AGS	11-62 % d'AGMI	4-49 % d'AGPI

Les poissons gras suivants sont particulièrement riches en acides gras hautement insaturés de la famille des **oméga-3** : anchois, bar d'Amérique, corégone de lac, éperlan, espadon, flétan du Groenland (turbot), hareng, maquereau, morue charbonnière, sardine, saumon, tassergal, thazard tacheté, thon rouge, truite.

Source : Santé Canada. Fichier canadien sur les éléments nutritifs, 2001.

Les poissons renferment de bonnes quantités d'acides gras insaturés et peu d'acides gras saturés.

autres une quantité non négligeable d'acides gras à chaînes courtes, lesquels sont volatils et contribuent à donner au beurre son arôme particulier. Les matières grasses contenues dans la viande (bœuf, porc, agneau, veau) renferment des quantités à peu près équivalentes d'acides gras saturés et monoinsaturés, alors que celles présentes dans la volaille et les œufs ont une teneur en acides gras monoinsaturés proportionnellement plus élevée.

Dans le règne animal, les poissons, mollusques et coquillages sont l'exception qui confirme la règle puisque leurs lipides renferment de bonnes quantités d'acides gras insaturés et relativement peu d'acides gras saturés. Les huiles de poisson de même que plusieurs poissons gras (voir le tableau 4.3) sont particulièrement riches en **acides gras hautement insaturés de la famille des oméga-3**, lesquels remplissent des fonctions importantes dans l'organisme (voir *Le rôle des acides gras essentiels et de leurs dérivés*, à la page 100).

Plusieurs facteurs influent sur le profil en acides gras des graisses et des huiles animales. L'un de ces facteurs est le type d'alimentation que les animaux reçoivent ; les tissus graisseux des animaux non ruminants, comme le porc et la volaille, de même que le gras contenu dans les œufs de volaille, y sont particulièrement sensibles. La teneur des œufs en acides gras oméga-3 peut ainsi être augmentée en enrichissant l'alimentation des poules en acides gras de ce type (voir le chapitre 12). Il est aussi possible de modifier la composition des graisses de ruminants (tel le bœuf) selon l'alimentation, mais il faut parfois user de stratégies particulières pour y parvenir en raison des nombreuses réactions chimiques qui se déroulent à l'intérieur du rumen.

La composition des graisses et des huiles végétales

Les huiles végétales constituent la principale source de matières grasses d'origine végétale dans notre alimentation, puisqu'on les incorpore dans une multitude d'aliments préparés. Ces huiles sont extraites de diverses denrées de base (voir l'encadré *L'extraction des huiles végétales*, à la page 303), qu'on peut classer selon le type d'acides gras prédominant dans la fraction oléagineuse (riche en lipides). Le tableau 4.4 à la page suivante permet de constater que la plupart des corps gras d'origine végétale sont riches en acides gras insaturés. Plusieurs d'entre eux, telles les huiles de maïs, de tournesol, de carthame et de soja, sont riches en **acides gras polyinsaturés**, plus particulièrement en acide linoléique (oméga-6), un acide gras essentiel. L'huile de lin fait exception parmi les huiles riches en acides gras polyinsaturés puisque c'est l'acide alpha-linolénique (oméga-3), également essentiel, qui y prédomine. Certaines huiles végétales sont souvent vendues comme huiles médicinales, par exemple les huiles d'onagre et de bourrache qui, en plus d'être de bonnes sources d'acide linoléique, renferment un autre acide gras insaturé oméga-6, l'acide gamma-linolénique. Celui-ci est peu répandu dans les aliments ; il intervient dans diverses réactions métaboliques, mais n'est pas considéré comme un acide gras essentiel.

D'autres huiles sont particulièrement riches en **acides gras monoinsaturés**, particulièrement en acide oléique. L'huile d'olive, par exemple, a bonne réputation depuis qu'on a observé un taux relativement faible de maladies cardiovasculaires dans les populations méditerranéennes, où elle constitue un ingrédient culinaire traditionnel (voir *Le rôle de l'alimentation dans le développement des maladies cardiovasculaires*, à la page 111). Citons également l'huile de canola extraite du colza, une plante largement cultivée au Canada ; cette huile est souvent utilisée par l'industrie alimentaire canadienne en raison de son coût relativement faible. Enfin, certaines huiles, telle l'huile d'arachide, contiennent des quantités à peu près égales d'**acides gras monoinsaturés** et d'**acides gras polyinsaturés**.

Comme l'indique le tableau 4.4, l'huile de lin est la seule huile végétale vraiment riche en **acides gras oméga-3**. D'autres huiles (celles de canola et de soja notamment) en renferment tout de même une quantité non négligeable (entre 7 % et 12 %) ; ces huiles, qui apparaissent en caractère gras dans le tableau 4.4, peuvent donc, elles aussi, contribuer à augmenter l'apport du régime alimentaire en oméga-3.

La majorité des corps gras d'origine végétale sont principalement constitués d'acides gras insaturés, mais quelques-uns se distinguent par leur richesse en **acides gras saturés**, par exemple l'huile de noix de coco, aussi appelée huile de coprah, les huiles de palme et de palmiste, toutes deux tirées du fruit du palmier à huile, et le beurre de cacao, utilisé dans la fabrication du chocolat.

Soulignons que, dans le cas de certaines denrées végétales (carthame et tournesol notamment), il existe des variétés dont la composition en acides gras est peu commune. Pour être vendues dans le commerce, les huiles extraites de variétés de plantes non traditionnelles doivent porter, à l'intérieur du nom qui les désigne, une allégation relative à leur composition nutritionnelle particulière (p. ex. : « huile de tournesol à forte teneur en acides gras monoinsaturés »). Il importe donc de bien lire l'information apparaissant sur l'étiquette d'un contenant d'huile.

La transformation des huiles végétales

Les huiles végétales sont largement utilisées dans la fabrication des aliments parce qu'elles sont plus économiques que les corps gras d'origine animale et semblent présenter un meilleur « profil santé ». Il s'agit, la plupart du temps, d'huiles extraites de la matière végétale à l'aide de solvants (en partie ou en totalité) puis raffinées, c'est-à-dire débarrassées des divers résidus et de l'humidité qu'on trouve dans les corps gras fraîchement extraits. Ces huiles sont donc composées à 100 % de matières grasses. Le **raffinage** des huiles vise à atténuer le plus possible leur saveur, leur couleur et leur arôme, ainsi qu'à maximiser leur durée de conservation. Il y a aussi

---

**TABLEAU 4.4   La classification de diverses denrées végétales
selon le type d'acides gras prédominant dans la partie oléagineuse
(riche en lipides)**

Denrées végétales dont les lipides sont riches (> 50 %)
en acides gras polyinsaturés

A) Acide linoléique (oméga-6) principalement :

Bourrache	Onagre
Carthame**	**Pépin de cassis***
Coton	Pépin de raisin
Germe de blé*	**Soja***
Maïs	Tournesol**
Noix de Grenoble*	

B) Acide alpha-linolénique (oméga-3) principalement :
Lin

Denrées végétales dont les lipides sont riches (> 50 %)
en acides gras monoinsaturés (acide oléique principalement)

Amande	Noix de macadamia
Avocat	Olive
Canola* (colza)	Pacane
Noisette	Pistache
Noix de cajou	

Denrées végétales dont les lipides sont riches en acides gras
monoinsaturés et polyinsaturés

Arachide	Sésame
Noix du Brésil	Son de riz
Pignon (graine de pin)	

Denrées végétales dont les lipides sont riches (> 50 %) en acides gras saturés

Cacao
Fruit du palmier à huile
   pulpe (huile de palme)
   amande (huile de palmiste)
Noix de coco (coprah)

* Les huiles qui apparaissent en caractère gras offrent un petit bonus d'oméga-3 (entre 7 et 12 %).
** Il s'agit de la variété traditionnelle. Il existe aussi une variété riche en acides gras monoinsaturés (acide oléique principalement) ; l'huile qui en est extraite doit porter l'appellation « à forte teneur en monoinsaturés ».
Source : Santé Canada. Fichier canadien sur les éléments nutritifs, 2001 ; Karleskind, A. (1992).

Les huiles demeurent la principale source
de matières grasses d'origine végétale
dans notre alimentation.

dans le commerce des huiles extraites uniquement par pression mécanique et non raffinées. Leurs caractéristiques nutritionnelles diffèrent sensiblement de celles des huiles raffinées, bien que leur composition en acides gras demeure à peu près inchangée (voir *L'extraction des huiles végétales*, à la page 303).

L'hydrogénation des huiles végétales

Les huiles végétales, même raffinées, comportent toutefois certains inconvénients pour l'industrie alimentaire. Nous avons vu que plusieurs d'entre elles sont riches en acides gras polyinsaturés, ce qui les rend facilement oxydables et altérables à température élevée. De plus, leur consistance liquide modifie la texture des aliments dans lesquels on les incorpore, notamment les produits de boulangerie, dont le volume est diminué. C'est pourquoi on les soumet souvent à l'**hydrogénation**, procédé qui consiste à ajouter des atomes d'hydrogène sur les doubles liaisons :

$$\text{Huile} \xrightarrow[\text{+ catalyseur}]{\text{+ H}_2} \text{huile hydrogénée}$$

L'hydrogénation transforme donc une partie des liaisons doubles en liaisons simples. Ce sont surtout des acides gras polyinsaturés qui sont transformés en acides gras monoinsaturés ; mais, lorsque le degré d'hydrogénation est élevé, la quantité d'acides gras saturés peut augmenter de façon significative. En plus de réduire le nombre de liaisons doubles, l'hydrogénation crée des acides gras insaturés de forme inhabituelle appelés **acides gras « trans »** (voir la figure 4.5) qui, à l'instar des acides gras saturés, ont un point de fusion élevé. Tous ces changements permettent d'augmenter la consistance de l'huile, qui, en même temps, résiste mieux à l'oxydation. Pour cette raison, les huiles hydrogénées répondent mieux aux exigences de l'industrie alimentaire. Sur le plan nutritionnel, l'impact n'est toutefois pas négligeable puisque l'hydrogénation des huiles réduit leur teneur en acides gras essentiels, polyinsaturés par définition. En outre, les acides gras « trans » que le procédé génère ont un effet défavorable sur le taux de cholestérol sanguin (voir l'encadré *Les acides gras « trans »*, à la page 97).

L'étiquette des aliments permet de constater qu'on peut trouver de l'huile hydrogénée ou partiellement hydrogénée dans des aliments préparés, tels les produits de boulangerie, les pâtisseries, les craquelins et les aliments panés ou frits (les croustilles notamment). Le procédé d'hydrogénation sert aussi à fabriquer la graisse végétale domestique (ou shortening) et le beurre d'arachide, afin d'éviter que l'huile ne se sépare.

La fabrication de la margarine

Le procédé d'hydrogénation a aussi permis à la **margarine** de s'implanter sur le marché. La composition de ce substitut bon marché du beurre est réglementée par des normes fédérales (voir *Beurre ou margarine*, à la page 304). À l'instar du beurre, composé à 80 % de matières grasses laitières, la margarine est composée à 80 % d'huile végétale. Afin de conférer au produit la consistance souhaitée, un mélange savamment dosé d'huiles liquides et d'huiles hydrogénées (plus solides) est utilisé. Les margarines dures, enveloppées dans une feuille d'aluminium pour imiter le beurre, contiennent proportionnellement plus d'huiles hydrogénées et moins d'huiles liquides que les margarines molles offertes dans des contenants de plastique. Elles sont aussi plus riches en acides gras insaturés « trans » (voir le tableau 4.5, à la page 96).

On trouve aussi sur le marché canadien des margarines molles dont l'étiquette porte la mention « non hydrogénée ». Ces dernières sont fabriquées avec des huiles liquides, souvent riches en acides gras monoinsaturés, auxquelles on ajoute une petite quantité d'un corps gras fortement saturé, habituellement de l'huile de palme ou de palmiste modifiée (mais non hydrogénée), pour donner un peu de fermeté au produit et le rendre facile à tartiner. Malgré cet ajout, la quantité d'acides gras saturés contenue dans les margarines non hydrogénées demeure relativement faible ; de plus, elles sont dépourvues d'acides gras insaturés « trans ».

Le profil des acides gras contenus dans une margarine est souvent indiqué sur l'étiquette du produit ; il dépend du ou des types d'huile qui la composent et, selon le cas, du degré d'hydrogénation. Mais quelle que soit la composition d'une margarine, sa teneur en matières grasses et, par conséquent, sa valeur énergétique sont identiques à celles du beurre ; 10 ml (2 c. à café) de l'un ou l'autre de ces corps gras fournissent 8 g de matières grasses et 72 kcal. Le choix du consommateur doit

**Figure 4.5
La configuration
des doubles liaisons**

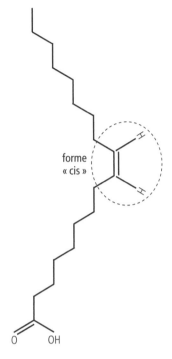

forme « cis »

Acide oléique (« cis »)
(liquide à température ambiante)

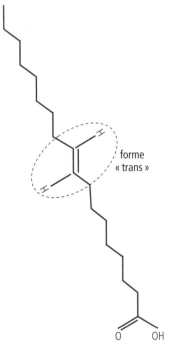

forme « trans »

Acide élaïdique (« trans »)
(solide à température ambiante)

TABLEAU 4.5   L'effet de l'hydrogénation sur la composition en acides
gras de l'huile de soja dans la fabrication de la margarine

Corps gras	AGS	AGMI	AGPI	(AG trans)
		(% des lipides totaux)		
Huile de soja	14	23	58	(négligeable)
Margarine molle à base d'huile de soja (hydrogénée)	19	39	38	(18)
Margarine dure à base d'huile de soja (hydrogénée)	23	57	16	(37)

AGS   = total des acides gras saturés
AGMI   = total des acides gras monoinsaturés
AGPI   = total des acides gras polyinsaturés
(AG trans) = total des acides gras de configuration trans
             (inclus dans le total des AGMI et des AGPI)

Source : Santé Canada. Fichier canadien sur les éléments nutritifs, 2001.

donc s'appuyer sur d'autres considérations nutritionnelles (voir *Beurre ou margarine*, à la page 304).

On trouve également dans le commerce des margarines dont la moitié de l'huile a été remplacée par de l'eau ; ces margarines dites « légères » fournissent donc, à quantité égale, deux fois moins de matières grasses et d'énergie que les margarines ordinaires.

Les constituants lipidiques quantitativement mineurs

Les phosphoglycérides

Les phosphoglycérides appartiennent à une catégorie de lipides appelés phospholipides. La figure 4.6 montre que la structure chimique des phosphoglycérides ressemble à celle d'un diacylglycérol dont la troisième position est occupée par un groupement phosphaté (PO_4) lié à une molécule (X). Les variations dans la molécule (X) caractérisent donc les phosphoglycérides. Voici quelques exemples : si X est une molécule de choline, le phosphoglycéride est la **lécithine** ; si X est de l'éthanolamine, le phosphoglycéride est la **céphaline** ; si X est de l'inositol, le phosphoglycéride est le **lipositol**, etc.

Tout comme les mono et les diacylglycérols, les phosphoglycérides ont une structure dite amphiphile, puisqu'une partie de la molécule est soluble dans l'eau et l'autre, dans les lipides. Pour cette raison, ils constituent des agents émulsifiants efficaces ; ils composent une barrière (tel un filet) autour des gouttelettes graisseuses qui se forment quand on agite un corps gras dans l'eau, les empêchant ainsi de s'agglutiner.

On trouve les phosphoglycérides dans divers aliments tels que le jaune d'œuf, le foie, les légumineuses (par exemple le soja) et le germe de blé. La lécithine est également ajoutée comme agent émulsifiant dans un certain nombre d'aliments. La contribution des phosphoglycérides à l'apport total du régime alimentaire en lipides est généralement faible (environ 2 %). Elle augmente lorsqu'on a recours aux suppléments de lécithine (voir le chapitre 6).

**Figure 4.6
La structure des phosphoglycérides**

Les phosphoglycérides sont constitués d'un diacylglycérol, d'une molécule phosphatée et d'un troisième groupe chimique (X) pouvant varier.

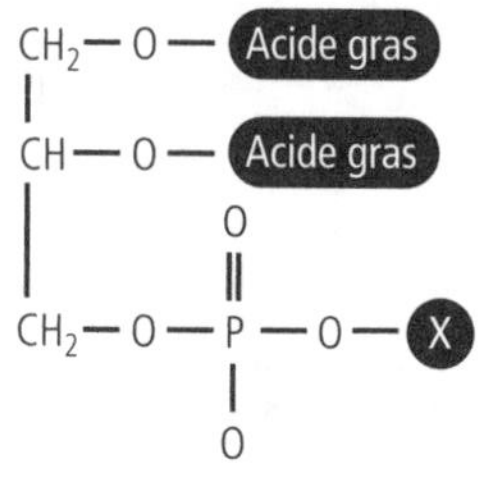

Les acides gras « trans »

La structure d'un acide gras insaturé doit être évaluée non seulement en fonction du nombre, mais aussi de la configuration des doubles liaisons qu'il renferme (voir la figure 4.5, à la page 95). Une double liaison a une configuration « cis » lorsque les atomes d'hydrogène sont placés du même côté de la liaison ; lorsqu'ils se situent de part et d'autre, la configuration est dite « trans ». À l'instar des acides gras saturés, les acides gras insaturés « trans » adoptent une forme linéaire ; ils ont donc un point de fusion élevé et contribuent, de ce fait, à diminuer la fluidité des matières grasses qui les contiennent.

Dans la nature, la très grande majorité des doubles liaisons contenues dans les acides gras insaturés sont de configuration « cis » ; seuls le gras des animaux ruminants et celui contenu dans leur lait renferment de petites quantités d'acides gras insaturés « trans », qui résultent des réactions de fermentation à l'intérieur du rumen (voir le chapitre 11). Les huiles raffinées en contiennent aussi de très petites quantités. Mais la majeure partie des acides gras « trans » que nous ingérons sont générés lors de l'hydrogénation des huiles. Dans certains aliments fabriqués avec des huiles hydrogénées, ils représentent jusqu'à 40 % du total des acides gras*.

Les nutritionnistes recommandent d'éviter de consommer les acides gras insaturés « trans » produits par le procédé d'hydrogénation, car ils tendent à augmenter le niveau de « mauvais cholestérol » dans le sang, en plus de diminuer le niveau de « bon cholestérol » (voir *Les lipides et la santé*, à la page 102). Pour y arriver, il ne suffit pas d'éliminer les margarines hydrogénées de son alimentation, puisqu'elles ne représentent que 10 % environ de l'apport en acides gras « trans » de l'alimentation canadienne. La majeure partie se trouve dans les produits de boulangerie, les pâtisseries et les aliments frits préparés avec des huiles « hydrogénées » ou « partiellement hydrogénées » (parfois appelées « shortening »). On peut vérifier la quantité d'acides gras « trans » contenue dans un aliment en consultant le tableau de valeur nutritive apparaissant sur l'emballage des aliments, puisque les fabricants sont maintenant tenus de fournir cette information. La mention de matières grasses « partiellement hydrogénées » dans la liste des ingrédients est aussi un indice de leur présence dans un aliment.

Plusieurs produits préemballés affichent l'allégation « sans acides gras trans ». Dans ces aliments, les huiles hydrogénées ont été remplacées par des matières grasses quasi exemptes d'acides gras trans et ayant, en plus, une faible teneur en acides gras saturés, puisque le règlement concernant l'allégation « sans acides gras trans » l'exige. Il importe toutefois de préciser que les aliments portant cette allégation ne sont pas moins riches en lipides (et donc en énergie) que ceux fabriqués avec des huiles hydrogénées ; ils n'ont pas non plus une meilleure valeur nutritive !

* La quantité d'acides gras insaturés « trans » contenue dans une huile augmente selon le degré d'hydrogénation, mais seulement dans une certaine mesure. En effet, quand le degré d'hydrogénation est élevé, les acides gras insaturés « trans » tendent à disparaître, puisqu'une grande partie d'entre eux sont alors transformés en acides gras saturés.

Les stéroïdes

Les stéroïdes constituent un important groupe de lipides sur le plan biologique. Ils ont une structure chimique complexe qui diffère nettement de celle des autres lipides ; les atomes de carbone y forment des anneaux plutôt que des chaînes linéaires. Parmi les stéroïdes figure le **cholestérol** (voir la figure 4.7), présent à la fois dans les aliments et dans l'organisme. Le cholestérol alimentaire se trouve essentiellement dans les aliments d'origine animale (voir le tableau 4.6, à la page suivante), soit les abats (p. ex. : la cervelle et le foie), la viande, la volaille, les produits de mer et d'eau douce, le jaune d'œuf et le gras du lait. Étant donné que le cholestérol contenu dans les muscles des animaux n'est pas concentré dans le gras, les coupes de viande maigre ne renferment pas nécessairement moins de cholestérol que les coupes grasses ; il n'y a d'ailleurs pas de lien entre la quantité de cholestérol contenue dans les viandes, les volailles, les poissons et les fruits de mer, et le taux de

Figure 4.7
La structure du cholestérol

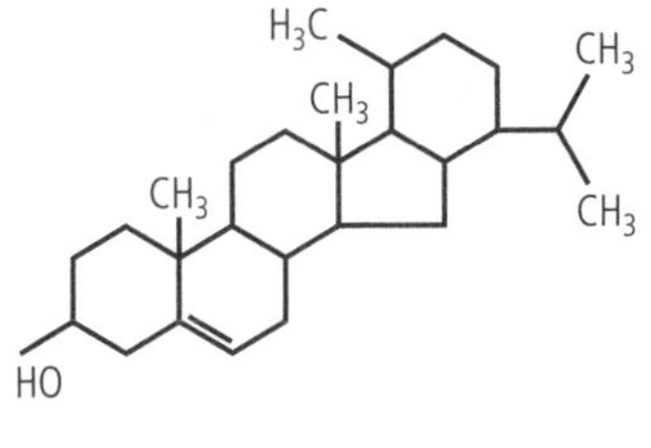

TABLEAU 4.6   La teneur en cholestérol de divers aliments

Aliments	Portion	Cholestérol (mg)	Lipides (%)
Viandes et substituts			
De sources animales :			
Cervelle de veau, braisée	100 g	**3100**	10
Foie de poulet mijoté	100 g	**631**	5
Foie de porc braisé	100 g	**355**	4
Rognons d'agneau braisés	100 g	**565**	4
Ris de veau braisé	100 g	**469**	4
Cœur de bœuf mijoté	100 g	**193**	6
Veau de grain maigre, rôti	100 g	**115**	4
Bœuf haché extra-maigre, sauté	100 g	**81**	10
Bœuf haché ordinaire, sauté	100 g	**83**	19
Porc frais, longe maigre, rôtie	100 g	**81**	10
Poulet à griller, rôti, sans la peau	100 g	**89**	7
Poulet à griller, rôti, avec la peau	100 g	**88**	14
Aiglefin grillé	100 g	**74**	1
Saumon rose	100 g	**67**	4
Crevettes cuites à la vapeur	100 g	**195**	1
Homard, bouilli	100 g	**72**	1
Palourdes cuites à la vapeur	100 g	**67**	2
Œuf de poule poché	1	**215**	10
De sources végétales :			
Haricots rouges bouillis	250 ml	**0**	3
Tofu ordinaire, nature (sels de Ca et Mg)	100 g	**0**	4
Graines de tournesol rôties à sec	60 ml	**0**	50
Produits laitiers			
Lait entier	250 ml	**35**	3
Lait partiellement écrémé, 2 % m.g.	250 ml	**20**	2
Lait écrémé	250 ml	**5**	traces
Mozzarella, 25 % m.g.	50 g	**45**	25
Mozzarella, 15 % m.g.	50 g	**27**	15
Crème, 15 % m.g.	30 ml	**15**	15
Yogourt nature, 2 % – 4 % m.g.	175 ml	**17**	3
Produits céréaliers			
Riz blanc à grains longs, à l'étuvée, cuit	125 ml	**0**	traces
Macaroni cuit	250 ml	**0**	1
Flocons de maïs	250 ml	**0**	traces
Croissant au beurre*	1	**43**	21
Muffin au son de blé*	1	**19**	12
Légumes et fruits			
Chou-fleur bouilli	125 ml	**0**	traces
Pamplemousse blanc	1/2	**0**	traces
Avocat de Californie	1/2	**0**	17
Autres aliments			
Huile d'arachide	15 ml	**0**	100
Shortening	15 ml	**0**	100
Margarine	15 ml	**0**	81
Beurre salé	15 ml	**37**	81
Saindoux	15 ml	**13**	100
Croustilles de pomme de terre, nature	20	**0**	35
Chocolat semi-sucré	40 g	**0**	30

* La teneur en cholestérol des produits de boulangerie varie selon la quantité d'œufs et de lait qu'ils renferment et selon le type de corps gras entrant dans leur fabrication.

Source : Santé Canada. Fichier sur les éléments nutritifs, 2001.

matières grasses de ces aliments. En revanche, dans les produits laitiers, la quantité de cholestérol varie selon le taux de matières grasses, puisque seul le gras du lait en renferme.

Les stéroïdes comprennent également les **phytostérols (ou stérols végétaux)**, des substances dont la structure chimique s'apparente beaucoup à celle du cholestérol, mais dont la présence s'observe uniquement dans le règne végétal. Le son et le germe des céréales sont riches en phytostérols ; pour cette raison, les produits céréaliers à grains entiers constituent une importante source de phytostérols dans notre alimentation. Les huiles végétales ainsi que plusieurs légumes et fruits en sont également de bonnes sources.

L'utilisation des lipides dans l'organisme

La digestion et l'absorption des lipides dans l'organisme

À l'instar des glucides et des protéines, les lipides doivent être digérés pour pouvoir être absorbés dans l'organisme. Puisque les lipides ont tendance à s'agglutiner en gros globules offrant relativement peu de surface d'action aux enzymes digestives, ils doivent d'abord être dispersés et émulsionnés en fines gouttelettes à l'intérieur de l'intestin grêle, là où s'effectue l'essentiel de la digestion des lipides. Ce sont les acides biliaires et la lécithine contenus dans la bile qui ont la tâche d'émulsionner les lipides. Il est alors plus facile à la lipase pancréatique de s'attaquer aux grosses molécules que sont les triacylglycérols, qu'elle hydrolyse principalement en monoacylglycérols et en acides gras :

Triacylglycérol → lipase → monoacylglycérol + 2 acides gras

Une fois absorbés à l'intérieur de la muqueuse intestinale, les monoacylglycérols et les acides gras sont de nouveau assemblés en triacylglycérols. Étant insolubles dans l'eau, les triacylglycérols ainsi formés et les autres substances lipidiques provenant de l'alimentation (cholestérol, phosphoglycérides, vitamines liposolubles) se combinent à certaines protéines pour former des **lipoprotéines**, capables de circuler à l'intérieur des liquides de l'organisme. Les lipoprotéines formées dans la muqueuse intestinale, appelées **chylomicrons**, sont trop grosses pour traverser la paroi des capillaires sanguins menant au foie ; aussi sont-elles d'abord libérées dans la circulation lymphatique. Par la suite, la lymphe transporte ces substances dans le courant sanguin pour qu'elles soient distribuées dans l'organisme. Le foie n'a donc pas un accès immédiat aux lipides provenant de l'alimentation.

De façon générale, la majeure partie des lipides que nous consommons (plus de 95 %) finissent par être absorbés dans l'organisme. L'absorption des lipides favorise aussi celle des vitamines dites liposolubles (voir le chapitre 6), qui sont véhiculées de la même manière, étant, elles aussi, de nature lipidique ; l'absence de lipides dans l'alimentation perturbe donc l'absorption de ces vitamines. Quant au cholestérol, son taux d'absorption varie grandement d'une personne à une autre, mais ne serait que de 50 % en moyenne ; le reste est éliminé dans les matières fécales. Y est aussi éliminée la majeure partie des phytostérols ingérés, puisqu'ils sont très difficilement absorbés dans l'organisme (moins de 5 %). Les phytostérols alimentaires freinent l'absorption du cholestérol dans l'intestin, aidant ainsi à limiter le niveau de cholestérol dans le sang. Toutefois, les phytostérols réduisent aussi l'absorption de certaines vitamines, en particulier les vitamines A et E.

Le métabolisme des lipides et leurs fonctions dans l'organisme

Lorsque les chylomicrons transportant les lipides alimentaires rejoignent le courant sanguin après leur passage à travers la lymphe, les triacylglycérols qui y sont contenus sont peu à peu hydrolysés sous l'action d'une enzyme située à l'intérieur de la paroi des capillaires, appelée lipoprotéine lipase. La lipoprotéine lipase hydrolyse aussi les triacylglycérols circulant à l'intérieur d'autres lipoprotéines, appelées **VLDL** (ou lipoprotéines de très faible densité) ; celles-ci s'apparentent aux chylomicrons produits par l'intestin, mais elles sont fabriquées dans le foie. Les cellules de divers tissus captent les acides gras ainsi libérés. Ce qui reste des chylomicrons et des VLDL est acheminé au foie.

À l'intérieur des cellules, les acides gras peuvent être immédiatement oxydés et servir ainsi de **source d'énergie** ; la proportion des acides gras utilisés à cette fin est fonction entre autres de la teneur de l'alimentation en glucides. Les acides gras captés par les cellules peuvent aussi être incorporés dans des structures de nature lipidique, telles les **membranes cellulaires**, ou encore entrer dans des voies métaboliques menant à la synthèse de **molécules biologiquement actives** (voir *Le rôle des acides gras essentiels et de leurs dérivés* ci-dessous).

Le tissu adipeux, où est stockée une bonne partie des réserves de graisse de l'organisme, est irrigué par des capillaires riches en lipoprotéine lipase. Ce tissu peut donc capter de bonnes quantités d'acides gras, qu'il regroupe en bonne partie sous forme de triacylglycérols, constituant ainsi une **réserve d'énergie**. Les acides gras emmagasinés dans le tissu adipeux sont à nouveau libérés dans la circulation sanguine lorsque des cellules (celles des muscles en particulier) ont besoin d'énergie ; ce processus se fait sous l'action d'une lipase située à l'intérieur des cellules adipeuses, la lipase hormono-sensible, qui est capable de briser les liens unissant les acides gras au glycérol dans les molécules de triacylglycérols. Dans le sang, les acides gras ainsi libérés sont transportés par des protéines.

Les graisses corporelles forment donc la principale réserve d'énergie dans l'organisme ; l'énergie libérée par leur dégradation comble d'ailleurs une part importante des besoins de l'organisme lorsqu'il est à jeun. Mais le tissu adipeux remplit aussi d'**autres fonctions**. Les graisses stockées sous la peau servent d'isolant pour prévenir la déperdition excessive de chaleur, tandis que celles qui recouvrent les viscères (cœur, reins, etc.) aident à maintenir ceux-ci en place et les protègent des traumatismes.

Le rôle des acides gras essentiels et de leurs dérivés

Divers acides gras polyinsaturés à chaîne longue, de la famille des oméga-6 et de celle des oméga-3, remplissent d'importantes fonctions biologiques à l'intérieur de l'organisme. Celui-ci peut se servir de deux d'entre eux pour fabriquer tous les autres lorsque l'alimentation n'en fournit pas suffisamment ; il s'agit de l'**acide linoléique**, utilisé pour la synthèse des acides gras de la famille des oméga-6, et de l'**acide alpha-linolénique**, utilisé pour la synthèse des acides gras de la famille des oméga-3. Toutefois, l'acide linoléique et l'acide alpha-linolénique doivent eux-mêmes être présents en quantité suffisante dans l'alimentation puisque le corps humain est incapable de les fabriquer lui-même ; ils forment donc ce qu'on appelle les **acides gras essentiels**, une classe de nutriments se distinguant des vitamines par le fait qu'ils peuvent en plus être utilisés comme source d'énergie. L'appellation « vitamine F », souvent utilisée dans le passé pour désigner ces nutriments, a d'ailleurs été délaissée pour cette raison. Sont souvent associés aux acides gras essentiels deux acides gras à très longue chaîne et hautement insaturés, soit l'acide éicosapentaenoïque (**EPA**) et l'acide docosahexaenoïque (**DHA**). Surtout présents dans les poissons gras et les huiles de poisson, ces acides gras appartiennent à la famille des oméga-3. L'organisme peut les synthétiser à partir de l'acide alpha-linolénique, mais la quantité produite ne serait pas toujours optimale, surtout quand l'apport de l'alimentation en acide linoléique (oméga-6) est élevé.

Dans l'organisme, les fonctions des acides gras essentiels et de leurs dérivés sont multiples :

- ils contribuent à l'intégrité structurale et fonctionnelle des membranes cellulaires, car ils sont d'importants constituants des phosphoglycérides qui y sont contenus ;
- par leur action sur l'expression de certains gènes, ils tendent à abaisser les taux de cholestérol et de triacylglycérols dans le sang en réduisant la synthèse de ces lipides dans l'organisme ;
- ils sont essentiels au développement des systèmes nerveux et reproducteur et interviennent dans le mécanisme de la vision ;
- ils entrent dans la composition de molécules appelées **sphingolipides** qui, en plus d'assurer l'intégrité de la peau, sont d'importants régulateurs de l'activité cellulaire ;
- ils sont les précurseurs de substances appelées **éicosanoïdes**, dont font partie les prostaglandines.

Tout comme les hormones, les éicosanoïdes exercent un effet régulateur sur plusieurs processus physiologiques. Cet effet régulateur est assuré grâce aux actions souvent opposées des éicosanoïdes dérivés des oméga-6 et de ceux dérivés des oméga-3. En plus de moduler la **réponse inflammatoire** (lors d'une infection ou d'un traumatisme par exemple), ces deux séries d'éicosanoïdes ont une influence particulière sur la **fonction cardiovasculaire** puisqu'ils peuvent agir sur le rythme cardiaque, l'agrégation des plaquettes (nécessaire à la coagulation du sang), la contraction et la dilatation des vaisseaux sanguins, et le niveau de la tension artérielle.

Le rôle des constituants quantitativement mineurs

Le cholestérol – Dans l'organisme, le cholestérol entre dans la constitution des membranes cellulaires (voir la figure 4.8). Il est donc présent dans la plupart des tissus (cerveau, sang, foie, etc.). De plus, c'est à partir du cholestérol que sont synthétisés divers stéroïdes biologiquement actifs, comme les hormones sexuelles et surrénaliennes, les acides biliaires (dont l'action émulsifiante est nécessaire à la digestion des graisses alimentaires), ou encore la vitamine D, dont la synthèse s'effectue à l'intérieur de la peau exposée aux rayons solaires (voir le chapitre 6).

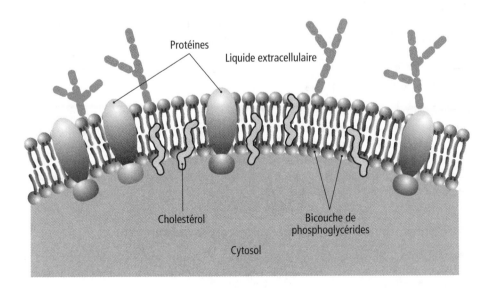

**Figure 4.8
La structure de
la membrane cellulaire**

Le cholestérol joue donc un rôle vital à l'intérieur de l'organisme. Il peut être fabriqué dans divers tissus (notamment le foie et l'intestin) à partir de molécules simples issues entre autres du métabolisme des acides gras. Il peut aussi provenir de l'alimentation. Le cholestérol absorbé au niveau intestinal est véhiculé à l'intérieur des chylomicrons jusqu'au foie, qui gère son utilisation dans l'organisme. Le foie le remet en circulation en l'incorporant dans les VLDL avec les triacylglycérols et le cholestérol qu'il fabrique lui-même. Étant donné que les VLDL se vident d'abord de leur contenu en triacylglycérols, elles se transforment progressivement en particules de plus en plus riches en cholestérol, appelées **LDL** (ou lipoprotéines de faible densité). Celles-ci distribuent le cholestérol aux tissus avant de retourner au foie.

Toutefois, il n'est pas souhaitable que le cholestérol s'accumule en trop grande quantité dans l'organisme (voir *Les lipides et la santé* ci-après). Il importe donc de limiter la quantité qui y circule. Cependant, les voies d'élimination sont peu nombreuses : contrairement aux autres lipides, le cholestérol n'est pas utilisé comme source d'énergie. On ne peut pas non plus le rejeter dans l'urine. Étrangement, c'est l'intestin qui se charge d'éliminer le cholestérol. En effet, les sécrétions biliaires qui y sont déversées se composent entre autres de cholestérol et de sels biliaires (eux-mêmes formés à partir du cholestérol), qui ne sont qu'en partie réabsorbés par la muqueuse intestinale une fois la digestion des lipides terminée ; le reste est éliminé dans les matières fécales.

Pour récupérer le surplus de cholestérol accumulé dans l'organisme, certains tissus, dont le foie, fabriquent des lipoprotéines spécifiques, appelées **HDL** (ou lipoprotéines de haute densité). Celles-ci circulent dans l'organisme et délogent l'excédent de cholestérol pour le ramener au foie, où il peut être incorporé dans la bile pour être éliminé. Les HDL sont donc de bonnes lipoprotéines ; pour cette raison, le cholestérol qu'elles transportent est considéré comme un « **bon cholestérol** ». Par contre, les LDL sont souvent incriminées lorsqu'un surplus de cholestérol s'accumule dans l'organisme et y cause des dommages, puisqu'elles sont responsables de sa distribution ; le cholestérol que ces lipoprotéines transportent est souvent appelé « **mauvais cholestérol** ».

Les phosphoglycérides – À l'instar du cholestérol, les phosphoglycérides sont d'importants constituants de la membrane des cellules (voir la figure 4.8, à la page 101), à laquelle ils confèrent de la fluidité tout en lui permettant d'exercer son rôle de protection du milieu cellulaire. Comme nous l'avons vu précédemment, on trouve également des phosphoglycérides dans la bile ; ils contribuent ainsi à son action émulsifiante, nécessaire à la digestion des autres lipides. Enfin, ils facilitent le transport des lipides dans le sang par leur présence à l'intérieur des différentes lipoprotéines. Ils sont donc des constituants vitaux. Mais il n'est pas essentiel qu'ils soient présents dans l'alimentation puisque l'organisme peut les synthétiser lui-même.

Les lipides et la santé

Il faut bien reconnaître que, en matière de santé, les lipides n'ont pas bonne presse. Il est vrai que les régimes riches en lipides, particulièrement en lipides saturés, ont souvent été associés à certains problèmes de santé publique (les maladies cardiovasculaires notamment). Il faut toutefois apporter certaines nuances à ces affirmations. De plus, le risque que représente pour la santé une insuffisance de lipides alimentaires ne peut être ignoré.

Le rôle des lipides dans les maladies cardiovasculaires

Les maladies cardiovasculaires, c'est-à-dire celles qui touchent le cœur et les vaisseaux sanguins, constituent la principale cause de décès en Amérique du Nord.

La cause première de ces maladies est l'**athérosclérose**, une condition pathologique caractérisée par l'épaississement de l'intima, la paroi interne des artères, en raison de l'accumulation de lipides, plus particulièrement de cholestérol.

L'athérosclérose commence par une lésion de l'intima, qui serait entre autres favorisée par la forte pression sanguine exercée à des endroits précis du réseau vasculaire. La lésion de l'intima permet aux LDL, les lipoprotéines porteuses de «mauvais cholestérol», de s'y infiltrer. L'artère réagit au traumatisme en fabriquant de nouvelles cellules qui emprisonnent le cholestérol ainsi que d'autres lipides. On voit alors apparaître sur la paroi artérielle un épaississement, appelé **plaque athéromateuse**.

La plaque athéromateuse peut devenir épaisse au point de gêner la circulation sanguine (voir la figure 4.9). De plus, ce type de lésion favorise la formation de caillots sanguins. Lorsqu'un caillot se détache et s'insinue à l'intérieur d'une artère malade, il peut l'obstruer complètement, entraînant ainsi la mort des tissus avoisinants (puisqu'ils sont privés d'oxygène) et un affaiblissement de l'organe où ces tissus sont situés. Dans le cas où cette obstruction se produit dans l'une des artères qui irriguent le cœur, il s'ensuit un **infarctus du myocarde (ou crise cardiaque)** ; si l'artère obstruée est située dans le cerveau, il se produit un **accident vasculaire cérébral (AVC)**, qui entraîne une fois sur deux une invalidité permanente. Le phénomène peut également se produire au niveau des membres inférieurs et aboutir à la gangrène. L'athérosclérose cause aussi d'autres problèmes. Parfois, la paroi d'une artère atteinte perd son tonus et se distend ; elle devient comme un ballon qui se gonfle de sang, nommé **anévrisme**, et pourrait alors éclater. La rupture peut être mortelle s'il s'agit d'une grosse artère.

Bien que les causes de l'athérosclérose ne soient pas encore établies de façon précise, plusieurs enquêtes épidémiologiques ont permis de déterminer un certain nombre de facteurs communs aux personnes qui présentent, tôt ou tard, des problèmes cardiovasculaires (voir le tableau 4.7). Certains de ces facteurs, tels le sexe et l'âge, ne peuvent être modifiés. Ainsi, le risque que survienne un accident cardiovasculaire augmente de façon significative après 45 ans chez les hommes, mais seulement après 55 ans chez les femmes, celles-ci bénéficiant d'une certaine protection avant la ménopause. Les facteurs de risque non modifiables de l'athérosclérose comprennent aussi les antécédents familiaux. En effet, lorsque les membres d'une famille (parents, frères, sœurs) en sont atteints relativement jeunes, on peut soupçonner l'existence de facteurs génétiques. Un certain nombre de défauts génétiques pouvant mener à l'apparition précoce de l'athérosclérose ont d'ailleurs été décelés.

Figure 4.9
L'évolution de l'athérosclérose

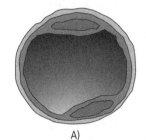

A)

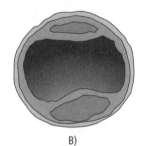

B)

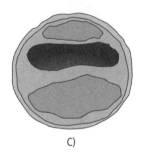

C)

A) à C) L'accumulation de dépôts athérosclérotiques à l'intérieur de la paroi d'une artère conduit à la formation d'une plaque athéromateuse, laquelle peut devenir épaisse au point de gêner la circulation sanguine.

TABLEAU 4.7   Les principaux facteurs de risque des maladies cardiovasculaires

Facteurs non modifiables :

Âge : plus de 45 ans chez l'homme ; plus de 55 ans chez la femme

Antécédents familiaux de maladies cardiovasculaires précoces

Facteurs modifiables :

Hyperlipidémie*	Diabète
Tension artérielle élevée	Obésité (surtout abdominale)
Tabagisme	Sédentarité

* L'hyperlipidémie est caractérisée par un taux élevé de lipides (cholestérol total, triacylglycérols ou les deux) dans le sang. Toutefois, une faible quantité de cholestérol provenant des HDL (ou « bon cholestérol ») augmente les risques de maladies cardiovasculaires.

Les études épidémiologiques effectuées à ce jour permettent également de déterminer plusieurs facteurs de risque pouvant être modifiés, comme le **tabagisme** et un **faible niveau d'activité physique**. Ces habitudes de vie, en plus d'augmenter le risque de maladies cardiovasculaires, renforcent les autres facteurs de risque que sont l'**hyperlipidémie**, l'**hypertension artérielle**, le **diabète** et l'**obésité**. Le **stress** serait aussi un facteur qui contribue à la détérioration de la condition cardiovasculaire.

Parmi tous ces facteurs de risque, l'hyperlipidémie suscite un intérêt particulier. L'hyperlipidémie, soit un taux élevé de lipides dans le sang, peut provenir d'un excès de triacylglycérols, de cholestérol, ou des deux types de lipides à la fois. Elle est liée aux maladies cardiovasculaires et ce lien est particulièrement bien démontré avec l'**hypercholestérolémie**, soit un taux de cholestérol sanguin supérieur à la valeur jugée souhaitable (voir l'encadré *Un taux de cholestérol sanguin souhaitable*). Il est donc fortement conseillé de prévenir et, lorsqu'elle se présente, de traiter l'hypercholestérolémie, surtout si l'excès de cholestérol est en grande partie imputable à un excès de «mauvais cholestérol» (voir la section suivante). L'hypertriglycéridémie, soit un taux élevé de triacylglycérols dans le sang, est également un facteur qui augmente le risque de maladies cardiovasculaires.

Les lipides alimentaires et le niveau de cholestérol sanguin

Depuis quelques décennies déjà, les relations entre l'athérosclérose, la concentration de cholestérol dans le sang et l'alimentation font l'objet d'une abondante littérature. Il semble logique de penser que la quantité de cholestérol contenue dans l'alimentation détermine la quantité de cholestérol circulant dans le sang, mais la question est loin d'être aussi simple. En effet, tout le monde ne réagit pas de la même façon à un apport élevé de cholestérol. Chez plusieurs personnes, le foie réduit tout simplement la quantité de cholestérol qu'il fabrique, en même temps qu'augmente l'élimination du cholestérol par la bile ; ainsi, le niveau de cholestérol véhiculé dans le sang demeure à peu près inchangé. Chez d'autres personnes, ces mécanismes compensatoires semblent moins efficaces, vraisemblablement à cause de facteurs génétiques. La recherche montre que la hausse du cholestérol sanguin attribuable à un apport additionnel de cholestérol alimentaire (de l'ordre de 100 mg par jour) est relativement faible dans la population en général. Par contre, l'effet est plus prononcé chez des individus prédisposés ayant des taux élevés de cholestérol sanguin.

Plusieurs autres facteurs d'ordre alimentaire influent sur le taux de cholestérol sanguin. L'un d'eux est le type d'acides gras que le régime renferme (voir le tableau 4.8). Il est bien démontré que la consommation de matières grasses riches en acides gras saturés augmente le niveau de cholestérol dans le sang. L'effet «hypercholestérolémiant» de ce type de graisses serait attribuable à certains acides gras, notamment à l'**acide palmitique** et à l'**acide myristique**. Bien que la consommation d'acides gras saturés entraîne une hausse à la fois du «mauvais cholestérol» (celui des LDL) et du «bon cholestérol» (celui des HDL), dans l'ensemble, l'effet demeure indésirable.

En revanche, lorsque, dans le régime alimentaire, les matières grasses riches en acides gras saturés sont remplacées par des matières grasses riches en acides gras polyinsaturés (comme l'**acide linoléique**), la concentration de cholestérol dans le sang tend à baisser, une baisse attribuable en grande partie à une diminution du «mauvais cholestérol» (celui des LDL). L'effet est le même si la matière grasse qui leur est substituée est riche en acides gras monoinsaturés (comme l'**acide oléique**), d'où l'engouement relativement récent des Nord-Américains pour l'huile d'olive. Les acides gras insaturés ont donc un effet bénéfique sur le cholestérol sanguin. Cependant, les **acides gras insaturés de configuration «trans»** font exception (voir le tableau 4.8) ; en plus d'augmenter le taux de cholestérol des LDL (le «mauvais cholestérol»), ils diminuent en même temps le taux de cholestérol des HDL (le

---

TABLEAU 4.8
La classification des acides gras selon leur effet sur le niveau de cholestérol sanguin

Acides gras tendant à élever le niveau de cholestérol sanguin :

Acides gras insaturés «trans»

Acides gras saturés (acide palmitique et acide myristique en particulier)

Acides gras tendant à normaliser le niveau de cholestérol sanguin :

Acides gras monoinsaturés «cis» (p. ex.: acide oléique)

Acides gras polyinsaturés «cis» (p. ex.: acide linoléique)

Un taux de cholestérol sanguin souhaitable

Pour être compatible avec une bonne santé cardiovasculaire, la quantité de cholestérol circulant dans notre sang doit se maintenir en deçà d'une certaine limite. **Chez l'adulte, un taux de cholestérol sanguin inférieur à 5,2 millimoles par litre (mmol/L) est considéré comme souhaitable.** Entre 5,2 et 6,1 mmol/L, il est jugé marginalement élevé ; à partir de 6,2 mmol/L, il est clairement élevé. Ces valeurs concernent l'ensemble du cholestérol qui circule dans le sang ; elles ont été proposées par un comité d'experts américains du National Cholesterol Education Program. Ce comité recommande aux personnes de plus de 20 ans de faire mesurer leur taux de cholestérol sanguin au moins une fois tous les cinq ans.

On recommande aussi de mesurer la quantité de cholestérol présente dans les LDL (lipoprotéines de faible densité) et celle présente dans les HDL (lipoprotéines de haute densité), car ces deux types de lipoprotéines transportent la majeure partie du cholestérol qui circule dans le sang. Dans le cas où la quantité de cholestérol sanguin est élevée en raison d'un taux élevé de LDL dans le sang, les risques d'athérosclérose et d'accidents cardiaques sont accrus, puisque ce sont les LDL (les transporteurs du « mauvais cholestérol ») qui interviennent dans le développement de la plaque athéromateuse ; ce risque augmente davantage en présence d'autres facteurs prédisposant à cette maladie, tels l'hypertension artérielle, le tabagisme, le diabète, l'obésité et l'inactivité physique. Quant aux HDL, elles semblent avoir une action protectrice ; pour cette raison, un faible taux de HDL (ou « bon cholestérol ») dans le sang est considéré comme un facteur de risque de maladies cardiovasculaires. Plusieurs éléments, dont l'alimentation et le niveau d'activité physique, influent sur les taux de LDL et de HDL dans le sang.

« bon cholestérol »). Les acides gras trans ont donc un effet particulièrement néfaste sur le cholestérol sanguin.

Outre les lipides, d'autres caractéristiques du régime alimentaire, notamment son contenu en fibres alimentaires et en protéines, peuvent influer sur la quantité de cholestérol véhiculée dans le sang. De plus, nous l'avons vu au chapitre 3, l'alimentation peut influencer la quantité de triacylglycérols qui s'accumulent dans le sang. Enfin, diverses substances contenues dans les aliments, comme l'alcool, les acides gras polyinsaturés oméga-3, certains nutriments essentiels et certains composés phytochimiques (synthétisés dans le règne végétal) peuvent influencer le développement de l'athérosclérose et le risque de maladies cardiovasculaires sans nécessairement avoir d'effets sensibles sur le taux de lipides sanguins (voir *Le rôle de l'alimentation dans le développement des maladies cardiovasculaires*, à la page 111).

Les lipides et les autres problèmes de santé publique

Les lipides et l'obésité – En plus de moduler de diverses façons les quantités de lipides qui circulent dans le sang, les lipides présents dans l'alimentation peuvent influer sur la quantité de graisse que l'organisme accumule. En effet, dans nos populations sédentaires, une alimentation riche en lipides peut facilement devenir trop riche en énergie et mener ainsi à l'obésité (voir le chapitre 2). De plus, l'entreposage de la graisse corporelle est, sur le plan métabolique, plus efficace à partir des lipides qu'à partir des autres nutriments énergétiques. Or, l'excès de graisse corporelle, en particulier dans la région abdominale, prédispose aux facteurs de risque de maladies cardiovasculaires tels que l'hyperlipidémie, le diabète et l'hypertension artérielle (voir le tableau 4.7, à la page 103).

Les lipides et le cancer – Le cancer est la deuxième cause de mortalité au Canada. Les chercheurs qui tentent de cerner les facteurs alimentaires intervenant dans l'apparition de cette maladie ont déjà soupçonné les lipides. L'analyse de données recueillies dans diverses populations du monde montre qu'il existe un lien entre la consommation de graisses alimentaires et la mortalité due à certains cancers, en particulier ceux du sein, du côlon (gros intestin) et de la prostate. Plusieurs études expérimentales effectuées sur des animaux de laboratoire ont démontré que les régimes riches en lipides accélèrent le développement des tumeurs cancéreuses. Mais toutes les études épidémiologiques effectuées à ce jour ne permettent pas d'établir un lien entre la consommation de lipides et le risque de contracter le cancer et, pour le moment, le sujet prête à controverse.

Certaines analyses suggèrent que le taux d'ingestion lipidique a déjà été lié à la mortalité due au cancer parce qu'il contribue de façon significative à l'apport en énergie; en effet, plusieurs données scientifiques montrent qu'un apport énergétique élevé favorise le développement du cancer, quelle que soit la quantité de lipides contenue dans le régime. On a aussi avancé l'hypothèse selon laquelle le peu de place laissée aux légumes et aux fruits – aliments liés à une incidence réduite de cancer (voir le chapitre 10) – dans les régimes riches en lipides était associé au développement de cette maladie.

L'insuffisance de lipides

La déficience marquée en acides gras essentiels est relativement rare dans les populations qui consomment suffisamment de matières grasses. Les personnes présentant le plus de risques sont celles qui se soumettent régulièrement à un régime alimentaire très restreint en lipides, ou celles souffrant d'une pathologie chronique du tube digestif qui perturbe la digestion et l'absorption des lipides.

La déficience en acides gras essentiels se traduit principalement par des problèmes cutanés et l'accumulation de lipides dans le foie (foie gras). Chez le jeune enfant, on peut également noter un retard de croissance, ainsi que l'augmentation de la susceptibilité aux infections et des anomalies au niveau de la rétine. Mais ce sont là les signes d'une carence alimentaire évidente. Il est beaucoup plus difficile de déterminer les perturbations résultant d'un apport en acides gras essentiels qui, sans être nettement inférieur aux besoins de l'organisme, n'est pas pleinement satisfaisant. Compte tenu de l'importance des fonctions que remplissent les acides gras essentiels dans l'organisme, nous pouvons supposer qu'un apport insuffisant a des conséquences néfastes pour la santé. Les recherches en cours sur le sujet devraient permettre de mieux préciser les effets de la déficience modérée en acides gras essentiels.

Les recommandations relatives aux lipides et les tendances de consommation

Les lipides totaux

À l'instar des recommandations au sujet des glucides, celles touchant les quantités de lipides à consommer sont souvent exprimées par rapport à la quantité d'énergie ingérée plutôt qu'en valeurs absolues. Actuellement, **il est recommandé que de 20 % à 35 % de l'énergie que nous fournissent les aliments provienne des lipides**. Cette recommandation est celle qu'a adoptée Santé Canada à la suite de la publication en 2002 du rapport d'un comité d'experts canadiens et américains sur les apports nutritionnels de référence (ANREF) (voir le chapitre 8). Selon cette recommandation, une personne consommant en moyenne 2400 kcal par jour devrait en consommer au moins 480, mais au plus 840, sous forme de lipides (voir l'encadré ci-contre). Puisque les lipides fournissent à l'organisme 9 kcal au gramme, l'alimentation de cette personne devrait contenir entre 53 et 93 g de lipides.

Comment évaluer l'apport souhaitable en lipides de son régime alimentaire

1. Déterminer sa consommation habituelle d'énergie.
   Par exemple : 2400 kcal par jour.

2. Calculer la quantité minimale d'énergie qu'on devrait consommer sous forme de lipides, sachant qu'elle devrait représenter au moins 20 % de la quantité totale d'énergie qu'on ingère.
   Par exemple : 20 % de 2400 kcal = 20/100 X 2400 kcal
                               = 480 kcal

3. Calculer la quantité maximale d'énergie qu'on devrait consommer sous forme de lipides, sachant qu'elle devrait représenter au plus 35 % de la quantité totale d'énergie qu'on ingère.
   Par exemple : 35 % de 2400 kcal = 35/100 X 2400 kcal
                               = 840 kcal

4. Transformer ces quantités d'énergie en grammes de lipides, sachant que 1 g de lipides équivaut à 9 kcal.
   Par exemple : 480 kcal/9 kcal/g = 53 g et 840 kcal/9 kcal/g = 93 g.

   Donc, en consommant 2400 kcal quotidiennement, on devrait ingérer de 53 à 93 g de lipides par jour.

Cette recommandation touchant les lipides rejoint notamment celle d'un autre groupe d'experts, mandaté celui-là par l'Organisation des Nations Unies pour l'alimentation et l'agriculture (FAO) et l'Organisation mondiale de la santé (OMS). Les experts s'entendent donc pour déconseiller non seulement un apport trop grand en lipides, mais aussi un apport trop faible. En effet, une alimentation sévèrement restreinte en lipides (moins de 20 % de l'énergie) est souvent très riche en glucides. Or, même si ce type d'alimentation réduit le niveau sanguin de cholestérol total, il peut aussi entraîner une hausse indésirable des triacylglycérols et une baisse non souhaitable du «bon cholestérol» dans le sang, surtout si les aliments consommés sont en bonne partie des aliments raffinés (pauvres en fibres alimentaires). Un apport modéré en lipides est donc préférable.

Au Canada, il semble que la consommation moyenne de lipides soit conforme aux recommandations, puisqu'elle constitue environ 30 % de la quantité d'énergie consommée, selon une enquête effectuée dans la population canadienne adulte. Cette valeur représente une baisse significative par rapport au niveau de consommation enregistré au début des années 1970, alors situé autour de 40 %.

Les acides gras trans, les acides gras saturés et le cholestérol

L'intervalle recommandé pour la consommation de lipides totaux présente un faible risque de problèmes de santé pour autant que la consommation d'acides gras trans et d'acides gras saturés demeure faible. En effet, nous avons vu que ces deux types d'acides gras favorisent l'augmentation du niveau de cholestérol sanguin, et ce, même quand la consommation de lipides totaux n'est pas excessive. Selon les apports nutritionnels de référence (ANREF), **nous devrions donc réduire au minimum notre consommation d'acides gras trans et d'acides gras saturés**. En évitant de consommer des matières grasses hydrogénées, il est facile d'éliminer (ou presque) les acides gras trans de notre alimentation. Étant beaucoup plus répandus dans les aliments, les acides gras saturés ne peuvent être éliminés complètement.

Selon divers organismes de santé qui s'intéressent à la santé cardiovasculaire, il serait préférable de limiter à moins de 10 % la contribution des lipides saturés à l'apport total d'énergie (et même à moins de 7 % chez les personnes ayant un taux de cholestérol sanguin élevé). Or, selon une enquête effectuée auprès de la population canadienne adulte, notre niveau de consommation de lipides saturés se situe précisément à 10 %. Plusieurs d'entre nous auraient donc avantage à modifier certains choix de matières grasses.

Enfin, selon les ANREF, **la consommation de cholestérol ne présente aucun avantage pour la santé et peut donc être réduite au minimum**. L'American Heart Association de même qu'un comité d'experts de la FAO et de l'OMS suggèrent, pour leur part, de ne pas dépasser 300 mg par jour. Les données de l'enquête canadienne citée précédemment révèle que, chez les femmes, l'ingestion moyenne demeure inférieure à cette limite alors que, chez les hommes, elle l'excède. Toutefois, selon plusieurs chercheurs, les personnes ayant un niveau élevé de cholestérol sanguin sont principalement celles qui ont avantage à réduire au minimum leur consommation de cholestérol. Comme nous l'avons déjà souligné, dans la population générale, la consommation de cholestérol alimentaire semble n'avoir que peu d'influence sur le taux du cholestérol sanguin.

Les acides gras essentiels

Le régime alimentaire doit contenir tous les éléments nutritifs essentiels en quantités suffisantes pour combler les besoins de l'organisme. Les recommandations du comité d'experts canadiens et américains qui a établi les ANREF pour les acides gras essentiels apparaissent dans le tableau 4.9 ci-après. Selon ces recommandations, les quantités qui suffisent à combler les besoins quotidiens d'un adulte en **oméga-6** (en acide linoléique principalement) varient de 11 à 17 g selon l'âge et le sexe. En ce qui concerne les **oméga-3** (l'acide linolénique principalement), ces quantités sont de 1,1 g chez la femme, et de 1,6 g chez l'homme. Ces recommandations sont également exprimées par rapport à la quantité d'énergie consommée (voir le chapitre 8).

Le besoin en acides gras oméga-6 est donc supérieur au besoin en acides gras oméga-3. Toutefois, il importe de conserver un équilibre dans la consommation de ces deux types d'acides gras essentiels (voir la section suivante). En outre, compte tenu des bienfaits particuliers des acides gras **oméga-3 hautement insaturés** (provenant des poissons), il serait avantageux d'en consommer l'équivalent d'environ 500 mg par jour, selon certains experts.

La mise en application des recommandations relatives aux lipides

Les lipides totaux, les acides gras trans et saturés et le cholestérol – Nous avons constaté précédemment qu'il n'est pas souhaitable de limiter sévèrement sa consommation de lipides. Il est préférable de les consommer avec modération, tout en les choisissant judicieusement. Afin d'évaluer ou même de planifier l'apport en lipides d'un régime alimentaire, les tables de composition des aliments de même que les banques de données incorporées dans les logiciels d'analyse nutritionnelle fournissent des données précises sur le contenu des aliments en lipides totaux et en différents types d'acides gras. On trouve aussi des renseignements dans le tableau de valeur nutritive sur l'étiquette de la plupart des aliments préemballés, puisque ce tableau doit au moins indiquer la teneur de l'aliment en lipides totaux, en gras saturé et en gras trans. Le tableau 4.2, à la page 91, donne un aperçu des quantités de lipides totaux contenus dans divers aliments.

Toutefois, les recommandations peuvent être suivies sans calculer avec précision l'apport en lipides totaux et en différents types d'acides gras dans son alimentation.

TABLEAU 4.9   Les apports jugés suffisants en acides gras essentiels pour les Canadiens et les Américains (2002)

Groupe d'âge	Acide linoléique (oméga-6) (g/jour)	Acide alpha-linolénique (oméga-3) (g/jour)
Nourrissons		
0-6 mois	4,4*	0,5
7-12 mois	4,6	0,5
Enfants		
1-3 ans	7	0,7
4-8 ans	10	0,9
Garçons		
9-13 ans	12	1,2
14-18 ans	16	1,6
19-30 ans	17	1,6
31-50 ans	17	1,6
51-70 ans	14	1,6
> 70 ans	14	1,6
Filles		
9-13 ans	10	1,0
14-18 ans	11	1,1
19-30 ans	12	1,1
31-50 ans	12	1,1
51-70 ans	11	1,1
> 70 ans	11	1,1
Grossesse		
14-18 ans	13	1,4
19-50 ans	13	1,4
Lactation		
14-18 ans	13	1,3
19-50 ans	13	1,3

*Il s'agit dans ce cas d'un apport nutritionnel recommandé (ANR).

Source : U.S. National Academy of Sciences, Institute of Medicine (2002).

Il suffit de s'inspirer du *Guide alimentaire canadien pour manger sainement* (voir le chapitre 8) en choisissant, à l'intérieur de chacun des quatre groupes principaux, les aliments qui nous permettent de limiter les apports en acides gras trans et en acides gras saturés.

- **Produits céréaliers** (voir le chapitre 9) :
  - éviter les aliments préparés avec des matières grasses hydrogénées et limiter la consommation d'aliments préparés avec des graisses animales (beurre, saindoux, suif).
- **Légumes et fruits** (voir le chapitre 10) :
  - éviter les aliments panés ou frits (souvent préparés avec des matières grasses hydrogénées).

- **Produits laitiers** (voir le chapitre 11) :
    - choisir de préférence du lait et du yogourt écrémés ou partiellement écrémés, ainsi que des fromages et desserts laitiers peu gras.
- **Viandes et substituts** (voir le chapitre 12) :
    - éviter les aliments panés et frits (souvent préparés avec des matières grasses hydrogénées) ;
    - choisir plus souvent du poisson, des légumineuses, des noix et des graines ;
    - choisir des coupes de viande maigres, débarrassées du gras visible, et des préparations de viande et de volaille peu grasses ; consommer la volaille sans la peau.
- **Autres aliments** (voir le chapitre 13) :
    - éviter la graisse végétale (shortening), les margarines hydrogénées et les aliments préparés avec ces matières grasses ou autres huiles hydrogénées (p. ex. : croustilles, pâtisseries, etc.) ;
    - consommer avec modération les autres aliments riches en matières grasses. Pour tartiner le pain ou apprêter les aliments, choisir de préférence des corps gras riches en acides gras mono ou polyinsaturés (voir le tableau 4.4, à la page 94). Ces derniers comprennent plusieurs huiles offertes sur le marché ainsi que les mayonnaises, sauces à salade, vinaigrettes et margarines molles non hydrogénées faites à partir de ces huiles.

Plusieurs personnes choisissent de consommer des aliments « **à teneur réduite en matières grasses** » afin de limiter leur consommation de lipides. Mais attention ! Cette appellation signifie seulement que la teneur en matières grasses d'un aliment a été réduite d'au moins 25 % par rapport au produit courant. Elle ne veut donc pas dire que l'aliment est exempt de matières grasses, ni qu'il ne fournit d'énergie ! Il en va de même pour l'appellation « **sans cholestérol** » : un aliment « sans cholestérol » peut être riche en lipides, pour autant que sa teneur en acides gras trans et saturés demeure faible (c'est le cas de la plupart des huiles végétales non hydrogénées). Pour connaître la teneur d'un aliment en matières grasses, en cholestérol ou en énergie ou encore sa composition en acides gras, il faut consulter l'étiquette sur l'emballage.

Il faut aussi savoir que les produits réduits en matières grasses renferment souvent une multitude d'ingrédients non traditionnels destinés à leur conférer la texture et l'apparence souhaitées. Il s'agit le plus souvent d'ingrédients qui, dispersés dans l'eau, tendent à reproduire la sensation que procure normalement un corps gras dans la bouche. Parmi ces ingrédients, on trouve divers composés de nature glucidique (comme les amidons modifiés, le polydextrose, les gommes végétales, la carraghénine, les maltodextrines et la cellulose microcristalline) ainsi que certains composés protéiques dérivés principalement du lait et des œufs. Dans certains aliments, comme les vinaigrettes et les margarines « légères », c'est surtout l'eau qui sert de substitut aux corps gras. La technologie alimentaire a aussi permis de mettre au point des graisses qui ne se digèrent pas, ou seulement de façon partielle, et qui sont donc peu ou pas absorbables. Mais ces **analogues du gras** ne sont pas autorisés au Canada.

Les acides gras essentiels – Il est conseillé d'inclure à la fois des sources d'oméga-6 et des sources d'oméga-3 dans son alimentation, puisqu'il importe de conserver un équilibre dans la consommation de ces deux types d'acides gras essentiels. Divers aliments, comme le germe de blé, les graines de tournesol et de sésame, certaines noix, les fèves de soja, les huiles extraites de ces aliments ainsi que plusieurs autres huiles végétales contiennent naturellement des acides gras essentiels de la famille des **oméga-6** (voir le tableau 4.4, à la page 94). En pratique, il est facile de combler ses besoins en consommant régulièrement de petites quantités d'huiles non hydrogénées riches en acide linoléique.

Quant aux acides gras de la famille des **oméga-3**, ils sont moins présents dans les aliments ; il est donc conseillé de leur porter une attention particulière. Nous avons constaté précédemment que plusieurs poissons sont de très bonnes sources d'oméga-3 hautement insaturés (voir le tableau 4.3, à la page 92). Pour atteindre la quantité recommandée, il faut en consommer au moins deux portions par semaine (voir l'encadré *Les poissons et leurs huiles*, à la page 279). Il est également conseillé de consommer régulièrement des oméga-3 d'origine végétale ; on en trouve en grande quantité dans les graines et l'huile de lin et, en plus petite quantité, dans les noix de Grenoble, les fèves de soja, le germe de blé, les huiles extraites de ces aliments, de même que dans les huiles de canola et de pépins de cassis (voir le tableau 4.4, à la page 94). Quelques autres aliments peuvent contribuer à l'apport en acides gras oméga-3 du régime alimentaire, comme les œufs oméga-3 (voir le chapitre 12) et certains produits laitiers « oméga-3 » (voir le chapitre 11).

Pour en savoir plus

Le rôle de l'alimentation dans le développement des maladies cardiovasculaires

Il est généralement admis que l'alimentation a un lien avec le développement de l'athérosclérose et qu'elle influe sur le risque de maladies cardiovasculaires. En effet, en modifiant la composition de son régime alimentaire, on peut modifier aussi certains des principaux facteurs de risque de ces maladies, tels un taux élevé de cholestérol sanguin, une tension artérielle élevée, le diabète et l'obésité. On peut aussi agir directement sur le développement de la plaque athéromateuse, la formation de caillots sanguins et le fonctionnement du cœur.

Les aliments issus du règne végétal

Il ressort des observations cumulées à ce jour qu'une alimentation qui réserve une large place aux aliments peu transformés issus du règne végétal comporte des avantages certains pour la prévention des maladies cardiovasculaires. Dans plusieurs études épidémiologiques, la consommation de bonnes quantités de produits céréaliers à grains entiers ainsi que de légumes et de fruits est liée à une réduction du risque de développer ces maladies (voir les chapitres 9 et 10). Des liens favorables existent également avec la consommation d'autres aliments issus du règne végétal, comme les légumineuses (dont le soja) et les noix (voir le chapitre 12) ainsi que le thé (voir le chapitre 13). La recherche effectuée à ce jour permet de mettre en lumière plusieurs des caractéristiques nutritionnelles de ces aliments pouvant expliquer leurs bienfaits sur la santé cardiovasculaire.

Des lipides riches en acides gras insaturés

Consommés en bonne quantité, les légumes, les fruits, les légumineuses et les produits céréaliers à grains entiers peu transformés aident à contrôler la quantité totale de lipides (et donc d'énergie) qu'on ingère, en raison de la faible teneur en matières grasses de ces aliments. En outre, nous l'avons déjà vu, les matières grasses contenues dans les végétaux sont généralement riches en **acides gras insaturés**, pauvres en acides gras saturés et exemptes de cholestérol. La consommation de lipides provenant en bonne partie du règne végétal aide à maintenir un taux de cholestérol souhaitable, y compris un faible taux de « mauvais cholestérol » (celui des LDL). Il est donc recommandé d'inclure régulièrement dans son alimentation, en quantité modérée, des aliments riches en lipides comme les noix, les graines et les huiles végétales. Il importe toutefois de s'assurer que les huiles ne sont pas hydrogénées, car le procédé d'hydrogénation génère des acides gras trans qui ont un effet néfaste sur le taux de cholestérol sanguin.

Un bon apport de fibres alimentaires

Les aliments peu raffinés issus du règne végétal constituent de bonnes sources de **fibres alimentaires**, lesquelles agissent favorablement sur la fonction cardiovasculaire, notamment en abaissant le niveau de cholestérol sanguin, y compris celui véhiculé dans les LDL (le « mauvais cholestérol »). Consommées en bonne quantité, les fibres solubles seraient particulièrement efficaces pour abaisser le niveau de cholestérol sanguin. C'est d'ailleurs en raison de sa richesse en fibres solubles que le **son d'avoine** jouit d'une grande popularité depuis plusieurs années (voir le chapitre 3). Les fibres alimentaires aident aussi à atténuer ou même à prévenir la hausse des triacylglycérols sanguins qu'une alimentation riche en glucides raffinés peut induire ; or, un taux élevé de triacylglycérols dans le sang augmente le risque de maladies cardiovasculaires. Outre les lipides sanguins, les fibres alimentaires influencent favorablement d'autres facteurs de risque des maladies cardiovasculaires, comme le diabète et l'obésité.

Un bon apport de vitamines, de minéraux et d'autres micronutriments

Les aliments d'origine végétale constituent de loin la principale source de **vitamine C** et de **vitamine E**; ils renferment aussi de nombreux **caroténoïdes** et une multitude de **composés phénoliques**. Toutes ces substances possèdent des propriétés antioxydantes et peuvent donc inhiber l'oxydation (la détérioration) de divers composés organiques par les radicaux libres (voir le chapitre 6). Le règne végétal renferme aussi des substances qui aident à contrôler le cholestérol sanguin, tels les **phytostérols**, qui diminuent l'absorption du cholestérol dans l'intestin, ou encore les **isoflavones**, présents dans le **soja** (voir le chapitre 12). Il est aussi possible que la richesse en **potassium** et en **magnésium** des végétaux aide à maintenir une tension artérielle souhaitable et puisse ainsi réduire les risques de maladies cardiovasculaires (voir le chapitre 13). Enfin, plusieurs végétaux constituent d'excellentes sources d'**acide folique**. Or, de faibles taux sanguins d'acide folique sont liés, dans plusieurs études, à une incidence accrue de maladies cardiovasculaires.

Le poisson

Le poisson apporte une certaine protection contre les maladies cardiovasculaires, comme le montrent plusieurs études effectuées auprès de diverses populations (les Inuits du Nunavik notamment). L'effet bénéfique du poisson, nous l'avons déjà vu, serait surtout attribuable à son contenu en acides gras hautement insaturés de la famille des **oméga-3**, qui agissent entre autres en limitant la formation de caillots sanguins et en réduisant la susceptibilité à l'arythmie cardiaque. Il est recommandé de consommer au moins deux portions de poisson par semaine si l'on veut profiter de ses bienfaits (voir le chapitre 12).

L'alcool

Parmi les autres facteurs alimentaires influant sur le risque de maladies cardiovasculaires, soulignons la consommation d'alcool, qui, lorsqu'elle est régulière et modérée, tend à diminuer ce risque. L'alcool aurait cet effet bénéfique entre autres en augmentant le niveau de « bon cholestérol » (celui des HDL) dans le sang. Grâce à leurs propriétés antioxydantes, les composés phénoliques présents dans le **vin rouge** contribueraient aussi à protéger l'appareil cardiovasculaire.

Le modèle méditerranéen

Une alimentation fondée sur des aliments favorisant une bonne santé cardiovasculaire est-elle vraiment avantageuse? Certaines populations vivant autour de la Méditerranée et ayant conservé une alimentation traditionnelle semblent le démontrer. Ces populations ont un taux de mortalité par maladie cardiovasculaire étonnamment bas et une espérance de vie parmi les plus élevées au monde. Les lipides contenus dans l'**alimentation méditerranéenne traditionnelle** sont en bonne partie insaturés, puisque la principale source de lipides est l'huile d'olive. On note, dans ce régime alimentaire, une abondance de fruits et légumes frais, de céréales, de légumineuses et de noix, accompagnés de petites quantités de produits laitiers (fromage et yogourt principalement), de volaille et de poisson, le tout modérément arrosé de vin. Outre l'alimentation, il est possible que les caractéristiques génétiques de ces populations, de même que leurs habitudes de vie (leur niveau d'activité physique par exemple), contribuent à leur bonne santé. Néanmoins, nous aurions certainement avantage à nous inspirer du type d'alimentation qu'elles consomment.

Résumé

Trois catégories de composés organiques sont regroupées sous l'appellation « lipides » : 1) les graisses et les huiles, 2) les phosphoglycérides, et 3) les stéroïdes. Les graisses et les huiles forment la catégorie la plus importante. Les phosphoglycérides et les stéroïdes sont des constituants quantitativement mineurs. Les lipides se distinguent des autres nutriments énergétiques par leur insolubilité dans l'eau.

L'unité de base des lipides est l'**acide gras**. Les molécules d'acide gras sont des chaînes plus ou moins longues d'atomes de carbone liés à des atomes d'hydrogène, qui se terminent par une fonction acide (–COOH). La plupart des acides gras ont un nombre pair d'atomes de carbone se situant habituellement entre 4 et 24. Les acides gras se distinguent aussi par le nombre de liaisons doubles qu'ils

renferment. Un acide gras ne renfermant aucune liaison double est un **acide gras saturé**. Un acide gras qui renferme une liaison double est un **acide gras monoinsaturé**. Un acide gras renfermant au moins deux liaisons doubles est un **acide gras polyinsaturé**.

Dans la nature, on trouve peu d'acides gras sous forme libre, la plupart étant liés au glycérol. Lorsqu'on lie une molécule d'acide gras au glycérol, on obtient un monoacylglycérol (ou monoglycéride). Combiné à deux molécules d'acide gras, le glycérol devient un diacylglycérol (ou diglycéride), et combiné à trois molécules d'acide gras, il devient un triacylglycérol (ou triglycéride). Les **triacylglycérols** constituent la quasi-totalité des graisses et des huiles contenues dans les aliments et dans l'organisme.

Ces dernières diffèrent les unes des autres selon la nature des acides gras qui les constituent. Les graisses et les huiles formées principalement d'acides gras saturés sont solides à température ambiante, alors que celles qui sont formées principalement d'acides gras monoinsaturés et polyinsaturés demeurent liquides à température ambiante.

Les graisses et les huiles constituent pour l'organisme une **source d'énergie** concentrée (9 kcal au gramme) et facile à mettre en réserve. De plus, elles renferment divers acides gras polyinsaturés à chaîne longue qui remplissent d'importantes fonctions biologiques à l'intérieur de l'organisme. Deux d'entre eux, l'acide linoléique (oméga-6) et l'acide alpha-linolénique (oméga-3), sont considérés comme des **acides gras essentiels**, l'organisme étant incapable de les fabriquer lui-même.

Les graisses et les huiles améliorent la saveur, l'arôme et la texture des aliments. Celles d'**origine animale** proviennent des viandes, des volailles, des œufs, du lait et de ses dérivés, ainsi que des poissons, crustacés et coquillages. Des acides gras saturés et monoinsaturés composent principalement la fraction lipidique de ces aliments, à l'exception des poissons, crustacés et coquillages, dont les lipides renferment de bonnes quantités d'acides gras insaturés, y compris ceux de la famille des oméga-3.

Du **côté végétal**, certains aliments, comme les noix, les graines, les grains de cacao et l'avocat, renferment des quantités appréciables de lipides, alors que plusieurs autres en sont presque entièrement dépourvus. Les huiles extraites des végétaux constituent la principale source de matières grasses d'origine végétale dans l'alimentation nord-américaine puisqu'on les incorpore dans une multitude d'aliments préparés. Contrairement aux corps gras d'origine animale, la plupart des huiles végétales sont riches en acides gras insaturés ; plusieurs constituent des sources intéressantes d'acides gras polyinsaturés essentiels. Toutefois, il arrive souvent qu'on les soumette à l'**hydrogénation**, procédé consistant à ajouter des atomes d'hydrogène sur les doubles liaisons. Étant moins riches en acides gras polyinsaturés, les huiles hydrogénées sont relativement stables et leurs propriétés fonctionnelles répondent mieux aux exigences de l'industrie alimentaire. Malheureusement, en plus de réduire la teneur en acides gras essentiels des huiles, l'hydrogénation crée des acides gras insaturés de forme inhabituelle, appelés **acides gras « trans »**. On trouve de l'huile hydrogénée ou encore partiellement hydrogénée dans un grand nombre d'aliments préparés par l'industrie alimentaire. Le procédé d'hydrogénation a également permis à la margarine de s'implanter sur le marché, bien qu'il existe aussi des margarines molles non hydrogénées.

La lécithine entre dans la catégorie des **phosphoglycérides**. Un phosphoglycéride ressemble à un diacylglycérol dont la troisième position est occupée par un groupe chimique soluble dans l'eau. En raison de leur structure amphiphile, les phosphoglycérides sont utilisés comme agents émulsifiants. On en trouve naturellement dans divers aliments, tels le jaune d'œuf, le foie, le soja et le germe de blé. Dans l'organisme, les phosphoglycérides aident à la digestion des lipides et facilitent leur transport dans le sang. De plus, ce sont d'importants constituants de la membrane des cellules.

Pour sa part, le **cholestérol** fait partie des stéroïdes. Il est présent à la fois dans les aliments et dans l'organisme. Le cholestérol alimentaire se trouve essentiellement dans les aliments d'origine animale. Les aliments riches en cholestérol ne sont pas nécessairement très riches en lipides. Dans l'organisme, divers stéroïdes biologiquement actifs sont synthétisés à partir du cholestérol, comme les hormones sexuelles et surrénaliennes, les acides biliaires ou encore la vitamine D. À l'instar des phosphoglycérides, le cholestérol est un important constituant des membranes cellulaires.

Afin d'être absorbés dans l'organisme et de circuler dans le sang, les lipides se combinent à des protéines, formant alors des **lipoprotéines**. Le cholestérol absorbé au niveau intestinal est acheminé sous cette forme jusqu'au foie, qui gère son utilisation dans l'organisme. Il est également distribué aux tissus sous cette forme. Les lipoprotéines qui distribuent le cholestérol dans l'organisme sont appelées LDL. Les LDL sont souvent mises en cause lorsque le cholestérol s'accumule dans l'organisme et y cause des dommages ; pour cette raison, le cholestérol qu'elles transportent est souvent appelé « mauvais cholestérol ». Pour récupérer le surplus de cholestérol accumulé dans l'organisme, le foie fabrique des lipoprotéines spécifiques, appelées HDL, lesquelles sont considérées comme de bonnes lipoprotéines ; leur cholestérol est souvent appelé « bon cholestérol ».

Un taux élevé de cholestérol dans le sang, en particulier de « mauvais cholestérol », favorise le développement de l'**athérosclérose**, cause première des **maladies cardiovasculaires**. Le tabagisme, l'hypertension artérielle, la sédentarité, le diabète et l'obésité sont d'autres facteurs importants de risque de maladies cardiovasculaires.

Il est bien démontré que la consommation de matières grasses riches en acides gras trans et en acides gras saturés augmente le **niveau de cholestérol** dans le sang. En revanche, lorsqu'on remplace ces matières grasses par des matières grasses riches en acides gras mono et polyinsaturés (hormis ceux de configuration « trans »), la concentration de cholestérol dans le sang tend à baisser. Outre les lipides, d'autres caractéristiques du **régime alimentaire** peuvent avoir une incidence sur le développement de l'athérosclérose et le risque de maladies cardiovasculaires.

À l'instar de celles touchant les glucides, les **recommandations** relatives aux quantités de lipides qu'il est souhaitable de consommer s'expriment par rapport à la quantité d'énergie ingérée plutôt qu'en valeurs absolues. Selon les apports nutritionnels de référence, il est recommandé de consommer de 20 % à 35 % de l'énergie sous forme de lipides. Il importe aussi d'éviter les aliments renfermant des acides gras trans (issus de l'hydrogénation des huiles) et de limiter la consommation d'aliments riches en acides gras saturés, tout en choisissant de préférence ceux qui sont riches en acides gras mono ou polyinsaturés. Enfin, on doit s'assurer que les besoins en acides gras essentiels sont comblés. Il est possible de suivre ces recommandations en s'inspirant du *Guide alimentaire canadien pour manger sainement* en choisissant, à l'intérieur de chacun des groupes, les aliments les plus avantageux pour atteindre l'objectif visé.

Références

AGRICULTURE AND AGRI-FOOD CANADA. *Food group sources of nutrients in the average canadian diet* (à partir de données de l'Enquête sur les dépenses alimentaires de 2001).

BOSNER, M.S. et autres. « Percent cholesterol absorption in normal women and men quantified with dual stable isotopic tracers and negative ion mass spectrometry », *Journal of Lipid Research*, vol. 40, 1999, p. 302-308.

CHEVASSUS-AGNÈS, S. « Disponibilités des lipides alimentaires dans le monde », *Alimentation, nutrition et agriculture*, vol. 11, 1994, p. 15-22.

CHOW, C.K. (réd.). *Fatty Acids in Foods and Their Health Implications*, 2ᵉ éd., New York, Marcel Dekker, Inc., 2000.

DEWAILLY, E. et autres. « N-3 Fatty acids and cardiovascular disease risk factors among the Inuit of Nunavik », *American Journal of Clinical Nutrition*, vol. 74, 2001, p. 464-473.

DREWNOWSKI, A. « Why do we like fat ? », *Journal of the American Dietetic Association*, vol. 97, suppl., 1997, p. S58-S62.

« Executive Summary of the Third Report of the National Cholesterol Education Program (NCEP) Expert Panel on Detection, Evaluation, and Treatment of High Blood Cholesterol in Adults (Adult Treatment Panel III) », *Journal of the American Medical Association*, vol. 285, 2001, p. 2486-2497.

GIESE, J. « Fats, oils, and fat replacers », *Food Technology*, vol. 50, n° 4, 1996, p. 78-83.

GRAY-DONALD, K., L. JACOBS-STARKEY et L. JOHNSON-DOWN. « Food habits of Canadians : reduction in fat intake over a generation », *Canadian Journal of Public Health*, vol. 91, 2000, p. 381-385.

HU, F.B. « Plant-based foods and prevention of cardiovascular disease : an overview », *American Journal of Clinical Nutrition*, vol. 78, suppl. 2003, p. 544S-551S.

INSTITUT DE LA NUTRITION. *Matières grasses et cholestérol – Conclusions des dix dernières années*. Le Point, I.N.N., étude n° 30, 2000, p. 1-6.

INTERNATIONAL SOCIETY FOR THE STUDY OF FATTY ACIDS AND LIPIDS. *Report of the sub-committee on Recommendations for intake of polyunsaturated fatty acids in healthy adults*, juin 2004. Site Internet : <www.issfal.org.uk>.

KARLESKIND, A (coord.). *Manuel des corps gras*, vol. 1 et 2, Paris, Lavoisier, 1992.

KRIS-ETHERTON, P.M. et autres. « Dietary fat : assessing the evidence in support of a moderate-fat diet ; the benchmark based on lipoprotein metabolism », *Proceedings of the Nutrition Society*, vol. 61, 2002, p. 287-298.

KRIS-ETHERTON, P.M., W.S. HARRIS et L.J. APPEL for the Nutrition Committee. « AHA Scientific Statement : Fish consumption, fish oil, omega-3 fatty acids and cardiovascular disease », *Circulation*, vol. 106, 2002, p. 2747-2757.

MENSINK, R.P. et autres. « Effects of dietary fatty acids and carbohydrates on the ratio of serum total to HDL cholesterol and on serum lipids and apolipoproteins : a meta-analysis of 60 controlled trials », *American Journal of Clinical Nutrition*, vol. 77, 2003, p. 1146-1155.

OSTLUND, R.E. « Phytosterols in human nutrition », *Annual Review of Nutrition*, vol. 22, 2002, p. 533-549.

PEARSON, T.A. et autres. « AHA guidelines for primary prevention of cardiovascular disease and stroke : 2002 update. Consensus panel guide to comprehensive risk reduction for adult patients without coronary or other atherosclerotic vascular diseases », *Circulation*, vol. 106, 2002, p. 388-391.

PHILLIPS, K.M. et autres. « Free and esterified sterol composition of edible oils and fats », *Journal of Food Composition and Analysis*, vol. 15, 2002, p. 123-142.

RATNAYAKE, W.M.N. et autres. « Trans fatty acids in Canadian margarines : recent trends », *Journal of the American Oil Chemist' Society*, vol. 75, 1998, p. 1587-1594.

REFSUM, H. « Is folic acid the answer ? », *American Journal of Clinical Nutrition*, vol. 80, 2004, p. 241-242.

ROLLS, B.J. et D.J. SHIDE. « The influence of dietary fat on food intake and body weight », *Nutrition Reviews*, vol. 50, 1992, p. 283-290.

SAMPATH, H. et J.M. NTAMBI. « Polyunsaturated fatty acid regulation of gene expression », *Nutrition Reviews*, vol. 62, 2004, p. 333-339.

STIPANUK, M.H. *Biochemical and Physiological Aspects of Human Nutrition*, Toronto, W.B. Saunders Company, 2000.

U.S. NATIONAL ACADEMY OF SCIENCES, INSTITUTE OF MEDICINE. *Dietary Reference Intakes for Energy, Carbohydrate, Fiber, Fat, Fatty Acids, Cholesterol, Protein and Amino Acids (Macronutrients)*, Washington, D.C., National Academy Press, 2002. Site Internet : <www.nap.edu>.

WIJENDRAN, V. et K.C. HAYES. « Dietary n-6 and n-3 fatty acid balance and cardiovascular health », *Annual Review of Nutrition*, vol. 24, 2004, p. 597-615.

WILLETT, W.C. et autres. « Mediterranean diet pyramid : a cultural model for healthy eating », *American Journal of Clinical Nutrition*, vol. 61, suppl., 1995, p. 1402S-1406S.

WORLD HEALTH ORGANIZATION. *Diet, nutrition and the prevention of chronic diseases. Report of a Joint WHO/FAO Expert Consultation*, WHO Technical Report Series 916, Genève, 2003. Site Internet : <www.who.int/hpr/NPH/docs/who_fao_expert_report.pdf>.

Glossaire relatif aux lipides

Acide gras : molécule formée d'une chaîne plus ou moins longue d'atomes de carbone liés à des atomes d'hydrogène, se terminant par une fonction acide (−COOH) ; le nombre d'atomes de carbone, presque toujours pair, est généralement compris entre 4 et 24. L'acide gras est l'unité de base des lipides.

Acides gras insaturés (AGI) : acides gras comportant une (**acides gras monoinsaturés ou AGMI**) ou plusieurs (**acides gras polyinsaturés ou AGPI**) liaisons doubles entre les atomes de carbone. Ils aident à maintenir un niveau souhaitable de cholestérol dans le sang lorsqu'ils sont de configuration « cis » (naturelle).

Acides gras oméga-3 : classe d'acides gras polyinsaturés à laquelle appartient l'acide alpha-linolénique, un acide gras essentiel. Ils se caractérisent par le fait que la première double liaison suivant le groupement méthyle (CH_3-) apparaît sur le troisième carbone.

Acides gras oméga-6 : classe d'acides gras polyinsaturés à laquelle appartient l'acide linoléique, un acide gras essentiel. Ils se caractérisent par le fait que la première double liaison suivant le groupement méthyle (CH_3-) apparaît sur le sixième carbone.

Acides gras saturés (AGS) : acides gras ne comportant que des liaisons simples entre les atomes de carbone. Ils tendent à élever le taux de LDL (« mauvais cholestérol ») dans le sang.

Acides gras « trans » : acides gras insaturés présentant des liaisons doubles caractérisées par la position asymétrique des atomes d'hydrogène. Produits en majeure partie lors de l'hydrogénation des huiles, ces acides gras tendent à élever le taux de LDL (« mauvais cholestérol ») et à abaisser le taux de HDL (« bon cholestérol ») dans le sang.

Athérosclérose : condition pathologique caractérisée par l'épaississement de la paroi interne des artères en raison de l'accumulation de lipides, plus particulièrement de cholestérol, à l'intérieur. Cet épaississement (appelé plaque athéromateuse) gêne la circulation sanguine et favorise la formation de caillots de sang. L'athérosclérose est la principale cause des maladies cardiovasculaires comme l'infarctus et l'accident vasculaire cérébral.

Cholestérol : lipide de structure polycyclique pouvant être synthétisé dans l'organisme et présent en petite quantité dans le règne animal seulement.

Hydrogénation: procédé utilisé pour «durcir» les huiles végétales liquides en diminuant principalement leur teneur en acides gras polyinsaturés. Le procédé consiste à ajouter des atomes d'hydrogène sur les doubles liaisons que possèdent les acides gras insaturés.

Lipoprotéines de faible densité (LDL): particules circulant dans le sang et servant à acheminer le cholestérol sanguin vers les tissus. Celui véhiculé par les LDL est souvent qualifié de «mauvais cholestérol» en raison de sa tendance à s'accumuler dans la paroi interne des artères, favorisant ainsi le développement de l'athérosclérose.

Lipoprotéines de haute densité (HDL): particules circulant dans le sang et servant à acheminer l'excès de cholestérol sanguin vers le foie pour qu'il soit excrété de l'organisme. Celui véhiculé dans les HDL est souvent qualifié de «bon cholestérol» puisqu'il n'a pas tendance à s'accumuler dans la paroi des artères.

Phosphoglycérides: lipides dont la structure chimique ressemble à celle d'un diacylglycérol dont la troisième position est occupée par un groupe chimique soluble dans l'eau. En raison de leur structure amphiphile, les phosphoglycérides sont utilisés comme agents émulsifiants. Le plus connu est la lécithine.

Phytostérols (ou stérols végétaux): lipides synthétisés dans les plantes en petite quantité, dont la structure chimique s'apparente à celle du cholestérol. Difficilement absorbables, les phytostérols réduisent l'absorption du cholestérol dans l'intestin.

Triacylglycérols (triglycérides): principaux constituants des graisses, composés chacun de trois acides gras liés à une molécule de glycérol.

Chapitre 5

Les protéines *plus important*

La présence des protéines est indispensable dans l'alimentation. Premiers nutriments essentiels à avoir été identifiés comme tels dans l'histoire de la nutrition, les protéines sont beaucoup plus qu'une source d'énergie pour l'organisme humain. Elles y forment d'importants éléments de structure et assurent de multiples fonctions (régulation de l'activité métabolique, immunité, transport, coagulation du sang, etc.). Les protéines tirent d'ailleurs leur nom d'un mot grec signifiant « de première importance ».

Depuis quelques décennies déjà, les nations riches vivent une histoire d'amour avec les protéines. Nous apprécions la saveur de la viande, de la volaille, du poisson, des œufs et des produits laitiers. Nous savons qu'une certaine quantité de protéines est essentielle au développement et au fonctionnement des divers organes de notre corps et nous croyons que, plus nous en consommons, mieux nous nous portons.

Cependant, les enquêtes révèlent que notre consommation de protéines excède souvent l'apport recommandé. Certaines personnes, en particulier les hommes au début de l'âge adulte, consomment près du double de la quantité recommandée. On peut se demander si la surconsommation de protéines comporte des risques pour la santé. Comment l'organisme utilise-t-il les protéines qu'il ingère ? De quelle quantité a-t-il vraiment besoin ? Comment peut-on combler ce besoin essentiel ? Ce chapitre tente de répondre à ces questions, qui sont d'autant plus importantes que plusieurs populations défavorisées souffrent d'un manque de protéines.

Que sont les protéines ?

Tout comme les glucides et les lipides, les protéines sont des molécules organiques composées d'atomes de carbone (C), d'hydrogène (H) et d'oxygène (O). Leur structure chimique se distingue cependant par la présence d'**azote (N)**, un élément chimique essentiel à leur synthèse et qui constitue environ 16 % (un sixième) de leur poids moléculaire. Un grand nombre de substances autres que les protéines renferment aussi de l'azote. Les protéines demeurent néanmoins la principale source d'azote dans l'organisme et dans les aliments.

Les acides aminés : la base des protéines

Les protéines ressemblent à de longues chaînes, souvent enroulées sur elles-mêmes, dont les maillons sont des **acides aminés** (voir la figure 5.1). L'acide aminé constitue donc l'unité de base des protéines. La structure fondamentale d'un acide aminé est illustrée à la figure 5.2. Au centre de la molécule se trouve un atome de carbone auquel sont attachés quatre groupes chimiques. Trois d'entre eux sont identiques d'un acide aminé à un autre : un premier groupe renfermant un atome d'azote, appelé groupe aminé ($-NH_2$) ; un deuxième formant une fonction acide ($-COOH$), appelé groupe carboxylique, et un troisième constitué uniquement d'un atome d'hydrogène. Le quatrième groupe attaché à l'atome de carbone est indiqué par le symbole R. Chaque acide aminé a un groupe R qui lui est propre (voir l'annexe 3). Par exemple, dans l'acide aminé appelé alanine, c'est un groupe méthyl ($-CH_3$) ; dans celui appelé glycine, c'est un atome d'hydrogène (H). Dans l'acide aminé appelé cystéine, le groupe R renferme un atome de soufre ; souvent,

Figure 5.1
Deux exemples de protéines

Les protéines diffèrent les unes des autres par 1) le nombre d'acides aminés qui les composent, 2) la proportion de chacun des acides aminés qui les composent et 3) la séquence des acides aminés à l'intérieur de leur chaîne.

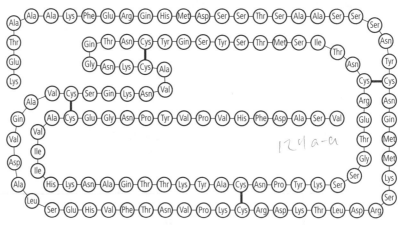

Structure de la ribonucléase bovine

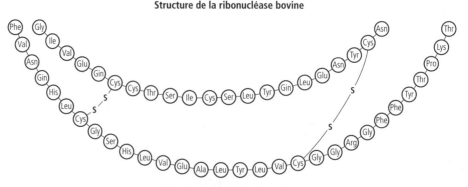

Structure de l'insuline humaine

deux molécules de cystéine se lient l'une à l'autre par un pont disulfure (–S–S–), chimiquement très stable (voir la figure 5.1).

Les protéines sont considérées comme des composés relativement complexes, car leur structure de base peut comprendre plus de 300 acides aminés liés les uns aux autres. Bien sûr, il ne s'agit pas de 300 acides aminés différents. Tout comme les mots résultent de diverses combinaisons de 26 lettres, les protéines qu'on trouve dans la nature et dans le corps humain résultent de diverses combinaisons (généralement beaucoup plus longues) de 20 acides aminés différents. Par conséquent, les protéines diffèrent les unes des autres par :

1. le nombre d'acides aminés qui les composent ;
2. la proportion de chacun des acides aminés qui les composent ;
3. la séquence des acides aminés à l'intérieur de leur chaîne.

La figure 5.1 illustre la structure de deux protéines : une hormone, l'insuline, et une enzyme, la ribonucléase. La chaîne de la ribonucléase est beaucoup plus longue que celle de l'insuline : elle compte 124 acides aminés, alors que celle de l'insuline n'en comporte que 51. Ces deux protéines diffèrent aussi l'une de l'autre par les quantités respectives des différents acides aminés dans les molécules ; par exemple, l'insuline contient proportionnellement plus de leucine (Leu) et moins de thréonine (Thr) que la ribonucléase. Finalement, la séquence des acides aminés diffère dans les deux protéines. Même si leur composition en acides aminés était identique, les deux protéines se distingueraient par l'ordre dans lequel ceux-ci sont disposés.

Les 20 acides aminés composant les protéines sont habituellement classés en deux catégories (voir le tableau 5.1). La première comprend les **acides aminés indispensables** (aussi appelés **acides aminés essentiels**), soit ceux que l'organisme humain doit nécessairement puiser dans les protéines alimentaires, parce qu'il ne peut les synthétiser lui-même ou qu'il le fait à un rythme insuffisant pour répondre à ses besoins ; chez l'adulte, les acides aminés indispensables à l'organisme sont au nombre de neuf. La deuxième catégorie comprend les 11 acides aminés restants, des **acides aminés non indispensables** (ou **non essentiels**) car l'organisme est en mesure de les synthétiser lui-même si l'alimentation ne lui en fournit pas assez. L'alimentation demeure néanmoins importante, car elle fournit à l'organisme les matériaux bruts dont il a besoin, notamment le groupe aminé propre aux protéines. Toutefois, certains acides aminés non indispensables peuvent devenir indispensables dans certaines situations, soit lorsque leur synthèse dans l'organisme est réduite ou que le besoin est augmenté ; ces acides aminés sont dits « conditionnellement indispensables » (ou « conditionnellement essentiels »).

La structure des protéines

Dans les protéines, les acides aminés sont liés les uns aux autres par des liens covalents, appelés **liens peptidiques**. Un lien peptidique se forme lorsque le groupement aminé ($-NH_2$) d'un acide aminé réagit avec le groupement carboxylique ($-COOH$) d'un autre acide aminé et qu'une molécule d'eau est libérée (voir la figure 5.3, à la page suivante) ; on obtient alors un dipeptide. On peut ajouter un troisième acide aminé et obtenir un tripeptide, etc. ; plusieurs acides aminés forment un polypeptide, c'est-à-dire une protéine.

La séquence des acides aminés dans une protéine détermine la forme qu'elle adopte dans l'espace, en raison des interactions qui se créent entre les acides aminés. Chaque protéine se replie d'une façon particulière et a donc une structure tridimensionnelle propre, dont dépendent ses fonctions. Par exemple, certaines protéines sont dites fibreuses parce qu'elles ont l'aspect d'une spirale (voir la figure 5.4, à la page suivante) ; c'est le cas des protéines musculaires, dont la forme explique en

**Figure 5.2
La structure générale
d'un acide aminé**

Tous les acides aminés ont un groupe aminé, une fonction acide et un atome d'hydrogène liés à leur atome de carbone central. Ils diffèrent les uns des autres par la nature de leur groupe « R ». C'est le groupe aminé (contenant un atome d'azote) qui distingue les protéines des glucides et des lipides.

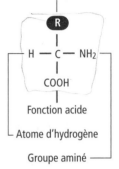

Peut être l'un ou l'autre de 20 groupes chimiques différents

R

H — C — NH₂

COOH

Fonction acide

Atome d'hydrogène

Groupe aminé

**TABLEAU 5.1
La classification
des acides aminés**

Acides aminés indispensables	Acides aminés non indispensables
Histidine	Acide aspartique
Isoleucine	Acide glutamique
Leucine	Alanine
Lysine	Arginine*
Méthionine	Asparagine
Phénylalanine	Cystéine*
Thréonine	Glutamine*
Tryptophane	Glycine*
Valine	Proline*
	Sérine
	Tyrosine*

* Acide aminé conditionnellement indispensable.

Source : U.S. National Academy of Sciences, Institute of Medicine (2002).

Figure 5.3
La formation
d'un lien peptidique entre
deux acides aminés

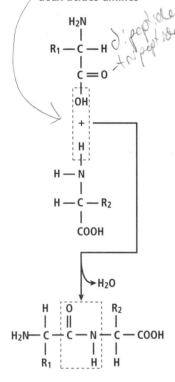

di peptide
tri peptide

partie leur contractilité. D'autres protéines, telles les enzymes, ont une forme plus compacte, dite globulaire ; leur rôle de catalyseur dépend dans une large mesure de leur configuration moléculaire.

Dans certaines conditions, une protéine peut **se dénaturer**, c'est-à-dire perdre la forme qui la caractérise ; cela se produit lorsque les interactions à l'intérieur de la molécule sont brisées alors que les liens peptidiques unissant les acides aminés demeurent intacts (voir la figure 5.4). La chaleur, la présence de certains métaux, un changement de pH ou encore l'agitation mécanique sont tous des facteurs de dénaturation des protéines. Lorsqu'elles sont dénaturées, les protéines perdent définitivement leurs fonctions. C'est ainsi que, souvent, on chauffe un aliment pour inactiver les enzymes qui y sont présentes. De plus, les protéines en suspension dans un liquide ont tendance à précipiter lorsqu'on les dénature ; c'est le cas notamment des protéines du lait lorsqu'on l'acidifie. La qualité nutritionnelle d'une protéine alimentaire dénaturée demeure toutefois intacte, puisqu'elle conserve tous ses acides aminés. Nous verrons plus loin que la composition en acides aminés, particulièrement en acides aminés indispensables, détermine principalement la qualité d'une protéine alimentaire (voir *Les facteurs qui influencent les besoins en protéines de l'organisme*, à la page 30).

En plus d'adopter des formes uniques, les protéines s'allient souvent à des molécules de nature différente pour pouvoir remplir leurs fonctions. Les protéines constituées uniquement d'acides aminés sont des **protéines simples (ou holoprotéines)** ; l'albumine qui circule dans le sang est un exemple de protéine simple. On appelle **protéines conjuguées (ou hétéroprotéines)** celles qui sont combinées avec une autre espèce chimique. Le tableau 5.2 contient plusieurs exemples de protéines conjuguées avec des nutriments essentiels, qui exercent d'importantes fonctions dans l'organisme. L'alimentation renferme aussi des protéines simples et conjuguées.

Figure 5.4
Des exemples d'agencement
de la structure protéique

Lorsqu'elles sont synthétisées, les chaînes d'acides aminés se plient et se replient pour former des spirales, des anneaux, des sphères, etc. La fonction spécifique de chaque protéine dépend en partie de sa configuration moléculaire. Dans certaines conditions, une protéine peut se dénaturer ; elle perd alors sa fonction de façon définitive.

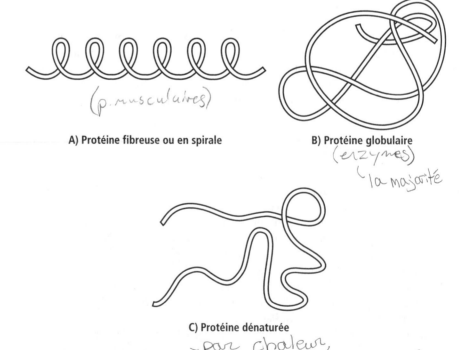

(p. musculaires)

A) Protéine fibreuse ou en spirale

B) Protéine globulaire

(enzymes)
la majorité

C) Protéine dénaturée

par chaleur,
PH, mouvement mécanique

TABLEAU 5.2   **Des exemples de protéines conjuguées contenant des nutriments** *(hétéroprotéines)*

Des types

Partie protéique	Partie non protéique	Protéine conjuguée	Fonction
Apoenzyme (enzyme inactive)	Coenzyme (dérivé d'une vitamine B)	Holoenzyme (enzyme active)	Catalyse
Globine	Hème	Hémoglobine	Transport de l'oxygène dans le sang
Opsines	Rétinaldéhyde (vitamine A)	Pigments visuels (rhodopsine)	Vision
Apolipoprotéine	Lipides	Lipoprotéine	Transport des lipides dans le sang
Apoferritine	Fer	Ferritine	Stockage du fer dans le foie

Protéines < animale / végétal

Aliment d'origine animale

Les sources alimentaires de protéines

Un grand nombre d'aliments, tant d'origine animale que végétale, renferment des protéines. Les quantités qui y sont contenues varient largement à l'intérieur d'un même règne, mais tendent à être plus élevées dans les aliments d'origine animale que dans ceux d'origine végétale.

Les sources de protéines animales

Environ les deux tiers des protéines contenues dans le régime alimentaire des Nord-Américains sont issues du règne animal (voir le tableau 5.3). À quelques exceptions près, les aliments d'origine animale sont des sources très intéressantes de protéines. La viande, la volaille, le poisson et les crustacés proviennent de la partie musculaire des animaux (voir le chapitre 12) ; or, les muscles sont en grande partie composés de protéines. Les mollusques et les abats (organes des animaux) sont également de bonnes sources de protéines. Il en va de même pour les œufs des oiseaux et le lait des mammifères, ainsi que pour les produits dérivés du lait, à l'exception du beurre.

La **viande**, la **volaille** et le **poisson** sont les aliments qui contribuent le plus à notre apport en protéines (voir le tableau 5.3). De façon générale, et contrairement à la croyance populaire, la teneur en protéines de la viande ne diffère pas beaucoup de celle de la volaille ou du poisson, qui en sont d'excellents substituts ; tous ces aliments fournissent entre 20 et 30 g de protéines par portion de 100 g (voir le tableau 5.4, à la page suivante). Leur teneur en protéines varie notamment en fonction de leur teneur en eau et en matières grasses. Les viandes maigres renferment un peu plus de protéines que les grasses ou celles préparées avec des matières grasses, comme les charcuteries. Les **œufs** constituent un autre excellent substitut, même s'ils renferment moins de protéines que la viande, la volaille et le poisson en raison de leur contenu plus élevé en eau.

Quant aux **produits laitiers et à leurs substituts**, leur teneur en protéines est généralement appréciable, de l'ordre de 7 à 15 g par portion, selon la forme sous laquelle on les consomme (voir le tableau 5.4). Toutefois, on ne les considère pas

TABLEAU 5.3
La répartition des sources de protéines dans l'alimentation nord-américaine

Sources de protéines	Répartition
Protéines d'origine animale	67 %
Viande, volaille, poisson	42 %
Produits laitiers	20 %
Œufs	4 %
Protéines d'origine végétale	33 %
Produits céréaliers	18 %
Légumineuses	2 %
Légumes	8 %
Fruits	2 %
Noix et graines	2 %

Source : Smith, E. et autres (1999).

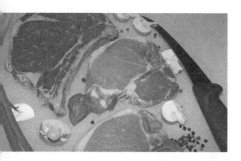

La teneur en protéines des viandes varie notamment en fonction de leur contenu en eau et en matières grasses. Les viandes maigres renferment un peu plus de protéines que les grasses.

TABLEAU 5.4   La teneur en protéines de divers aliments

Aliments	Portion	Protéines (g)	Matières grasses (%)
Viandes et substituts			
Bœuf, bifteck de noix de ronde, maigre, grillé	100 g	**31**	8
Bœuf, haché, maigre, grillé	100 g	**28**	15
Porc, longe avec bout de filet, maigre, grillé	100 g	**31**	7
Porc, épaule, picnic, maigre, rôti	100 g	**27**	13
Saucisse au porc et bœuf cuite	100 g	**14**	36
Poulet, poitrine, viande seulement, rôti	100 g	**33**	2
Foie de veau braisé	100 g	**22**	7
Morue de l'Atlantique, cuite au four	100 g	**23**	1
Flétan de l'Atlantique/Pacifique, cuit au four	100 g	**27**	3
Crevettes bouillies	100 g	**21**	1
Œuf poché	2	**12**	10
Lentilles bouillies	250 ml	**19**	traces
Pois chiches (garbanzo) bouillis	250 ml	**15**	3
Hoummos, commercial	100 ml	**8**	10
Tofu, ferme, nature (avec sels de Ca et Mg)	100 g	**8**	5
Arachides grillées à sec	60 ml	**9**	50
Amandes rôties à sec, non blanchies	60 ml	**6**	52
Graines de tournesol rôties à sec	60 ml	**6**	50
Produits laitiers et substituts			
Boisson de soja enrichie	250 ml	**7**	2
Lait, partiellement écrémé, 2 % m.g.	250 ml	**9**	2
Fromage cheddar	50 g	**12**	33
Fromage cottage crémeux, 4,5 % m.g.	125 ml	**15**	5
Yogourt nature, 2 % – 4 % m.g.	175 ml	**9**	3
Produits céréaliers			
Pain de blé entier	1 tranche	**3**	4
Riz blanc à grains longs, à l'étuvée, cuit	125 ml	**2**	traces
Spaghetti cuit	125 ml	**4**	1
Gruau cuit	175 ml	**4**	1
Flocons de maïs	250 ml	**2**	1
Blé filamenté	1 biscuit	**3**	2
Légumes et fruits			
Pomme de terre bouillie	1	**2**	traces
Haricots jaunes ou verts, bouillis	125 ml	**1**	traces
Petits pois verts, en conserve	125 ml	**4**	traces
Épinards bouillis	125 ml	**3**	traces
Tomate	1	**1**	traces
Pomme	1	**traces**	traces
Orange	1	**1**	traces
Autres aliments			
Miel	15 ml	**traces**	0
Café, noir	175 ml	**traces**	0
Huile de tournesol	10 ml	**0**	100

Source : Santé Canada. Fichier canadien sur les éléments nutritifs, 2001.

vraiment comme des substituts de la viande, car leur composition en vitamines et minéraux se distingue nettement de celle qui caractérise la chair des animaux. Pour cette raison, les produits laitiers forment un groupe à part dans le *Guide alimentaire canadien pour manger sainement* (voir le chapitre 11).

Les sources de protéines végétales

Environ le tiers des protéines contenues dans le régime alimentaire des Nord-Américains provient d'aliments issus du règne végétal (voir le tableau 5.3, à la page 121). Cette contribution est relativement faible si on la compare à celle qu'on observe dans plusieurs populations du monde, qui puisent dans les végétaux une part beaucoup plus importante des protéines dont ils ont besoin. Les **légumineuses** cuites fournissent le plus de protéines, soit de 15 à 20 g par portion, suivies de certaines préparations de légumineuses (comme le tofu et le hoummos) ainsi que des **noix** et des **graines**, dont l'apport protéique se situe souvent entre 5 et 10 g par portion (voir le tableau 5.4). Dans le *Guide alimentaire canadien*, ces aliments sont d'ailleurs placés avec la viande, la volaille, le poisson et les œufs, à l'intérieur du groupe « Viandes et substituts ». Toutefois, nous l'avons vu au chapitre 4, les noix et les graines fournissent en plus une quantité appréciable de matières grasses, ce qui limite leur utilisation comme source de protéines. Notons qu'en dépit de leur richesse en protéines les légumineuses, les noix et les graines contribuent relativement peu à l'apport en protéines du régime alimentaire nord-américain (voir le tableau 5.3).

Pris individuellement, les **céréales et leurs dérivés** ne sont pas des sources très concentrées de protéines, puisqu'une portion en renferme de 2 à 4 g. Néanmoins, compte tenu de la place que ces aliments occupent dans le régime alimentaire nord-américain, ils représentent environ 20 % des protéines qui y sont contenues. Les produits céréaliers constituent une source privilégiée de protéines dans les régimes végétariens (voir le chapitre 12).

Les **légumes** ont une teneur moyenne en protéines comparable à celle des produits céréaliers ; dans les **fruits**, la quantité de protéines est souvent négligeable. Dans l'ensemble, les légumes et les fruits représentent une part relativement faible (10 %) de l'apport en protéines du régime alimentaire nord-américain.

D'autres aliments renferment aussi des protéines. C'est le cas des algues, dont les concentrations en protéines varient selon l'espèce et la forme sous laquelle elles se présentent (fraîches ou déshydratées), ainsi que de certains **suppléments alimentaires** composés d'organismes microscopiques, comme la levure de bière ou la spiruline (aussi classée parmi les algues). Comme ces suppléments sont généralement consommés sous forme sèche (poudre ou comprimés), leur contenu en protéines est particulièrement élevé ; il représente un peu plus de la moitié de leur poids. Quant aux suppléments d'acides aminés, ils sont considérés comme des suppléments protéiques même si les acides aminés y sont présents à l'état libre plutôt que liés les uns aux autres, comme dans les protéines (voir l'encadré *Les sources d'acides aminés libres*, à la page 125).

L'utilisation des protéines dans l'organisme

La digestion et l'absorption des protéines

La plupart des protéines sont des molécules assez volumineuses. Tout comme les glucides et les lipides, les protéines doivent d'abord être fractionnées pour pouvoir être absorbées dans l'organisme. Il arrive que des protéines alimentaires insuffisamment digérées pénètrent dans l'organisme parce que la muqueuse est malade ou qu'elle est incomplètement formée, comme chez le nourrisson ; le phénomène peut alors déclencher des réactions allergiques, car l'organisme perçoit les protéines alimentaires comme des substances étrangères inutiles. Celui-ci a plutôt besoin d'acides aminés qu'il peut utiliser pour constituer lui-même les protéines dont dépend son existence.

La digestion des protéines alimentaires vise donc à libérer les acides aminés qui les composent (voir la figure 5.5). Elle est amorcée dans l'estomac sous l'action de la pepsine, une enzyme dite protéolytique. La pepsine est d'abord sécrétée sous une forme inactive, le pepsinogène, pour éviter que les protéines des cellules la produisant ne soient elles-mêmes digérées. Le pepsinogène est transformé en pepsine active par l'acide chlorhydrique (HCl), qui est sécrété dans l'estomac lorsque des aliments y pénètrent. La fragmentation partielle des protéines alimentaires dans l'estomac par la pepsine y constitue le processus digestif le plus important, puisque seules de petites quantités de glucides et de lipides y sont digérées.

Lorsqu'ils pénètrent dans l'intestin grêle, les fragments de protéines continuent d'être digérés par des enzymes protéolytiques sécrétées par le pancréas, dont la trypsine et la chymotrypsine. À l'instar de la pepsine, ces enzymes apparaissent d'abord sous des formes inactives, le trypsinogène et le chymotrypsinogène ; une enzyme intestinale, l'entérokinase, active la trypsine, laquelle à son tour active la chymotrypsine. En poursuivant le fractionnement des protéines, ces deux enzymes libèrent un mélange d'acides aminés, de dipeptides et autres petits peptides. La digestion des peptides restants est en grande partie achevée par des enzymes

Figure 5.5
La digestion et l'absorption des protéines alimentaires

La digestion des protéines alimentaires s'amorce dans l'estomac, se poursuit dans l'intestin grêle et se termine à l'intérieur de la muqueuse intestinale grâce à l'action d'enzymes sécrétées par l'estomac, le pancréas et l'intestin grêle. Les acides aminés contenus dans les protéines passent finalement dans le sang.

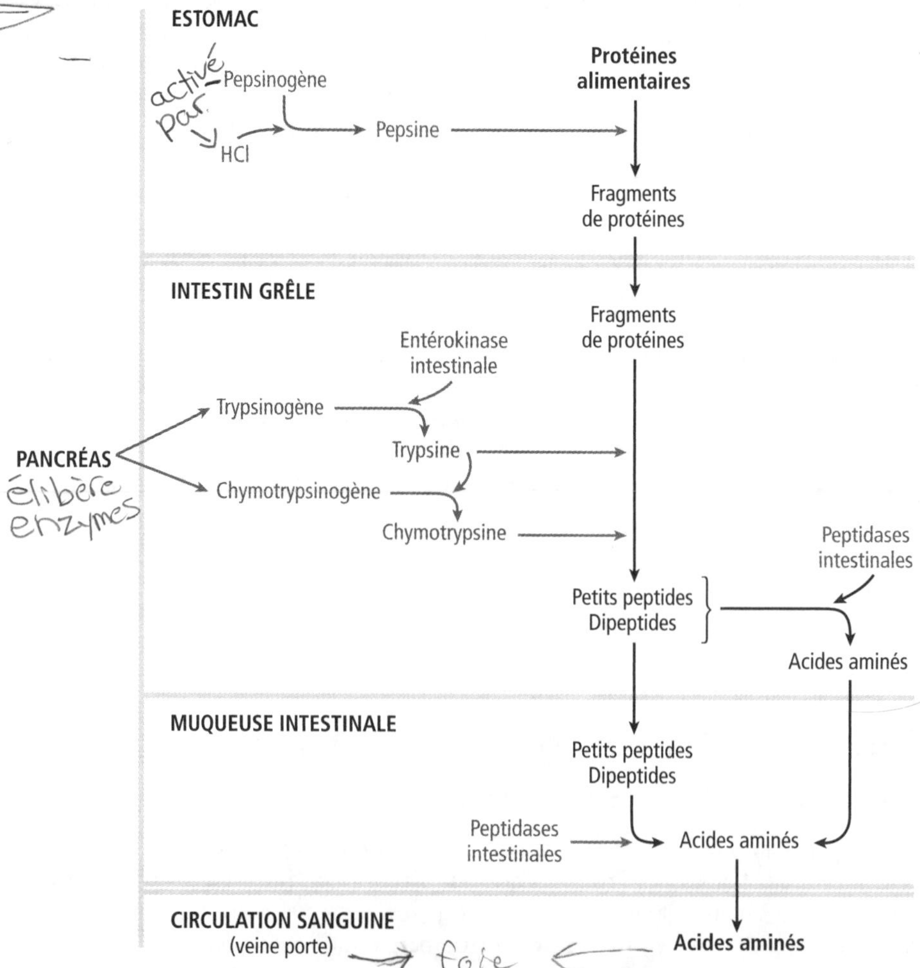

sécrétées à la surface ainsi qu'à l'intérieur de la muqueuse intestinale. Cette muqueuse libère ensuite dans le sang de la veine porte les acides aminés résultant de tout ce processus digestif. Ceux-ci sont transportés jusqu'au foie, lequel gère leur métabolisme avant de les acheminer aux diverses cellules de l'organisme.

Chez une personne en santé, la majeure partie des protéines ingérées sont digérées. Celles qui ne le sont pas sont acheminées vers le côlon (gros intestin), où elles servent en grande partie de nourriture aux bactéries qui y résident ; le reste est éliminé dans les matières fécales. On a longtemps pensé que le taux d'efficacité digestive des protéines d'origine animale était supérieur à celui des protéines d'origine végétale ; or, des études utilisant de nouvelles techniques de mesure montrent que les différences sont probablement moins importantes qu'on ne l'a cru jusqu'à récemment.

Le métabolisme des acides aminés

Une fois dans l'organisme, les acides aminés libérés par la digestion des protéines alimentaires se mêlent aux acides aminés issus du fractionnement des « vieilles » protéines corporelles, lesquelles sont en grande partie recyclées à l'intérieur de l'organisme. En effet, pour demeurer fonctionnelles et pouvoir s'adapter rapidement aux changements qui surviennent dans l'organisme, les protéines corporelles sont en constant renouvellement. Chaque jour, notre organisme décompose un grand nombre de protéines (plus de 250 g chez l'adulte), libérant ainsi une bonne quantité d'acides aminés dits « de source endogène », auxquels viennent se joindre les acides aminés provenant de l'alimentation. L'organisme utilise ce « pool d'acides aminés » pour fabriquer de nouvelles protéines ainsi que d'autres composés azotés (voir la figure 5.6, à la page suivante).

Les sources d'acides aminés libres

Même si la très grande majorité des acides aminés présents dans les aliments le sont sous forme de protéines, certains s'y trouvent à l'état libre, soit naturellement, soit parce qu'ils y ont été ajoutés. Au Canada, par exemple, il est permis d'ajouter des acides aminés dans certains aliments pour y constituer une source de protéines ou pour améliorer la qualité des protéines déjà présentes. C'est le cas notamment des préparations pour régime liquide, des préparations pour nourrissons et des simili-produits de viande et de volaille.

Certains acides aminés sont autorisés dans les aliments comme additifs ou comme ingrédients. Le plus connu est le **glutamate monosodique (MSG)**, utilisé en tant que rehausseur de saveur. La notoriété du MSG est attribuable au fait qu'il suscite parfois des réactions indésirables ; toutefois, il semble que cette hypersensibilité soit beaucoup moins répandue qu'on l'a déjà laissé entendre dans la littérature scientifique. Plusieurs aliments, tels les tomates, les raisins, les champignons et certains fromages, renferment naturellement du glutamate libre. L'ingestion de ces aliments serait donc susceptible de causer des réactions indésirables chez les personnes sensibles au MSG.

Il existe aussi des **suppléments d'acides aminés**, dont la mise en marché au Canada doit répondre aux exigences du Règlement sur les produits de santé naturels. Il peut s'agir de mélanges de divers acides aminés, qui constituent alors une source supplémentaire, souvent coûteuse, de protéines dans l'alimentation. Dans nos populations bien nanties, ces suppléments sont superflus pour une personne en santé, même pour un athlète. On trouve également des suppléments d'acides aminés particuliers (telle la glutamine), utilisés entre autres pour traiter certains états pathologiques ou améliorer les performances sportives chez l'athlète (voir *Les besoins des athlètes en protéines*, à la page 138). Des effets toxiques ont été associés à la consommation, en grande quantité, de certains acides aminés (méthionine, cystéine et histidine notamment).

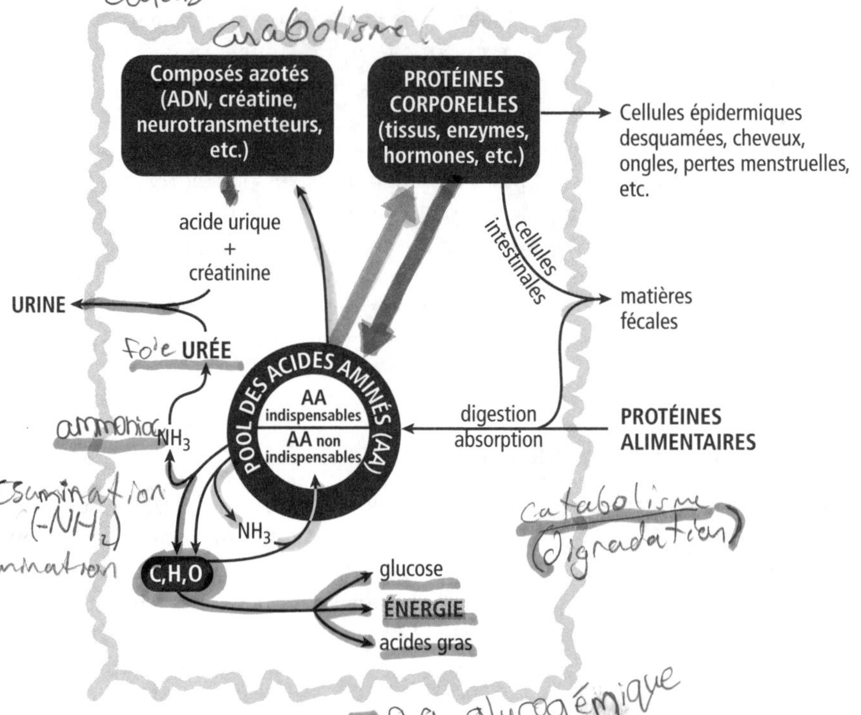

Figure 5.6
Le métabolisme des acides
aminés dans l'organisme

La synthèse protéique (anabolisme)

Chez l'adulte en santé, la **synthèse protéique** vise principalement à remplacer les protéines perdues ; chez l'enfant et l'adolescent, ainsi que chez la femme pendant la grossesse et l'allaitement, elle sert aussi à l'élaboration de nouveaux tissus. Diverses hormones, comme l'insuline, l'hormone de croissance et les androgènes (hormones mâles), favorisent la synthèse des protéines.

La synthèse des protéines s'effectue plus précisément à l'intérieur des ribosomes des cellules (voir l'encadré *La synthèse des protéines dans la cellule*). Pour qu'elle puisse se dérouler normalement, on doit retrouver simultanément et dans des proportions adéquates tous les acides aminés, indispensables et non indispensables. Si un acide aminé se fait rare et qu'il est non indispensable, l'organisme le synthétise lui-même. S'il s'agit d'un acide aminé indispensable, le fonctionnement de l'organisme ralentit, la formation de nouveaux tissus n'est plus possible et le renouvellement des protéines endogènes diminue. Nous verrons plus loin qu'à la longue ce phénomène d'adaptation a des conséquences néfastes pour l'organisme.

Dans le cas où l'approvisionnement en acides aminés est adéquat, la synthèse protéique est une activité intense à l'intérieur de l'organisme : plusieurs milliers de protéines différentes y remplissent des fonctions variées.

Un rôle structural – Les protéines occupent une place importante dans les différentes structures de l'organisme. Soulignons notamment les protéines musculaires, comme l'actine et la myosine, indispensables à la mobilité du corps humain et de certains organes ; à elles seules, ces dernières représentent un peu plus de 40 % des protéines corporelles. Soulignons également la kératine, un constituant des ongles, des cheveux et de l'épiderme, ou encore le collagène, qu'on trouve entre autres dans les os, les dents, les cartilages et les vaisseaux sanguins.

La synthèse des protéines dans la cellule

La synthèse des protéines dans l'organisme s'effectue dans les ribosomes cellulaires, à partir de l'information détenue par les molécules d'acide désoxyribonucléique (ADN) enfermées dans le noyau cellulaire; ces molécules forment les chromosomes. Ceux-ci sont divisés en gènes, c'est-à-dire en segments d'ADN portant chacun le code d'une protéine complète, appelé **code génétique**. Au total, de 30 000 à 40 000 gènes constitueraient le bagage génétique de l'être humain.

anabolisme

Figure 5.7   La synthèse des protéines dans la cellule

Les instructions relatives à la synthèse d'une protéine sont inscrites dans le code génétique sur un segment d'une molécule d'ADN. Ce code est d'abord reproduit sur une molécule d'ARN_m, un messager chargé d'apporter le code aux ribosomes. À l'intérieur de ceux-ci, les ARN de transfert (ARN_t) déchiffrent le code et disposent les acides aminés selon la séquence nécessaire à la synthèse protéique. *(protéines*

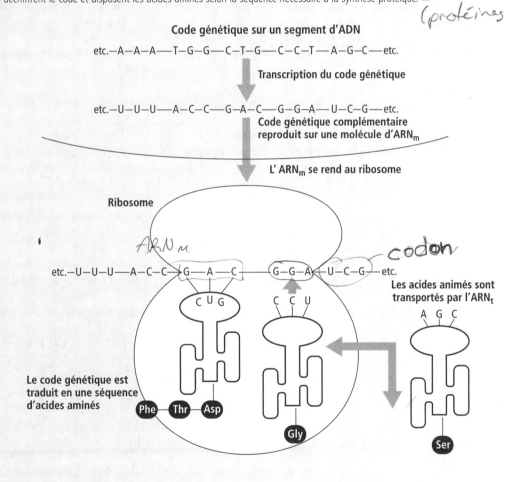

Les étapes de la synthèse protéique sont schématisées dans la figure 5.7. Comme l'ADN ne peut quitter le noyau, le code génétique nécessaire à la synthèse d'une protéine donnée est d'abord reproduit à l'aide d'une molécule correspondante d'acide ribonucléique (ARN), appelée ARN messager; on parle alors de transcription du code génétique. L'ARN messager se dirige ensuite vers les ribosomes, là où sont également acheminés les acides aminés. Chaque acide aminé est transporté par une molécule d'ARN particulière, dite de transfert. En commençant à l'une des extrémités de la molécule d'ARN messager, les molécules d'ARN de transfert « lisent » le code qui y est inscrit et disposent les acides aminés un par un aux endroits précis qu'ils doivent occuper à l'intérieur de la chaîne protéique. Les acides aminés sont attachés les uns aux autres par des liens peptidiques pour former la protéine décrite dans le code génétique.

Un grand nombre de facteurs, y compris de nombreux nutriments présents dans l'alimentation, peuvent favoriser ou inhiber la transcription de gènes particuliers. En outre, le déchiffrage des gènes humains a permis de constater que, pour un même gène, il peut exister un certain nombre de « variants », ce qu'on appelle le polymorphisme génétique. Ainsi, l'action d'une protéine dans l'organisme peut différer légèrement d'une personne à une autre et selon les habitudes alimentaires. Il arrive aussi que le code génétique d'une protéine comporte une erreur majeure ou que la lecture en soit erronée. Les défauts de synthèse qui en résultent peuvent alors gravement affecter la fonction des protéines à l'intérieur de l'organisme. Cela explique plusieurs maladies métaboliques héréditaires, comme la **phénylcétonurie**, caractérisée par l'accumulation anormale de phénylalanine (un acide aminé indispensable) dans le sang dès la naissance. Normalement, pour être décomposée, la phénylalanine en surplus dans l'organisme est d'abord transformée en tyrosine (un autre acide aminé) grâce à une enzyme, la phénylalanine hydroxylase. Chez les enfants atteints de phénylcétonurie, un défaut génétique perturbe la synthèse de cette enzyme et la phénylalanine s'accumule dans le sang. Il peut s'ensuivre des dommages irréversibles aux tissus nerveux, dommages se manifestant entre autres par un retard mental. Il est possible de normaliser le niveau de phénylalanine dans le sang de ces enfants en contrôlant la teneur en phénylalanine de leur alimentation, c'est-à-dire en s'assurant que la quantité absorbée réponde précisément à leurs besoins.

Des rôles strictement fonctionnels – Les protéines remplissent aussi plusieurs fonctions organiques vitales. Par exemple, les centaines de milliers de réactions chimiques dont l'organisme est le foyer nécessitent l'intervention de catalyseurs pour se dérouler à un rythme suffisamment rapide pour maintenir la vie ; or, ce sont les **enzymes**, des composés de nature protéique, qui remplissent cette fonction. Plusieurs **hormones**, dont les fonctions régulatrices sont tout aussi importantes, sont également de nature protéique (par exemple l'insuline).

Si nous nous coupons, des protéines viennent à notre secours. D'abord, certaines d'entre elles, comme le fibrinogène, s'activent à la **coagulation du sang** pour fermer la blessure. Si des microorganismes ou un corps étranger réussissent à pénétrer dans les tissus, des protéines spécialisées, appelées **anticorps**, cernent l'envahisseur et tentent de le neutraliser. Enfin, lorsque le processus de guérison est amorcé, le collagène et d'autres protéines concourent à la **formation du tissu cicatriciel**.

Un certain nombre de protéines circulant dans le sang, telle l'albumine, contribuent à maintenir l'**équilibre hydrique** dans l'organisme (voir la figure 5.8). Ne pouvant diffuser à travers les parois vasculaires, ces protéines favorisent la rétention de l'eau à l'intérieur des vaisseaux. Quand il y a carence protéique, le taux d'albumine sanguin baisse et l'eau diffuse alors dans les liquides extravasculaires. L'accumulation d'eau dans les tissus, qu'on appelle œdème, est un symptôme commun aux carences protéiques.

Les protéines jouent un rôle dans le maintien de l'**équilibre acido-basique** dans l'organisme. Les processus vitaux se déroulent efficacement lorsque le pH des liquides organiques est maintenu autour de 7,4. Ils s'opèrent sans conséquences fâcheuses tant que celui-ci demeure entre 7,0 et 7,8 ; en dehors de ces limites, le fonctionnement de l'organisme est perturbé. Étant donné qu'elles peuvent agir à la manière d'un tampon en neutralisant à la fois les acides et les bases, les protéines contribuent à maintenir le pH dans ces limites étroites.

Plusieurs protéines agissent comme **véhicules**. Certaines transportent des molécules à travers des membranes, telles la membrane plasmatique et la membrane mitochondriale des cellules. D'autres transportent divers composés dans le sang :

l'hémoglobine, une protéine contenant du fer, y transporte l'oxygène ; des protéines contenues dans les lipoprotéines se chargent du transport des lipides. Les acides gras libres, certains médicaments, métaux lourds ou hormones se lient également à des protéines pour circuler dans le sang.

Enfin, diverses protéines exercent d'autres fonctions spécifiques ; soulignons par exemple les opsines, qui s'associent à la vitamine A pour former les pigments visuels nécessaires à la **vision** (voir le chapitre 6).

La synthèse d'autres composés azotés

Les acides aminés libérés dans l'organisme fournissent aussi les matériaux bruts nécessaires à la synthèse de substances azotées autres que des protéines, mais qui sont importantes sur le plan physiologique. Ainsi, certains acides aminés sont utilisés pour la synthèse des bases azotées se trouvant à l'intérieur des molécules d'acide désoxyribonucléique (ADN) et d'acide ribonucléique (ARN) formant le matériel génétique. D'autres sont transformés en neurotransmetteurs, telles l'adrénaline, la noradrénaline et la sérotonine, des médiateurs chimiques capables de moduler le fonctionnement du système nerveux. D'autres, enfin, servent à former diverses substances, par exemple la mélanine (pigment colorant la peau et les cheveux), la niacine (vitamine pouvant être synthétisée à partir du tryptophane), l'hème (renfermant le fer à l'intérieur de l'hémoglobine) ou encore la créatine, un intermédiaire important dans l'utilisation de l'énergie par le muscle (voir *Les besoins des athlètes en protéines*, à la page 138).

Le catabolisme des acides aminés

Dans l'organisme, les acides aminés provenant de l'alimentation ou de la dégradation des « vieilles » protéines corporelles ne peuvent pas tous servir à la synthèse de nouvelles protéines ou d'autres composés azotés ; tout dépend des besoins de synthèse des cellules. On pourrait penser qu'il existe une forme de mise en réserve des acides aminés non utilisés, à l'instar du glycogène pour le glucose et du tissu adipeux pour les acides gras, mais il n'en est rien. Lorsqu'une personne augmente sa consommation de protéines, on peut effectivement noter une augmentation de la quantité de protéines accumulées dans l'organisme pendant les premiers jours, mais cette augmentation demeure limitée. Chez l'adulte bien nourri, la masse musculaire augmente de façon significative uniquement en réponse à un besoin, comme l'accroissement du travail musculaire.

Les acides aminés qui ne sont pas utilisés pour répondre aux besoins de synthèse immédiats de l'organisme subissent donc diverses transformations (voir la figure 5.6, à la page 126). Le catabolisme (ou dégradation) des acides aminés s'amorce toujours par la « désamination », c'est-à-dire la suppression du groupe aminé (–NH$_2$). Au besoin, ce dernier peut être réutilisé pour fabriquer un nouvel acide aminé non indispensable ; le transfert du groupe aminé d'un acide aminé à un autre est appelé « transamination », une réaction nécessitant l'intervention de la vitamine B$_6$. Autrement, le groupe aminé devient de l'ammoniac (NH$_3$), dont l'accumulation dans l'organisme est toxique. Pour cette raison, l'ammoniac est aussitôt transformé en **urée** par le foie, puis acheminé jusqu'aux reins où il est excrété dans l'urine. L'urée constitue ainsi le principal déchet azoté résultant du catabolisme des acides aminés.

Ce qui reste de la molécule d'acide aminé ayant perdu son groupe aminé est un chaînon composé principalement de carbone, d'hydrogène et d'oxygène, souvent appelé chaînon carboné, qui peut être utilisé de diverses façons (voir la figure 5.6). Plusieurs tissus s'en servent à des **fins énergétiques** (voir le tableau 3.5, à la page 66), puisque les protéines (et donc les acides aminés) fournissant 4 kcal (17 kJ) au

A)
Vaisseau sanguin

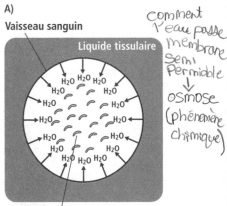

comment l'eau passe membrane semi perméable ↓ osmose (phénomène chimique)

Molécules d'albumine plasmatique

B)
Vaisseau sanguin

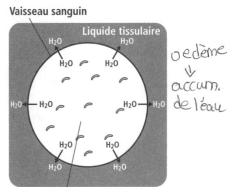

oedème ↓ accum. de l'eau

Molécules d'albumine plasmatique

A) Quand la concentration plasmatique en albumine est normale, l'eau est retenue dans le sang.

B) Quand la concentration en albumine baisse, l'eau diffuse à travers les vaisseaux et envahit les tissus environnants. *oedème*

gramme, tout comme les glucides. Le foie, cependant, peut transformer les chaînons carbonés de certains acides aminés (dits glucogéniques) en **glucose**. La capacité du foie à convertir certains acides aminés en glucose contribue à préserver les réserves de glycogène dans l'organisme, ainsi qu'à maintenir le taux de glucose sanguin à un niveau normal lorsque ces réserves sont épuisées, après un jeûne de 24 heures ou plus, par exemple (voir le chapitre 3). Le foie peut aussi transformer les chaînons carbonés de certains acides aminés (dits cétogéniques) en **acides gras**. Lorsque le bilan énergétique est positif, un surplus de protéines dans l'alimentation peut donc contribuer à augmenter les réserves de graisses corporelles.

Les facteurs qui influencent les besoins en protéines de l'organisme

Le renouvellement des protéines corporelles et des autres substances azotées

Chez les personnes en santé ayant terminé leur croissance, la teneur de l'alimentation en protéines doit être suffisante pour remplacer les pertes d'azote résultant de l'utilisation normale des protéines corporelles et des autres substances azotées à l'intérieur de l'organisme. S'il ne trouve pas de quoi remplacer ces pertes azotées d'origine endogène, l'organisme perd sa substance et se désintègre. Les protéines alimentaires sont donc nécessaires pour maintenir un état d'équilibre.

L'organisme perd de l'azote de trois façons : dans l'urine, dans les matières fécales et par voie cutanée (voir la figure 5.5, à la page 124). Comme nous l'avons déjà vu, le produit de déchet azoté le plus important dans l'urine est l'urée, laquelle résulte du catabolisme normal des acides aminés. La quantité d'urée excrétée dans l'urine est variable, mais augmente avec un régime riche en protéines. Diverses conditions pathologiques favorisent l'accélération de la décomposition des acides aminés dans l'organisme, laquelle se traduit aussi par une augmentation de la concentration d'urée dans l'urine (voir *Les protéines et la santé*, à la page 133). De petites quantités d'autres substances azotées, tels l'acide urique et la créatinine, sont également éliminées dans l'urine. L'acide urique résulte du fractionnement des molécules d'ADN et d'ARN, et la créatinine, de la fragmentation de la créatine.

Les **matières fécales** constituent une autre voie d'élimination de l'azote, car plusieurs protéines produites par l'organisme se retrouvent dans le tube digestif. Parmi elles se trouvent les enzymes digestives ainsi que les protéines des cellules épithéliales ; ces cellules forment la tunique interne du tube digestif et se désagrègent continuellement. Même si ces protéines cellulaires et ces enzymes sont en bonne partie digérées et réabsorbées, plusieurs d'entre elles sont éliminées dans les matières fécales.

Enfin, une petite quantité d'azote est perdue par **voie cutanée**. Il s'agit surtout de protéines contenues dans les cellules épidermiques séchées et dans les ongles, les poils et les cheveux que l'on coupe ou perd. Une petite quantité d'urée est aussi excrétée dans la sueur, et augmente en fonction du degré de sudation. Chez la femme, une quantité supplémentaire d'azote est évacuée dans les **pertes menstruelles**, puisqu'on retrouve des protéines dans le sang et les cellules utérines composant ces pertes. La salive et les sécrétions provenant du nez, des yeux et des organes génitaux constituent d'autres voies d'élimination mineures.

La formation de nouveaux tissus

Durant toute la **croissance** ainsi qu'au cours de la **grossesse** et de l'**allaitement**, les besoins en protéines dépendent non seulement des besoins de renouvellement des protéines endogènes, mais aussi du degré de synthèse des nouveaux tissus. Toutefois, pendant ces périodes, les pertes d'urée tendent à diminuer, car les acides aminés sont davantage utilisés pour la formation de tissus ou la production de lait.

La formation de nouveaux tissus s'observe également dans certaines circonstances particulières, comme la **cicatrisation d'une plaie** à la suite d'un traumatisme ou d'une intervention chirurgicale, ou en période de **réalimentation** après une maladie ou un épisode de malnutrition. Enfin, l'**entraînement physique** stimule la formation de nouveaux tissus, favorisant ainsi l'augmentation de la masse musculaire en début d'entraînement.

La qualité des protéines alimentaires

Les besoins en protéines d'une personne dépendent non seulement de l'étendue de la synthèse protéique nécessaire au renouvellement et à l'accroissement des tissus à l'intérieur de l'organisme, mais aussi de la qualité des protéines que cette personne consomme. En effet, les mélanges d'acides aminés contenus dans les protéines alimentaires ne sont pas tous utilisés de la même façon par l'organisme humain ; selon leur composition, ils répondent aux besoins de l'organisme en acides aminés, particulièrement en **acides aminés indispensables**, à des degrés divers.

On connaît assez bien les besoins en acides aminés indispensables de l'organisme. Tel que l'indique le tableau 5.5, ces besoins varient notamment en fonction de l'âge. Exprimés par kilogramme de poids corporel, ils sont particulièrement élevés chez le nourrisson, quand le rythme de croissance est à son maximum, et diminuent graduellement jusqu'à ce que la croissance soit terminée. De plus, les

Durant les périodes d'allaitement, les pertes d'urée tendent à diminuer, car les acides aminés sont davantage utilisés pour la production de lait.

TABLEAU 5.5   **Les besoins en acides aminés indispensables selon l'âge (exprimés en mg/kg de poids corporel par jour)**

Acides aminés indispensables	Nourrissons		Enfants			Adolescents	Adultes
	0-6 mois*	7-12 mois	1-3 ans	4-8 ans	9-13 ans	14-18 ans	18 ans et +
Histidine	23	32	21	16	15-17	14-15	14
Isoleucine	57	43	28	22	21-22	19-21	19
Leucine	101	93	63	49	47-49	44-47	42
Lysine	69	89	58	46	43-46	40-43	38
Méthionine**	38	43	28	22	21-22	19-21	19
Phénylalanine***	87	84	54	41	38-41	35-38	33
Thréonine	47	49	32	24	22-24	21-22	20
Tryptophane	18	13	8	6	6	5-6	5
Valine	56	58	37	28	27-28	24-27	24

* Selon la composition du lait maternel en acides aminés indispensables.

** Inclut la cystéine.

*** Inclut la tyrosine.

Source : U.S. National Academy of Sciences, Institute of Medicine (2002).

acides aminés indispensables ne sont pas tous nécessaires dans les mêmes proportions. Par exemple, de façon générale, l'organisme a proportionnellement besoin de plus de leucine et de moins de tryptophane que de n'importe quel autre acide aminé indispensable.

Une protéine de qualité fournit tous les acides aminés indispensables dans des proportions qui reflètent les besoins de synthèse de l'organisme. L'utilisation des acides aminés contenus dans la fraction protéique d'un aliment à des fins de synthèse est perturbée lorsqu'au moins un acide aminé indispensable s'y trouve dans une proportion relative insuffisante ; dans ce cas, une part importante des autres acides aminés sert uniquement à la production d'énergie. Comme nous l'avons constaté précédemment, on observe également pareil « gaspillage » d'acides aminés lorsque l'apport en protéines excède les besoins de l'organisme.

Les méthodes d'évaluation chimiques – On peut utiliser la méthode de l'**indice chimique** pour évaluer la qualité des protéines contenues dans un aliment. Il suffit de comparer leur composition en acides aminés indispensables à une combinaison type, jugée idéale, de ces mêmes acides aminés. Sur la base de cette comparaison, on qualifie d'**acide aminé limitant** celui, parmi les acides aminés indispensables présents dans un aliment, qui présente le plus grand déficit par rapport à la valeur jugée souhaitable. Ainsi, dans le blé, comme dans plusieurs autres céréales, l'acide aminé limitant est la lysine ; dans la plupart des légumineuses, c'est la méthionine. Un aliment peut ne pas avoir d'acide aminé limitant si tous ses acides aminés indispensables sont présents en quantité adéquate ; c'est le cas du lait, du soja et de la viande, par exemple. Notons que la qualité protéique d'un aliment ne repose pas uniquement sur sa composition en acides aminés indispensables : on doit aussi prendre en compte le taux de digestibilité des protéines qui y sont contenues, taux variant notamment selon le type et le degré de transformation que l'aliment a subi. Les quantités d'acides aminés indispensables que renferme un aliment doivent donc être corrigées selon le taux de digestibilité de ses protéines avant d'être comparées aux valeurs de référence.

Les méthodes d'évaluation biologiques (chez l'animal) – La qualité des protéines alimentaires est aussi évaluée à l'aide de méthodes biologiques. L'une d'elles consiste à mesurer, pour une période donnée, la croissance de jeunes animaux (par exemple le rat) nourris avec une diète équilibrée contenant une source particulière de protéines ; on calcule alors le **coefficient d'efficacité protéique**, soit le gain de poids corporel (en grammes) des animaux par gramme de protéines ingérées. Cette méthode est utilisée depuis longtemps par le gouvernement fédéral pour juger de la qualité des protéines contenues dans les aliments disponibles sur le marché canadien.

Une autre méthode consiste à déterminer, à partir de mesures effectuées dans les matières fécales et dans l'urine, la fraction de la quantité d'azote contenue dans une source particulière de protéines qui est absorbée, puis retenue à l'intérieur de l'organisme après ingestion. On peut alors calculer la **valeur biologique** de la source de protéines (soit le rapport entre l'azote retenu et l'azote absorbé) ou encore son **utilisation protéique nette (UPN)** (soit le rapport entre l'azote retenu et l'azote ingéré). Récemment, l'emploi d'isotopes stables de l'azote a permis d'affiner cette méthode.

Les résultats obtenus avec ces différentes méthodes d'évaluation indiquent que, de façon générale, la qualité protéique tend à être plus élevée dans les protéines d'origine animale que dans celles qui proviennent du règne végétal. Prises individuellement, les protéines animales (à l'exception de la gélatine) renferment donc un mélange d'acides aminés indispensables qui répond mieux aux besoins de l'organisme humain que les protéines végétales. Pour cette raison, on dit souvent des protéines animales que ce sont des **protéines complètes (ou de haute valeur**

biologique). Les protéines végétales, généralement pauvres en l'un ou plusieurs acides aminés indispensables, sont pour leur part qualifiées de **protéines incomplètes (ou de faible valeur biologique)**. Toutefois, une personne puise rarement ses protéines dans un seul aliment.

La complémentarité des protéines – Il est tout à fait possible de combler ses besoins en protéines et en acides aminés indispensables en s'alimentant principalement, ou même uniquement, de végétaux, puisque **tous les acides aminés indispensables sont présents dans le règne végétal**. C'est d'ailleurs ce que font les végétariens stricts (voir le chapitre 12) ainsi que plusieurs populations du monde où la consommation d'aliments issus du règne animal est limitée. Le secret réside dans la complémentarité des protéines, principe en vertu duquel les forces de certaines protéines compensent les faiblesses des autres. Pour illustrer ce principe, prenons l'exemple du blé et des lentilles. Les protéines contenues dans ces deux aliments sont incomplètes ; celles du blé sont pauvres en lysine et celles des lentilles, en méthionine. Néanmoins, quand on prend ces deux sources de protéines ensemble, la lysine des lentilles compense la pauvreté du blé en lysine, et la méthionine du blé, celle des lentilles en méthionine. Combinés, ces deux végétaux constituent donc une source protéique de meilleure qualité que s'ils étaient pris séparément. De façon générale, on obtient une source protéique de bonne qualité en combinant :

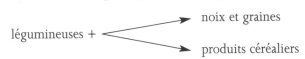

légumineuses +
          → noix et graines
          → produits céréaliers

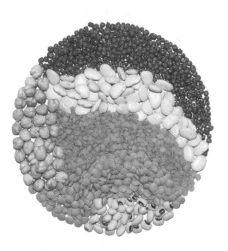

Les protéines contenues dans les légumineuses peuvent être complétées par la consommation, le même jour, de noix et graines, de produits céréaliers ou d'aliments d'origine animale.

Les protéines alimentaires se complètent pour autant qu'on les consomme au cours d'une même journée. Le principe de la complémentarité des protéines s'applique de lui-même dès qu'on incorpore à l'alimentation des aliments d'origine animale, comme les produits laitiers ou les œufs, puisque les acides aminés indispensables présents dans ces aliments comblent les lacunes du côté végétal. **Les végétariens qui incluent régulièrement des produits laitiers et des œufs dans leur alimentation, tout comme les non-végétariens, n'ont donc pas à se préoccuper de la complémentarité des protéines qu'ils ingèrent.** Pour les végétariens stricts (ceux qui ne s'alimentent qu'à partir du règne végétal), la variété est le meilleur moyen de combler leurs besoins en acides aminés indispensables ; en effet, la complémentarité des protéines est un principe facile à appliquer en ayant une alimentation variée. Dans les populations bien nanties, les déficiences en acides aminés indispensables sont rares chez les végétariens stricts ; elles sont plus fréquentes dans les populations en voie de développement, où l'alimentation n'est souvent composée que de quelques aliments.

Les protéines et la santé

À l'intérieur de l'organisme, l'ensemble des réactions impliquant les protéines et les autres composés azotés constitue le métabolisme de l'azote (N). En comparant l'apport et l'élimination d'azote dans l'organisme, on peut établir le **bilan azoté** (voir le tableau 5.6, à la page suivante). On dit de ce bilan qu'il est **en équilibre** lorsque l'apport en protéines est suffisant pour remplacer les pertes d'azote de l'organisme, quelles que soient leurs formes. Un bilan azoté en équilibre constitue l'état optimal pour un adulte en santé.

Comme nous l'avons vu, tout au long de la croissance, pendant la grossesse et l'allaitement, et dans certaines autres circonstances, l'apport alimentaire d'azote doit excéder la quantité d'azote perdue lors de l'entretien de l'organisme, afin de permettre la formation de nouveaux tissus ou la production de lait ; on dit alors que l'organisme est en **bilan azoté positif**, un état normal dans ces circonstances.

TABLEAU 5.6   Les états du bilan azoté

Bilan azoté	Équation	Conditions/facteurs précipitants
En équilibre	$N_{ing}* = N_{exc}**$	Adulte en santé
Positif	$N_{ing} > N_{exc}$	Croissance, grossesse, allaitement, accroissement de la masse musculaire en début d'entraînement, réalimentation, cicatrisation
Négatif	$N_{ing} < N_{exc}$	Déficience en protéines, en énergie ou les deux, jeûne, traumatisme, opération chirurgicale, maladie infectieuse, diabète mal contrôlé, immobilisation prolongée

*N_{ing} = azote ingéré.

**N_{exc} = azote excrété.

L'organisme est en **bilan azoté négatif** lorsque les pertes d'azote excèdent ce que lui procure l'alimentation. Cet état se produit quand l'organisme utilise ses protéines plus rapidement qu'il ne peut les remplacer, parce que l'apport est déficient ou que l'utilisation est trop rapide.

L'insuffisance de protéines

Une alimentation dont le contenu en protéines est insuffisant pour répondre aux besoins de l'organisme entraîne un bilan azoté négatif, et ce, jusqu'à ce qu'un nouvel équilibre s'installe, à un niveau de fonctionnement souvent inférieur. Les risques d'**insuffisance de protéines** augmentent lorsque la ration protéique de l'alimentation est de faible valeur biologique, c'est-à-dire déficiente en un ou plusieurs acides aminés indispensables.

L'**insuffisance d'énergie** qui accompagne souvent la déficience en protéines est également un facteur entraînant un bilan azoté négatif. Lorsque l'apport alimentaire en énergie ne peut répondre aux besoins de l'organisme, ce dernier utilise non seulement ses réserves de graisses, mais aussi ses propres protéines comme sources d'énergie. L'objectif est de libérer des acides aminés que le foie peut transformer en glucose, car ce sucre constitue la principale source d'énergie de certaines cellules, notamment celles composant le système nerveux. C'est surtout durant les premières phases d'un jeûne, une fois les réserves de glycogène épuisées, que le catabolisme des protéines s'accélère à l'intérieur de l'organisme. Par la suite, la production de corps cétoniques réduit le besoin en glucose des cellules nerveuses (voir le chapitre 3) et le catabolisme protéique ralentit.

Certaines **conditions métaboliques**, dites hypercataboliques, favorisent également l'utilisation des protéines corporelles pour la formation de glucose et la production d'énergie. Cela se produit lors d'une opération chirurgicale majeure, d'un traumatisme (des brûlures étendues, par exemple) ou d'une maladie infectieuse, ou encore chez une personne diabétique dont le taux de glucose sanguin est mal contrôlé. Dans ces situations, des modifications hormonales telles que l'augmentaion de la sécrétion d'hormones de stress (par exemple les catécholamines) sont en partie responsables de l'accroissement parfois spectaculaire du catabolisme protéique dans l'organisme. Le bilan azoté devient souvent négatif, et ce, en dépit d'un apport élevé en protéines et en énergie. Enfin, l'immobilité prolongée favorise aussi la déperdition protéique.

La malnutrition protéino-énergétique

Parce qu'elle s'accompagne habituellement d'une insuffisance en énergie, la déficience en protéines se traduit souvent par ce qu'on appelle la malnutrition protéino-énergétique, dont le **marasme** et le **kwashiorkor** sont les deux formes les plus graves.

Le marasme

Le marasme résulte d'un manque grave de nourriture, l'apport alimentaire étant à la fois très déficient en énergie et en protéines. Dans le marasme, la perte de tissu musculaire est particulièrement marquée, car divers mécanismes hormonaux interviennent pour maintenir les fonctions vitales aux dépens des muscles, qui sont utilisés à la fois comme source d'énergie et comme réservoir d'acides aminés. De cette façon, l'organisme arrive à maintenir un niveau de protéines sanguines suffisamment élevé pour prévenir l'apparition d'œdème (voir la figure 5.7, à la page 127).

Le kwashiorkor

Le kwashiorkor résulte aussi d'une insuffisance de protéines mais, dans ce cas, l'apport en énergie est moins déficient que celui qu'on observe dans le marasme. L'alimentation est souvent presque exclusivement composée de féculents, donc d'aliments riches en glucides, mais relativement pauvres en protéines. Puisque les besoins en énergie sont mieux comblés que dans le marasme, la masse musculaire est moins sollicitée, empêchant ainsi l'organisme de maintenir un niveau adéquat de protéines sanguines nécessaires à l'équilibre hydrique. Il s'ensuit l'apparition d'œdèmes aux jambes, au ventre, au visage et parfois aux bras. Les maladies infectieuses favorisent le développement du kwashiorkor, car l'activation du système immunitaire augmente le besoin protéique.

La malnutrition protéino-énergétique diminue grandement la résistance aux **infections**, lesquelles accélèrent le processus de dégénération et engendrent un cercle vicieux. Elle modifie aussi le comportement et conduit à un état léthargique. Mais il est difficile de cerner précisément les conséquences de la malnutrition protéino-énergétique sur le développement intellectuel, car ce dernier est déterminé par de multiples facteurs.

La malnutrition protéino-énergétique est répandue dans les pays en voie de développement, où les jeunes enfants sont particulièrement vulnérables. La maladie apparaît habituellement durant les premières années de vie, quand le bébé est sevré et que son alimentation, souvent à base de féculents comme le manioc, l'igname et le plantain, ne lui procure plus les nutriments dont il a besoin. La malnutrition aiguë par déficience en protéines et en énergie perturbe grandement la croissance, et se traduit par un taux de mortalité infantile dramatiquement élevé. Un très grand nombre d'enfants souffrent également de formes plus modérées de malnutrition, caractérisées par une stature et un poids corporel inférieurs aux moyennes observées chez des enfants du même âge bien nourris.

Dans nos populations favorisées, la malnutrition protéino-énergétique se rencontre aussi dans certains groupes vulnérables. Elle touche particulièrement les personnes âgées et celles souffrant de maladies chroniques ou éprouvant divers problèmes d'ordre socioéconomique. Son incidence est mieux documentée en milieu hospitalier que dans la population en général ; dans certains départements, elle toucherait près de 50 % des personnes hospitalisées.

Un bilan azoté négatif est lourd de conséquences (voir l'encadré *La malnutrition protéino-énergétique*). Étant donné qu'il n'y a pas de réserves de protéines à l'intérieur de l'organisme, des protéines fonctionnelles mais non vitales doivent être dégradées pour que puisse s'effectuer la synthèse de protéines essentielles à sa survie. Les protéines du sang et les tissus qui se renouvellent fréquemment, comme ceux de l'intestin grêle, du foie, du pancréas et du rein, sont rapidement affectés par la déficience alimentaire en protéines. Plusieurs de ces protéines étant essentielles à sa survie, l'organisme les renouvelle le plus possible, souvent aux dépens du tissu musculaire. En effet, en raison de l'importance qu'il occupe dans l'organisme, le tissu musculaire devient la principale source de nutriments en cas de famine ou de jeûne prolongé. La déperdition musculaire est caractéristique des états d'émaciation.

À court terme, le tissu nerveux est relativement épargné dans les situations de privation. Toutefois, la malnutrition protéique prolongée perturbe le développement mental. La gravité des conséquences dépend en grande partie de l'acuité et de la durée de la malnutrition, ainsi que du stade de développement mental auquel est parvenu l'enfant lorsqu'elle apparaît. Une déficience protéique grave durant les deux premières années de la vie, alors que s'effectue le parachèvement du système nerveux central, peut avoir des effets négatifs prolongés, voire permanents.

L'excès de protéines

Un certain nombre d'études effectuées dans des populations bien nanties montrent que l'excès de protéines alimentaires, en particulier d'origine animale, augmente le risque de contracter une maladie cardiovasculaire. Il est possible que la nature même des régimes riches en protéines animales, c'est-à-dire leur teneur souvent élevée en énergie, en acides gras saturés et en cholestérol, soit en cause. Toutefois, il semble que les protéines animales exercent elles-mêmes un effet délétère, plus particulièrement chez les personnes génétiquement prédisposées aux maladies cardiovasculaires. Au cours d'essais cliniques, on a démontré qu'il est possible de réduire le taux de cholestérol sanguin des personnes hypercholestérolémiques en substituant des protéines végétales (celles du soja principalement) aux protéines animales contenues dans leur alimentation.

Certaines données scientifiques suggèrent aussi que l'excès de protéines augmente la perte de calcium par l'urine, augmentant du même coup le risque de calculs rénaux, en plus de favoriser le développement de l'ostéoporose (voir le chapitre 7). Toutefois, ces données sont principalement tirées d'études réalisées avec des protéines pures. Non isolées des aliments, les protéines ont moins d'influence sur la quantité de calcium excrété dans l'urine. Enfin, l'excès de protéines alimentaires augmente le travail des reins, puisque ces organes sont chargés de l'excrétion de l'azote libéré dans l'organisme lors de la dégradation des acides aminés. Le travail du foie augmente également puisqu'il a pour tâche de transformer l'azote en urée avant qu'il ne soit acheminé jusqu'aux reins. Selon certaines études, cette surcharge aux niveaux rénal et hépatique n'occasionnerait pas de troubles apparents chez les personnes en santé, même quand la consommation de protéines se situe à plus de 200 g par jour, pour autant que cette consommation ne représente pas plus de 40 % de la quantité totale d'énergie consommée. Mais les données scientifiques sur ce sujet demeurent limitées ; le comité d'experts américains et canadiens ayant proposé les plus récentes recommandations relatives à la consommation de protéines (voir ci-dessous) n'a donc pas été en mesure d'établir un « apport maximal tolérable » pour ce nutriment. Néanmoins, chez l'adulte, il est recommandé que l'apport en protéines ne représente pas plus de 35 % de la quantité d'énergie consommée.

Les recommandations relatives aux protéines et les tendances de consommation

Afin de maintenir un état de santé optimal et, au besoin, de favoriser un rythme de croissance adéquat, l'alimentation doit fournir à l'organisme les neuf acides aminés indispensables, ainsi que suffisamment d'acides aminés non indispensables (ou d'azote), pour lui permettre une synthèse protéique répondant à ses besoins. Les recommandations relatives à la quantité de protéines que les Canadiens et les Américains devraient consommer quotidiennement apparaissent dans le tableau 5.7.

TABLEAU 5.7
Les apports recommandés en protéines selon l'âge

Âge	Protéines (g/kg/jour)
0 – 6 mois	1,52*
7 – 12 mois	1,50
1 – 3 ans	1,10
4 – 8 ans	0,95
9 – 13 ans	0,95
14 – 18 ans	0,85
19 ans et +	0,80

* Apport jugé suffisant parce que fondé sur la consommation de lait maternel.
Source : U.S. National Academy of Sciences, Institute of Medicine (2002).

Elles sont basées sur des études de bilan azoté et tiennent compte de la digestibilité des protéines composant le régime alimentaire nord-américain moyen, ainsi que du fait qu'il s'agit le plus souvent d'un régime omnivore dont la teneur en acides aminés indispensables est généralement adéquate. De plus, les recommandations ont une marge de sécurité suffisamment élevée pour prendre en compte la variabilité des besoins ; elles dépassent, de ce fait, ceux de la très grande majorité des gens.

Comme nous pouvons le constater dans le tableau 5.7, l'apport recommandé en protéines est exprimé en grammes par kilogramme de poids corporel car, en l'absence d'obésité, le besoin en protéines augmente en fonction de la masse corporelle. Pendant la croissance, les valeurs recommandées par kilogramme de poids corporel diminuent avec l'âge. Une fois la croissance terminée, l'apport recommandé en protéines ne varie plus. Ce sujet suscite toutefois la controverse. En effet, certains experts sont d'avis que plusieurs personnes âgées (celles de 70 ans et plus en particulier) ont des besoins protéiques plus élevés que ceux des adultes plus jeunes. Chez la femme âgée, un bon apport de protéines aiderait à préserver la masse osseuse.

Chez l'adulte en santé, l'apport recommandé en protéines est de 0,8 g/kg de poids corporel. Un adulte pesant 65 kg devrait donc consommer 52 g de protéines (65 kg × 0,8 g/kg) en moyenne par jour. Pour les femmes adultes pesant entre 50 et 65 kg, l'apport recommandé en protéines varie de 40 à 52 g par jour ; pour les hommes adultes pesant entre 60 et 80 kg, il varie de 48 à 64 g par jour.

Le tableau 5.4, à la page 122, indique la teneur en protéines de divers aliments, par portion. On trouve aussi de l'information sur le contenu des aliments en protéines dans les tables de composition et sur l'étiquette de la plupart des aliments préemballés. Mais de façon générale, un régime fondé sur les recommandations du *Guide alimentaire canadien pour manger sainement* couvre amplement les besoins en protéines, comme en fait foi le tableau 5.8.

TABLEAU 5.8   L'apport en protéines d'un régime fondé sur le *Guide alimentaire canadien pour manger sainement*

Groupes d'aliments	Protéines (g/portion)	Nombre de portions recommandées	Protéines (g)
Viandes et substituts	18*	2 à 3	36 – 54
Produits laitiers	8	2 à 4	16 – 32
Produits céréaliers	2	5 à 12	10 – 24
Légumes et fruits	1	5 à 10	5 – 10
Total			67 – 120

* Par portion de 75 g (une portion = de 50 à 100 g).

Selon les données d'une enquête effectuée auprès de la population québécoise adulte, la teneur moyenne en protéines du régime alimentaire quotidien varie de 64 à 76 g chez les femmes, et de 89 à 116 g chez les hommes, selon le groupe d'âge. De façon générale, il semble donc que la consommation de protéines chez les adultes québécois réponde amplement à leurs besoins. Toutefois, la consommation de protéines tend à diminuer avec l'âge. De plus, l'excès par rapport aux besoins est plus important chez les hommes que chez les femmes. Il est particulièrement élevé chez les jeunes hommes (de 18 à 34 ans) dont la consommation de protéines représente près du double de l'apport recommandé, et est le plus faible chez les femmes âgées de 50 à 74 ans chez qui la consommation de protéines n'excède que de 20 % l'apport recommandé. Des enquêtes plus récentes effectuées dans la population canadienne et auprès de jeunes Québécois confirment que l'apport en protéines est généralement amplement suffisant.

Pour en savoir plus ● ● ●
Les besoins des athlètes en protéines

De nombreux athlètes se tournent vers la nutrition pour améliorer leurs performances. Plusieurs croient que l'ingestion de grandes quantités de protéines est un moyen d'y parvenir. La consommation d'abondantes quantités de viande ou de suppléments protéiques (ou les deux) continue d'être un rituel pour plusieurs d'entre eux. Pourtant, les protéines ne sont pas le substrat énergétique préféré des muscles en activité. Quand les réserves de glycogène sont adéquates, la contribution des protéines à la dépense énergétique en cours d'exercice excède rarement 5 %. En outre, de larges quantités de protéines ont peu d'effet sur la masse ou la force musculaires.

On s'entend toutefois pour dire que les besoins des athlètes en protéines excèdent l'apport quotidien recommandé, qui est de 0,8 g/kg de poids corporel chez l'adulte. Hormis la petite quantité de protéines utilisée comme source d'énergie au cours d'un exercice, il faut prendre en compte le stress physiologique de l'entraînement et de la compétition. L'augmentation de la masse musculaire observée au début d'un entraînement comportant des exercices de force engendre aussi un accroissement temporaire des besoins en protéines chez les athlètes.

Si les besoins des athlètes en protéines excèdent ceux des personnes sédentaires, ils dépassent rarement le double de l'apport recommandé chez l'adulte. En effet, ils se situent généralement entre 1,2 et 1,4 g/kg de poids corporel par jour chez les athlètes qui pratiquent des sports d'endurance (course, natation, cyclisme, etc.) et ne dépassent pas 1,6 – 1,7 g/kg de poids corporel par jour chez ceux qui font des exercices de force. Ces valeurs supposent toutefois que l'apport en énergie, notamment en glucides, répond adéquatement aux besoins et permet de limiter au maximum l'utilisation des protéines comme source d'énergie.

De façon générale, une alimentation équilibrée comble bien les besoins accrus des athlètes en protéines (voir le tableau 5.8, à la page 137). Selon les données d'une enquête québécoise publiée en 1995, la consommation moyenne en protéines des adultes de moins de 50 ans varie de 1,2 à 1,6 g/kg de poids corporel par jour. Or, il s'agit là de données de consommation recueillies auprès d'un échantillon de personnes dont le niveau moyen d'activité physique peut être qualifié de léger, et dont la consommation totale d'aliments est vraisemblablement inférieure à celle qu'on observe chez les athlètes. Une alimentation fondée sur le *Guide alimentaire canadien pour manger sainement* et qui répond aux besoins énergétiques d'un athlète devrait donc lui fournir une quantité tout à fait adéquate de protéines, en plus de répondre à ses autres besoins en nutriments essentiels. Dans ces conditions, les suppléments protéiques s'avèrent superflus ; de plus, leur utilisation augmente les risques de déshydratation.

Quant aux bénéfices qu'un athlète peut tirer de certains suppléments d'acides aminés libres ou de leurs dérivés, ils sont souvent l'objet de controverse dans la littérature scientifique, les résultats des recherches variant entre autres selon la nature du composé, la dose ingérée et l'état des réserves de l'athlète. Prenons par exemple les suppléments de **créatine**, une petite molécule dérivée de certains acides aminés et qui sert de réserve d'énergie à l'intérieur du muscle. Des études ont montré que les suppléments de créatine peuvent améliorer la performance, mais seulement lorsque le taux de créatine musculaire de l'athlète avant le traitement est abaissé, et que les activités pratiquées à répétition sont de haute intensité et de courte durée. Selon certains chercheurs, les suppléments de **glutamine**, un acide aminé que le système immunitaire utilise comme combustible, sont également utiles chez l'athlète en réduisant les risques d'infections, celles des voies respiratoires notamment. Mais on observerait cet effet bénéfique principalement chez l'athlète dont le système immunitaire s'affaiblit à la suite d'un entraînement intensif et prolongé ; en outre, les doses requises sont relativement élevées et excèdent la posologie indiquée sur l'étiquette de plusieurs de ces suppléments. Enfin, les suppléments de **carnitine** sont également populaires dans les milieux sportifs. Synthétisée à partir d'un acide aminé appelé lysine, la carnitine permet à l'organisme d'utiliser l'énergie contenue dans les graisses (voir le chapitre 6). À ce jour, peu d'études font état de bénéfices liés à l'utilisation de ces suppléments.

Résumé

Les protéines sont des macromolécules organiques qui se distinguent des glucides et des lipides par leur contenu en azote (N). Les protéines ont pour unités de base les **acides aminés**; ces derniers y sont disposés comme à l'intérieur d'une chaîne. Le corps humain contient plusieurs milliers de protéines, chacune d'elles ayant une chaîne d'acides aminés qui lui est propre.

Vingt acides aminés différents entrent dans la composition des protéines humaines. L'organisme synthétise lui-même certains d'entre eux, les **acides aminés non indispensables**. D'autres acides aminés ne peuvent être fabriqués par l'organisme, ou le sont à un rythme insuffisant pour répondre à ses besoins, et doivent donc provenir de l'alimentation; ce sont les **acides aminés indispensables**.

Un grand nombre d'aliments, tant d'origine **animale** que **végétale**, renferment des protéines. De façon générale, les aliments d'origine animale (viande, volaille, poisson, œufs, produits laitiers) en contiennent le plus. Du côté végétal, les légumineuses, les noix et graines, les céréales et leurs dérivés ainsi que les légumes peuvent apporter une contribution appréciable à l'apport en protéines. Pris séparément, ces végétaux fournissent à l'organisme un mélange d'acides aminés indispensables répondant moins adéquatement à ses besoins que les aliments d'origine animale, mais la qualité de leurs protéines s'améliore grandement lorsqu'on les consomme dans le cadre d'une alimentation variée. Il est donc possible de combler ses besoins en protéines et en acides aminés indispensables en s'alimentant principalement, ou même uniquement, à partir de végétaux, tous les acides aminés indispensables étant présents à l'intérieur du règne végétal.

La digestion des protéines alimentaires permet de libérer les acides aminés qui les composent. Une fois absorbés dans l'organisme, ces acides aminés se mêlent à ceux qui sont issus du fractionnement des protéines corporelles. Le «pool» d'acides aminés ainsi constitué permet la **synthèse des protéines** dont l'organisme a besoin.

Dans l'organisme, les protéines forment des éléments de **structure** essentiels (masse musculaire, matrice des os et des dents, peau, cartilages, ongles, cheveux, etc.). Elles y assurent aussi de multiples **fonctions**: régulation de l'activité métabolique (sous forme d'enzymes et d'hormones), coagulation du sang, lutte contre les infections, équilibre hydrique et acido-basique, transport de diverses substances dans le sang et à travers les membranes cellulaires, etc. Toutes ces protéines doivent être renouvelées constamment pour que l'organisme puisse fonctionner adéquatement. Plusieurs d'entre elles peuvent y être recyclées, mais d'autres sont tout simplement éliminées.

Les acides aminés sont liés les uns aux autres dans les ribosomes des cellules pour former les protéines organiques. Les instructions concernant la séquence dans laquelle les acides aminés doivent être disposés lors de la synthèse des protéines font partie du **code génétique** contenu dans l'ADN; ainsi, en contrôlant l'organisation moléculaire des protéines, l'ADN contrôle plusieurs des fonctions cellulaires. Une fois synthétisées, les molécules protéiques adoptent des configurations particulières et se combinent souvent à d'autres molécules pour être fonctionnelles.

Dans l'organisme, les acides aminés non utilisés pour la synthèse protéique subissent diverses **transformations**. Ils sont d'abord débarrassés de leur groupement azoté; à moins d'être réutilisé pour fabriquer un nouvel acide aminé non indispensable, celui-ci est excrété dans l'urine sous forme d'urée. Le reste de la molécule d'acide aminé (la chaîne carbonée) peut être utilisé comme source d'énergie, ou transformé en glucose ou encore en acides gras. Ainsi, un excès de protéines dans l'alimentation peut contribuer à augmenter les réserves de graisses corporelles.

En comparant l'apport d'azote et son élimination par l'organisme, on établit ce qu'on appelle un **bilan azoté**. Celui-ci est **en équilibre** lorsque l'apport en protéines de l'alimentation est suffisant pour remplacer les pertes d'azote de l'organisme, quelles que soient leurs formes. Un bilan azoté en équilibre constitue l'état optimal pour un adulte en santé. Tout au long de la croissance, pendant la grossesse et l'allaitement, et dans certaines autres circonstances, l'apport alimentaire d'azote doit excéder la quantité d'azote perdu lors de l'entretien de l'organisme, afin de permettre la formation de nouveaux tissus ou la production de lait; l'organisme est alors en **bilan azoté positif**, un état normal dans ces circonstances. L'organisme devient en **bilan azoté négatif** lorsque les pertes d'azote excèdent ce que lui procure l'alimentation. Cet état se produit quand l'organisme utilise ses protéines plus rapidement qu'il ne peut les remplacer, parce que l'apport est déficient ou l'utilisation trop rapide (par exemple lors d'un stress métabolique). Un bilan azoté négatif perturbe grandement le fonctionnement de l'organisme.

Chez l'adulte en santé, l'apport quotidien recommandé en protéines est de 0,8 g/kg de poids. De façon générale, un régime fondé sur le *Guide alimentaire canadien pour manger sainement* couvre amplement les besoins en protéines, y compris les besoins accrus des athlètes, pour autant que l'apport d'énergie soit adéquat.

Références

BELL, J. et S.J. WHITING. « Elderly women need dietary protein to maintain bone mass », *Nutrition Reviews*, vol. 60, nᵒ 11, 2002, p. 337-341.

BRASS, E.P. « Supplemental carnitine and exercise », *American Journal of Clinical Nutrition*, vol. 72 (suppl.), 2000, p. 618S-623S.

CAMPBELL, W.W. et autres. « The recommended dietary allowance for protein may not be adequate for older people to maintain skeletal muscle », *Journals of Gerontology*, vol. 56A, nᵒ 6, 2001, p. M373-M380.

CASEY, A. et P.L. GREENHAFF. « Does dietary creatine supplementation play a role in skeletal muscle metabolism and performance ? », *American Journal of Clinical Nutrition*, vol. 72 (suppl.), 2000, p. 607S-617S.

CASTELL, L.M. « Glutamine supplementation *in vitro* and in *vivo*, in exercise and in immunodepression », *Sports in Medicine*, vol. 33, nᵒ 5, 2003, p. 323-345.

DEBRY, G. « Protéines alimentaires et athérosclérose », *Sciences des aliments*, vol. 22, nᵒ 5, 2002, p. 523-544.

FRIEDMAN, M. « Nutritional value of proteins from different food sources. A review », *Journal of Agriculture and Food Chemistry*, vol. 44, 1996, p. 6-29.

GARLICK, P.J. « The nature of human hazards associated with excessive intake of amino acids », *Journal of Nutrition*, vol. 134, 2004, p. 1633S-1639S.

GRAY-DONALD, K., L. JACOBS-STARKEY et L. JOHNSON-DOWN. « Foods habits of Canadians : reduction in fat intake over a generation », *Canadian Journal of Public Health*, vol. 91, 2000, p. 381-385.

INSTITUT DE LA STATISTIQUE DU QUÉBEC. *Enquête sociale et de santé auprès des enfants et des adolescents québécois. Volet nutrition*, Sainte-Foy, gouvernement du Québec, 2004. Site Internet : <www.stat.gouv.qc.ca>.

MARIOTTI, F. et D. TOMÉ. « De nouvelles données pour juger de la qualité des protéines végétales chez l'homme – Implications et perspectives », *Oléagineux Corps gras Lipides* (OCL), vol. 10, nᵒ 1, 2003, p. 17-22.

MAUGHAN, R. « The athlete's diet : nutritional goals and dietary strategies », *Proceedings of the Nutrition Society*, vol. 61, 2002, p. 87-96.

MILLWARD, D.J. « Optimal intakes of protein in the human diet », *Proceedings of the Nutrition Society*, vol. 58, 1999, p. 403-413.

« Position of the American Dietetic Association, Dietitians of Canada and the American College of Sports Medicine : Nutrition and athletic performance », *Journal of the American Dietetic Association*, vol. 100, 2000, p. 1543-1556.

RAND, W.M., P.L. PELLETT et V.R. YOUNG. « Meta-analysis of nitrogen balance studies for estimating protein requirements in healthy adults », *American Journal of Clinical Nutrition*, vol. 77, 2003, p. 109-127.

ROUGHEAD, Z.K. et autres. « Controlled high meat diets do not affect calcium retention or indices of bone status in healthy postmenopausal women », *Journal of Nutrition*, vol. 133, 2003, p. 1020-1026.

SANTÉ CANADA, Direction des produits de santé naturels (DPSN). *Règlement sur les produits de santé naturels*, Ottawa. Site Internet : <www.hc-sc.gc.ca/hpfb-dgpsa/nhpd-dpsn/regs _cg2_cp_f.html>.

SANTÉ QUÉBEC, Bertrand L. (sous la dir. de). *Les Québécoises et les Québécois mangent-ils mieux ? Rapport de l'Enquête québécoise sur la nutrition, 1990*, Montréal, ministère de la Santé et des Services sociaux, gouvernement du Québec, 1995.

SCRIMSHAW, N.S. « On the Occasion of the 1991 World Food Prize », *Nutrition Today*, vol. 29, nᵒ 2, 1994, p. 35-40.

SMITH, E. et autres. « Estimates of animal and plant protein intake in US adults : results from the Third National Health and Nutrition Examination Survey, 1988-1991 », *Journal of the American Dietetic Association*, vol. 99, 1999, p. 813-820.

U.S. NATIONAL ACADEMY OF SCIENCES, INSTITUTE OF MEDICINE. *Dietary Reference Intakes for Energy, Carbohydrate, Fiber, Fat, Fatty Acids, Cholesterol, Protein and Amino Acids (Macronutrients)*, Washington, D.C., National Academy Press, 2002. Site Internet : <www.nap.edu>.

Chapitre 6

Les vitamines et autres composés organiques

Nous avons souligné au chapitre 1 que l'être humain attribue des pouvoirs médicinaux aux aliments depuis très longtemps. Le philosophe grec Hippocrate soignait la cécité nocturne (incapacité de voir quand la lumière est faible) avec du foie de bœuf. Durant l'hiver 1535-1536, les Amérindiens de Terre-Neuve ont enseigné à l'explorateur Jacques Cartier la manière de guérir le scorbut chez les marins avec une tisane faite de racines et d'aiguilles d'épinette. Au milieu du XVIIIe siècle, le médecin anglais James Lind a démontré que le jus des agrumes pouvait également guérir le scorbut. Un peu plus tard, on a découvert que l'huile de foie de morue pouvait prévenir et même traiter le rachitisme chez les enfants. Ce n'est pourtant qu'au XXe siècle qu'on a réussi à isoler et à déterminer les substances responsables de ces guérisons, soit les vitamines.

Depuis lors, ces nutriments n'ont cessé de nous fasciner. On leur attribue diverses propriétés, dont celles d'améliorer les performances physiques et mentales, de retarder le vieillissement et de favoriser un état de santé exceptionnel. Parce que nous craignons une déficience ou que nous voulons bénéficier pleinement de leurs vertus présumées, nous les consommons de plus en plus sous forme de suppléments, en quantités dépassant souvent largement celles qu'on peut trouver dans les aliments. Mais quels sont ces nutriments et quels rôles jouent-ils véritablement dans l'organisme ? Quelles sont les conséquences d'un apport insuffisant ? Le présent chapitre a pour objectif principal de répondre à ces questions. Il traite aussi, bien que brièvement, d'autres composés organiques qui, à l'instar des vitamines, contribuent au bon fonctionnement de l'organisme. C'est parce qu'ils renferment plusieurs de ces composés que des aliments comme le thé, les bleuets, le chocolat, le vin rouge et les graines de lin font régulièrement les manchettes ces dernières années.

Que sont les vitamines ?

Tout comme les glucides, les lipides et les protéines, les vitamines sont des composés organiques. Cependant, l'organisme en a besoin en beaucoup plus petites quantités : de quelques microgrammes à moins de 100 milligrammes par jour. Les vitamines sont indispensables à la croissance, au maintien et à la reproduction de l'organisme.

Casimir Funk, un chimiste polonais, est à l'origine du concept des vitamines, des substances essentielles à la vie (« vita ») qu'il croyait être composées d'azote (« amines »). Le terme n'a été proposé qu'en 1912, bien qu'à cette époque on eût déjà extrait des aliments, sans pouvoir les identifier, un certain nombre de « facteurs » paraissant essentiels à la survie des animaux. Peu de temps après, la première vitamine a été découverte ; on l'a nommée vitamine A. Ensuite, d'autres vitamines ont été isolées ; on les a appelées B, C, D, etc. Après quelque temps, on s'est rendu compte que la vitamine B se subdivisait en deux facteurs, la vitamine B_1 et la vitamine B_2. Plus tard, d'autres vitamines ont été associées au groupe B en raison de leur solubilité dans l'eau et de la similitude de leurs fonctions. Certaines appellations ont aussi été abandonnées quand on a découvert que des composés qu'on croyait différents étaient en réalité une seule et même substance. La dernière vitamine, la vitamine B_{12}, a été isolée en 1948.

Soulignons qu'une substance reconnue comme vitamine pour l'organisme humain ne l'est pas nécessairement pour tous les animaux. Par exemple, la plupart de ceux-ci synthétisent leur propre vitamine C, mais ce n'est pas le cas de l'être humain, des autres primates et des cochons d'Inde, qui doivent en consommer dans leur alimentation. Nous verrons au cours de ce chapitre que l'organisme humain est en mesure de synthétiser certaines vitamines, comme la vitamine D et la niacine, mais seulement si certaines conditions sont réunies ; de plus, les quantités produites sont souvent insuffisantes pour répondre à ses besoins. Il n'y a pas si longtemps, dans certaines populations, les déficiences en vitamine D et en niacine étaient d'ailleurs quasi endémiques.

Enfin, l'alimentation renferme, en petites quantités, d'autres composés organiques biologiquement actifs, mais qui ne sont pas considérés comme des vitamines. La capacité de synthèse d'un organisme en santé permet habituellement de combler adéquatement une insuffisance de certains de ces composés dans l'alimentation. Dans le cas d'autres composés, la recherche effectuée à ce jour ne permet tout simplement pas de les considérer comme indispensables au bon fonctionnement de l'organisme (voir D'autres composés organiques biologiquement actifs, à la page 158).

La classification des vitamines

Actuellement, on reconnaît 13 vitamines[1] essentielles à l'être humain. Le plus souvent, on les divise en deux catégories : **1) les vitamines hydrosolubles** (solubles dans l'eau), qui comprennent les vitamines du groupe B et la vitamine C, et **2) les vitamines liposolubles** (solubles dans les solvants organiques), qui regroupent les vitamines A, D, E et K (voir le tableau 6.1).

Cette classification des vitamines s'avère intéressante à plusieurs égards. Par exemple, on peut s'attendre à ce qu'un aliment contenant des **vitamines hydrosolubles** subisse des pertes lorsqu'on le fait cuire dans l'eau sans récupérer le liquide de cuisson. De plus, on comprend qu'il est difficile d'accumuler de bonnes réserves de vitamines hydrosolubles dans l'organisme puisqu'elles sont en circulation dans le

La **carotte** est une source de vitamine A, une vitamine liposoluble, c'est-à-dire soluble dans les solvants organiques.

---

1. Malgré le fait que plusieurs chercheurs s'accordent maintenant à reconnaître une 14e vitamine, la choline (voir *D'autres composés organiques biologiquement actifs*, à la page 158), l'Institut de médecine américain est d'avis qu'on ne peut encore se prononcer sur ce nutriment en raison du nombre limité de données chez l'humain.

TABLEAU 6.1   La classification des vitamines selon qu'elles sont solubles dans l'eau (hydrosolubles) ou dans les solvants organiques (liposolubles), et leurs unités de mesure

Classification	Unités de mesure
Vitamines hydrosolubles	
Groupe B :	
thiamine (B_1)	mg
riboflavine (B_2)	mg
niacine (B_3 ou PP)	mg ou ÉN*
acide pantothénique *B_5*	mg
vitamine B_6 (pyridoxine)	mg
biotine *B_8*	mcg
acide folique *B_9*	ÉFA**
vitamine B_{12} (cobalamine)	mcg
Vitamine C (acide ascorbique)	mg
Vitamines liposolubles	
Vitamine A (rétinol et caroténoïdes)	ÉAR***
Vitamine D (cholécalciférol)	mcg
Vitamine E (alpha-tocophérol)	mg
Vitamine K (phylloquinone)	mcg
mg = milligrammes	mcg = microgrammes

Rôles
— action enzymatique → coenzymes
— antioxydants
— hormones
— échanges d'électrons (utomg)
— expression des gènes.

  * ÉN = équivalents de niacine
    (1 ÉN = 1 mg de niacine ou 60 mg de tryptophane).
  ** ÉFA = équivalents de folates alimentaires.
*** ÉAR = équivalents d'activité rétinol.
N. B. : Consulter l'annexe 7 pour convertir certaines de ces unités de mesure.

sang et que les surplus peuvent facilement être déversés dans l'urine lorsque celui-ci circule à travers les reins. Pour cette raison, les vitamines hydrosolubles doivent être consommées presque quotidiennement (à l'exception de la vitamine B_{12}, qui tend à s'accumuler dans le foie). En revanche, les **vitamines liposolubles** s'accumulent plus facilement et il n'est pas essentiel d'en consommer tous les jours. De plus, étant solubles dans les lipides, ces vitamines sont mieux absorbées au niveau intestinal lorsqu'elles sont en présence de matières grasses.

Les rôles des vitamines dans l'organisme et les principaux symptômes de carence

Les vitamines participent à un grand nombre de processus métaboliques dans l'organisme ; plusieurs d'entre elles y exercent d'ailleurs plus d'une fonction. Dans les pages qui suivent, nous verrons que les vitamines agissent de différentes façons. Elles sont essentielles à l'**action enzymatique** puisqu'un grand nombre se transforment en coenzymes. Certaines vitamines agissent comme **antioxydants**, d'autres comme hormones ou encore comme **échangeurs d'électrons (ou d'atomes d'hydrogène)** dans d'importantes réactions chimiques. Enfin, certaines vitamines interviennent dans l'**expression des gènes**.

L'alimentation doit donc fournir à l'organisme suffisamment de vitamines pour répondre à ses besoins (voir *Les apports en vitamines recommandés*, à la page 157). Des choix judicieux d'aliments sont requis, car les quantités de vitamines qu'on y trouve varient grandement, notamment en raison de la nature même des vitamines, qui sont sensibles à l'action de divers facteurs (comme la chaleur, l'oxygène, la lumière et le pH) pouvant les rendre inactives (voir le chapitre 8). De plus, les vitamines contenues dans les aliments sont souvent présentes sous des formes qui nécessitent l'action des enzymes digestives pour être absorbées ; elles ne sont donc pas assimilées complètement.

Un apport de vitamines insuffisant peut mener à l'apparition de carences vitaminiques, surtout en présence de conditions qui augmentent les besoins en vitamines (grossesse, allaitement, maladie, ingestion chronique d'alcool ou de certains médicaments, etc.). La carence vitaminique touche d'abord l'état des réserves, lesquelles varient grandement d'une vitamine à une autre. Surviennent ensuite des anomalies lors d'épreuves biologiques, comme la baisse de l'activité de certaines enzymes dans les globules rouges du sang. Enfin, des signes cliniques, qui ne sont pas toujours spécifiques, apparaissent, parfois tardivement, indiquant une perturbation du fonctionnement de l'organisme.

Malgré les efforts déployés pour enrayer les maladies de carence vitaminique, elles sévissent encore dans plusieurs parties du monde. Aux États-Unis et au Canada, les déficiences graves en vitamines sont rares, mais on peut observer des formes modérées de carence vitaminique dans certains groupes particulièrement vulnérables, par exemple les personnes qui souffrent de maladies affectant l'ingestion, la digestion et l'absorption des aliments. Chez ces personnes, la présentation clinique d'une déficience vitaminique est souvent complexe, car elle s'accompagne généralement d'autres carences.

Les vitamines hydrosolubles

Les vitamines du groupe B

Les vitamines du groupe B sont au nombre de huit (voir le tableau 6.1, à la page précédente). Dans l'organisme, ces vitamines sont essentielles à l'action enzymatique (voir la figure 6.1). Plusieurs des enzymes synthétisées dans les ribosomes cellulaires apparaissent d'abord sous des formes incomplètes ; il s'agit de protéines inactives, appelées apoenzymes. Pour entrer en fonction, elles doivent se combiner avec une molécule non protéique, une **coenzyme**, qui, très souvent, dérive d'une vitamine du groupe B (voir le tableau 6.2). L'union d'une apoenzyme avec sa coenzyme forme une enzyme active, qui peut alors remplir sa fonction. Examinons plus en détail le rôle de chacune de ces vitamines.

La thiamine (vitamine B_1) – La thiamine tire son nom du mot grec « thios », lequel fait référence au soufre, un élément faisant partie de la structure chimique de cette vitamine. Dans l'organisme, les enzymes renfermant la coenzyme dérivée de la thiamine (voir le tableau 6.2) interviennent principalement dans les réactions qui favorisent la libération de l'énergie contenue dans les glucides. Sous forme de coenzyme, la thiamine est également nécessaire au métabolisme de certains acides aminés ainsi qu'à la synthèse du ribose, un sucre entrant dans la composition du matériel génétique.

La thiamine favoriserait aussi la transmission nerveuse. Pour cette raison et compte tenu du fait que les glucides constituent la principale source d'énergie des cellules nerveuses, la déficience en thiamine se caractérise par de multiples

Figure 6.1
Le rôle des vitamines du groupe B dans l'activation enzymatique

Plusieurs enzymes sont d'abord synthétisées sous une forme inactive (apoenzyme). Pour devenir active (holoenzyme), une apoenzyme doit se combiner avec une coenzyme. Plusieurs coenzymes sont dérivées de vitamines du groupe B.

Apoenzyme
(inactive)

+

Coenzyme
(dérivée d'une vitamine B)

Holoenzyme
(active : peut maintenant se combiner avec un substrat)

8

TABLEAU 6.2 Les vitamines du groupe B et leurs coenzymes

Vitamines	Coenzymes
Thiamine *B1*	Pyrophosphate de thiamine (TPP)
Riboflavine *B2*	Flavine mononucléotide (FMN) Flavine adénine dinucléotide (FAD)
Niacine *B3*	Nicotinamide adénine dinucléotide (NAD) Nicotinamide adénine dinucléotide phosphate (NADP)
Vitamine B_6	Phosphate de pyridoxal (PALP) Phosphate de pyridoxamine (PAMP)
Acide folique *B9*	Tétrahydrofolate (THF)
Vitamine B_{12}	Méthylcobalamine Désoxyadénosylcobalamine
Acide pantothénique *B5*	Coenzyme A (CoA)
Biotine *B8*	Pas de coenzyme – rattachée directement à l'enzyme

problèmes touchant le système nerveux : inflammation et paralysie de certains nerfs, troubles de la coordination neuromusculaire (par exemple problèmes de démarche), fatigue, diminution de la capacité de travail et perte d'appétit. C'est ce qu'on appelle le **béribéri**. Lorsque la déficience est légère (béribéri sec), les muscles deviennent sensibles et s'atrophient ; quand la maladie est grave, il y a présence d'œdème périphérique, principalement aux jambes, avec épanchement sérique (béribéri humide). Le cœur augmente de volume et son rythme devient anormalement rapide au moindre effort. La mort peut survenir par arrêt cardiaque.

Le béribéri a été associé à plusieurs sociétés orientales, qui consomment de grandes quantités de riz blanc. En décortiquant le riz pour le consommer, on enlève le son et le germe qui renferment la thiamine (voir le chapitre 9). Les nations plus riches obtiennent cette vitamine d'autres sources ou ont recours à l'enrichissement, mais celles dont l'alimentation repose principalement sur le riz blanc non enrichi peuvent souffrir de carence en thiamine. Toutefois, tout dépend du traitement qu'on fait subir au riz. Dans certaines parties de l'Inde, par exemple, le riz est étuvé avant d'être décortiqué ; ce processus permet à une partie de la thiamine contenue dans l'enveloppe de son de migrer à l'intérieur du grain. La décortication manuelle du grain réduit aussi les pertes de thiamine.

Depuis le début de l'ère industrielle, les techniques de polissage du riz ont augmenté l'incidence du béribéri en Orient. Vers la fin du XIXe siècle, la maladie est devenue endémique dans plusieurs régions du Sud-Est asiatique. À Malaya, par exemple, de nombreux ouvriers chinois qui travaillaient dans les mines de métal et qui consommaient de grandes quantités de riz décortiqué mécaniquement sont morts du béribéri, alors que les indigènes, qui mangeaient plutôt du riz étuvé ou décortiqué manuellement, n'ont pas été touchés par la maladie.

Bien qu'on soit maintenant en mesure de synthétiser la thiamine, le béribéri continue d'exister en Asie, le plus souvent sous une forme légère. On le rencontre rarement dans les pays développés, sauf chez certains alcooliques. Au Canada, le régime alimentaire moyen couvre amplement les besoins en thiamine. La moitié de la thiamine qu'il contient provient du groupe des « Produits céréaliers », souvent enrichis en cette vitamine (voir le chapitre 9).

Contrairement au riz brun, le riz blanc subit une perte de thiamine, car on enlève le germe et le son qui le recouvre.

La riboflavine (vitamine B$_2$) – Dans l'organisme, la riboflavine se transforme en deux coenzymes (voir le tableau 6.2, à la page 145) nécessaires à l'activation des flavoprotéines, des enzymes qui participent aux réactions d'oxydo-réduction. Une molécule est « oxydée » lorsqu'elle perd au moins un électron ou un atome d'hydrogène ; elle est « réduite » lorsqu'elle gagne au moins un électron ou un atome d'hydrogène. Les réactions d'oxydo-réduction impliquent le transfert d'électrons ou d'atomes d'hydrogène d'une molécule à une autre (voir la figure 6.2). Ces réactions sont nécessaires notamment pour libérer l'énergie que renferment les glucides, les lipides et les protéines.

La riboflavine a aussi une action antioxydante, car une coenzyme dérivée de cette vitamine intervient dans l'activation d'un système permettant à l'organisme de se protéger contre les effets néfastes des radicaux libres (voir *Les vitamines antioxydantes*, à la page 160). Enfin, toujours sous forme de coenzyme, la riboflavine participe à la transformation en coenzymes d'autres vitamines, telles la vitamine B$_6$, la niacine, l'acide folique et la vitamine K.

Plusieurs aliments contiennent de la riboflavine (voir le tableau 6.3, aux pages 148 et 149). Au Canada, la teneur du régime alimentaire moyen en riboflavine est généralement adéquate. Les aliments qui contribuent le plus à cet apport sont ceux appartenant aux groupes « Produits laitiers » et « Produits céréaliers » (voir les chapitres 11 et 9). La carence en riboflavine se caractérise entre autres par une langue gonflée et pourpre (glossite), des fissures aux commissures de la bouche (perlèche), une inflammation des lèvres et de la peau entourant la bouche et le nez, ainsi qu'un retard de croissance.

La niacine – La niacine comprend l'un ou l'autre des deux composés suivants : l'acide nicotinique et la nicotinamide (ou niacinamide). Tout comme la riboflavine, la niacine se transforme en coenzymes nécessaires à l'activation de systèmes enzymatiques, lesquels catalysent les réactions d'oxydo-réduction permettant de tirer l'énergie des substrats énergétiques que sont les glucides, les lipides et les protéines. Une coenzyme dérivée de la niacine joue également un rôle dans la synthèse de certains composés organiques, tels les acides gras, principaux constituants des lipides.

L'apport en protéines détermine en partie les besoins en niacine, car l'organisme peut synthétiser la niacine à partir du tryptophane, un acide aminé essentiel. Ainsi, un régime riche en protéines de bonne qualité diminue le besoin en niacine préformée. On évalue d'ailleurs la teneur d'un aliment en niacine en additionnant à son contenu en niacine préformée la quantité de niacine susceptible d'être synthétisée à partir de son contenu en tryptophane (voir le tableau 6.1, à la page 143).

La niacine est parfois appelée vitamine PP, pour « prévention de la pellagre ». Les symptômes classiques de la **pellagre**, une maladie causée par la déficience en niacine, sont la diarrhée, la démence et une inflammation de la peau (dermatite), laquelle se présente sous une forme caractéristique quand elle est exposée au soleil. Avec le temps, les troubles mentaux s'aggravent et la paralysie peut survenir.

Figure 6.2
Les réactions d'oxydo-réduction

Le carré illustré contenant deux atomes d'hydrogène (et les électrons qui leur sont associés) est « réduit ». Le transfert de l'hydrogène (et des électrons) sur le cercle réduit à son tour ce dernier, alors que le carré devient « oxydé ».

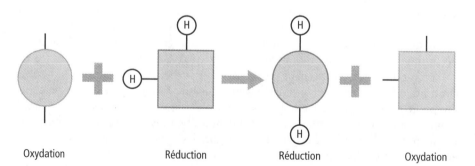

Oxydation   Réduction   Réduction   Oxydation

La pellagre était répandue dans certains pays d'Europe aux XVIIIe et XIXe siècles, et un peu plus tard dans le sud-est des États-Unis. Dans les populations touchées, l'alimentation était souvent à base de maïs. Bien que celui-ci renferme de la niacine, la vitamine y est liée à une protéine qui empêche son absorption dans l'organisme. De plus, les protéines du maïs renferment peu de tryptophane susceptible d'être transformé en niacine. Mais la pellagre ne touche pas nécessairement toutes les populations dont l'alimentation repose sur le maïs. Par exemple, les Amérindiens du Mexique et de l'Amérique centrale souffrent rarement de pellagre. En traitant à la chaux le maïs qu'ils utilisent pour fabriquer des tortillas et divers autres produits, ces Amérindiens favorisent la libération de la niacine contenue dans le maïs, laquelle peut alors être absorbée. Dans les populations bien nanties, la déficience en niacine est rare, car les aliments riches en protéines sont souvent riches en niacine (voir le chapitre 12).

La vitamine B₆ – Elle se présente sous trois formes : la pyridoxine, le pyridoxal et la pyridoxamine. L'organisme les transforme en coenzymes essentielles au déroulement d'une centaine de processus métaboliques, notamment la synthèse, la transformation et la dégradation des acides aminés. De façon plus précise, la vitamine B₆ joue un rôle important dans la synthèse de l'hème (partie de l'hémoglobine qui contient le fer), dans celle de divers composés intervenant dans le fonctionnement du système nerveux (notamment plusieurs neurotransmetteurs), ainsi que dans la conversion du tryptophane en niacine. Elle jouerait également un rôle dans le métabolisme des glucides et des lipides, le fonctionnement du système immunitaire et la régulation de certaines hormones.

La vitamine B₆ est assez bien répandue dans les aliments, mais en quantité souvent peu élevée. Dans le régime alimentaire moyen des Canadiens, le groupe des « Légumes et fruits » (voir le chapitre 10) et celui des « Viandes et substituts » (voir le chapitre 12) contribuent le plus à l'apport en vitamine B₆. Les carences en vitamine B₆ sont rares et se traduisent entre autres par des troubles neurologiques. Certains des symptômes de la déficience en vitamine B₆ s'apparentent à ceux des déficiences en riboflavine et en niacine.

L'acide folique – Dans la nature, l'acide folique[2] (ou acide ptéroylmonoglutamique) constitue la structure fondamentale d'un groupe de composés appelés folates (parfois regroupés sous l'appellation « folacine »). Dans l'organisme, les folates agissent comme coenzymes dans le transfert des molécules contenant un seul atome de carbone (fraction monocarbonée). Pour cette raison, l'acide folique joue un rôle important dans la synthèse des acides nucléiques (ADN et ARN) et, par conséquent, dans le processus de la division cellulaire. Durant la grossesse, les besoins de la femme en acide folique augmentent d'ailleurs beaucoup (voir l'annexe 1). L'acide folique intervient également dans le métabolisme de certains acides aminés (dont l'homocystéine) et dans la synthèse de neurotransmetteurs.

L'insuffisance d'acide folique dans l'organisme entraîne un ralentissement de la division cellulaire. Les tissus qui fabriquent les cellules du sang comptent parmi les plus touchés par ce phénomène. En effet, les globules rouges, des cellules à renouvellement fréquent, sont d'abord produits sous une forme immature et doivent continuer à se diviser pour devenir fonctionnels. Par conséquent, une déficience en acide folique se traduit par une forme d'**anémie dite macrocytaire**, caractérisée par des globules rouges anormalement gros, une réduction de leur nombre et une baisse de la concentration en hémoglobine du sang.

Si la déficience en acide folique entraîne des anomalies des globules sanguins, les résultats de diverses recherches tendent à démontrer qu'un apport à peine suffisant

---

2. L'acide para-amino-benzoïque (PABA) fait partie de la structure de l'acide folique. Il ne peut toutefois être considéré comme un précurseur de l'acide folique, puisque l'organisme humain ne peut synthétiser ce dernier à partir du PABA.

TABLEAU 6.3   Le sommaire des vitamines

	Fonctions	ANREF chez l'adulte*	Effets de carence	Principales sources alimentaires
Thiamine (B₁)	Se transforme en coenzyme nécessaire au métabolisme des glucides et de certains acides aminés; libère le contenu en énergie des glucides. Favorise la transmission nerveuse.	de 1,1 à 1,2 mg/jour	Béribéri: troubles de la coordination neuromusculaire, perte d'appétit, atrophie des muscles, œdèmes aux jambes, troubles cardiaques, confusion mentale.	Produits céréaliers à grains entiers ou enrichis, porc, germe de blé, légumineuses, foie, noix et graines, petits pois. (N. B.: Vitamine particulièrement sensible à la chaleur, surtout en milieu alcalin.)
Riboflavine (B₂)	Se transforme en coenzymes nécessaires au métabolisme des glucides, des lipides et des protéines; libère leur contenu en énergie. Nécessaire à l'action d'autres vitamines (niacine, acide folique, vitamine B₆, vitamine K). Agit aussi comme un antioxydant.	de 1,1 à 1,3 mg/jour	Inflammation de la langue, des lèvres et de la peau, surtout près du nez, fissures aux commissures de la bouche, retard de croissance.	Lait, yogourt, fromages, produits de boulangerie fabriqués avec une farine enrichie, pâtes alimentaires enrichies, foie, rognons, œufs, mollusques, noix et graines, certains légumes. (N. B.: Vitamine particulièrement sensible à la lumière.)
Niacine (B₃)	Se transforme en coenzymes nécessaires au métabolisme des glucides, des lipides et des protéines; libère leur contenu en énergie. Participe à la synthèse de composés organiques, tels les acides gras.	de 14 à 16 ÉN/jour	Pellagre: inflammation de la peau (dermatite), surtout aux endroits exposés au soleil, diarrhée, démence.	Viande, volaille, poisson, foie, produits céréaliers à grains entiers ou enrichis, noix et graines, légumineuses. (N. B.: Une des vitamines les plus stables.)
Vitamine B₆	Se transforme en coenzymes essentielles au déroulement d'une centaine de processus métaboliques. Nécessaire au métabolisme des protéines.	1,3 mg/jour	Inflammation de la langue, des lèvres et de la peau, surtout près du nez, fissures aux commissures de la bouche, anémie sensible à la vitamine B₆, irritabilité, dépression et confusion. Troubles neurologiques.	Viande, volaille, poisson, foie, légumineuses, noix et graines, plusieurs légumes (dont la pomme de terre), certains fruits (par exemple avocat, banane), produits céréaliers à grains entiers et enrichis, germe de blé.
Acide folique	Se transforme en coenzyme nécessaire à la synthèse des acides nucléiques (ADN et ARN); formation des globules rouges.	400 mcg/jour	Anémie macrocytaire se caractérisant par un nombre réduit de globules rouges, anormalement gros. Augmentation des risques de malformation du tube neural (exemple: spina bifida) chez le fœtus.	Plusieurs légumes (dont les légumes verts feuillus) et fruits, abats, germe de blé, produits céréaliers à grains entiers ou enrichis (pâtes alimentaires et produits fabriqués avec une farine blanche en particulier), légumineuses, noix et graines. (N. B.: Vitamine sensible à la chaleur.)
Vitamine B₁₂	Se transforme en coenzyme nécessaire à la synthèse des acides nucléiques (ADN, ARN); formation des globules rouges. Essentielle au fonctionnement du système nerveux.	2,4 mcg/jour	Anémie macrocytaire se caractérisant par un nombre réduit de globules rouges, anormalement gros. Troubles neurologiques.	Seulement d'origine animale: abats, viande, volaille, poisson, œufs, produits laitiers. Aliments enrichis: boisson de soja, succédanés de la viande.
Acide pantothénique	Se transforme en coenzyme A (CoA) nécessaire au métabolisme des glucides, des lipides et des protéines; libère leur contenu en énergie.	5 mg/jour	Rarement observés. Notamment fatigue, nausée et insomnie.	Bien répandu dans les aliments. Viandes et substituts (y compris les abats), produits céréaliers à grains entiers ou enrichis, légumes (exemple: avocat, brocoli, champignons), produits laitiers.

	Fonctions	ANREF chez l'adulte*	Effets de carence	Principales sources alimentaires
Biotine (B8)	Coenzyme nécessaire à la synthèse du glucose, des acides gras et des acides nucléiques.	30 mcg/jour	Rarement observés. Perte d'appétit, troubles neurologiques, perte de cheveux, inflammation de la peau (dermatite).	Foie, œuf, légumineuses (incluant les arachides), noix et graines, viande, poisson, certains légumes et fruits.
Vitamine C (ac. ascorbique, ac. deshydroascorbique)	Pouvoir antioxydant. Nécessaire à la synthèse de divers composés, dont le collagène, une protéine du tissu conjonctif contenue dans la matrice des os et des dents, les cartilages, les tendons, les vaisseaux sanguins et la peau. Favorise l'absorption du fer.	de 75 à 90 mg/jour**	Scorbut: perte d'appétit, hémorragies cutanées, hyperkératose, faiblesse des muscles et des articulations, saignement des gencives; à plus long terme: hémorragies importantes, faiblesse généralisée, mort.	Légumes et fruits (exemples: agrumes, kiwi, fraise, papaye, melon, poivrons rouge et vert, brocoli, chou de Bruxelles, chou-fleur, pois mange-tout). (N. B.: Vitamine rapidement inactivée par l'O_2, l'alcalinité, la chaleur et la lumière UV.)
Vitamine A (retinol, retinal, ac. rétinoïque)	Facilite la vision dans l'obscurité. Nécessaire au maintien de l'intégrité du tissu épithélial et des muqueuses, à la croissance osseuse et à la reproduction. Pouvoir antioxydant (caroténoïdes seulement).	de 700 à 900 ÉAR/jour	Diminution de la vision nocturne; assèchement des tissus épithéliaux, notamment la cornée de l'œil (xérophtalmie), pouvant conduire à la cécité irréversible; diminution de la résistance aux infections.	Foie, produits laitiers, œufs. Légumes et fruits jaunes, orange et vert foncé (caroténoïdes seulement).
Vitamine D (D3 cholecalciferol, D2 ergocalciferol)	Facilite l'absorption et l'utilisation du calcium et du phosphore; favorise le développement et le maintien de la structure osseuse. Influence la différenciation et la prolifération cellulaire dans un grand nombre de tissus.	5 mcg/jour***	Rachitisme chez l'enfant: retard de croissance et malformations osseuses. Ostéomalacie chez l'adulte: déminéralisation osseuse.	Peu de sources naturelles, hormis les poissons et les œufs. Aliments enrichis: lait, margarine et boisson de soja. (N. B.: Vitamine qui peut être synthétisée dans la peau sous l'action des rayons solaires lorsque l'ensoleillement est suffisant.)
Vitamine E (tocopherol, tocotrienol)	Pouvoir antioxydant. Prévient l'oxydation des acides gras polyinsaturés et du cholestérol contenus dans les tissus.	15 mg/jour	Augmentation de la fragilité des globules rouges, perturbations dans le développement du système nerveux et la coordination neuro-musculaire chez l'enfant.	Germe de blé, noix, graines et huiles végétales tirées de ces aliments. Produits alimentaires fabriqués à partir d'huiles végétales (margarines, vinaigrettes, mayonnaise, etc.), certains légumes verts.
Vitamine K (phylloquinone, menaquinone)	Essentielle à la coagulation du sang. Intervient dans d'autres processus métaboliques importants (dans le tissu osseux notamment).	de 90 à 120 mcg/jour	Rares chez l'adulte. Hémorragies chez le nouveau-né.	Légumes vert foncé, certaines légumineuses, huiles de canola et de soya et produits renfermant ces huiles.

ANREF = Apports nutritionnels de référence.

* Les valeurs présentées dans ce tableau correspondent aux besoins typiques d'adultes en santé âgés de 19 à 50 ans; elles excluent les besoins des femmes enceintes et de celles qui allaitent (Institut de médecine américain, 1997-2001). Un tableau détaillé des ANREF est présenté à l'annexe 1.

** Les fumeurs doivent augmenter leur apport en vitamine C de 35 mg par jour.

*** En l'absence d'exposition suffisante au soleil.

augmente la prévalence de malformations du tube neural (comme le spina bifida) chez le fœtus, en plus d'accroître le risque de développer plusieurs cancers (ceux touchant le tube digestif notamment) dans la population adulte. Il semble que l'acide folique ait également un rôle à jouer dans la santé cardiovasculaire (voir le chapitre 4). Les nutritionnistes s'intéressent donc de plus en plus à cette vitamine.

L'enrichissement de la farine blanche en acide folique est devenu obligatoire au Canada en 1998 ; de plus, la quantité de cette vitamine qui doit être ajoutée aux pâtes alimentaires enrichies a été augmentée (voir le chapitre 9). Ces mesures ont sensiblement accru l'apport du régime alimentaire en acide folique. Il est intéressant de noter que, depuis lors, on observe une baisse significative de l'incidence des anomalies du tube neural chez les nourrissons. Cette baisse pourrait aussi s'expliquer par la consommation accrue, durant cette même période, de suppléments d'acide folique chez les femmes en âge de procréer. L'enrichissement du régime alimentaire canadien en acide folique est également lié à une baisse significative de l'incidence du neuroblastome (une tumeur maligne) chez les jeunes enfants. Outre les produits céréaliers enrichis, les légumes et les fruits contribuent de manière importante à l'apport du régime alimentaire en acide folique (voir le chapitre 10).

La vitamine B_{12} – Cette vitamine est particulière puisque, dans la nature, seuls les microorganismes peuvent la synthétiser. On l'appelle aussi cobalamine, en raison de sa structure chimique, qui se distingue par la présence en son centre d'un ion cobalt. La vitamine B_{12} existe sous différentes formes, selon le groupe chimique auquel elle est rattachée. Ainsi, la cyanocobalamine, souvent utilisée dans les suppléments vitaminiques, contient un groupe cyanide. L'organisme convertit la vitamine B_{12} sous sa forme coenzyme, laquelle agit de concert avec la coenzyme-acide folique pour l'aider à accomplir ses différentes fonctions. À l'instar de l'acide folique, la vitamine B_{12} joue donc un rôle important dans la division cellulaire. Elle est également essentielle au bon fonctionnement du système nerveux, ce qui n'est pas le cas de l'acide folique.

Pour être absorbée au niveau intestinal, la vitamine B_{12} doit d'abord être libérée des protéines auxquelles elle est attachée dans les aliments, grâce à l'acidité gastrique, et ensuite se lier à une substance produite par l'estomac, appelée **facteur intrinsèque**. Les maladies de l'estomac qui réduisent la production d'acide chlorhydrique ou qui perturbent la synthèse du facteur intrinsèque inhibent l'absorption de la vitamine B_{12} et peuvent être à l'origine d'une déficience en cette vitamine. Comme la déficience en acide folique, la déficience en vitamine B_{12} se traduit par une **anémie de type macrocytaire** ; elle entraîne aussi une **dégénérescence du système nerveux** qui peut être fatale.

L'apport en vitamine B_{12} du régime alimentaire canadien moyen est généralement adéquat. Le végétarisme strict, qui exclut tous les aliments d'origine animale, augmente les risques de déficience en vitamine B_{12} car seuls les animaux accumulent cette vitamine dans leur organisme (voir les chapitres 11 et 12). Les végétariens stricts doivent donc avoir recours à certains aliments enrichis (plusieurs boissons de soja notamment) ou prendre un supplément de vitamine B_{12} (voir *Le végétarisme*, à la page 285). Soulignons que, chez l'adulte, plusieurs années peuvent s'écouler avant que n'apparaissent les symptômes d'une déficience en vitamine B_{12}. Contrairement aux autres vitamines du groupe B, la vitamine B_{12} s'accumule dans l'organisme, car elle est recyclée par la voie entérohépatique.

L'acide pantothénique – L'acide pantothénique (parfois appelé vitamine B_5) se transforme dans l'organisme en coenzyme A (CoA), un transporteur universel. À l'intérieur de systèmes enzymatiques spécifiques, la CoA sert au transfert d'un certain type de molécules dans un grand nombre de réactions métaboliques essentielles à la survie de nombreux organismes. Ainsi, elle se combine avec les groupes acétyl produits par la dégradation des glucides, des lipides et de certains acides aminés

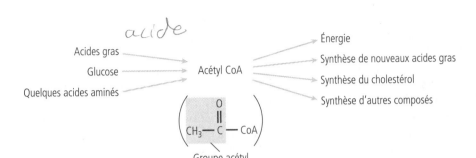

acide

Acides gras ────────┐
Glucose ──────────→ Acétyl CoA ──→ Énergie
Quelques acides aminés ──┘   ──→ Synthèse de nouveaux acides gras
                                   ──→ Synthèse du cholestérol
                                   ──→ Synthèse d'autres composés

$$\left(CH_3 - \underset{\underset{Groupe\ acétyl}{}}{\overset{\overset{O}{\parallel}}{C}} - CoA \right)$$

**Figure 6.3
Le métabolisme
de l'acétyl CoA**

Les groupes « acétyl » provenant de la dégradation du glucose, des acides gras et de certains acides aminés se lient à la coenzyme A (CoA), laquelle les libère ensuite pour la production d'énergie et pour la synthèse de nouveaux acides gras, de cholestérol et d'autres composés.

pour former de l'acétyl CoA. Par la suite, la CoA libère les groupes acétyl soit à l'intérieur du cycle de Krebs où ils servent à la production d'énergie (voir le chapitre 2), soit dans les voies métaboliques menant à la synthèse d'acides gras, de cholestérol ou de nombreux autres composés (voir la figure 6.3).

Pour être absorbé dans l'organisme, l'acide pantothénique doit être libéré de la CoA. Cette vitamine se trouve dans la plupart des aliments de base (voir le tableau 6.3, aux pages 148 et 149) ; la déficience en acide pantothénique est donc rare. Toutefois, un apport sous-optimal est possible chez les personnes dont l'alimentation est composée principalement d'aliments raffinés, car plusieurs des transformations que les aliments subissent diminuent grandement leur teneur en acide pantothénique.

La biotine – Contrairement aux autres vitamines du groupe B, la biotine n'a pas à subir de transformations pour servir de coenzyme. Les enzymes renfermant de la biotine catalysent les réactions de carboxylation, un processus qui consiste à fixer du gaz carbonique à diverses molécules. La biotine est donc importante pour la synthèse de plusieurs composés, notamment les acides gras et le glucose.

La biotine est surtout présente dans les aliments d'origine animale (voir le tableau 6.3), et souvent en faibles concentrations. Étant donné que la microflore habitant le côlon est capable de synthétiser la biotine, elle constitue sans doute une source endogène de biotine. Il est cependant difficile de connaître avec précision les besoins en biotine, car la proportion de biotine de source endogène réellement absorbée dans l'organisme demeure indéterminée. Il reste que la déficience en cette vitamine est rare ; elle a déjà été provoquée expérimentalement par l'ingestion chronique de blanc d'œuf cru, lequel renferme de l'avidine, une protéine qui se combine à la biotine et en inhibe l'absorption.

La vitamine C

La vitamine C est sans doute la plus populaire de toutes les vitamines, mais aussi celle qui suscite le plus de controverse dans le monde scientifique (voir *Les propriétés thérapeutiques des vitamines*, à la page 157, et *Les vitamines antioxydantes*, à la page 160). La structure chimique de la vitamine C s'apparente à celle des glucides. Les animaux qui synthétisent leur propre vitamine C le font d'ailleurs à partir du glucose. L'humain en est incapable, car il lui manque une enzyme. Il lui faut donc se procurer de la vitamine C de sources exogènes.

La vitamine C se présente sous deux formes : réduite et oxydée. La vitamine C sous forme réduite, l'**acide ascorbique**, fournit des électrons et des atomes d'hydrogène ; elle se transforme ainsi en **acide déshydroascorbique**, la forme oxydée. Lorsqu'il reçoit des électrons et des atomes d'hydrogène, l'acide déshydroascorbique redevient de l'acide ascorbique. Le grand pouvoir réducteur de l'acide ascorbique lui confère un rôle important dans de multiples fonctions organiques.

La vitamine C est bien connue pour sa participation à la synthèse du collagène, une protéine qu'on trouve en abondance dans le tissu conjonctif dont sont constituées

L'humain étant incapable de synthétiser sa propre vitamine C, il doit se la procurer de sources exogènes. Les agrumes, dont le citron, en sont une excellente source.

diverses structures de l'organisme, comme la matrice soutenant les os et les dents, les cartilages, les tendons, les vaisseaux sanguins et la peau. La vitamine C intervient également dans plusieurs processus métaboliques, comme la formation des sels biliaires à partir du cholestérol, la synthèse d'hormones, de neurotransmetteurs (par exemple la noradrénaline) ou encore de carnitine, une substance servant à transporter les acides gras à l'intérieur des mitochondries pour en tirer de l'énergie. De plus, la vitamine C favorise l'absorption du fer non héminique présent dans les aliments (voir le chapitre 7). Enfin, elle favoriserait aussi le catabolisme de certaines substances médicamenteuses et permettrait de contrecarrer l'action néfaste de diverses substances oxydantes, issues du métabolisme ou de l'environnement, appelées radicaux libres.

La maladie résultant de la carence en vitamine C est le **scorbut** (d'où l'appellation « acide ascorbique » pour désigner cette vitamine). Rare de nos jours, le scorbut a décimé bien des populations dans le passé quand les fruits et les légumes, seules sources importantes de vitamine C (voir le chapitre 10), étaient absents de l'alimentation. Le scorbut est responsable de l'échec de plusieurs explorations en mer et sur terre, et probablement aussi de l'échec de plusieurs croisades médiévales. Des navigateurs et explorateurs comme Vasco de Gama et Jacques Cartier ont vu succomber bien des membres de leurs équipages atteints de cette maladie.

Les premiers symptômes du scorbut sont la perte d'appétit, la faiblesse et la douleur aux articulations et aux muscles. De petites hémorragies apparaissent autour des follicules pileux. Les gencives enflent et saignent. Ensuite, des hémorragies plus importantes se produisent dans diverses parties de l'organisme. L'effort physique devient impossible et des changements d'ordre émotif apparaissent. Le scorbut non traité est fatal. Seulement 10 mg de vitamine C par jour suffisent pour prévenir son apparition.

Les vitamines liposolubles

La vitamine A

La vitamine A comprend deux groupes de composés : 1) le **rétinol et ses dérivés** (tels le rétinal et l'acide rétinoïque) et 2) les **caroténoïdes provitamines A**. Le rétinol et ses dérivés sont des composés actifs qui constituent la vitamine A préformée. Les caroténoïdes provitamines A, comme leur nom l'indique, sont des caroténoïdes qui peuvent être transformés en vitamine A dans l'organisme. Les caroténoïdes sont les pigments responsables de la couleur jaune et orangée de plusieurs fruits et légumes. Certains d'entre eux peuvent servir de précurseurs de la vitamine A. Le bêta-carotène est le plus important des caroténoïdes servant de provitamines A ; environ le douzième du bêta-carotène présent dans les aliments (et la moitié de celui qu'on trouve dans les suppléments) est transformé en vitamine A dans l'organisme.

La vitamine A joue plusieurs rôles dans l'organisme. L'un des mieux compris est celui qu'elle exerce dans le mécanisme de la vision en permettant l'adaptation à la pénombre (voir la figure 6.4). C'est dans les bâtonnets situés à l'arrière de l'œil, sur la rétine, que la vitamine A exerce cette action. Elle y est présente sous forme de rétinal, lequel se combine à une protéine, l'opsine, pour former la rhodopsine. Quand une lumière de faible intensité frappe les bâtonnets, la rhodopsine se scinde en produisant des influx nerveux qui voyagent jusqu'au centre de la vision, situé dans le cerveau. En recevant ces influx de l'œil, le cerveau les réunit et forme une image visuelle. La rétine contient également des cônes. Les cônes renferment, eux aussi, plusieurs pigments composés de rétinal qui, par un mécanisme similaire à celui se produisant dans les bâtonnets, assurent la perception des couleurs.

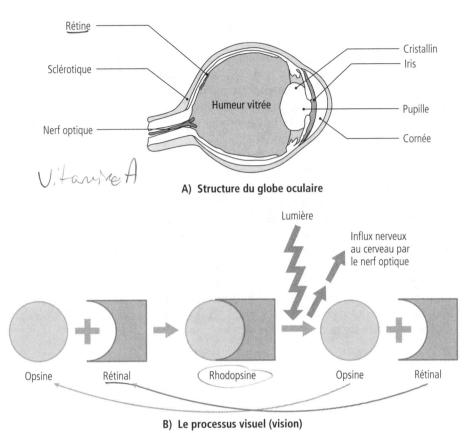

A) Structure du globe oculaire

B) Le processus visuel (vision)

Figure 6.4
Le processus de la vision

A) Le cristallin s'accommode à la lumière et dirige les ondes lumineuses sur la rétine.

B) La lumière frappe les bâtonnets sur la rétine et transforme la rhodopsine en opsine et en rétinal, produisant un influx nerveux qui se rend au cerveau. Celui-ci interprète les multiples influx nerveux visuels provenant de la rétine et forme l'image. Un processus identique impliquant les cônes de la rétine permet la vision des couleurs.

En influençant l'expression de certains gènes, la vitamine A joue également un rôle dans la différenciation et la multiplication des cellules, notamment celles qui composent le tissu épithélial. Celui-ci recouvre toutes les surfaces corporelles et protège l'organisme contre l'invasion des microorganismes. Il comprend non seulement la peau et la couche externe de l'œil, mais aussi les muqueuses qui tapissent l'intérieur des structures reliant l'organisme à son environnement, tels les voies digestives, respiratoires et urinaires, l'utérus et les différents canaux (pancréatiques, biliaires, etc.). Le tissu épithélial comprend également les glandes sécrétant le mucus et le sébum nécessaires à son entretien, lesquelles ont aussi besoin de vitamine A pour fonctionner normalement. En exerçant un contrôle sur l'expression génétique, cette vitamine influence d'autres processus métaboliques liés à la réponse immunitaire, au développement de l'embryon, à la spermatogénèse et à la croissance osseuse.

Enfin, soulignons le pouvoir antioxydant des caroténoïdes, qu'ils aient ou non une activité vitaminique. Ce pouvoir s'avère utile à l'organisme, qui doit continuellement se défendre contre l'action de divers composés capables de causer des dommages oxydatifs aux cellules. Les caroténoïdes font partie de l'arsenal utilisé par l'organisme pour inactiver ces substances (voir *Les vitamines antioxydantes*, à la page 160).

Étant donné que les animaux entreposent dans leur foie la majeure partie de la vitamine A contenue dans leur organisme, cet organe constitue l'une des meilleures sources de vitamine A dans l'alimentation. Toutefois, les légumes et les fruits sont les aliments qui contribuent le plus à l'apport du régime alimentaire canadien moyen en vitamine A (voir le chapitre 10). La contribution des produits laitiers est également appréciable (voir le chapitre 11), car la vitamine A est sécrétée dans le lait des mammifères.

Une alimentation qui renferme peu d'aliments d'origine animale, de légumes et de fruits est généralement déficiente en vitamine A. Un des premiers signes de cette déficience est la cécité nocturne, c'est-à-dire l'incapacité de voir quand la lumière est faible. À mesure que la maladie s'aggrave, le tissu épithélial s'assèche, un processus appelé kératinisation ; l'épiderme devient dur et sec et ne constitue plus une barrière efficace contre les bactéries et les virus. La kératinisation touche aussi la cornée de l'œil, c'est-à-dire la couche transparente recouvrant le cristallin, laquelle devient opaque. Non traitée, cette maladie de l'œil, appelée xérophthalmie, conduit rapidement à une cécité irréversible. La carence en vitamine A nuit aussi à la croissance et à la reproduction de l'organisme.

La déficience en vitamine A est l'une des déficiences vitaminiques les plus répandues dans le monde. Elle est endémique dans plusieurs régions du globe depuis des centaines d'années. À l'instar de la malnutrition protéino-énergétique (voir le chapitre 5), la déficience en vitamine A est liée à la pauvreté et s'observe surtout chez les enfants des pays en voie de développement, dont un grand nombre deviennent aveugles chaque année. Tant qu'ils sont nourris au sein, ces enfants sont relativement protégés. Mais une fois sevrés, ils souffrent rapidement de déficience en vitamine A, car leur alimentation se compose alors principalement de céréales ou de tubercules, deux catégories d'aliments souvent pauvres en vitamine A et qui, de surcroît, renferment très peu de matières grasses pouvant faciliter son absorption. Enfin, la malnutrition protéino-énergétique et les infections accélèrent l'apparition des symptômes de la carence en vitamine A.

La vitamine D

La vitamine D est considérée à la fois comme une vitamine et une hormone. Le terme « vitamine D » fait principalement référence au **cholécalciférol** (ou vitamine D_3). Présent dans les tissus des animaux, le cholécalciférol est synthétisé dans la peau, lorsqu'elle est exposée aux rayons ultraviolets du soleil et à la chaleur, à partir d'un dérivé du cholestérol, le 7-déshydrocholestérol (voir la figure 6.5). La vitamine D (parfois appelée « vitamine soleil ») n'est donc considérée comme un nutriment essentiel que lorsque l'ensoleillement est insuffisant.

Plusieurs facteurs déterminent le temps d'ensoleillement nécessaire pour combler les besoins de l'organisme en vitamine D. Par exemple, la production de vitamine D dans l'organisme augmente en fonction de l'étendue de la peau exposée au soleil et de l'intensité des rayons ultraviolets ; elle diminue donc de façon marquée durant la saison froide. De plus, la capacité de l'organisme à synthétiser la vitamine D diminue avec l'âge et lorsque la peau est riche en mélanine, un pigment de couleur foncée qui absorbe les rayons ultraviolets, réduisant ainsi la synthèse de vitamine D. Les crèmes servant d'écran solaire diminuent aussi la production de vitamine D dans la peau, mais les séances dans les salons de bronzage l'augmentent. Les populations des pays nordiques ont un plus grand besoin de vitamine D de source exogène que les autres populations, surtout lorsqu'elles vivent dans des régions urbaines où la pollution atmosphérique réduit encore l'ensoleillement. Il en va de même pour les individus confinés à la maison, comme les malades et les personnes âgées dont la mobilité est réduite, ainsi que pour les bébés nourris exclusivement au sein, car le lait maternel renferme peu de vitamine D.

Le cholécalciférol est inactif dans l'organisme. Pour y remplir ses fonctions, il doit être préalablement transformé, d'abord dans le foie, puis dans certains autres tissus, dont le rein. La transformation du cholécalciférol dans le rein nécessite l'intervention d'une hormone sécrétée par les glandes parathyroïdiennes, la parathormone. De concert avec diverses hormones, le cholécalciférol actif joue alors un rôle essentiel dans le maintien de l'équilibre des niveaux de calcium et de phosphore dans le sang. Par son action sur l'expression de certains gènes, il stimule notamment l'absorption de ces minéraux au niveau intestinal, favorisant ainsi le développement et le maintien de la structure osseuse (voir le chapitre 7). La forme

Figure 6.5
La synthèse de la vitamine D dans l'organisme

Les rayons solaires ultraviolets frappent la peau et transforment le 7-déshydrocholestérol (un dérivé du cholestérol) en cholécalciférol, une forme de vitamine D.

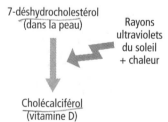

7-déshydrocholestérol
(dans la peau)

Rayons
ultraviolets
du soleil
+ chaleur

Cholécalciférol
(vitamine D)

active du cholécalciférol serait également essentielle pour normaliser la différenciation et la prolifération cellulaires dans un grand nombre de tissus, incluant le système immunitaire.

La carence en vitamine D est causée à la fois par un manque d'exposition au soleil et par l'absence de vitamine D dans l'alimentation. Cette carence a de graves conséquences sur la minéralisation des os. Chez les enfants, les os deviennent mous et se déforment. Cette maladie, appelée **rachitisme**, se manifeste par des jambes arquées, des genoux protubérants, une colonne arrondie, des articulations élargies et un thorax difforme. Le rachitisme était très répandu autrefois dans les régions nordiques telles que les îles Britanniques et la Scandinavie, surtout après la révolution industrielle. Dans les centres miniers de ces régions déjà peu ensoleillées, la pollution de l'air empêchait les radiations ultraviolettes d'atteindre le sol. La vitamine D étant très peu présente naturellement dans les aliments, la maladie est devenue épidémique vers la fin du XIXᵉ siècle. Une des cures utilisées à cette époque consistait à donner de l'huile de foie de morue aux enfants, car cette pratique avait un effet bénéfique sur leur santé osseuse. On a découvert plus tard que le foie de morue est particulièrement riche en vitamine D.

Chez l'adulte, la déficience en vitamine D entraîne une déminéralisation progressive des os qui augmente la susceptibilité aux fractures, et dont la forme la plus sévère est appelée **ostéomalacie**. En raison du rôle manifeste de la vitamine D dans la physiologie cellulaire, une insuffisance de cette vitamine pourrait avoir plusieurs autres effets délétères. Ainsi, on observe un risque accru de diverses maladies, comme le diabète, le cancer (sauf celui de la peau), la sclérose en plaques et les maladies cardiovasculaires, dans les populations nordiques, où l'ensoleillement est réduit pendant une bonne partie de l'année. Selon certains chercheurs, l'apport de l'alimentation de ces populations en vitamine D est souvent trop faible pour maintenir un niveau adéquat de cette vitamine dans l'organisme.

Au Canada, deux aliments enrichis en vitamine D, le lait et la margarine, contribuent le plus à l'apport en vitamine D du régime alimentaire moyen actuel, bien que plusieurs poissons comptent parmi les meilleures sources de cette vitamine. La teneur en vitamine D de certains aliments est présentée au chapitre 11 (voir la page 265). Le règne végétal est pour ainsi dire dépourvu de vitamine D. Il renferme toutefois une substance, l'ergostérol, qui se transforme en ergocalciférol lorsqu'elle est soumise aux radiations ultraviolettes et à la chaleur. Aussi appelé vitamine D_2, l'ergocalciférol a une activité biologique comparable à celle du cholécalciférol ; il a déjà été la forme de vitamine D utilisée pour l'enrichissement des aliments.

La vitamine E

Deux groupes de composés chimiques, les **tocophérols** et les **tocotriénols**, forment la vitamine E. Chaque groupe renferme des composés alpha, bêta, gamma et delta, mais l'alpha-tocophérol est de loin la forme de vitamine E la plus active.

À l'instar de la vitamine C et des caroténoïdes, la vitamine E a un pouvoir antioxydant. Par conséquent, elle protège les cellules contre l'action néfaste des radicaux libres (voir *Les vitamines antioxydantes*, à la page 160). La vitamine E est liée à la présence des lipides. Dans l'organisme, elle s'accumule dans le tissu adipeux. On la trouve aussi avec les lipides qui composent les membranes cellulaires et avec ceux qui sont transportés dans le sang à l'intérieur des lipoprotéines. Cette répartition de la vitamine E s'avère judicieuse puisque certains types de lipides, notamment les acides gras polyinsaturés (AGPI), sont particulièrement sensibles à l'oxydation (voir le chapitre 4) : en présence de radicaux libres, ils forment des peroxydes capables d'endommager les membranes cellulaires. La vitamine E, elle, peut inactiver ces peroxydes. L'apport de l'alimentation en AGPI influence d'ailleurs les besoins en vitamine E de l'organisme.

Les maladies qui entravent l'absorption de la vitamine E au niveau intestinal augmentent les risques de déficience en cette vitamine. La déficience en vitamine E fragilise les cellules, notamment les globules rouges du sang qui, en présence d'un oxydant, se brisent plus facilement ; il peut s'ensuivre une anémie dite hémolytique. Chez l'enfant, la déficience en vitamine E entrave aussi le développement du système nerveux et perturbe la coordination neuromusculaire. Enfin, dans le sang, l'insuffisance de vitamine E rend les lipides transportés par les LDL (le mauvais cholestérol) plus susceptibles à l'oxydation. Or, ces derniers paraissent plus dommageables pour la paroi des artères quand leurs lipides sont oxydés. Dans certaines études, on a d'ailleurs observé que le niveau de vitamine E dans le sang est inversement corrélé avec le risque de maladies cardiovasculaires.

Il paraît donc avantageux d'intégrer régulièrement de bonnes sources de vitamine E à son alimentation. La quantité quotidienne de vitamine E désormais recommandée (voir le tableau 6.3, aux pages 148 et 149) représente d'ailleurs une nette augmentation par rapport à l'apport recommandé précédemment. Or, la teneur en vitamine E de notre alimentation serait souvent inadéquate. Une enquête effectuée auprès de la population américaine révèle qu'une majorité d'Américains consomment une quantité de vitamine E inférieure à la recommandation actuelle. Les aliments d'origine végétale riches en AGPI, comme le germe des céréales, les graines et certaines noix, sont souvent naturellement riches en vitamine E. Les huiles végétales extraites de ces aliments ainsi que certains légumes verts en renferment aussi de bonnes quantités (voir le chapitre 13).

Soulignons que la teneur en vitamine E des aliments a récemment été révisée à la baisse. Différentes formes de cette vitamine ont longtemps été prises en compte pour mesurer la quantité totale de vitamine E présente dans un aliment ; or, seule la quantité d'alpha-tocophérol est désormais prise en considération. La teneur en vitamine E d'un menu analysé avec les valeurs les plus récentes (exprimées en mg d'alpha-tocophérol) ne représente plus, en moyenne, que 80 % de la teneur en vitamine E déterminée à partir des valeurs traditionnelles (exprimées en mg d'équivalents d'alpha-tocophérol).

La vitamine K

Au Danemark, au début des années 1930, on a découvert un composé d'origine végétale capable de guérir la maladie hémorragique chez les poulets. On l'a appelé vitamine « K », d'après la première lettre du mot danois « koagulation ». Il existe dans la nature deux formes de vitamine K : la **vitamine K$_1$ (ou phylloquinone)**, présente dans les plantes, et la **vitamine K$_2$ (ou ménaquinone)**, produite par certaines bactéries.

La vitamine K a des propriétés antihémorragiques. Lorsqu'une lésion apparaît à la paroi d'un vaisseau sanguin, cette vitamine favorise la formation d'un caillot par l'activation de diverses protéines nécessaires au processus de coagulation, dont la prothrombine. En l'absence de vitamine K, ces facteurs protéiques demeurent inactifs et le sang continue de s'écouler. Ils ne deviennent fonctionnels que lorsque leur structure chimique subit une modification particulière dans laquelle intervient la vitamine K. Cette modification chimique serait également nécessaire à l'activation de protéines présentes dans divers tissus, notamment le tissu osseux. La vitamine K interviendrait donc dans d'autres processus métaboliques.

Les légumes vert foncé (voir le chapitre 10) ainsi que certaines huiles végétales comptent parmi les meilleures sources de vitamine K. Dans l'organisme, cette vitamine est synthétisée par les bactéries qui forment la flore intestinale. Toutefois, il est difficile d'évaluer la contribution de la vitamine K d'origine endogène au contenu total en vitamine K de l'organisme. Selon certains auteurs, cette quantité est relativement faible.

Les apports en vitamines recommandés

Au Canada, les quantités d'éléments nutritifs jugées adéquates pour répondre aux besoins de l'organisme sont appelées « apports nutritionnels de référence » (ANREF). Les ANREF apparaissent sous forme de tableau à l'annexe 1 (voir la page 322). Ils varient selon l'âge et le sexe et tiennent compte des besoins particuliers de la femme enceinte et de celle qui allaite. Des valeurs pouvant servir de points de référence apparaissent aussi dans le tableau 6.3, aux pages 148 et 149. Les fondements des apports nutritionnels de référence sont expliqués au chapitre 8.

Les propriétés thérapeutiques des vitamines

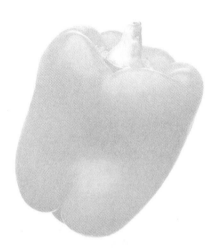

Comme nous venons de le voir, les vitamines remplissent des fonctions essentielles dans l'organisme. Quand elles sont consommées en quantités plusieurs fois supérieures à celles contenues dans une alimentation normale, certaines d'entre elles ont aussi un effet thérapeutique sur des maladies d'origine non nutritionnelle. Elles agissent alors comme des médicaments et non comme des nutriments. Par exemple, sous forme d'acide nicotinique, la niacine a la propriété d'abaisser le taux de cholestérol dans le sang. Un médicament dérivé de la vitamine A, l'isotrétinoïne (par exemple l'Accutane[md]), permet de traiter l'acné réfractaire aux autres traitements. Enfin, en grande quantité, la vitamine B_6 a un effet antinauséeux et est incorporée dans un médicament (Diclectin[md]) utilisé pour réduire les nausées et les vomissements dus à la grossesse. De fortes doses de vitamines sont également utilisées pour traiter certaines maladies rares, généralement attribuables à des déficits enzymatiques résultant d'anomalies génétiques. Dans tous ces cas, le traitement vitaminique est habituellement prescrit par un médecin qui en assure le suivi et qui intervient lorsque ses effets secondaires deviennent trop incommodants.

Toutefois, si l'on fait exception de ces cas particuliers où l'efficacité de la thérapie vitaminique est bien établie, les propriétés thérapeutiques des vitamines demeurent beaucoup plus limitées que ce qu'on tente souvent de nous faire croire. Les allégations entourant les vitamines sont nombreuses. Certaines sont tirées de résultats d'expériences effectuées sur des animaux. Par exemple, étant donné que la carence en vitamine E produit la stérilité chez les rats et que ce problème disparaît avec l'administration de la vitamine, on nous assure que de grandes quantités de vitamine E favorisent l'augmentation de la puissance sexuelle chez l'humain. Les observations tirées d'expériences non contrôlées s'ajoutent à la liste des vertus qu'on prête aux vitamines. Ainsi, plusieurs personnes trouvent qu'elles ont plus d'énergie et se sentent mieux quand elles consomment de grandes quantités de vitamines. Enfin, certaines allégations sont fondées sur des théories qui n'ont jamais été validées de façon rigoureuse. Par exemple, à l'heure actuelle, il n'existe aucune preuve scientifique de l'efficacité de doses massives de niacine pour traiter la schizophrénie ou d'acide pantothénique pour prévenir la chute des cheveux.

La croyance selon laquelle de **fortes doses de vitamine C** peuvent prévenir ou guérir les symptômes du **rhume** est particulièrement répandue. L'hypothèse en a été avancée au début des années 1970 par Linus Pauling, un scientifique de renom, détenteur d'un prix Nobel de chimie. Selon Pauling, une consommation quotidienne de 1 à 2 g d'acide ascorbique (soit beaucoup plus que l'apport nutritionnel de référence pour cette vitamine) serait le niveau optimal pour prévenir les rhumes chez la plupart des individus ; un apport de 4 à 10 g par jour pourrait combattre la maladie une fois installée.

Cette affirmation a suscité la curiosité de plusieurs chercheurs, qui ont entrepris de la vérifier. Mais les résultats des études bien contrôlées effectuées à ce jour (dont celles menées par T. W. Anderson à l'université de Toronto) tendent tous vers la même conclusion : de façon générale, l'impact de fortes doses (> 1 g/jour) de vitamine C sur l'incidence des rhumes se compare à celui d'un placebo. Quant aux effets de fortes doses de vitamine C sur la gravité des rhumes, ils seraient relativement mineurs. Une analyse de données plus récentes indique que certaines personnes pourraient tout de même bénéficier de suppléments de vitamine C, notamment celles dont le régime alimentaire est pauvre en vitamine C et qui, pour cette raison, présenteraient une plus grande susceptibilité aux rhumes. Toutefois, des doses de vitamine C comparables à celles que fournit un régime alimentaire renfermant des quantités raisonnables de légumes et de fruits seraient suffisantes pour obtenir l'effet présumé.

À ce jour, aucun fondement scientifique ne permet donc de justifier la consommation de fortes doses de vitamine C pour se prémunir contre le rhume. Bien qu'ils soient généralement bien tolérés, les suppléments de vitamine C peuvent provoquer divers symptômes, telles des nausées, des crampes abdominales et de la diarrhée (voir le chapitre 8). De plus, l'emploi de fortes doses de vitamine C entrave l'activité d'un certain nombre de médicaments, modifie les résultats d'épreuves utilisées pour établir un diagnostic médical, et augmente les risques de complications chez les personnes souffrant de certaines pathologies (comme l'insuffisance rénale).

D'autres composés organiques biologiquement actifs

En plus des vitamines, les aliments renferment de petites quantités de divers composés organiques qui remplissent des fonctions métaboliques importantes à l'intérieur de l'organisme. Ces composés comprennent notamment :

La choline – La choline est une amine (un composé azoté) qui fait notamment partie de la structure de la lécithine, une molécule de nature lipidique entrant dans la composition des membranes cellulaires, de la bile et des lipoprotéines servant au transport des lipides dans le sang (voir le chapitre 4). La choline contribue ainsi à prévenir l'accumulation anormale de graisse dans le foie et la paroi de l'intestin ; pour cette raison, elle est souvent désignée comme « facteur lipotrope ». La choline fait également partie de la structure de l'acétylcholine et de la sphingomyéline, facteurs essentiels au bon fonctionnement du système nerveux.

La choline est relativement bien répandue dans les aliments. Les abats et le jaune d'œuf sont particulièrement riches en choline, mais la viande, le poisson, les noix, les légumineuses (incluant les arachides), le germe de blé et certains légumes en renferment aussi de bonnes quantités. La choline peut être synthétisée dans l'organisme humain, mais certaines études suggèrent que la quantité produite est insuffisante pour combler le besoin de celui-ci lorsque l'apport de l'alimentation est faible. La choline est donc de plus en plus considérée comme un nutriment essentiel. Les apports en choline jugés suffisants sont indiqués dans l'annexe 1.

On prétend souvent que les suppléments de choline sont utiles pour traiter les pertes de mémoire ainsi que les maladies nerveuses liées à un manque d'acétylcholine dans les tissus nerveux, comme la maladie d'Alzheimer. Les **suppléments de lécithine** sont aussi recommandés à cette fin, puisque la lécithine pure renferme de la choline. Mais les études bien contrôlées réalisées à ce jour indiquent que les suppléments de choline, tout comme les suppléments de lécithine, ont une efficacité limitée pour traiter ces troubles d'origine nerveuse, sauf dans certains cas particuliers. De plus, à très fortes doses, ces suppléments ont des effets secondaires qui affectent notamment le système gastro-intestinal.

La carnitine, l'acide lipoïque et la coenzyme Q (ubiquinone) – Ces trois composés interviennent dans la production d'énergie dans les cellules. La carnitine sert à transporter les acides gras à l'intérieur des mitochondries, là où s'effectuent les processus chimiques permettant leur dégradation à des fins énergétiques. Le rôle de l'acide lipoïque se compare à celui de plusieurs vitamines du groupe B, puisqu'il sert de coenzyme à certains complexes enzymatiques intervenant dans la dégradation des nutriments énergétiques. Enfin, la coenzyme Q est un constituant du système enzymatique formant la chaîne respiratoire nécessaire à la production d'ATP (voir le chapitre 2). Soulignons que l'acide lipoïque et la coenzyme Q agissent aussi comme de puissants agents antioxydants à l'intérieur de l'organisme.

L'acide lipoïque est relativement bien répandu dans les aliments, alors que la carnitine et la coenzyme Q sont surtout présentes dans le règne animal. Les déficiences sont rares puisque ces trois composés peuvent être synthétisés dans l'organisme humain. On ne les considère donc pas comme des nutriments essentiels, les sources endogènes et exogènes permettant de combler les besoins d'une personne en santé. Ces trois composés sont néanmoins vendus sous forme de suppléments, soit seuls ou en combinaison avec des vitamines et des minéraux. Bien que populaires chez les athlètes, les suppléments de carnitine auraient peu d'effets sur les performances sportives et ne s'avéreraient utiles que chez certaines personnes souffrant d'anomalies génétiques peu communes. Quant aux suppléments d'acide lipoïque et de coenzyme Q, ils permettent de hausser la teneur en composés antioxydants du régime alimentaire, mais les essais visant à évaluer leurs bienfaits sur la santé demeurent limités. Au vu des études réalisées à ce jour avec des suppléments de vitamines antioxydantes, la prudence reste de mise (voir *Les vitamines antioxydantes*, à la page suivante).

Les composés phytochimiques – Les composés phytochimiques sont des molécules organiques synthétisées dans les plantes ; l'organisme humain n'est pas en mesure de les fabriquer lui-même. Dénombrés par milliers, ces composés sont souvent essentiels à la croissance et à la reproduction des plantes. Plusieurs sont responsables de leurs belles couleurs ou contribuent au développement de saveurs souvent teintées d'amertume et d'arômes parfois prononcés. Les composés phytochimiques ne sont pas considérés comme des nutriments essentiels, mais leur action dans l'organisme serait bénéfique à plusieurs égards. Les quantités que nous consommons sont toutefois difficiles à estimer, car les données analytiques sont limitées ; on sait qu'elles varient selon les transformations que les aliments subissent. Les composés phytochimiques comprennent entre autres :

- les **phytostérols**, des composés difficilement absorbables dont la structure chimique s'apparente à celle du cholestérol, et qui en diminuent l'absorption au niveau intestinal (voir le chapitre 4, à la page 99) ;
- les **caroténoïdes non précurseurs de vitamine A** (comme le lycopène, la lutéine et l'asthaxanthine) qui peuvent avoir un grand pouvoir antioxydant ;
- les **phytates**, soit les sels de l'acide phytique, un puissant chélateur de minéraux (comme le fer et le zinc) possédant des propriétés antioxydantes (voir le chapitre 9, à la page 229) ;
- des **composés à base de soufre**, comme le sulfure d'allyle et les glucosinolates (indoles, isothiocyanates), qui pourraient avoir une action anticancérigène (voir le chapitre 10, à la page 265) ;
- les **composés phénoliques (ou polyphénols)**, des substances dérivées du phénol possédant des propriétés antioxydantes parfois très marquées et qui sont l'objet d'intenses recherches ; une classification de ces composés apparaît dans le tableau 6.4 suivant.

TABLEAU 6.4   La classification des composés phénoliques

Types de composés phénoliques	Principales sources alimentaires
Acides phénoliques (caféique, chlorogénique, gallique, etc.)	Plusieurs fruits (ex. : bleuets), thé, café
Flavonoïdes :	
Flavonols	Plusieurs légumes et fruits (ex. : oignon, chou frisé)
Flavones	Persil, céleri
Flavanones	Fruits citrins
Flavanols (incluant les tannins*)	Thé, chocolat, vin rouge, noix, plusieurs fruits (ex. : pomme, canneberge)
Isoflavones**	Soja
Anthocyanidines	Aubergine, plusieurs fruits (ex. : raisin noir)
Stilbènes (resvératrol)	Vin rouge
Lignans**	Graine de lin, son des céréales

* Les tannins sont aussi appelés proanthocyanidines.
** Ces composés sont aussi appelés phytœstrogènes, car leur action dans l'organisme s'apparente à celle des œstrogènes sécrétés par les ovaires de la femme.

Pour en savoir plus ● ● ●

Les vitamines antioxydantes

L'appellation « vitamines antioxydantes » fait généralement référence aux **vitamines C et E** ainsi qu'aux **caroténoïdes**, lesquels incluent des précurseurs de la vitamine A (comme le bêta-carotène). Ces nutriments exercent des fonctions distinctes dans l'organisme. Ils ont cependant en commun la capacité d'inhiber diverses réactions d'oxydation qui s'avèrent souvent dommageables pour l'organisme.

Les radicaux libres

Les réactions néfastes susmentionnées seraient provoquées par des composés (atomes ou molécules) possédant un ou plusieurs électrons libres (non appariés), appelés radicaux libres. Il s'agit principalement de sous-produits issus du métabolisme et de l'action de facteurs environnementaux (ozone, tabac, radiations ultraviolettes et ionisantes, etc.). L'activation du système immunitaire en génère aussi de grandes quantités ; l'organisme tire ainsi profit de la toxicité de ces composés pour détruire les microorganismes qui l'envahissent.

Les radicaux libres sont des composés extrêmement réactifs pouvant s'attaquer aux cellules en oxydant les lipides contenus dans les membranes cellulaires, en inactivant les enzymes et

en causant des dommages aux molécules d'ADN enfermées à l'intérieur du noyau. Les radicaux libres peuvent également oxyder diverses autres substances, comme les lipides qui circulent à l'intérieur des LDL (voir le chapitre 4), lesquels deviennent alors plus dommageables pour la paroi des vaisseaux sanguins. Plusieurs chercheurs croient que le vieillissement de l'organisme, le cancer, les maladies cardiovasculaires, les cataractes, l'arthrite rhumatoïde et certaines maladies touchant l'intestin et le système nerveux, résultent en grande partie de dommages causés par les radicaux libres.

L'organisme possède divers mécanismes pour se défendre contre l'accumulation des radicaux libres ; par exemple, il arrive à neutraliser plusieurs de ces composés en faisant intervenir certains systèmes enzymatiques, comme celui de la glutathion-peroxydase dans lequel le **sélénium** et la **riboflavine** interviennent. Il synthétise diverses protéines capables de séquestrer les ions métalliques (par exemple le fer et le cuivre) qui, à l'état libre, sont de puissants catalyseurs des réactions oxydantes. Enfin, l'organisme a recours aux vitamines antioxydantes, qui ont elles aussi un effet protecteur. La structure chimique de ces vitamines leur permet d'accepter facilement des électrons libres. Plusieurs expériences *in vitro* ont confirmé cette capacité. De plus, certaines études ont montré une relation inverse entre la concentration de vitamines antioxydantes dans le sang et le risque de maladies cardiovasculaires ou de cancer.

Une hypothèse à vérifier

Mais ce sont les résultats d'enquêtes épidémiologiques permettant de faire le lien entre l'état de santé et la consommation de légumes et de fruits qui rendent vraiment attrayante l'hypothèse selon laquelle les vitamines antioxydantes protégeraient l'organisme contre les dommages oxydatifs. Selon ces enquêtes, une consommation élevée de légumes et de fruits (> 5 portions/jour) est liée à une réduction de l'incidence de diverses maladies, incluant le cancer et les maladies cardiovasculaires. Or, les légumes et les fruits constituent de loin les meilleures sources de caroténoïdes et de vitamine C dans l'alimentation (voir le chapitre 10); certains légumes verts sont en outre des sources intéressantes de vitamine E, laquelle est également présente dans plusieurs autres végétaux.

On a donc mis sur pied divers programmes d'intervention visant à vérifier si la consommation régulière de suppléments de vitamines antioxydantes (sur des périodes allant jusqu'à 12 ans) pouvait avoir un effet favorable sur la santé. Toutefois, les résultats obtenus à ce jour montrent que, dans l'ensemble, les suppléments de vitamines antioxydantes apportent relativement peu de protection contre le cancer. La prise de suppléments de bêta-carotène (le caroténoïde le plus souvent utilisé dans ces études) a même été liée à une augmentation de l'incidence du cancer du poumon dans deux études à grande échelle menées auprès de fumeurs et d'ex-fumeurs. Dans le cas des maladies cardiovasculaires, les suppléments de vitamine C semblent apporter une certaine protection, mais les suppléments de vitamine E, très peu; on a même observé une légère augmentation de la mortalité avec les suppléments de bêta-carotène.

On ne peut évidemment pas tirer de conclusion définitive des essais réalisés à ce jour. Chaque population étudiée a ses particularités et plusieurs facteurs peuvent influer sur les résultats. Dans certaines études, par exemple, l'administration d'un supplément de vitamines antioxydantes visait à ralentir la progression des dommages liés aux maladies cardiovasculaires chez des personnes déjà atteintes. Or, il est possible que la mesure s'avère vaine dans ce cas. En outre, on n'a peut-être pas encore déterminé les doses optimales de suppléments à administrer. Dans plusieurs essais, les doses utilisées excèdent largement les quantités qu'on trouve dans une alimentation normale. Or, à forte concentration, des molécules ayant un pouvoir antioxydant peuvent avoir une action oxydante.

La consommation élevée de légumes et de fruits semble donc apporter la meilleure protection contre les maladies cardiovasculaires et le cancer (voir le chapitre 10). Or, ces aliments ne renferment pas seulement de la vitamine C, du bêta-carotène et de la vitamine E, mais plusieurs autres caroténoïdes, comme la **lutéine** et le **lycopène**, ainsi qu'une multitude de **composés phénoliques** ayant un pouvoir antioxydant particulièrement puissant. On trouve aussi dans les légumes et les fruits des composés dépourvus de pouvoir antioxydant, mais ayant une action favorable dans l'organisme humain. Vraisemblablement, toutes ces substances exercent un effet synergique bien plus bénéfique pour la santé que si on les consommait isolément. À ce jour, une alimentation équilibrée accordant une place de choix aux végétaux peu transformés (légumes et fruits, grains entiers, légumineuses, noix et graines) demeure donc la meilleure stratégie alimentaire pour protéger sa santé.

Résumé

Les vitamines sont des composés organiques. Une quantité minime dans l'alimentation suffit à assurer la croissance, le maintien et la reproduction de l'organisme. On les divise généralement en deux catégories : 1) les **vitamines hydrosolubles**, qui comprennent les vitamines du groupe B et la vitamine C, et 2) les **vitamines liposolubles**, regroupant les vitamines A, D, E et K.

Même si elles ne peuvent être utilisées comme source d'énergie, les vitamines exercent d'importantes **fonctions** dans l'organisme. Elles sont essentielles à l'**action enzymatique** puisqu'un grand nombre se transforment en coenzymes. Certaines vitamines agissent comme **antioxydants**, d'autres comme **hormones** ou encore comme échangeurs d'électrons (ou d'atomes d'hydrogène) dans d'importantes réactions chimiques. Enfin, certaines vitamines interviennent dans l'**expression des gènes**. Les fonctions des vitamines, les quantités recommandées, les principales sources alimentaires et les manifestations liées aux carences vitaminiques sont résumées dans le tableau 6.3, aux pages 148 et 149.

Les vitamines n'ont été découvertes qu'au XXe siècle. Auparavant, les **déficiences vitaminiques** affligeaient de nombreuses populations. Certaines maladies de carence, comme le béribéri et le rachitisme, devinrent endémiques après la révolution industrielle. Aujourd'hui, la plus répandue demeure la déficience en vitamine A, qui touche plusieurs pays en voie de développement. Aux États-Unis et au Canada, les déficiences graves en vitamines sont rares, mais on peut observer des formes modérées de carence vitaminique dans certains groupes particulièrement vulnérables.

Consommées en quantités plusieurs fois supérieures à celles qu'on trouve dans une alimentation normale, certaines vitamines acquièrent un **effet thérapeutique** permettant de soigner des maladies qui ne sont pas d'origine nutritionnelle. Elles agissent alors comme médicaments et non comme nutriments. À l'exception de ces cas particuliers, les propriétés thérapeutiques des vitamines demeurent toutefois limitées. Ainsi, aucune étude scientifique ne permet jusqu'à présent de justifier la consommation de fortes doses de vitamine C pour se prémunir contre le rhume. Quant à l'utilité des suppléments de vitamines antioxydantes (vitamines C et E et bêta-carotène) dans la prévention du cancer et des maladies cardiovasculaires, elle paraît limitée. Une consommation élevée de légumes et de fruits apporterait la meilleure protection.

Outre les vitamines, d'autres **composés organiques** biologiquement actifs sont présents en petites quantités dans l'alimentation. Plusieurs d'entre eux peuvent être synthétisés dans l'organisme, par exemple la choline, la carnitine, l'acide lipoïque et la coenzyme Q. D'autres ne se trouvent que dans le règne végétal ; on parle alors de composés phytochimiques.

Références

AGRICULTURE AND AGRI-FOOD CANADA. *Food group sources of nutrients in the average canadian diet* (à partir de données de l'Enquête sur les dépenses alimentaires de 2001).

BOWMAN, B.A. et R.M. RUSSELL (éd.). *Present Knowledge in Nutrition*, 8ᵉ éd., Washington, D.C., ILSI Press, 2001.

CALVO, M.S., S.J. WHITING et C.N. BARTON. « Vitamin D fortification in the United States and Canada : current status and data needs », *Nutrition*, vol. 80 (suppl.), 2004, p. 1710S-1716S.

CANTY, D.J. et S.H. ZEISEL. « Lecithin and choline in human health and disease », *Nutrition Reviews*, vol. 52, 1994, p. 327-339.

CHEYNIER, E. « Polyphenols in foods are more complex than often thought », *American Journal of Clinical Nutrition*, vol. 81 (suppl.), 2005, p. 223S-229S.

DAVEY, M.W. et autres. « Plant L-ascorbic acid : chemistry, function, metabolism, bioavailability and effects of processing », *Journal of the Science of Food and Agriculture*, vol. 80, 2000, p. 825-860.

FORMAN, D. et D. ALTMAN. « Vitamins to prevent cancer : supplementary problems », *The Lancet*, vol. 364, 2 octobre 2004, p. 1193-1194.

FREI, B. « Efficacy of dietary antioxydants to prevent oxidative damage and inhibit chronic disease », *Journal of Nutrition*, vol. 134, 2004, p. 3196S-3198S.

FRENCH, A.E. et autres. « Folic acid food fortification is associated with a decline in neuroblastoma », *Clinical Pharmacology & Therapeutics*, vol. 74, nᵒ 3, 2003, p. 288-294.

HEMILÄ, H. « Vitamin C intake and susceptibility to the common cold », *The British Journal of Nutrition*, vol. 77, 1997, p. 59-72.

HERBERT, V. « Vitamin C supplements and disease – Counterpoint », *Journal of the American College of Nutrition*, vol. 14, nᵒ 2, 1995, p. 112-113.

HOLICK, M.F. « Environmental factors that influence the cutaneous production of vitamin D », *American Journal of Clinical Nutrition*, vol. 61, supplément, 1995, p. 638-645.

HOLICK, M.F. « Vitamin D : importance in the prevention of cancers, type 1 diabetes, heart disease and osteoporosis », *American Journal of Clinical Nutrition*, vol. 79, supplément, 2004, p. 362-371.

KNEKT, P. et autres. « Antioxydant vitamins and coronary heart disease risk : a pooled analysis of 9 cohorts », *American Journal of Clinical Nutrition*, vol. 80, 2004, p. 1508-1520.

LIU, S. et autres. « A comprehensive evaluation of food fortification with folic acid for the primary prevention of neural tube defects », *BMC Pregnancy and Childbirth*, vol. 4, 2004, p. 20.

MANACH, C. et autres. « Polyphenols : food sources and bioavailability », *American Journal of Clinical Nutrition*, vol. 79, 2004, p. 727-747.

MARAS, J.E. et autres. « Intake of α-tocopherol – tocopherol is limited among US adults », *Journal of The American Dietetic Association*, vol. 104, 2004, p. 567-575.

MATTILA, P. et J. KUMPULAINEN. « Coenzyme Q_9 and Q_{10} : Contents in foods and dietary intakes », *Journal of Food Composition and Analysis*, vol. 14, 2001, p. 409-417.

RUCKER, R.B. et autres (réd.). *Handbook of Vitamins*, 3e éd., New York, Marcel Dekker, Inc., 2001.

RUI, H.I. « Dietary recommendations for vitamin D : a critical need for functional end points to establish an estimated average requirement », *Journal of Nutrition*, vol. 135, 2005, p. 304-309.

SAID, H.M. « Biotin : the forgotten vitamin », *American Journal of Clinical Nutrition*, vol. 75, 2002, p. 179-180.

SCHAKEL, S.F. et J. PETTIT. « Expansion of a nutrient database with the "new" vitamin E », *Journal of Food Composition and Analysis*, vol. 17, 2004, p. 371-378.

SHILS, M.E. et autres (réd.). *Modern Nutrition in Health and Disease*, 9e éd., Baltimore, Williams & Wilkins, 1999.

STAGGS, C.G. et autres. « Determination of the biotin content of select foods using accurate and sensitive HPLC/avidin binding », *Journal of Food Composition and Analysis*, vol. 17, 2004, p. 767-776.

TANGPRICHA, V. et autres. « Tanning is associated with optimal vitamin D status (serum 25-hydroxyvitamin D concentration) and higher bone mineral density », *American Journal of Clinical Nutrition*, vol. 80, 2004, p. 1645-1649.

U.S. DEPARTMENT OF AGRICULTURE. *USDA Database for the Choline Content of Common Foods*, mars 2004. Site Internet : <www.nal.usda.gov/fnic/foodcomp>.

U.S. NATIONAL ACADEMY OF SCIENCES, INSTITUTE OF MEDICINE. *Dietary Reference Intakes for Calcium, Phosphorus, Magnesium, Vitamin D and Fluoride*, Washington, D.C., National Academy Press, 1997. Site Internet : <www.nap.edu>.

U.S. NATIONAL ACADEMY OF SCIENCES, INSTITUTE OF MEDICINE. *Dietary Reference Intakes for Thiamin, Riboflavin, Niacin, Vitamin B_6, Folate, Vitamin B_{12}, Pantothenic acid, Biotin and Choline*, Washington, D.C., National Academy Press, 1998. Site Internet : <www.nap.edu>.

U.S. NATIONAL ACADEMY OF SCIENCES, INSTITUTE OF MEDICINE. *Dietary Reference Intakes for Vitamin A, Vitamin K, Arsenic, Boron, Chromium, Copper, Iodine, Iron, Manganese, Molybdenum, Nickel, Silicon, Vanadium and Zinc*, Washington, D.C., National Academy Press, 2000. Site Internet : <www.nap.edu>.

U.S. NATIONAL ACADEMY OF SCIENCES, INSTITUTE OF MEDICINE. *Dietary Reference Intakes for Vitamin C, Vitamin E, Selenium and Carotenoids*, Washington, D.C., National Academy Press, 2000. Site Internet : <www.nap.edu>.

VIETH, R. et autres. « Wintertime vitamin D insufficiency is common in young Canadian women and their vitamin D intake does not prevent it », *European Journal of Clinical Nutrition*, vol. 55, 2001, p. 1091-1097.

VIVEKANANTHAN, D.P. et autres. « Use of antioxydant vitamins for the prevention of cardiovascular disease : meta-analysis of randomised trials », *The Lancet*, vol. 361, 14 juin 2003, p. 2017-2023.

WHITING, S.J. et M.S. CALVO. « Dietary recommendations for vitamin D : a critical need for functional end points to establish an estimated average requirement », *Journal of Nutrition*, vol. 135, 2005, p. 304-309.

WOLLIN, S.D. et P.J.H. JONES. « Alpha-lipoic acid and cardiovascular disease », *Journal of Nutrition*, vol. 133, 2003, p. 3327-3330.

Chapitre 7

Les minéraux et l'eau

Nous avons parlé jusqu'à maintenant des glucides, des lipides, des protéines et des vitamines, lesquels sont tous des composés organiques synthétisés par des organismes vivants. Or, le corps humain a besoin de plusieurs autres éléments qui existaient sur la Terre bien avant l'apparition de la vie : les minéraux et l'eau.

De façon générale, nous sommes conscients de l'importance des minéraux dans l'organisme. Nous savons, par exemple, que le calcium et le phosphore sont nécessaires pour conserver des os et des dents solides, et que le fer joue un rôle dans la formation du sang. Nous savons aussi que certains métaux lourds, comme le plomb et le mercure, deviennent facilement toxiques pour notre organisme. Mais plusieurs questions demeurent. La première partie de ce chapitre a pour objectif de déterminer les minéraux essentiels au bon fonctionnement de l'organisme humain, d'indiquer leurs fonctions et de préciser les conséquences d'un apport insuffisant de chacun d'eux. Nous en soulignerons les meilleures sources alimentaires, comme dans le cas des vitamines, mais le lecteur est invité à consulter la seconde partie de cet ouvrage pour mieux connaître la teneur en minéraux des divers aliments.

La seconde partie de ce chapitre est consacrée à l'eau, une substance éminemment vitale. N'oublions pas que la vie a commencé dans les océans. Nombre d'organismes continuent de dépendre de l'eau qui les entoure et leur procure un environnement approprié pour vivre. Bien que les humains ne vivent pas dans l'eau, ils transportent leur « océan » à l'intérieur de leur organisme. Le liquide corporel qui baigne les cellules s'avère essentiel au fonctionnement de celles-ci. Une perte de 10 % de l'eau contenue dans l'organisme peut perturber de façon sérieuse l'environnement interne ; au-delà de 20 %, la perte d'eau est souvent fatale. On peut survivre plusieurs semaines sans aliments, mais privé d'eau, l'être humain meurt en quelques jours. Nous avons vu au chapitre 1 que l'eau entre dans la catégorie des **macronutriments** : à l'instar des glucides, des lipides et des protéines, elle doit être consommée en bonne quantité pour répondre aux besoins de l'organisme.

Que sont les minéraux ?

Les minéraux sont des substances inorganiques ; ils se distinguent des vitamines par le fait que ce sont des éléments simples et non des molécules. En nutrition, le terme « minéraux » fait référence à ceux qui sont présents dans l'organisme en quantités minimes (voir l'annexe 6). Par conséquent, ce terme exclut les éléments chimiques qui composent la presque totalité de l'organisme, soit l'hydrogène (63 %), l'oxygène (26 %), le carbone (9 %) et l'azote (1 %). Il exclut également le soufre, lequel est presque exclusivement un constituant des protéines.

La présence de plusieurs minéraux dans l'organisme paraît fortuite, mais un certain nombre y assurent des fonctions essentielles. À la manière des vitamines, les minéraux agissent souvent de pair avec d'autres composés pour favoriser la croissance, le maintien et la reproduction de l'organisme. En ce qui concerne certains minéraux, ces fonctions sont bien établies. Pour d'autres, elles demeurent imprécises ; c'est le cas des minéraux dont les besoins chez l'humain semblent si faibles qu'on observe rarement des déficiences. Le plus souvent, on arrive à prouver le caractère indispensable de ces minéraux en effectuant des expériences chez l'animal ; on s'inspire aussi d'observations faites à l'époque où on a commencé à recourir aux solutions nutritives pour alimenter de grands malades par voie intraveineuse pendant de longues périodes.

À ce jour, une quinzaine de minéraux sont considérés comme essentiels ou, à tout le moins, bénéfiques chez l'humain. La liste de ces minéraux apparaît dans le tableau 7.1 ; elle demeure provisoire puisqu'il reste à confirmer le rôle de certains autres éléments (comme le bore) dans l'organisme humain.

TABLEAU 7.1   Les minéraux jugés essentiels chez l'humain

Macroéléments (> ou = 0,005 % de la masse corporelle) :

Minéraux constitutifs :	Électrolytes :
Calcium (Ca)	Chlore (Cl)
Magnésium (Mg)	Potassium (K)
Phosphore (P)	Sodium (Na)

Oligoéléments (ou éléments traces) (< 0,005 % de la masse corporelle) :

Chrome (Cr)	Cuivre (Cu)
Fer (Fe)	Fluor (F)*
Iode (I)	Manganèse (Mn)
Molybdène (Mo)	Sélénium (Se)
Zinc (Zn)	

* Bien que le fluor ne soit pas considéré comme un nutriment essentiel, il est souvent regroupé avec les oligoéléments essentiels en raison de son effet bénéfique sur la structure des dents.

La classification des minéraux

La masse minérale contenue dans la matière organique correspond sensiblement à celle que l'on récupère sous forme de cendres après sa combustion. Les quantités de minéraux présents dans l'organisme humain varient grandement (voir l'annexe 6). Par exemple, le corps d'un homme pesant 70 kg contient un peu plus de 1 kg de calcium, mais seulement quelques milligrammes d'iode ou de molybdène. La quantité de sodium qu'il renferme équivaut à environ 250 ml de sel de table, tandis que la quantité de fer qu'on y trouve serait suffisante pour façonner au moins trois clous de 4 cm de long.

On peut diviser les minéraux présents dans l'organisme en deux catégories. Ceux présents en quantité au moins équivalente à 0,005 % de la masse corporelle sont souvent appelés **macroéléments.** Ils comprennent le calcium, le phosphore et le magnésium ainsi que les électrolytes, soit le sodium, le potassium et le chlore (sous forme de chlorure). Les besoins de l'organisme en macroéléments excèdent 100 mg par jour pour chacun d'entre eux. Les éléments présents en quantité inférieure à 0,005 % de la masse corporelle sont appelés **oligoéléments (ou éléments traces)**. Même si les besoins en oligoéléments de l'organisme demeurent souvent imprécis, ils ne dépassent jamais quelques milligrammes par jour. Dans le cas de certains oligoéléments, les besoins sont exprimés en microgrammes; on les appelle parfois les éléments « ultratraces ».

La régulation des minéraux dans l'organisme

En s'accumulant en trop grande quantité dans divers organes comme le foie, les reins, le pancréas, le cerveau et le cœur, plusieurs minéraux perturbent les fonctions métaboliques qui s'y déroulent et deviennent toxiques pour l'organisme. Cette situation peut se produire lorsqu'on ingère de très grandes quantités de minéraux, soit sous forme de suppléments, soit, plus rarement, en consommant des aliments particulièrement riches en minéraux (en raison d'un problème de contamination, par exemple). On constate la même chose chez des personnes qui présentent des problèmes de santé favorisant l'absorption des minéraux au niveau intestinal ou empêchant leur élimination.

Cela dit, une personne en santé dont l'alimentation est équilibrée arrive facilement à maintenir dans son organisme des quantités souhaitables de minéraux. Les reins se chargent d'éliminer les surplus des minéraux dont l'absorption au niveau intestinal est particulièrement efficace (par exemple les électrolytes). En ce qui concerne d'autres minéraux, l'intestin s'occupe d'abord de limiter leur absorption, et les surplus sont déversés dans l'urine ou dans les sécrétions digestives. Dans le cas du fer, l'intestin est le seul organe auquel revient la tâche de contrôler la quantité pouvant s'accumuler dans l'organisme, puisque les voies d'élimination sont peu nombreuses (voir le tableau 7.2).

TABLEAU 7.2
Le taux d'absorption et les principales voies d'élimination des minéraux dans l'organisme

Minéraux	Taux d'absorption	Principale voie d'élimination
Na, K, Cl, P, I, Se, Mo, F	élevé	urine
Ca, Mg, Cr	limité	urine
Cu, Zn, Mn	limité	sécrétions digestives
Fe	limité	limitée

Les rôles des minéraux dans l'organisme et les principaux symptômes de carence

L'être humain est hétérotrophe, c'est-à-dire qu'il ne peut pas fabriquer les composés organiques dont il a besoin à partir de précurseurs inorganiques. En revanche, il utilise les minéraux qu'il ingère de multiples façons, soit : ① comme **éléments de la structure des os et des dents,** ② comme **cofacteurs de l'activité enzymatique et hormonale** ou ③ comme **éléments constitutifs d'autres molécules organiques fonctionnelles**. De plus, le mouvement de certains minéraux à travers les membranes cellulaires facilite le transport de diverses substances et s'avère indispensable à la **transmission nerveuse** et à la **contraction musculaire**.

Des symptômes de déficience apparaissent lorsque les quantités de minéraux présentes dans l'organisme sont insuffisantes pour assurer ces fonctions fondamentales. À l'instar des déficiences vitaminiques, celles en minéraux résultent de l'interaction de divers facteurs. Il peut s'agir de conditions particulières entraînant une diminution de l'apport alimentaire ou augmentant les besoins de l'organisme (par exemple, la grossesse) ou encore de conditions perturbant l'absorption des minéraux au niveau intestinal ou augmentant les pertes dans l'urine.

Les macroéléments

Le calcium et le phosphore

Leurs fonctions – Parmi les nombreux minéraux présents à l'intérieur de la structure corporelle, le calcium et le phosphore sont les plus abondants. Ensemble, ils forment l'**hydroxyapatite**, le matériau dur microcristallin dont sont constitués les os et les dents, lesquels renferment 99 % du calcium et de 80 à 85 % du phosphore présents dans l'organisme.

Le calcium et le phosphore interviennent aussi dans plusieurs fonctions physiologiques importantes. Par exemple, le **calcium** joue un rôle de premier plan dans la signalisation cellulaire. À l'intérieur des cellules du muscle squelettique, le calcium intervient dans la liaison actine-myosine, assurant ainsi la régulation de l'activité musculaire. Le calcium s'avère également essentiel à la transmission de l'influx nerveux dans les muscles. Étant donné qu'il se lie facilement avec un grand nombre de protéines de liaison, le calcium participe à l'activation de plusieurs systèmes enzymatiques en favorisant notamment la prolifération et la différenciation cellulaires, la coagulation du sang, la sécrétion d'hormones (telle l'insuline) et l'expression de certains gènes. Le calcium sanguin doit, pour remplir ces fonctions fondamentales, être maintenu constant à l'intérieur de limites particulièrement étroites. Malgré le fait que plusieurs hormones interviennent dans le métabolisme du calcium, deux d'entre elles assurent en grande partie la régulation du taux de calcium dans le sang : la parathormone (sécrétée par les glandes parathyroïdes) et le calcitriol (la forme active de la vitamine D) (voir le chapitre 6). La parathormone augmente la mobilisation du calcium contenu dans les os et en diminue l'excrétion par les reins lorsque le taux de calcium sanguin tend à baisser. Elle favorise également la synthèse de la vitamine D active, laquelle stimule l'absorption du calcium au niveau intestinal. Ce système hormonal est inactivé quand le taux de calcium sanguin augmente. De cette façon, l'organisme arrive à maintenir son taux de calcium sanguin stable malgré la variabilité des apports en calcium.

Quant au **phosphore**, on le trouve sous forme de phosphate, non seulement comme constituant de l'hydroxyapatite, mais aussi de plusieurs composés biologiques assurant des fonctions vitales à l'intérieur des cellules, tels les phosphoglycérides (voir le chapitre 4), les acides nucléiques (formant le matériel génétique) et divers composés impliqués dans l'activation des processus métaboliques. Rappelons qu'une liaison phosphate à l'intérieur de la molécule d'adénosine triphosphate (ATP) assure la mise en réserve temporaire de l'énergie libérée par la dégradation des nutriments énergétiques (voir le chapitre 2). Enfin, nous verrons plus loin que le phosphate est une substance tampon favorisant le maintien de l'équilibre acidobasique des liquides corporels.

Les principales sources alimentaires – Dans l'alimentation nord-américaine, les « Produits laitiers » demeurent la principale source de calcium et une source importante de phosphore. Au Canada, un peu plus de la moitié du calcium et 30 % du phosphore contenus dans le régime alimentaire moyen proviennent de ce groupe d'aliments (voir le chapitre 11). La contribution des groupes « Viandes et substituts » et « Produits céréaliers » à l'apport du régime alimentaire en phosphore est également importante. La teneur de divers aliments en calcium est présentée au chapitre 11. En ce qui concerne le phosphore, des valeurs apparaissent au chapitre 12. Le tableau 7.3, aux pages 172 et 173, indique les principales sources de calcium et de phosphore dans l'alimentation.

Les enquêtes nutritionnelles menées en Amérique du Nord révèlent que, dans plusieurs groupes d'âge, l'apport du régime alimentaire en calcium tend à être inférieur aux niveaux jugés suffisants, en particulier chez les femmes. Quant à l'apport en phosphore, il s'avère souvent amplement suffisant chez l'adulte. Toutefois, les besoins en phosphore des adolescents étant élevés, ces derniers sont plus susceptibles d'en manquer, selon une enquête effectuée auprès de jeunes Québécois.

L'absorption du calcium et du phosphore – À l'instar des autres minéraux, les recommandations concernant la consommation de calcium et de phosphore prennent en compte les taux d'absorption au niveau intestinal. Chez une personne en santé, entre le quart et le tiers seulement du **calcium** ingéré est normalement assimilé dans l'organisme, et ce, même lorsque l'apport en vitamine D est adéquat. Néanmoins, dans certaines circonstances, le taux d'absorption du calcium augmente et peut même excéder 50 %, car plusieurs facteurs influencent son assimilation au niveau intestinal. Ainsi, l'organisme absorbe plus facilement le calcium durant la croissance qu'à l'âge adulte et lorsque l'apport en calcium dans l'alimentation est faible. Chez la femme, le taux d'absorption du calcium augmente pendant la grossesse. La capacité de l'organisme à assimiler le calcium dépend également de la forme sous laquelle il se présente et de la présence, dans les aliments, de substances agissant sur sa disponibilité. Par exemple, on sait que les oxalates contenus dans certains végétaux, comme la rhubarbe et les épinards, ainsi que les phytates contenus dans le son des céréales se lient au calcium et forment avec lui des composés insolubles qui sont difficilement absorbés. D'autres facteurs influent également sur la quantité de calcium excrétée dans l'urine. En effet, un apport élevé en sel, l'ingestion de caféine, de même que l'inactivité physique tendent à augmenter les pertes de calcium dans l'urine.

Quant au **phosphore**, il est mieux assimilé que le calcium, son taux d'absorption se situant habituellement entre 55 % et 70 %. Le phosphore contenu dans les aliments d'origine animale est généralement mieux absorbé que celui contenu dans les aliments d'origine végétale.

Le calcium et la santé – De façon générale, une alimentation pauvre en calcium affecte peu les fonctions physiologiques fondamentales dans lesquelles celui-ci intervient, puisque le calcium des os est mobilisable. En effet, la déminéralisation du tissu osseux pallie le manque de calcium provenant de l'alimentation. Mais à la longue, l'insuffisance de calcium affecte nécessairement la santé des os. Pendant la croissance et au début de l'âge adulte, une alimentation déficiente en calcium nuit à l'accumulation de calcium osseux. Par la suite, l'insuffisance de calcium accélère le processus de déminéralisation osseuse qui accompagne normalement le vieillissement de l'organisme. Même si un grand nombre de facteurs interviennent dans la relation qui s'établit entre l'apport du régime alimentaire en calcium et la santé des os, de façon générale, la déficience chronique en calcium augmente les risques d'**ostéoporose**, une maladie osseuse souvent à l'origine de fractures, de douleurs, de difformités et d'invalidité chez les personnes âgées, en particulier chez les femmes (voir *Le calcium et la santé des os*, à la page 186). Enfin, plusieurs études montre une relation inverse entre l'apport du régime alimentaire en calcium et la pression artérielle (voir *L'influence de l'alimentation sur la pression artérielle*, à la page 308).

Le magnésium

Un peu plus de la moitié du magnésium présent dans l'organisme est contenu dans la structure des os; presque tout le reste se trouve à l'intérieur des cellules, où il s'avère indispensable à l'activation d'un très grand nombre de systèmes enzymatiques, dont plusieurs participent au métabolisme énergétique. De fait, le magnésium est un cofacteur dans toutes les réactions permettant la synthèse et l'utilisation de l'ATP (voir le chapitre 2). Il s'agit donc d'un élément essentiel à la libération de l'énergie provenant des aliments. Le magnésium est également nécessaire à la transmission nerveuse dans les muscles.

De façon générale, seulement le quart environ du magnésium ingéré est absorbé par l'organisme. Mais le magnésium est relativement bien distribué dans les aliments, les quatre groupes du *Guide alimentaire canadien* et le groupe « Autres aliments » apportant chacun une contribution à peu près équivalente à l'apport global en magnésium du régime moyen des Canadiens. Le tableau 7.3, aux pages 172 et 173, indique les principales sources de magnésium dans l'alimentation ; des valeurs sont présentées aux chapitres 9 et 12. La dernière enquête nutritionnelle réalisée auprès de la population québécoise adulte montre que l'alimentation qui y prévaut a une teneur en magnésium plutôt marginale lorsqu'on la compare aux plus récentes recommandations. Plusieurs adolescents en consommeraient également des quantités insuffisantes, selon les données d'une enquête effectuée auprès de jeunes Québécois.

Le sodium, le chlore et le potassium

Dans l'organisme, ces trois éléments se présentent principalement sous forme d'ions dans les divers liquides corporels. Ils deviennent ainsi des **électrolytes**, substances capables de conduire le courant électrique dans une solution. De fait, le sodium et le potassium jouent un rôle important dans le fonctionnement des systèmes nerveux et musculaire. Pour qu'il y ait formation et conduction de l'influx nerveux dans les nerfs et les fibres musculaires, il est essentiel que les concentrations de sodium dans le liquide extracellulaire et de potassium dans le liquide intracellulaire soient relativement élevées (voir la figure 7.1). Quand il y a stimulus nerveux ou musculaire, le sodium et le potassium changent de site rapidement ; on assiste alors à la production de l'influx nerveux ou au début de la contraction musculaire. Le fonctionnement nerveux et musculaire dépend entre autres de la capacité des cellules à expulser le sodium et à se recharger en potassium afin que le phénomène se reproduise. Le calcium et le magnésium, nous l'avons déjà souligné, participent aussi à la transmission des influx électriques.

Nous verrons au cours de ce chapitre que le sodium, le potassium et le chlore jouent aussi un rôle de premier plan dans la répartition adéquate des liquides à l'intérieur de l'organisme. De plus, le sodium favorise l'absorption du glucose et des

Figure 7.1
**La naissance
de l'influx nerveux**

A) Quand la fibre nerveuse est au repos, le sodium est à l'extérieur et le potassium à l'intérieur de la fibre. B) Quand il y a un stimulus (par exemple, contact physique, chaleur ou froid), il y a échange entre le sodium et le potassium à travers la membrane de la cellule nerveuse, déclenchant ainsi un influx électrique, lequel progresse le long de la fibre nerveuse au même rythme que les échanges entre le potassium et le sodium.

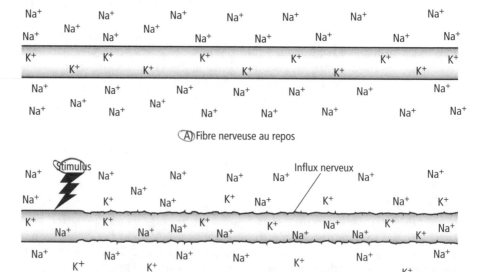

acides aminés au niveau de l'intestin, tandis que le chlore est un élément constitutif de l'acide chlorhydrique (HCl) sécrété par l'estomac. Enfin, le potassium contribue au maintien de l'équilibre acido-basique dans l'organisme et potentialise l'action de l'insuline au niveau des cellules.

Le tableau 7.3 indique les aliments qui constituent les meilleures sources d'électrolytes. La teneur de divers aliments en potassium est présentée aux chapitres 10 et 12 et celle en sodium, au chapitre 13. Quant au chlore, on ne le trouve pour ainsi dire que dans le sel (sous forme de chlorure de sodium) ; pour cette raison, la teneur des aliments en chlore est proportionnelle à leur teneur en sodium.

De façon générale, les aliments de base peu transformés (fruits, légumes, légumineuses, viande, volaille et poisson frais, céréales entières et lait) sont riches en potassium mais relativement pauvres en sodium, une caractéristique qui s'avère souhaitable compte tenu des recommandations concernant la consommation de ces deux électrolytes (voir le tableau 7.3). Les transformations que ces aliments subissent ont souvent pour conséquences de réduire leur teneur en potassium et d'augmenter celle en sodium. Or, selon plusieurs chercheurs, ce déséquilibre électrolytique dans l'alimentation des Nord-Américains contribue à augmenter l'incidence de l'hypertension artérielle (voir *L'influence de l'alimentation sur la pression artérielle*, à la page 308).

Soulignons qu'un déséquilibre électrolytique plus marqué peut se produire quand l'organisme perd beaucoup de liquide, par exemple lorsqu'il y a diarrhée profuse ou vomissements abondants. On se doit alors de remplacer fréquemment les électrolytes perdus. Certains troubles rénaux, des brûlures graves ou la prise de certains médicaments peuvent aussi provoquer une importante perte d'électrolytes. Il est très rare que l'alimentation soit la seule cause d'une carence sévère en électrolytes.

Les oligoéléments

Le fer

Le fer est un élément bien répandu dans la nature ; il arrive en quatrième place parmi les éléments composant la croûte terrestre (après l'oxygène, le silicium et l'aluminium). En solution aqueuse, on le trouve sous forme réduite (fer ferreux, Fe^{2+}) ou oxydée (fer ferrique, Fe^{3+}). Pour cette raison, le fer est souvent présent dans les réactions nécessitant le transfert d'électrons. Toutefois, son potentiel oxydatif peut s'avérer délétère dans l'organisme. En conséquence, presque tout le fer s'y trouvant est lié à des molécules organiques.

Ses fonctions – Le fer est essentiel au bon fonctionnement de l'organisme, en particulier pour l'utilisation de l'énergie. On le trouve sous deux formes : le fer héminique et le fer non héminique. Le **fer héminique** est incorporé dans la structure d'une molécule de nature protéique, appelée **hème** (voir la figure 7.2). L'hème est un constituant de l'hémoglobine, substance contenue à l'intérieur des globules rouges et renfermant à elle seule les deux tiers du fer présent dans l'organisme d'un adulte en santé. L'hémoglobine sert à transporter l'oxygène dans le sang afin que puissent s'effectuer, à l'intérieur de chaque cellule, les réactions oxydatives permettant de libérer l'énergie contenue dans les glucides, les lipides et les protéines (voir le chapitre 2). L'hème se trouve également dans la myoglobine, laquelle assure la mise en réserve d'oxygène au niveau des muscles, ainsi que dans une variété d'enzymes, dont certaines participent aussi au métabolisme énergétique.

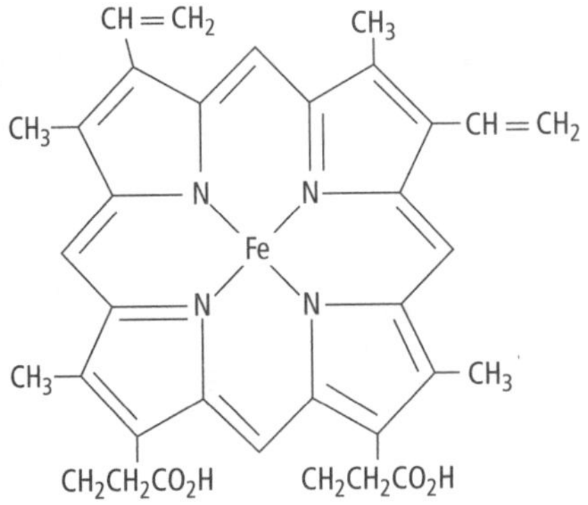

Comme son nom l'indique, le **fer non héminique** est un fer qui n'est pas fixé à l'hème. Il peut donc agir comme cofacteur pour différentes enzymes. Le fer non héminique est véhiculé dans le sang par la transferrine, une protéine de transport ; le surplus est stocké dans le foie, la rate et la moelle des os, principalement lié à la ferritine, une molécule également de nature protéique.

Figure 7.2
La molécule d'hème

L'hème se trouve dans l'hémoglobine, dans la myoglobine et dans une variété d'enzymes.

TABLEAU 7.3   Tableau sommaire des minéraux

	Fonctions	ANREF chez l'adulte*	Effets de carence	Principales sources
Calcium	Structure des os et des dents. Essentiel à la signalisation cellulaire. Transmission neuromusculaire. Activation d'un grand nombre de systèmes enzymatiques favorisant notamment la coagulation du sang, le bon fonctionnement des muscles et l'action de diverses hormones.	1 000 mg/jour	Diminution de la masse osseuse.	Produits laitiers (à l'exclusion du beurre et de certains fromages frais), saumon et sardines en conserve (avec les arêtes), certains légumes verts, légumineuses (y compris le tofu), amandes, noix du Brésil, graines de sésame non décortiquées, boisson de soja enrichie, mélasse noire.
Phosphore	Structure des os et des dents. Entre dans la composition de plusieurs composés biologiques importants : phosphoglycérides, acides nucléiques, adénosine triphosphate (ATP), etc. Contribue au maintien de l'équilibre acido-basique.	700 mg/jour	Rares.	Produits laitiers (à l'exclusion du beurre), viande et substituts, produits céréaliers à grains entiers, levure.
Magnésium	Structure des os et des dents. Activation d'un très grand nombre de systèmes enzymatiques. Nécessaire au métabolisme énergétique.	de 310 à 420 mg/jour	Anorexie, faiblesse musculaire, tremblements, tétanie (contraction musculaire spasmodique).	Produits céréaliers à grains entiers, légumineuses, noix et graines, certains légumes et fruits, cacao.
Sodium, chlore, potassium	Équilibre électrolytique : régulation des liquides intra et extracellulaires. Nécessaires au bon fonctionnement des muscles et des nerfs.	Na = 1 500 mg/jour Cl = 2 300 mg/jour K = 4 700 mg/jour	Na : crampes musculaires, apathie mentale, anorexie, coma. Cl : anomalies métaboliques. K : faiblesse musculaire, troubles cardiaques, paralysie.	Na, Cl : Sel de table, condiments, charcuteries, grignotines, aliments préemballés, eaux minérales. K : Légumes et fruits, produits laitiers (sauf le beurre), viande et substituts, son de blé, mélasse noire.
Fer	Composant de l'hémoglobine, de la myoglobine et de divers systèmes enzymatiques. Nécessaire au métabolisme énergétique.	de 8 à 18 mg/jour	Anémie ferriprive.	Foie, viandes rouges, mollusques, produits céréaliers à grains entiers ou enrichis, légumineuses, légumes vert foncé, fruits séchés, noix et graines, mélasse noire (N. B. : Les abats, la viande, la volaille et le poisson sont une source de fer héminique).

	Fonctions	ANREF chez l'adulte*	Effets de carence	Principales sources
Zinc, cuivre, manganèse, molybdène	Interviennent dans de nombreux systèmes enzymatiques. Favorisent la croissance, le maintien et la reproduction de l'organisme. Aident les cellules à se protéger contre les dommages oxydatifs.	Zn: de 8 à 11 mg/jour Cu: 0,9 mg/jour Mn: de 1,8 à 2,3 mg/jour Mo: 45 mcg/jour	Zn: retard de croissance, lésions cutanées, anorexie, immunité réduite, troubles de la vue, perturbations du goût. Cu: anémie, immunité réduite, ostéoporose. Mn: mal définis; incluent la dermatose. Mo: troubles cardiaques et oculaires.	Zn: huîtres, foie, viande, légumineuses, noix et graines, germe de blé, céréales à petit-déjeuner enrichies. Cu: mollusques, foie, noix et graines, produits céréaliers à grains entiers, légumineuses, certains légumes et fruits, cacao. Mn: produits céréaliers à grains entiers, noix et graines, légumineuses, poisson, certains légumes et fruits, thé, vin, cacao. Mo: produits laitiers, abats, légumineuses, produits céréaliers.
Sélénium	Cofacteur de systèmes enzymatiques, dont celui de la glutathion-peroxydase, ayant une action antioxydante. Intervient dans le métabolisme de la glande thyroïde.	55 mcg/jour	Insuffisance cardiaque, douleurs musculaires, affaiblissement de la fonction immunitaire.	Abats, fruits de mer, viande, volaille, œufs, produits céréaliers (quantités variables).
Iode	Composant des hormones thyroïdiennes.	150 mcg/jour	Goitre, ralentissement du métabolisme. Crétinisme chez l'enfant.	Produits de mer (incluant les algues), sel iodé, produits laitiers, aliments contenant des additifs à base d'iode.
Chrome	Nécessaire au métabolisme des glucides.	de 25 à 35 mcg/jour	Intolérance au glucose.	Plusieurs aliments transformés, céréales de son, cacao.
Fluor	Renforce la structure des dents et des os; prévient la carie dentaire.	de 3 à 4 mg/jour	Diminution de la résistance à la carie dentaire.	Eau fluorée, thé, poissons consommés avec les arêtes.

ANREF = Apports nutritionnels de référence.
* Les valeurs présentées dans ce tableau correspondent aux besoins typiques d'adultes en santé âgés de 19 à 50 ans, en excluant les besoins des femmes enceintes et de celles qui allaitent (Institut de médecine américain, 1997-2004). L'annexe 1 contient un tableau détaillé des ANREF.

Les principales sources alimentaires – Les aliments qui forment le groupe « Viandes et substituts », dont le foie, sont reconnus pour renfermer des quantités variables mais souvent intéressantes de fer (voir le chapitre 12). Pourtant, la contribution moyenne du groupe « Viandes et substituts » à l'apport total du régime alimentaire canadien en fer se situe à seulement 20 %. Par contre, près de la moitié du fer s'y trouvant provient des « Produits céréaliers », plusieurs d'entre eux étant enrichis en fer ou fabriqués à partir de farine enrichie en fer (voir le chapitre 9). Le tableau 7.3, aux pages 172 et 173, souligne les principales sources de fer dans l'alimentation. La teneur de divers aliments en fer est présentée aux chapitres 9 et 12.

L'absorption du fer – Nous avons vu que l'organisme dispose de peu de voies d'excrétion du fer et que l'absorption de ce minéral au niveau intestinal doit donc être bien contrôlée. Le facteur déterminant de l'absorption du fer contenu dans les aliments est le besoin individuel : plus l'organisme en a besoin, plus il en absorbe. Ainsi, les personnes ayant de faibles réserves de fer assimilent plus efficacement celui présent dans leur alimentation que celles dont les réserves sont suffisantes. De même, les femmes non ménopausées absorbent plus de ce minéral que les femmes ménopausées ou encore que les hommes, car leur besoin en fer est plus élevé en raison des pertes dues aux menstruations.

Mais la forme sous laquelle le fer se présente dans les aliments influence aussi son absorption. La molécule d'hème protège le fer et l'empêche de se lier à d'autres substances ; par conséquent, l'organisme absorbe le fer héminique deux à trois fois plus efficacement que le fer non héminique, le taux d'absorption du fer héminique variant de 15 à 35 % et celui du fer non hémique, de 2 à 20 %. Dans l'intestin, la liaison du fer non héminique avec les phytates contenus dans divers végétaux, dont le son et le germe du blé, le rend moins disponible. La même chose se produit avec les composés phénoliques présents notamment dans le thé et, dans une moindre mesure, dans le café. Le recours aux suppléments de calcium perturbe aussi l'absorption du fer non héminique.

En revanche, on sait que le fer ferreux s'absorbe plus efficacement que le fer ferrique. Un milieu acide comme l'estomac et la présence dans les aliments de certains acides organiques, tel l'acide ascorbique (vitamine C), favorisent l'absorption du fer non héminique en le transformant en fer ferreux. La consommation de viande, de volaille et de poisson stimule aussi l'absorption du fer non héminique.

Le fer et la santé – Chez l'adulte, le fer absorbé dans l'organisme sert à compenser les pertes et à maintenir les réserves. Chez l'enfant, le fer absorbé est aussi utilisé pour la croissance. L'organisme humain est relativement économe de son fer : celui contenu dans les globules rouges est en grande partie récupéré une fois le cycle de ceux-ci achevé. Pour cette raison, les hommes et les femmes ayant terminé leur vie reproductive ne perdent quotidiennement que 1 mg de fer environ dans les urines, dans les selles et par la peau. Au Canada, la quantité de fer recommandée quotidiennement pour ces deux groupes a donc été fixée à 8 mg (voir l'annexe 1), une valeur qui prend en compte le taux d'absorption du fer, estimé à 18 %. La quantité de fer recommandée pour les femmes non ménopausées a été fixée à 18 mg par jour ; elle tient compte notamment du flux menstruel, lequel entraîne une perte moyenne d'environ 0,5 mg de fer par jour (lorsqu'on la répartit sur un mois), laquelle s'ajoute aux autres pertes. La quantité de fer recommandée pour les femmes utilisant des contraceptifs oraux n'est toutefois que de 11 mg par jour, car ces médicaments réduisent le flux menstruel. Ajoutons que le végétarisme double presque le besoin en fer en raison du faible taux d'absorption du fer d'origine végétale. Le besoin en fer est également plus grand chez les athlètes (de l'ordre de 30 à 70 %), puisqu'un entraînement régulier et soutenu accroît les pertes de fer.

Les enquêtes nutritionnelles révèlent que, en Amérique du Nord, l'apport du régime alimentaire en fer s'avère généralement suffisant pour les femmes ayant dépassé la ménopause, et plus que suffisant pour les hommes. Par contre, il est inférieur au niveau recommandé pour les femmes non ménopausées. L'enquête nutritionnelle réalisée en 1990 auprès de la population québécoise adulte a mené au même constat. Les résultats de cette enquête indiquent que, selon le groupe d'âge, l'apport moyen en fer chez les hommes varie de 14,9 à 18,0 mg par jour ; chez les femmes, il varie de 10,4 à 11,9 mg par jour. Des apports en fer à peu près identiques ont été observés dans une enquête plus récente effectuée auprès de l'ensemble de la population canadienne adulte.

Dans la population adulte, les femmes non ménopausées courent donc le plus grand risque de manquer de fer. Ce risque n'est pas négligeable non plus chez les adolescentes, dont les besoins en fer se comparent à ceux de la femme adulte. Et il s'accroît de façon marquée pendant la grossesse, puisque le besoin quotidien en fer atteint 27 mg par jour (voir l'annexe 1). Les jeunes enfants de six mois à deux ans constituent eux aussi un groupe présentant des risques. En effet, à cet âge, les réserves de fer accumulées durant la vie fœtale sont généralement épuisées. De plus, lorsque le lait continue d'y occuper une place importante, l'alimentation ne contient souvent pas assez de fer pour répondre aux besoins élevés qui caractérisent cette période de croissance rapide. Enfin, les personnes qui subissent des pertes de sang importantes (hémorragies, menstruations abondantes, etc.) ou chroniques (ulcère, cancer, parasites dans la voie gastro-intestinale, etc.) souffrent souvent d'une carence en fer.

La carence en fer serait d'ailleurs la déficience nutritionnelle la plus répandue dans le monde. Elle conduit à l'épuisement des réserves de fer, celui lié à la ferritine d'abord, puis celui véhiculé dans le sang par la transferrine. Au bout du compte, l'épuisement des réserves de fer perturbe la synthèse de l'hémoglobine à l'intérieur des globules rouges (un processus appelé érythropoïèse) ; on y observe alors l'accumulation de protoporphyrine, un précurseur de l'hémoglobine. Toutes ces perturbations diminuent la capacité des globules rouges à transporter l'oxygène dans le sang et entraînent une forme d'**anémie** dite par déficience en fer. Le fait que plusieurs facteurs nutritionnels puissent nuire à la formation des globules rouges explique qu'il existe différentes formes d'anémie (voir l'encadré ci-dessous).

Afin de déceler l'anémie par déficience en fer, il suffit de prélever un échantillon de sang ; on constatera alors que les quantités d'hémoglobine et de ferritine présentes sont anormalement basses et que la taille des globules rouges est réduite. Plusieurs symptômes peuvent accompagner ces changements sanguins, surtout lorsque ceux-ci sont marqués (voir le tableau 7.4). Parmi les plus fréquents, on note la sensation de fatigue et d'épuisement, la pâleur et la perte d'appétit.

TABLEAU 7.4
Les symptômes courants de l'anémie par déficience en fer

Fatigue

Lassitude

Capacité de travail réduite

Pâleur

Perte d'appétit

Trouble de la sensibilité

Ongles concaves

Crampes nocturnes

Difficultés respiratoires

Amnésie

Constipation

Difficulté à avaler

Étourdissements

Sensibilité au froid

Maux de tête

L'anémie et ses multiples causes

La déficience en fer demeure une cause importante d'anémie dans bon nombre de populations. Toutefois, un apport insuffisant en fer n'est pas le seul facteur qui conduise à l'anémie. Certains types d'anémie résultent de déficiences en nutriments qui, tout comme le fer, sont nécessaires à la formation des globules rouges. Il peut s'agir d'une déficience en vitamines, comme la vitamine B_6, l'acide folique ou la vitamine B_{12} (voir le chapitre 6), ou encore d'une déficience en protéines. Une déficience en cuivre peut aussi être en cause puisque ce minéral s'avère important pour l'utilisation du fer dans l'organisme. Une autre forme d'anémie, l'anémie hémolytique, résulte du bris des globules rouges ; on peut l'observer chez des personnes génétiquement prédisposées ou exposées à certaines substances chimiques, et aussi chez les enfants prématurés souffrant de carence en vitamine E. Enfin, les maladies inflammatoires chroniques, comme la maladie de Crohn et l'arthrite rhumatoïde, de même que l'utilisation de certains médicaments diminuent la capacité de l'organisme à synthétiser l'hémoglobine et entraînent une forme d'anémie appelée anémie aplasique.

Le cuivre entre dans la composition de plusieurs systèmes enzymatiques de l'organisme. Un aliment comme le cacao fournit de bonnes quantités de cuivre.

Chez le jeune enfant, l'anémie par déficience en fer perturbe aussi le développement et les capacités d'apprentissage, et cet effet peut devenir permanent si la déficience se prolonge. De faibles réserves de fer contribueraient au développement de l'hyperactivité et du déficit d'attention chez l'enfant.

Le cuivre

Tout comme le fer, le cuivre peut se trouver en solution sous forme réduite (Cu^+) ou oxydée (Cu^{++}) et servir ainsi au transfert d'électrons. Compte tenu de son potentiel oxydatif, presque tout le cuivre présent dans l'organisme est lié à des protéines. L'une d'elles, la céruloplasmine, sert à transporter le cuivre dans le sang.

Dans l'organisme, le cuivre entre dans la composition de plusieurs systèmes enzymatiques. L'un d'eux joue un rôle important dans la mobilisation du fer nécessaire à la synthèse de l'hémoglobine ; pour cette raison, le cuivre est un élément indispensable à la formation des globules rouges. Il constitue aussi le cofacteur d'enzymes formant la chaîne respiratoire, l'étape finale dans le processus servant à libérer l'énergie contenue dans les nutriments énergétiques (voir le chapitre 2). Le cuivre est également le cofacteur d'enzymes qui interviennent dans la synthèse de nombreux composés, dont un certain nombre d'hormones et de neurotransmetteurs, le collagène (une protéine entrant dans la structure du tissu osseux, de la peau, des vaisseaux sanguins, etc.) et la mélanine (le pigment responsable de la couleur de la peau, des cheveux et des yeux). Enfin, plusieurs enzymes contenant du cuivre aident les cellules à se défaire de leurs déchets métaboliques et à se protéger contre les dommages oxydatifs.

Parmi les quatre groupes à la base du *Guide alimentaire canadien*, celui des « Produits laitiers » contribue le moins à l'apport du régime alimentaire en cuivre. Des aliments comme les fruits de mer, les abats, les légumineuses, les noix et les graines, certains légumes et fruits, les céréales à grains entiers et le cacao fournissent de bonnes quantités de cuivre (voir les chapitres 9 et 10). Le taux d'absorption du cuivre varie de 20 à 50 % et est inversement proportionnel à la quantité ingérée. Le surplus de cuivre est éliminé en grande partie par la bile déversée dans l'intestin grêle. Soulignons que la déficience marquée en cuivre est rare. Les signes qui lui sont le plus souvent associés sont l'anémie, la neutropénie (diminution du nombre de certains globules blancs) et des anomalies touchant le tissu osseux. La consommation de suppléments de fer ou de zinc réduit l'absorption du cuivre et peut contribuer au développement d'une déficience en cuivre.

Le zinc

Dans la matière vivante, le zinc est intimement lié aux protéines, sa présence contribuant à stabiliser leur structure tridimensionnelle. Chez l'humain, plus de 50 % du zinc se trouve dans les muscles. De grandes quantités de zinc peuvent d'ailleurs se perdre par l'urine lors de maladies cataboliques, lesquelles se caractérisent par la perte de masse musculaire.

Le zinc est un oligoélément particulièrement important, car il est nécessaire à l'activation d'un très grand nombre de systèmes enzymatiques. Il intervient également dans la régulation de l'expression génétique, influençant ainsi la prolifération et la différenciation des cellules, et s'avère indispensable à la croissance et à la reproduction de l'organisme. En fait, la déficience en zinc affecte l'état général ; elle se traduit par un ralentissement de la croissance chez l'enfant, la perte de l'appétit, une atteinte des fonctions immunitaire et reproductive, des lésions cutanées et des anomalies du tissu osseux.

Compte tenu du lien étroit unissant le zinc et les protéines, il n'est pas surprenant que les aliments appartenant au groupe « Viandes et substituts » fournissent à eux seuls près de la moitié du zinc contenu dans le régime alimentaire moyen des Canadiens. De fait, plusieurs aliments de ce groupe ont une teneur intéressante en zinc, dont les viandes, les mollusques et les crustacés, le foie et les légumineuses. Le germe des céréales et les aliments qui en renferment représentent aussi une bonne source de zinc. Il en va de même des noix et des graines ainsi que des produits céréaliers enrichis en zinc (voir les chapitres 9 et 12).

À l'instar du fer, le zinc peut se lier à plusieurs substances étant surtout présentes dans des aliments d'origine végétale – tels les phytates, les oxalates et les composés phénoliques – et former avec elles des complexes difficilement absorbables. Pour cette raison, l'alimentation végétarienne se doit d'être riche en zinc. L'assimilation de ce minéral dépend également de la quantité totale contenue dans l'alimentation. Le surplus de zinc absorbé dans l'organisme est excrété dans l'intestin grêle, à l'intérieur des sécrétions pancréatiques et intestinales qui y sont déversées.

Les huîtres sont de très bonnes sources de zinc.

Le manganèse

À l'instar de quelques autres oligoéléments, le manganèse est nécessaire à l'activation de plusieurs systèmes enzymatiques. De la même façon que le zinc et le cuivre, il permet à certaines enzymes d'aider les cellules à se protéger contre les dommages oxydatifs. Diverses enzymes activées par le manganèse interviennent dans le métabolisme des glucides, favorisant notamment la synthèse de glycoprotéines essentielles au tissu osseux. Une enzyme activée par le manganèse intervient aussi dans la formation de l'urée, un produit issu de la dégradation des acides aminés et éliminé dans l'urine (voir le chapitre 5).

Le thé, le vin et le cacao renferment des quantités intéressantes de manganèse. Cela explique sans doute pourquoi le groupe « Autres aliments » fournit un peu plus de 40 % du manganèse contenu dans le régime canadien moyen (voir le chapitre 13). Les produits céréaliers à grains entiers, les noix et les graines, les légumineuses et certains légumes et fruits en renferment aussi de bonnes quantités. Parmi les aliments du règne animal, les poissons et les mollusques constituent les meilleures sources. Le manganèse est un oligoélément qui circule rapidement par la voie entéro-hépatique ; une fois absorbé dans l'organisme, il est déversé dans l'intestin par la bile ainsi que par les sécrétions pancréatiques et intestinales, puis réabsorbé. Le taux d'absorption du manganèse alimentaire serait faible.

Le molybdène

Le molybdène s'ajoute à la liste des oligoéléments nécessaires à l'activation enzymatique. Les enzymes contenant du molybdène aident l'organisme à se défaire de certains déchets métaboliques, tels ceux qui résultent du métabolisme des acides nucléiques formant le matériel génétique. Ces enzymes permettraient aussi à l'organisme de se défaire de certains médicaments.

Les produits laitiers, les légumineuses, les abats et les produits céréaliers renferment de bonnes quantités de molybdène. Le molybdène alimentaire est facilement absorbé (le taux est d'environ 90 %) ; le surplus est excrété dans l'urine et dans la bile.

Le sélénium

Dans la nature, le sélénium se trouve principalement dans les protéines, lié à l'un ou l'autre des acides aminés que sont la méthionine et la cystéine. Le sélénium lié à la méthionine est une forme de réserve de sélénium ; il constitue plus de 80 % du sélénium alimentaire. Pour être fonctionnel, le sélénium doit être lié à la cystéine.

Le sélénium lié à la cystéine constitue le site actif de divers systèmes enzymatiques. Plusieurs de ces systèmes, entre autres celui de la glutathion-peroxydase, servent à protéger les cellules contre des agents oxydants capables d'endommager leur structure (voir le chapitre 6) ; ils contribueraient également au bon fonctionnement du système immunitaire. Un autre système dépendant du sélénium s'avère essentiel au métabolisme des hormones thyroïdiennes.

Le sélénium contenu dans les aliments est relativement bien absorbé au niveau intestinal ; le surplus est excrété principalement dans l'urine. De façon générale, les aliments riches en protéines, tels les abats, les poissons et fruits de mer, la viande, la volaille et les œufs, constituent de bonnes sources de sélénium, alors que les légumes et les fruits en contiennent peu. Les quantités de sélénium présentes dans les aliments varient toutefois selon la teneur en sélénium du sol dans lequel sont cultivés les végétaux que nous consommons, ou encore les fourrages servant de nourriture au bétail. Les risques de déficience sont donc élevés lorsque des céréales cultivées dans un sol pauvre en sélénium constituent la principale source d'énergie du régime alimentaire. C'est pourquoi certaines populations de Chine ont autrefois été touchées par la maladie de Keshan, un trouble grave intimement lié à la déficience en sélénium et affectant le cœur. Des mesures correctrices ont depuis permis d'enrayer cette maladie.

Le chrome

Il est bien démontré que le chrome augmente l'efficacité de l'insuline, une hormone sécrétée par le pancréas et favorisant la pénétration du glucose sanguin dans les cellules (voir le chapitre 3). Étant donné que l'insuline empêche le glucose de s'accumuler en trop grande quantité dans le sang après un repas riche en glucides, on dit du chrome qu'il améliore la tolérance au glucose. Pour cette raison, plusieurs personnes diabétiques sont tentées de prendre des suppléments de chrome.

Toutefois, les résultats obtenus dans plusieurs études réalisées auprès de sujets diabétiques et visant à évaluer l'efficacité de suppléments de chrome sur le contrôle du glucose sanguin sont contradictoires. Il est possible que le type de supplément utilisé dans ces études influence les résultats. De plus, selon certains experts, deux conditions sont probablement nécessaires pour qu'un supplément de chrome puisse améliorer le contrôle du glucose sanguin chez une personne diabétique : 1) son apport habituel en chrome est insuffisant, et 2) le diabète résulte d'une résistance des tissus à l'action de l'insuline, et non d'un déficit d'insuline. En effet, le chrome permet seulement d'augmenter l'efficacité de l'insuline et n'a aucun effet sur les cellules du pancréas produisant cette hormone. Soulignons que la consommation de suppléments de chrome s'avère sans effet chez les athlètes, malgré les allégations selon lesquelles on stimulerait ainsi l'action anabolisante de l'insuline pour augmenter la masse musculaire.

Les méthodes d'analyse récentes indiquent qu'une partie du chrome présent dans les aliments est d'origine exogène, c'est-à-dire qu'il provient en partie de l'équipement utilisé pour transformer les aliments, car le chrome entre dans la composition de plusieurs alliages (comme l'acier inoxydable). Pour cette raison, les quantités de chrome contenues dans les aliments varient grandement et sont souvent plus élevées dans les aliments transformés (surtout de type acide) que dans les aliments non transformés. Les produits céréaliers à grains entiers, le cacao, certains légumes et fruits (dont le brocoli), le thé, le vin et la bière comptent parmi les aliments qui renferment des quantités intéressantes de chrome.

Le taux d'absorption du chrome est particulièrement faible (moins de 2,5 %), mais augmente de façon significative en présence de vitamine C et de niacine. Le surplus de chrome absorbé est éliminé rapidement dans l'urine, ce qui prévient son accumulation excessive dans l'organisme. La consommation de grandes quantités de sucre augmente le besoin en chrome et son élimination dans l'urine.

L'iode

L'iode est nécessaire à la synthèse des hormones thyroïdiennes. De fait, la majeure partie de l'iode contenu dans l'organisme se trouve dans la glande thyroïde. Grâce à leur action sur certains gènes, les hormones qui y sont produites stimulent d'importants processus organiques, comme ceux menant à la libération de l'énergie contenue dans les nutriments énergétiques et à la synthèse des protéines. Ainsi, les hormones thyroïdiennes influent fortement sur la croissance et le développement de l'organisme, sur son métabolisme et sa capacité de reproduction.

La déficience en iode réduit la production d'hormones thyroïdiennes. Chez l'adulte, cette déficience se traduit par le **goitre**. La glande thyroïde grossit et peut même s'hypertrophier pour compenser le manque d'iode ; il se produit alors un gonflement du cou qui peut devenir très apparent. Cette maladie peut être exacerbée par la consommation d'aliments renfermant des substances dites « goitrogènes » parce qu'elles empêchent la captation de l'iode par la glande thyroïde. C'est le cas notamment de certaines variétés de manioc, qui doivent être traitées pour être comestibles.

Le goitre est indolore et ne menace pas gravement la santé des adultes, mais il réduit la fertilité et augmente la mortalité fœtale et périnatale. Les enfants nés de mères présentant cette déficience sont profondément atteints : ils souffrent de **crétinisme**, c'est-à-dire d'un retard de développement sur les plans physique et mental. Parmi les causes de retard mental pouvant être évitées, la déficience en iode serait la plus répandue dans le monde. Des traitements d'attaque utilisant l'iode et la thyroxine dès la naissance peuvent faire disparaître les symptômes de crétinisme, mais dans certains cas les dommages sont irréversibles.

L'iode alimentaire est très bien absorbé dans l'organisme (à plus de 90 %) ; le surplus est excrété dans l'urine. Les produits de la mer (poissons, fruits de mer et algues) sont de bonnes sources d'iode, qu'ils tirent de l'eau salée ; le sel de mer fait exception, car l'iode qu'il renferme se volatise rapidement. L'iode est aussi présent dans le sol, mais sa concentration varie selon la région. Par conséquent, le contenu des aliments en iode dépend entre autres de l'endroit d'où ils proviennent. Ceux qui sont produits près des rivages marins en contiennent généralement plus que ceux produits à l'intérieur des terres. En Amérique du Nord, la région canadienne des Grands Lacs et la partie centre-nord des États-Unis ont déjà été connues sous le nom de « Goiter Belt » (ceinture de goitre). Mais l'ajout d'iode au sel de table (maintenant obligatoire au Canada) s'est avéré une mesure de santé publique efficace pour réduire l'incidence de la déficience en iode tant dans cette région que dans plusieurs autres pays. Malheureusement, la mesure n'est pas en vigueur dans tous les pays où l'alimentation a une faible teneur en iode ; cette déficience demeure donc un problème préoccupant dans plusieurs parties du monde.

Depuis quelques décennies, l'alimentation canadienne, de même que celle de plusieurs pays industrialisés, s'est considérablement enrichie en iode. Par exemple, en raison de certaines pratiques de l'industrie laitière, le lait a maintenant une teneur en iode plus élevée qu'auparavant. Il en va de même pour plusieurs aliments renfermant divers additifs contenant de l'iode. Les personnes en santé tolèrent généralement bien un apport élevé en iode, mais celles qui souffrent d'une pathologie affectant la glande thyroïde courent plus de risques d'avoir des complications. En même temps, certains experts craignent une recrudescence de la déficience en iode dans la population nord-américaine, laquelle aurait de moins en moins recours au sel de table en raison notamment de la popularité grandissante des aliments industriels (contenant du sel non iodé).

Le fluor

Le fluor est réputé pour ses bienfaits pour les dents. Cet effet positif s'exerce de plusieurs façons. Pendant la formation des dents, le fluorure (l'ion négatif du fluor) absorbé dans l'organisme s'incorpore à la structure inorganique des dents, l'hydroxyapatite, la rendant ainsi plus résistante à la carie dentaire. Après l'éruption des dents, le fluor présent dans la cavité buccale diminue l'action déminéralisante des acides organiques produits par les bactéries de la plaque dentaire responsables de la carie. Le fluor de la salive aurait aussi l'avantage de ralentir l'activité métabolique de ces bactéries en diminuant leur capacité à dégrader les sucres. Ces actions topiques du fluor expliqueraient en grande partie son effet bénéfique sur la santé des dents. Le fluor contribuerait aussi à la santé des os.

Le fluor constitue l'un des nombreux éléments qu'on trouve dans la croûte terrestre et dans l'eau. Toutes les eaux douces renferment naturellement du fluor, mais les quantités varient grandement, allant de 0,1 à plus de 1000 ppm (mg/L) dans certains lacs d'Afrique orientale. Toutefois, la plupart des eaux douces ont une concentration de fluor inférieure au niveau considéré comme optimal pour la prévention de la carie dentaire, soit 1 ppm (ou 1 mg/L).

Le fluor est également un constituant normal des aliments, mais les concentrations y sont habituellement très faibles. Les meilleures sources incluent le thé et les produits de la mer (surtout les poissons dont les arêtes sont consommées). Le fluor est très bien absorbé au niveau intestinal (à plus de 80 %). Toutefois, de façon générale, l'apport de l'alimentation en fluor est nettement insuffisant pour prévenir la carie dentaire.

Santé Canada a donc choisi de recommander l'ajout de fluorure à l'eau potable pour atteindre un taux de 1 ppm dans les municipalités dont l'eau présente une concentration inférieure à ce taux. Mais cette mesure ne fait pas l'unanimité et plusieurs municipalités choisissent de ne pas y donner suite ; même si les recherches démontrant l'innocuité de l'ajout de fluor à l'eau de consommation au taux recommandé sont généralement convaincantes, plusieurs continuent d'éprouver des craintes. On invoque aussi le fait que cette mesure vise particulièrement les enfants, lesquels ne constituent qu'une partie de la population, et que la quantité d'eau potable ingérée demeure faible par rapport à la quantité totale d'eau utilisée par la population. On propose donc de donner quotidiennement des suppléments de fluorure aux enfants vivant dans les municipalités dont l'eau renferme peu de fluorure. Et, pour bénéficier des effets topiques du fluor sur les dents, on recommande l'utilisation régulière d'un dentifrice ou d'un rince-bouche renfermant du fluorure, et l'application topique de fluorure sur les dents lors des visites chez le dentiste.

Quant aux suppléments de fluorure, il importe d'éviter les excès, car ils favorisent l'apparition de taches sur les dents et les fragilisent ; cette anomalie, appelée **fluorose dentaire**, n'est susceptible d'apparaître que pendant la formation des dents. Les risques de fluorose dentaire sont particulièrement élevés si l'on excède les posologies indiquées sur les contenants de suppléments de fluorure, ou si l'on y a recours alors que l'eau est déjà fluorée. Chez les jeunes enfants, l'ingestion du dentifrice au moment du brossage des dents contribue aussi à augmenter les risques.

Les apports en minéraux recommandés

Nous avons vu au chapitre 6 que les quantités d'éléments nutritifs jugées adéquates pour répondre aux besoins de l'organisme sont appelées « apports nutritionnels de référence » (ANREF). Les ANREF pour les minéraux apparaissent sous forme de tableaux à l'annexe 1. Ils varient selon l'âge et le sexe et tiennent compte des besoins particuliers de la femme enceinte et de celle qui allaite. Des valeurs de référence sont aussi indiquées dans le tableau 7.3, aux pages 172 et 173.

L'eau

Le rôle de l'eau dans l'organisme

L'eau (H_2O) est le composant le plus abondant dans l'organisme ; elle constitue en moyenne un peu plus de la moitié, soit environ 60 %, de la masse corporelle. L'eau est le médium où s'effectuent tous les processus organiques, le **solvant** où les nutriments, les enzymes, les hormones et les autres substances intervenant dans les diverses réactions chimiques se retrouvent en solution. L'eau participe aussi à plusieurs de ces réactions.

L'eau agit également comme un **véhicule**. Le sang et la lymphe, qui sont en grande partie composés d'eau, transportent les nutriments et l'oxygène aux cellules et en ramènent les produits de déchet et le gaz carbonique. L'eau sert également de véhicule pour l'absorption des nutriments au niveau intestinal et l'élimination des déchets métaboliques par les reins.

L'eau contribue au **maintien de la température corporelle**. Étant donné qu'il faut une grande quantité d'énergie pour transformer l'eau en vapeur, l'évaporation de l'eau par la peau est un excellent moyen de dissiper la chaleur produite par l'activité métabolique et physique ou celle qui s'accumule lorsque la température ambiante est élevée. Quand la température du corps augmente, l'eau est excrétée par les glandes sudoripares. En s'évaporant, elle absorbe de la chaleur, refroidissant ainsi l'organisme.

L'eau sert de **lubrifiant** et d'**amortisseur** à l'intérieur de diverses structures corporelles telles que les articulations, l'espace cérébro-spinal, le pourtour des globes oculaires ou encore l'utérus de la femme enceinte, où elle constitue la majeure partie du liquide amniotique.

Enfin, l'eau que nous buvons est une **source de nutriments**, car un grand nombre de minéraux, y compris de nombreux oligoéléments, s'y trouvent en solution. Leurs concentrations varient selon la source de l'eau et les traitements qu'elle a subis (voir le chapitre 13). Dans les enquêtes de consommation, les chercheurs oublient souvent de tenir compte de la contribution de l'eau à l'apport en minéraux ; or, celle-ci est parfois substantielle.

La répartition de l'eau dans l'organisme

L'eau contenue dans l'organisme est habituellement divisée en deux compartiments : 1) le **liquide intracellulaire**, soit l'eau contenue à l'intérieur des cellules, et 2) le **liquide extracellulaire**, soit l'eau qui se trouve en dehors des cellules (voir la figure 7.3). Le liquide extracellulaire se présente sous différentes formes ; il comprend principalement le plasma sanguin et le liquide interstitiel (celui qui baigne les cellules et forme la lymphe), ainsi que de petites quantités d'autres liquides, tels les liquides articulaire, cérébro-spinal et oculaire. Le tiers de l'eau corporelle est constitué de liquide extracellulaire ; le reste est contenu à l'intérieur des cellules.

L'équilibre hydrique dans l'organisme : le rôle des électrolytes

Le maintien de l'équilibre hydrique dans l'organisme dépend en grande partie de la concentration des éléments en solution (solutés) dans les liquides intra et extracellulaire. Les solutés les plus importants, surtout à cause de leur abondance, sont

Figure 7.3
Les compartiments hydriques de l'organisme

Le liquide extracellulaire comprend principalement le plasma sanguin et le liquide interstitiel (entre les cellules). Le liquide intracellulaire se trouve à l'intérieur des cellules.

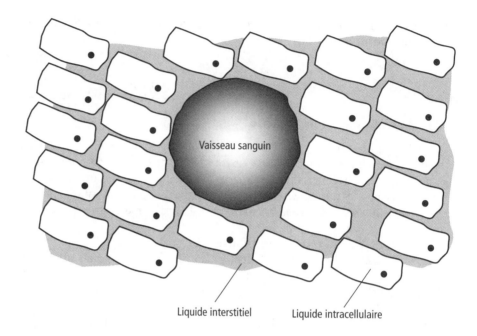

Vaisseau sanguin

Liquide interstitiel   Liquide intracellulaire

le potassium, le sodium et le chlore. Le sodium et le chlore (sous forme de chlorure) sont surtout présents dans le liquide extracellulaire, alors que le potassium se concentre dans le liquide intracellulaire. Même si le sodium et le potassium peuvent tous les deux traverser la membrane cellulaire, une « pompe spéciale » garde le potassium à l'intérieur et le sodium à l'extérieur. Les protéines jouent aussi un rôle important dans l'équilibre hydrique ; elles conservent le plasma sanguin dans les vaisseaux et l'empêchent de se mêler au liquide interstitiel (voir le chapitre 5).

L'équilibre des liquides organiques se maintient principalement grâce aux échanges d'eau qui s'effectuent entre les compartiments intra et extracellulaire (voir la figure 7.4). Le mouvement de l'eau à travers la membrane cellulaire se fait par **osmose**. Quand les concentrations en solutés des deux côtés de la membrane cellulaire s'équilibrent, l'eau traverse la membrane également dans les deux directions. Si la concentration en solutés s'élève d'un côté de la membrane, la quantité d'eau allant dans cette direction augmente, jusqu'à ce qu'un nouvel équilibre s'établisse.

Supposons que vous travailliez plusieurs heures d'affilée à l'extérieur par une journée très chaude, sans boire beaucoup d'eau. En transpirant, vous perdez de l'eau plus rapidement que les solutés de vos liquides extracellulaires. La concentration en solutés (sodium et chlorure) dans le liquide extracellulaire devient donc plus élevée que celle des solutés (potassium et autres) dans le liquide intracellulaire. L'eau quitte

Figure 7.4
L'osmose

L'eau circule par osmose à travers les membranes cellulaires. Elle part du côté de la membrane cellulaire où la concentration en soluté est la plus faible pour aller là où la concentration est la plus élevée. L'eau se déplace ainsi jusqu'à ce que les concentrations en soluté soient égales des deux côtés de la membrane, ce qui implique des changements de volume.

Membrane perméable seulement à l'eau

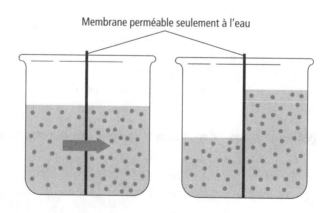

alors les cellules pour aller vers le liquide extracellulaire. Au bout du compte, non seulement le volume d'eau corporelle est réduit, mais sa concentration en solutés est augmentée, même après qu'un nouvel équilibre s'est établi entre le liquide intracellulaire et le liquide extracellulaire.

La baisse du volume d'eau corporelle et l'augmentation de sa concentration en solutés stimulent divers réflexes homéostatiques visant à rétablir l'équilibre hydrique et électrolytique des liquides de l'organisme. Le centre de la soif, situé dans une région du cerveau appelée hypothalamus, réagit en stimulant l'ingestion de liquide. Le lobe postérieur de l'hypophyse (une glande également située dans le cerveau) sécrète à son tour une hormone, l'**hormone antidiurétique (ADH)** – aussi appelée vasopressine –, qui favorise la réabsorption de l'eau par le rein. Celui-ci réagit aussi à la baisse du volume sanguin en produisant une enzyme, la **rénine**, qui déclenche une série de réactions menant, entre autres, à la libération de l'**aldostérone**, une hormone synthétisée dans les glandes surrénales. L'aldostérone stimule la réabsorption du sodium urinaire, ce qui favorise aussi la réabsorption de l'eau par le rein. Toutefois, ces mécanismes hormonaux ne font que minimiser la perte d'eau.

Les facteurs qui influencent l'équilibre hydrique

Pour que l'équilibre hydrique de l'organisme puisse se maintenir, l'eau perdue doit être remplacée régulièrement (voir la figure 7.5). L'eau se perd principalement par l'urine et par la peau. De petites quantités d'eau sont également éliminées dans les selles, par les poumons et quelques autres voies (telles les menstruations chez la femme). Les quantités perdues varient notamment selon le niveau d'activité physique, la température ambiante, le degré d'humidité et la pression atmosphérique.

Les **reins** produisent en moyenne de un à deux litres d'urine quotidiennement. Néanmoins, la sécrétion rénale peut varier grandement ; elle diminue quand l'organisme tend à se déshydrater, et augmente quand une personne consomme beaucoup d'eau (pouvant même atteindre 20 litres par jour !). Un volume minimal d'urine (environ 500 ml) doit être excrété chaque jour pour permettre l'élimination des déchets métaboliques qui s'accumulent dans le sang. Des pertes d'eau dites insensibles, de l'ordre de 700 à 800 ml, se produisent quotidiennement par évaporation à travers la **peau** (sans sudation apparente) et les **poumons** (dans l'air expiré). Toutefois, pendant une activité physique ou lorsque la température est élevée, la transpiration peut augmenter grandement la perte d'eau par voie cutanée. Enfin, une petite quantité d'eau est perdue chaque jour dans les **selles**, soit de 100 à 200 ml.

Au total, une personne sédentaire vivant sous un climat tempéré perd donc de deux à trois litres d'eau par jour, et beaucoup plus lorsqu'elle s'active ou que la température ambiante augmente. Quand les pertes d'eau sont compensées par

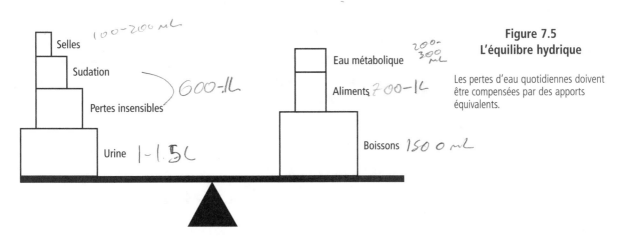

Figure 7.5
L'équilibre hydrique

Les pertes d'eau quotidiennes doivent être compensées par des apports équivalents.

l'apport d'un volume équivalent d'eau, l'organisme est dans un état d'équilibre hydrique. D'habitude, l'eau perdue est remplacée par les **boissons** (de 1,5 à 2 L par jour), par les **aliments** (moins de 1 L par jour) et par l'**eau métabolique**, c'est-à-dire celle qui est libérée dans l'organisme au moment de l'oxydation des nutriments énergétiques (de 250 à 350 ml par jour).

Le tableau 7.5 indique le pourcentage d'eau que renferment divers aliments. À l'exception de l'huile, exclusivement constituée de lipides, les aliments liquides sont particulièrement riches en eau, de même que la plupart des légumes et des fruits. L'eau constitue aussi plus de 50 % du poids de plusieurs aliments « solides » comme la viande, la volaille, le poisson et les œufs. Par contre, certaines denrées telles que les céréales et les pâtes sèches, la farine, les aliments déshydratés et le sucre renferment relativement peu d'eau. C'est d'ailleurs la raison pour laquelle ils se conservent facilement, la majorité des microorganismes responsables de la détérioration des aliments ne pouvant survivre que lorsque le taux d'humidité excède de 12 à 14 %.

TABLEAU 7.5   La teneur en eau de divers aliments (%)

Aliments	% d'eau
Thé, café, boissons gazeuses « diète »	> 95
Jus de fruits, lait	85-95
Boissons gazeuses, bière, vin	
Légumes et fruits	
Soupes, sauces, vinaigre	
Légumes et fruits	70-85
Céréales et pâtes cuites	
Poissons et crustacés	
Fromages frais, œufs, yogourt	
Viandes et volailles cuites	50-70
Poissons et crustacés	
Légumineuses, céréales et pâtes cuites	
Fromages à pâte molle ou dure	30-50
Pain, muffins	
Fruits séchés	15-30
Sirop, mélasse, confitures, gelées	
Gâteaux	
Beurre, margarine	
Légumineuses et céréales crues	< 15
Farine, céréales pour le petit-déjeuner PAM	
Épices et fines herbes séchées	
Noix et graines	
Légumes déshydratés, lait en poudre	
Croustilles, craquelins	
Huile végétale, sucre blanc, sel	0

Source : Santé Canada. Fichier canadien sur les éléments nutritifs, 2001.

Il y a risque de **déshydratation** quand l'organisme perd de l'eau plus rapidement qu'il n'arrive à la remplacer. Une personne déshydratée se sent souvent nauséeuse et faible. Sa peau et ses muqueuses sont sèches et sa coordination musculaire peut être perturbée. Il faut alors boire suffisamment d'eau pour remplacer les pertes. Quant aux électrolytes, ils doivent être ajoutés à l'eau lorsque les pertes sont abondantes et l'ingestion alimentaire réduite, par exemple lors d'une activité physique prolongée, dans le cas de certaines diarrhées d'origine infectieuse ou lors de vomissements abondants. Autrement, l'alimentation se charge généralement de remplacer les pertes.

Enfin, soulignons que l'alcool augmente les risques de déshydratation en inhibant la sécrétion de l'ADH ; c'est pourquoi le volume urinaire produit après la consommation d'une boisson alcoolisée excède le volume de boisson ingéré.

L'équilibre acido-basique des liquides organiques

L'eau et certains des minéraux qui s'y trouvent en solution participent à un autre mécanisme important, celui du maintien de l'équilibre acido-basique des liquides de l'organisme. On dit d'un liquide qu'il est en équilibre acido-basique lorsque ses concentrations en ions hydrogène (H^+) et en ions hydroxyde (OH^-) sont adéquates pour favoriser les réactions chimiques s'y déroulant normalement.

Dans l'eau pure, très peu de molécules d'eau se dissocient en ions hydrogène et hydroxyde :

$$H_2O \rightleftharpoons H^+ + OH^-$$

Étant donné que les deux ions y sont présents en concentrations égales, l'eau pure est neutre. Une solution qui renferme plus d'ions hydrogène que d'ions hydroxyde est une solution acide, alors qu'une solution contenant plus d'ions hydroxyde que d'ions hydrogène est une solution alcaline (ou basique). L'acidité ou l'alcalinité d'une solution s'exprime par le **pH**, lequel varie de 1 à 14. Un pH de 1 indique une concentration élevée en ions hydrogène (acidité élevée) alors qu'un pH de 14 indique une concentration élevée en ions hydroxyde (alcalinité élevée). L'eau pure a un pH de 7 ; elle est donc neutre.

Pour permettre le fonctionnement normal de l'organisme, le pH des liquides corporels doit se maintenir à l'intérieur de limites très étroites. Le pH normal est de 7,4 ; la limite supérieure est 7,8 et la limite inférieure, 7,0. Lorsque le pH se situe en dehors de ces limites, l'activité enzymatique est gravement perturbée et la vie ne peut continuer.

L'équilibre acido-basique des liquides corporels est maintenu grâce à trois mécanismes importants : le système tampon, les poumons et les reins. Les **tampons** sont des substances qui luttent contre les changements de pH d'une solution. Ils peuvent soit donner, soit recevoir des ions hydrogène et ainsi neutraliser autant les bases que les acides. Les tampons importants dans les liquides de l'organisme sont les bicarbonates, les phosphates et les protéines (voir le chapitre 5). Les **poumons** participent aussi à la régularisation du pH. La respiration rapide élimine le gaz carbonique du sang et en réduit l'acidité en diminuant la formation d'acide carbonique ; une respiration lente entraîne l'accumulation d'acide carbonique et augmente le taux d'acidité du sang (voir la figure 7.6). Le **rein** s'avère un organe particulièrement important pour le maintien de l'équilibre acido-basique puisqu'il excrète des ions hydrogène et retient les bicarbonates (tampons) formés par la dissociation de l'acide carbonique quand les liquides corporels sont trop acides. Il joue le rôle inverse quand ces liquides deviennent trop alcalins.

$$H_2O + CO_2 \rightleftharpoons \underset{\text{acide carbonique}}{H_2CO_3} \rightleftharpoons \underset{\text{bicarbonate}}{H^+ + HCO_3^-}$$

**Figure 7.6
La formation de l'acide carbonique et des tampons bicarbonates dans le sang à partir du gaz carbonique et de l'eau**

Selon la composition du régime alimentaire, le métabolisme peut favoriser l'augmentation des acides ou des bases à l'intérieur de l'organisme. Par exemple, certains aliments tels la viande, la volaille, le poisson, les œufs et les céréales laissent un résidu acide dans l'organisme, alors que la plupart des légumes et des fruits laissent un résidu alcalin. D'autres aliments, comme le lait, les corps gras et les sucres, s'avèrent neutres. Dans des conditions normales, le degré d'acidité ou d'alcalinité résultant de l'ingestion d'aliments variés peut facilement être neutralisé par les mécanismes qui règlent le pH des liquides corporels. Toutefois, un déséquilibre alimentaire peut entraîner un léger excès d'acidité ou d'alcalinité dans l'organisme, ce qui n'est pas sans conséquences pour certains tissus. Ainsi, selon plusieurs chercheurs, l'excès d'acidité chronique causé par la consommation d'un régime à la fois riche en produits animaux et en céréales mais pauvre en légumes et en fruits a un effet délétère sur le tissu osseux (voir *Le calcium et la santé des os* ci-dessous).

Les recommandations relatives à la consommation d'eau

L'eau est une boisson essentielle pour l'organisme et nous négligeons souvent d'y accorder l'importance qu'elle mérite. Toutefois, compte tenu de l'importance des variations individuelles dues à l'activité et à l'environnement, il est difficile d'estimer précisément le besoin en eau. Les plus récentes recommandations concernant la consommation d'eau provenant de diverses boissons (eau de consommation, lait, jus, boisson gazeuse, thé, café, etc.) apparaissent à l'annexe 1. Selon ces recommandations, une femme devrait consommer l'équivalent d'environ 2,2 litres d'eau par jour et un homme, l'équivalent d'environ 3 litres d'eau par jour. **Le besoin en eau provenant de diverses boissons serait donc d'environ 1 ml/kcal ingérée.** Le calcul doit évidemment être réajusté pour compenser les pertes occasionnées par la chaleur, une activité physique intense ou la maladie (par exemple fièvre, diarrhée et vomissements).

Pour en savoir plus ● ● ●

Le calcium et la santé des os

Les os représentent une importante structure de l'organisme. Ils forment le squelette qui soutient le corps et protège les organes internes. C'est également dans les os, à l'intérieur de la moelle osseuse, que sont fabriqués les globules rouges du sang. Au besoin, les os servent même de réserve de nutriments pour les autres tissus.

La composition des os

Les minéraux constituent un peu plus des deux tiers de la masse osseuse. Il s'agit principalement d'hydroxyapatite, un composé cristallin formé de calcium et de phosphate (un dérivé du phosphore), auquel se lient un certain nombre d'autres minéraux (par exemple le magnésium). Mais s'il est en grande partie constitué de matière minérale, l'os demeure un tissu vivant. On y trouve trois types de cellules : les ostéoblastes, les ostéocytes et les ostéoclastes (voir la figure 7.7). Les ostéoblastes sont situés à la surface de l'os ; ils sécrètent du collagène, une substance protéique sur laquelle peuvent se déposer les minéraux qui forment l'os. Une fois enfermés dans la matrice osseuse, les ostéoblastes deviennent des ostéocytes.

Quant aux ostéoclastes, ils peuvent digérer l'os en surface et libérer les minéraux qui y sont contenus, selon les besoins de l'organisme. Ce phénomène, appelé **résorption osseuse**,

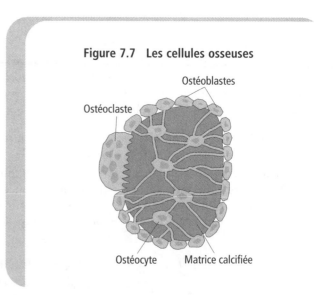

Figure 7.7   Les cellules osseuses

Ostéoblastes

Ostéoclaste

Ostéocyte   Matrice calcifiée

permet de maintenir la quantité de calcium contenue dans le sang à un niveau qui assure le bon fonctionnement de l'organisme. Diverses hormones régissent le métabolisme des os; certaines favorisent l'accumulation de masse osseuse (comme l'hormone de croissance et les hormones sexuelles), alors que d'autres stimulent la résorption osseuse (par exemple, la parathormone sécrétée par les glandes parathyroïdiennes).

Tout au long de la croissance, l'activité des ostéoblastes est particulièrement intense; elle permet l'allongement et l'épaississement des os. Une fois la croissance terminée, l'activité des ostéoblastes diminue, mais demeure néanmoins suffisamment élevée pour favoriser la consolidation du tissu osseux jusque vers l'âge de 30 ans. Il semble en effet que ce soit vers cet âge que l'accumulation maximale de masse osseuse est atteinte.

L'alimentation influence grandement la formation des os (voir la figure 7.8). Elle fournit les matériaux dont ils se composent, en particulier le calcium, le phosphore, le magnésium et les protéines. Elle fournit également les vitamines (D, C et K) et les oligoéléments (Zn, Mn, Cu, F) nécessaires aux processus métaboliques qui mènent à la synthèse du tissu osseux et à sa consolidation. Par conséquent, pour que la croissance osseuse soit optimale, l'alimentation doit renfermer tous ces éléments nutritifs en quantités suffisantes. Notons que le bagage génétique influence aussi la quantité maximale de masse osseuse qu'une personne peut accumuler. Le niveau d'activité physique, de même que la masse corporelle, ont également un effet, car la force mécanique exercée sur l'os par les mouvements du corps favorise l'accumulation de tissu osseux. Enfin, il existe des différences liées au sexe puisque les hommes tendent à accumuler plus de masse osseuse que les femmes.

La perte de masse osseuse

À mesure qu'il vieillit, l'organisme a de plus en plus de difficulté à remplacer les pertes dues au processus de résorption osseuse, et la masse osseuse tend à diminuer. Chez la femme, la perte de masse osseuse est particulièrement marquée pendant les cinq années suivant le début de la ménopause, le phénomène étant en grande partie attribuable à des changements hormonaux. Durant cette période de la vie, près de 15 % de la masse osseuse disparaît. Par la suite, la perte s'effectue plus lentement, au rythme d'environ 1 % par année. À la longue, et surtout si le gain de masse osseuse accumulée jusqu'à l'âge adulte est faible, la perte de celle-ci peut conduire à l'**ostéoporose**, une maladie liée à une incidence élevée de fractures (notamment aux hanches, aux poignets et à la colonne vertébrale). Cette maladie, qui provoque fréquemment douleurs, difformités et invalidité chez les personnes âgées, touche plus souvent les femmes que les hommes; il semble aussi que les femmes de race blanche ou asiatique y soient plus sujettes que les autres.

L'importance du calcium

Étant donné qu'il est le principal constituant minéral de l'os, le **calcium** est un élément essentiel pour avoir des os sains tout au long de la vie, et pour se prémunir contre l'ostéoporose. Pendant la croissance et au début de l'âge adulte, l'apport du régime alimentaire en calcium devrait favoriser le gain maximal de masse osseuse dicté par le potentiel génétique. Par la suite, l'apport devrait être suffisant pour maintenir le capital osseux et, lorsque les changements liés au vieillissement apparaissent, pour limiter le plus possible la perte osseuse. Divers organismes ont émis des recommandations à

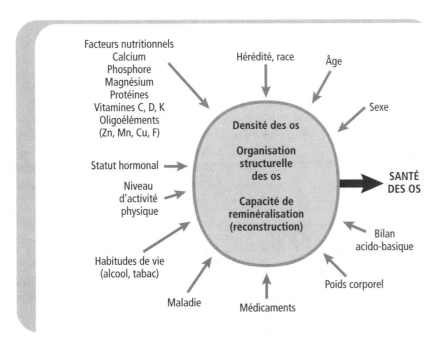

**Figure 7.8
Les facteurs intervenant
dans la santé des os**

Facteurs nutritionnels
Calcium
Phosphore
Magnésium
Protéines
Vitamines C, D, K
Oligoéléments
(Zn, Mn, Cu, F)

Hérédité, race

Âge

Sexe

Statut hormonal

Niveau
d'activité
physique

Habitudes de vie
(alcool, tabac)

Maladie

Médicaments

**Densité des os

Organisation
structurelle
des os

Capacité de
reminéralisation
(reconstruction)**

**SANTÉ
DES OS**

Bilan
acido-basique

Poids corporel

cet effet. Les plus récentes d'entre elles, émises par un comité mixte d'experts américains et canadiens, établissent à 1000 mg par jour l'apport en calcium jugé suffisant pour les adultes de 19 à 50 ans, et à 1200 mg par jour celui des adultes de plus de 50 ans (voir l'annexe 1).

Les résultats des recherches sur lesquelles ces valeurs reposent ne permettent cependant pas toujours d'établir un lien entre l'apport en calcium et la santé des os. Plusieurs recherches apportent même une note discordante, en particulier celles effectuées auprès de femmes ménopausées. Mais un certain nombre de facteurs peuvent expliquer cette divergence. Tout d'abord, nous venons de le souligner, le calcium n'est pas le seul élément à intervenir dans le métabolisme osseux (voir la figure 7.8) ; l'action des autres éléments devient déterminante dans les populations où l'alimentation est riche en calcium. Mais si le calcium ne peut à lui seul assurer une bonne santé osseuse, il n'en demeure pas moins essentiel. Par ailleurs, lorsqu'on tente d'établir un lien entre la santé des os et la consommation de calcium, on doit prendre en considération l'apport du régime alimentaire en calcium pendant la période de la vie où il tend à s'accumuler ; or, il n'est pas facile de quantifier la consommation alimentaire passée d'une personne, y compris sa consommation de calcium. Enfin, plusieurs études ont été effectuées chez des femmes ménopausées depuis moins de cinq ans, alors que les changements hormonaux survenant durant cette période rendent quasi inopérantes les mesures visant à freiner la perte osseuse.

Les protocoles de recherche prenant en compte ces éléments confondants montrent qu'un apport adéquat en calcium exerce un effet bénéfique sur la santé osseuse pendant la presque totalité de la vie. Il s'agit donc là d'un bon moyen de réduire les risques de voir se développer l'ostéoporose. Mais il faut bien comprendre que ce moyen n'est pas infaillible et que l'alimentation doit renfermer les autres éléments nutritifs en quantités suffisantes, notamment la vitamine D nécessaire à l'absorption du calcium (voir le chapitre 6). Un supplément de vitamine D peut même être requis lorsque le degré d'ensoleillement est limité. Une alimentation adéquate, riche en légumes et en fruits, contribue aussi à maintenir l'équilibre acido-basique dans l'organisme. En raison de leur richesse en substances tampons (en bicarbonates notamment), ces végétaux sont des aliments de choix pour prévenir l'excès d'acidité, lequel stimule la déminéralisation osseuse. La consommation de bonnes quantités de légumes et de fruits est d'ailleurs liée à une réduction du risque d'ostéoporose (voir le chapitre 10). Quant aux autres caractéristiques nutritionnelles du régime, comme sa teneur en sel, en caféine, en protéines et en alcool, leur influence sur la santé osseuse demeure imprécise ; néanmoins, il est toujours avantageux d'éviter les excès.

Enfin, tout en évitant les chocs majeurs pouvant endommager la structure osseuse et augmenter sa fragilité, il est recommandé de maintenir un bon niveau d'activité physique, une mesure particulièrement efficace pour freiner la déperdition osseuse. Il est également utile de savoir que l'insuffisance de poids et le tabagisme ont un effet négatif sur la santé des os, de même que certains médicaments (tels les dérivés de la cortisone) et certaines maladies favorisant la perte de calcium dans l'urine ou limitant son absorption au niveau intestinal.

Résumé

Pour maintenir son intégrité, l'organisme humain a non seulement besoin de composés organiques, mais aussi de minéraux et d'eau. Les **minéraux** sont des substances inorganiques nécessaires à l'organisme en quantités relativement minimes. On les divise en deux catégories. Ceux qui sont présents dans l'organisme en plus grande quantité (calcium, phosphore, magnésium et électrolytes) sont appelés **macroéléments** ; les besoins de l'organisme excèdent 100 mg par jour pour chacun d'entre eux. Les éléments présents dans l'organisme en très faible quantité sont appelés **oligoéléments (ou éléments traces)**. Les besoins en oligoéléments de l'organisme ne dépassent jamais quelques milligrammes par jour ; dans certains cas, ils sont exprimés en microgrammes.

À l'instar des vitamines, les minéraux agissent de pair avec d'autres composés pour favoriser la croissance, le maintien et la reproduction de l'organisme. Plus précisément, les minéraux sont utilisés : 1) comme **éléments de la structure des os et des dents**, 2) comme **cofacteurs dans l'activité enzymatique et hormonale**, et 3) comme **éléments constitutifs d'autres molécules organiques fonctionnelles**. De plus, le mouvement de certains minéraux à travers les membranes cellulaires facilite le **transport** de diverses substances et s'avère indispensable à la **transmission nerveuse** et à la **contraction musculaire**.

Les fonctions des minéraux dans l'organisme, les quantités recommandées ainsi que les principales sources alimentaires sont résumées dans le tableau 7.3, aux pages 172 et 173. On y souligne également les manifestations d'une **carence minérale**. À la manière des déficiences vitaminiques, les déficiences en minéraux résultent de l'interaction de divers facteurs : diminution de l'apport alimentaire, augmentation des besoins de l'organisme (par exemple la grossesse), perturbation de l'absorption des minéraux au niveau intestinal ou augmentation des pertes par l'urine.

La **carence en fer** est une des déficiences nutritionnelles les plus répandues dans le monde. L'épuisement des réserves de fer perturbe la synthèse de l'hémoglobine à l'intérieur des globules rouges et réduit leur capacité à transporter l'oxygène dans le sang ; il s'agit de l'**anémie par déficience en fer**, dont les symptômes les plus fréquents sont la sensation de fatigue et d'épuisement, la pâleur et la perte de l'appétit. Chez le jeune enfant, l'anémie par déficience en fer a aussi une incidence négative sur le développement et les capacités d'apprentissage.

Le lien existant entre la teneur du régime alimentaire en **calcium** et la santé des os est plus difficile à cerner, car cette dernière est déterminée par un grand nombre de facteurs. Néanmoins, plusieurs études bien faites montrent qu'un apport adéquat en calcium exerce un effet bénéfique sur la santé osseuse, et ce, pendant la presque totalité de la vie. Un bon apport en calcium réduirait le risque de développer l'**ostéoporose**, une maladie osseuse entraînant une incidence élevée de fractures chez les personnes âgées, en particulier chez les femmes. Il importe toutefois de consommer en quantités adéquates les autres éléments nutritifs nécessaires au métabolisme osseux, notamment la vitamine D, qui permet l'absorption du calcium. Nous avons aussi avantage à maintenir un bon niveau d'activité physique, un moyen particulièrement efficace de freiner la déperdition osseuse. Enfin, l'insuffisance de poids et le tabagisme ont une incidence négative sur la santé des os.

L'**eau** (H_2O), pour sa part, est le composant le plus abondant dans l'organisme ; elle constitue à elle seule environ 60 % de la masse corporelle. L'eau est le médium où s'effectuent tous les processus organiques, le **solvant** où les nutriments, les enzymes, les hormones et les autres substances intervenant dans les diverses réactions chimiques se retrouvent en solution. De plus, l'eau agit comme **véhicule**, transportant diverses substances à l'intérieur et à l'extérieur des cellules et de l'organisme. Elle sert de **lubrifiant** et d'**amortisseur** à l'intérieur de diverses structures corporelles, telles les articulations. En s'évaporant, elle contribue au **maintien de la température corporelle** en dissipant la chaleur qui s'accumule dans le corps. Enfin, l'eau que nous buvons est une **source de nutriments**.

On peut diviser l'eau contenue dans l'organisme en deux compartiments : 1) le **liquide intracellulaire**, soit l'eau contenue à l'intérieur des cellules, et 2) le **liquide extracellulaire**, soit l'eau qui se trouve en dehors des cellules. Les quantités d'éléments s'y trouvant en solution (solutés) déterminent la façon dont l'eau se répartit de part et d'autre de la membrane cellulaire. En effet, l'équilibre se maintient principalement grâce aux échanges d'eau qui s'effectuent vers l'extérieur ou l'intérieur de la cellule selon les changements de concentration en solutés, un phénomène appelé **osmose**. Les solutés les plus importants, surtout à cause de leur abondance, sont le potassium, le sodium et le chlore.

Pour maintenir l'**équilibre hydrique** de l'organisme, l'eau éliminée chaque jour doit être remplacée. L'eau se perd principalement par l'urine et la peau. Une personne sédentaire vivant sous un climat tempéré perd au total de deux à trois litres d'eau par jour, et beaucoup plus lorsqu'elle s'active ou que la température ambiante augmente. Quand les pertes d'eau sont compensées par l'apport d'un volume d'eau équivalent, l'organisme est dans un état d'équilibre hydrique. Généralement, l'eau perdue est remplacée par les **boissons** (de 1,5 à 2 L par jour), par les **aliments** (moins de 1 L par jour) et par l'**eau métabolique**, c'est-à-dire celle libérée dans l'organisme par l'oxydation des nutriments énergétiques (de 250 à 350 ml par jour). Le risque de **déshydratation** survient quand l'organisme perd de l'eau plus rapidement qu'il n'en absorbe. Il importe donc de boire suffisamment d'eau pour remplacer celle perdue.

Enfin, pour permettre le fonctionnement normal de l'organisme, le **pH** des liquides corporels doit se situer à l'intérieur de limites très étroites. L'équilibre acidobasique des liquides corporels est maintenu grâce à trois mécanismes importants : le système tampon, les poumons et les reins. Malgré tout, un déséquilibre alimentaire peut entraîner un léger excès d'acidité ou d'alcalinité dans l'organisme.

Références

AGRICULTURE AND AGRI-FOOD CANADA. *Food group sources of nutrients in the average canadian diet* (à partir de données de l'Enquête sur les dépenses alimentaires de 2001).

ARNETT, T. « Regulation of bone cell function by acid-base balance », *Proceedings of the Nutrition Society*, vol. 62, 2003, p. 511-520.

ARTHUR, J.R. « Selenium supplementation : does soil supplementation help and why ? », *Proceedings of the Nutrition Society*, vol. 62, 2003, p. 393-397.

BOWMAN, B.A. et R.M. RUSSELL (éd.). *Present Knowledge in Nutrition*, 8e éd., Washington, D.C., ILSI Press, 2001.

DATTILO, A.M. et S.G. MIGUEL. « Chromium in health and disease », *Nutrition Today*, vol. 38, n° 4, 2003, p. 121-133.

DAWSON-HUGHES, B. « Calcium and protein in bone health », *Proceedings of the Nutrition Society*, vol. 62, 2003, p. 505-509.

DÉMIGNÉ, C. et autres. « Protective effects of high dietary potassium : nutritional and metabolic aspects », *Journal of Nutrition*, vol. 134, 2004, p. 2903-2906.

GRANJEAN, A.C., K.J. REIMERS et M.E. BUYCKX. « Hydration : Issues for the 21st century », *Nutrition Reviews*, vol. 61, n° 8, 2003, p. 261-271.

GRAY-DONALD, K., L. JACOBS-STARKEY et L. JOHNSON-DOWN. « Food habits of Canadians : reduction in fat intake over a generation », *Canadian Journal of Public Health*, vol. 91, 2000, p. 381-385.

GREGER, J.L. et E.A. MALECKI. « Manganese : how do we know our limits ? », *Nutrition Today*, vol. 32, n° 3, 1997, p. 116-121.

HEANEY, R.P. « Nutritional factors in osteoporosis », *Annual Review of Nutrition*, vol. 13, 1993, p. 287-316.

HOLST, M.-C. « Developmental and behavioral effects of iron deficiency anemia in infants », *Nutrition Today*, vol. 33, n° 1, 1998, p. 27-36.

INSTITUT DE LA STATISTIQUE DU QUÉBEC. *Enquête sociale et de santé auprès des enfants et des adolescents québécois. Volet nutrition*, Sainte-Foy, gouvernement du Québec, 2004. Site Internet : <www.stat.gouv.qc.ca>.

KONOFAL, E. et autres. « Iron deficiency in children with attention-deficit/hyperactivity disorder », *Archives of Pediatrics & Adolescent Medicine*, vol. 158, 2004, p. 1113-1115.

LEE, K. et autres. « Too much versus too little : the implications of current iodine intake in the United States », *Nutrition Reviews*, vol. 57, n° 6, 1999, p. 177-181.

LLOYD, T. et autres. « Dietary caffeine intake and bone status of postmenopausal women », *American Journal of Clinical Nutrition*, vol. 65, 1997, p. 1826-1830.

LYNCH, S.R. « Interaction of iron with other nutrients », *Nutrition Reviews*, vol. 55, n° 4, 1997, p. 102-110.

MILLER-IHLI, N.J. « Graphite furnace atomic absorption spectrometry for the determination of the chromium content of selected U.S. foods », *Journal of Food Composition and Analysis*, vol. 9, 1996, p. 290-300.

NEW, S.A. et autres. « Lower estimates of net endogenous noncarbonic acid production are positively associated with indexes of bone health in premenopausal and perimenopausal women », *American Journal of Clinical Nutrition*, vol. 79, 2004, p. 131-138.

NIELSEN, F.H. « Controversial chromium. Does the super-star mineral of the mountebanks receive appropriate attention from clinicians and nutritionists ? », *Nutrition Today*, vol. 3, n° 6, 1996, p. 226-233.

OTT, S.M. « Diet for the heart or the bone : a biological trade-off », *American Journal of Clinical Nutrition*, vol. 79, 2004, p. 4-5.

« Position of The American Dietetic Association. The impact of fluoride on health », *Journal of the American Dietetic Association*, vol. 101, 2001, p. 126-132.

PENNINGTON, J.A.T. et autres. « Composition of core foods of the US food supply, 1982-1991. III. Copper, manganese, selenium, and iodine », *Journal of Food Composition and Analysis*, vol. 8, 1995, p. 171-217.

PITRE, N. et autres. « Identification des carences en fer, folates et vitamine B_{12} par l'évaluation clinique nutritionnelle », *Revue de l'Association canadienne des diététistes*, vol. 58, n° 1, 1997, p. 27-33.

REID, D.M. et S.A. NEW. « Nutritional influences on bone mass », *Proceedings of the Nutrition Society*, vol. 56, 1997, p. 977-987.

RIGGS, B.L et L.J. MELTON III (réd.). *Osteoporosis – Etiology, Diagnosis, and Management*, 2ᵉ éd., Philadelphia, Lippincott-Raven, 1995.

RUTHERFORD, O.M. « Bone density and physical activity », *Proceedings of the Nutrition Society*, vol. 56, 1997, p. 967-975.

SANTÉ ET BIEN-ÊTRE SOCIAL CANADA. *Recommandations sur la nutrition. Rapport du Comité de révision scientifique*, Ottawa, ministre des Approvisionnements et Services Canada, 1990.

SCRIMSHAW, N.S. « Iron deficiency », *Scientific American*, octobre 1991, p. 46-52.

SHILS, M.E. et autres (réd.). *Modern Nutrition in Health and Disease*, 9ᵉ éd., Baltimore, Williams & Wilkins, 1999.

STIPANUK, M.H. *Biochemical and Physiological Aspects of Human Nutrition*, Toronto, W.B. Saunders Company, 2000.

THÉROND, P. « Le sélénium. Un oligoélément essentiel pour la santé humaine », *Cahiers de nutrition et diététique*, vol. 38, nᵒ 4, 2003, p. 250-256.

UAUY, R., M. OLIVARES et M. GONZALEZ. « Essentiality of copper in humans », *American Journal of Clinical Nutrition*, vol. 67, suppl., 1998, p. 952S-959S.

UNDERWOOD, B.A. « Micronutrient malnutrition. Is it being eliminated ? », *Nutrition Today*, vol. 33, nᵒ 3, 1998, p. 121-129.

U.S. NATIONAL ACADEMY OF SCIENCES, INSTITUTE OF MEDICINE. *Dietary Reference Intakes for Calcium, Phosphorus, Magnesium, Vitamin D and Fluoride*, Washington, D.C., National Academy Press, 1997. Site Internet : <www.nap.edu>.

U.S. NATIONAL ACADEMY OF SCIENCES, INSTITUTE OF MEDICINE. *Dietary Reference Intakes : Applications in Dietary Planning*, Washington, D.C., National Academy Press, 2003. Site Internet : <www.nap.edu>.

U.S. NATIONAL ACADEMY OF SCIENCES, INSTITUTE OF MEDICINE. *Dietary Reference Intakes for Vitamin A, Vitamin K, Arsenic, Boron, Chromium, Copper, Iodine, Iron, Manganese, Molybdenum, Nickel, Silicon, Vanadium and Zinc*, Washington, D.C., National Academy Press, 2001. Site Internet : <www.nap.edu>.

U.S. NATIONAL ACADEMY OF SCIENCES, INSTITUTE OF MEDICINE. *Dietary Reference Intakes for Vitamin C, Vitamin E, Selenium and Carotenoids*, Washington, D.C., National Academy Press, 2000. Site Internet : <www.nap.edu>.

U.S. NATIONAL ACADEMY OF SCIENCES, INSTITUTE OF MEDICINE. *Dietary Reference Intakes for Water, Potassium, Sodium, Chloride and Sulfate*, Washington, D.C., National Academy Press, 2004. Site Internet : <www.nap.edu>.

ZIMMERMANN, M.B. « Assessing iodine status and monitoring progress of iodized salt programs », *Journal of Nutrition*, vol. 134, 2004, p. 1673-1677.

Chapitre 8

Recommandations, outils d'éducation et impact de la transformation

Il y a longtemps qu'on tente de déterminer les quantités de nutriments adéquates pour répondre aux besoins de l'organisme humain. Les travaux expérimentaux et les études de population portant sur ce sujet constituent une priorité de la recherche en nutrition, depuis qu'a été découvert le rôle indispensable de nombreux nutriments dans le fonctionnement de notre organisme. À l'origine, les valeurs proposées avaient pour principal objectif d'enrayer les carences nutritionnelles. Depuis, elles visent également à prévenir les maladies chroniques liées à l'alimentation dont nous souffrons le plus fréquemment, soit les maladies cardiovasculaires et le cancer principalement.

Mais la recherche en nutrition ne suffit pas ; encore faut-il trouver le moyen de traduire concrètement les recommandations qui en découlent et de « faire passer le message ». Santé Canada a élaboré à cette fin le *Guide alimentaire canadien pour manger sainement*, un outil d'éducation sur lequel se fondent les conseils de santé publique en matière de nutrition. Afin d'assurer à la population canadienne un environnement alimentaire de qualité, ce ministère s'occupe aussi d'établir les normes touchant l'addition d'éléments nutritifs aux aliments. De son côté, le consommateur peut tirer profit du programme canadien d'étiquetage des aliments, lequel vise à encourager l'adoption de saines pratiques alimentaires dans la population. Il a également avantage à bien connaître les facteurs susceptibles d'influer sur la valeur nutritive et l'innocuité des aliments lorsqu'il choisit, entrepose et manipule des denrées alimentaires.

Le besoin moyen estimé de l'organisme pour un nutriment donné peut grandement varier selon l'âge, le sexe et certaines autres conditions.

Les apports nutritionnels de référence (ANREF)

Dans plusieurs pays, des experts en nutrition se penchent régulièrement sur la littérature scientifique pour tenter de déterminer les quantités de nutriments nécessaires à l'organisme humain. Le Canada et les États-Unis ont uni leurs efforts pour formuler leurs plus récentes recommandations. Élaborées à l'intention des Canadiens et des Américains **en bonne santé**, ces recommandations sont regroupées sous l'appellation « apports nutritionnels de référence (ANREF) » ; elles portent sur l'énergie et les nutriments jugés nécessaires au bon fonctionnement de l'organisme : glucides (incluant les fibres alimentaires), lipides (incluant les acides gras essentiels), protéines (incluant les acides aminés indispensables), vitamines, minéraux et eau.

Les ANREF concernant l'énergie, les glucides, les lipides et les protéines ont déjà été présentés dans les chapitres consacrés à chacun de ces éléments. Ceux touchant les vitamines, les minéraux et l'eau sont regroupés à l'annexe 1. Même si ces recommandations sont exprimées sur une base quotidienne, la consommation moyenne établie sur une période de plusieurs jours ou même plusieurs semaines est celle qui compte. En outre, nous le verrons plus loin, les ANREF (sauf ceux concernant l'énergie) comportent une marge de sécurité ; le fait de ne pas atteindre l'ANREF pour un nutriment donné ne signifie donc pas que la consommation est insuffisante pour répondre au besoin de l'organisme. Toutefois, plus la consommation est faible par rapport à la valeur recommandée, plus le risque d'insuffisance augmente.

La détermination des apports nutritionnels de référence (ANREF)

Le besoin moyen estimé (BME)

Évaluer les besoins de l'organisme en énergie et en éléments nutritifs demeure une tâche complexe. On commence habituellement par déterminer le besoin moyen estimé (BME) pour chacun à partir de données d'études cliniques. On se sert par exemple d'études de bilan effectuées chez des personnes en santé et permettant de calculer la quantité d'énergie que l'organisme utilise, ou encore les quantités de nutriments qui lui sont nécessaires pour remplacer ce qu'il perd normalement en moyenne chaque jour, que ce soit dans l'urine, les matières fécales ou par d'autres voies (comme les menstruations chez la femme). Le BME se fonde également sur des études cliniques permettant de déterminer les quantités de nutriments dont l'organisme a besoin pour restaurer ou maintenir, à un niveau optimal, divers indicateurs de son état nutritionnel (tels le taux de nutriments en circulation dans le sang ou l'intensité de l'activité enzymatique dans les globules rouges).

Le BME de l'organisme en ce qui concerne l'énergie ou un nutriment donné peut grandement varier selon l'âge, le sexe ou certaines conditions telles que la grossesse et l'allaitement. Il est donc souvent nécessaire de déterminer plusieurs valeurs pour un même nutriment. Le BME doit également être ajusté pour tenir compte d'autres facteurs, y compris le taux d'absorption du nutriment au niveau intestinal, lui-même en partie déterminé par la composition du régime alimentaire.

L'apport nutritionnel recommandé (ANR)

Par définition, le BME d'un groupe bien défini de la population (les femmes de 19 à 30 ans, par exemple) ne couvre pas les besoins de toutes les personnes de ce groupe. Pour être utilisé comme mesure de référence, le BME est augmenté de manière à prendre en compte la variation des besoins à l'intérieur du groupe. On obtient ainsi ce qu'on appelle l'apport nutritionnel recommandé (ANR), une valeur couvrant les besoins en éléments nutritifs de presque tous les individus (97,5 %) d'un même groupe et qui, nécessairement, les dépasse (voir la figure 8.1). Dans le cas de l'énergie, on s'en tient toutefois au BME pour faire des recommandations, en raison de l'incidence de l'excès de poids dans la population nord-américaine.

L'apport suffisant (AS)

Comme nous pouvons le constater, il faut bien comprendre la façon dont les nutriments sont véhiculés, stockés et éliminés dans l'organisme, de même que les voies métaboliques qu'ils y empruntent, afin de déterminer les ANR. Il est également nécessaire de savoir dans quelle mesure les quantités de nutriments utilisées par l'organisme varient d'une personne à une autre. Or, nos connaissances demeurent limitées en ce qui a trait à un certain nombre de nutriments. Il faut alors procéder différemment en évaluant approximativement, à partir d'observations ou d'expérimentations, l'apport nutritionnel de populations apparemment en bonne santé. C'est ainsi qu'on estime l'apport suffisant (AS), lequel sert de valeur de référence pour déterminer le besoin nutritionnel d'une personne quand on ne peut établir d'ANR. Certaines des valeurs apparaissant à l'annexe 1 correspondent à des apports suffisants.

L'apport maximal tolérable (AMT)

Les surplus de nutriments absorbés quand l'ingestion excède les ANR ou les AS ne sont pas considérés comme nuisibles s'ils demeurent raisonnables. Pour nous guider dans notre consommation, l'apport maximal tolérable (AMT) a été établi relativement à un certain nombre de nutriments; ces valeurs apparaissent à l'annexe 1. L'AMT est la quantité la plus élevée d'un nutriment que la plupart d'entre nous pouvons consommer quotidiennement sans risque d'effets indésirables; ce risque augmente à mesure que notre consommation s'élève au-dessus de l'AMT (voir la figure 8.1). L'utilisation de suppléments de vitamines et de minéraux est très souvent en cause dans l'apparition d'effets indésirables liés à un apport nutritionnel excessif (voir *Les suppléments de vitamines et de minéraux sont-ils nécessaires?*, à la page 211). Soulignons que l'AMT n'est pas une quantité qu'il est recommandé de consommer; l'ingestion de grandes quantités de nutriments présenterait très peu d'avantages, compte tenu de la marge de sécurité que les ANR et les AS comportent (voir le chapitre 6).

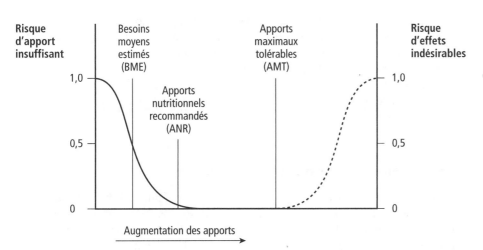

Figure 8.1
Le lien entre les valeurs des ANREF et les risques de consommation insuffisante de nutriments et d'effets indésirables sur la santé

Source : Adapté de Santé Canada. Direction générale des produits de santé et des aliments. *Utilisation des apports nutritionnels de référence*, 2003.

Les fourchettes de distribution acceptables des macronutriments (FDAM)

Nous avons souligné aux chapitres 3 et 4 que les recommandations concernant la consommation de glucides et de lipides sont exprimées en proportions de l'énergie consommée. Dans le cas de ces nutriments, on propose des fourchettes (ou intervalles) de valeurs associées à un faible risque de maladies chroniques et permettant une consommation suffisante de nutriments essentiels (voir le tableau 8.1). Des fourchettes de distribution jugées acceptables sont également proposées pour les acides gras essentiels et les protéines, même si des recommandations exprimées en valeurs absolues sont aussi disponibles concernant ces nutriments (voir les chapitres 4 et 5 respectivement).

TABLEAU 8.1   Les fourchettes de distribution acceptables des macronutriments (en pourcentage de l'énergie consommée)

Macronutriments	Enfants (1 à 3 ans)	Jeunes (4 à 18 ans)	Adultes
Glucides	45-65	45-65	45-65
Lipides	30-40	25-35	20-35
Acides gras polyinsaturés oméga-6 (acide linoléique)	5-10	5-10	5-10
Acides gras polyinsaturés oméga-3 (acide α-linolénique)	0,6-1,2	0,6-1,2	0,6-1,2
Protéines	5-20	10-30	10-35

L'utilisation des apports nutritionnels de référence (ANREF)

Les ANREF peuvent avoir plusieurs applications utiles. Ils servent d'assise scientifique pour :

- évaluer les apports en nutriments d'individus et de groupes ;
- planifier des programmes d'alimentation pour des individus et des groupes ;
- formuler des conseils nutritionnels ;
- concevoir du matériel pédagogique relatif à la nutrition ;
- énoncer des normes concernant l'enrichissement des aliments et la formulation de suppléments et d'aliments à usage diététique spécial ;
- élaborer des aliments nouveaux ou modifiés ;
- énoncer les directives relatives à l'étiquetage des aliments ;
- guider les consommateurs dans le choix d'un supplément de vitamines ou de minéraux.

Les recommandations sur la nutrition

Les caractéristiques générales d'un régime alimentaire équilibré, incluant sa teneur en alcool, en caféine et en sodium, sont décrites dans l'encadré intitulé *Les recommandations sur la nutrition pour les Canadiens*. Elles sont tirées d'un document publié en 1990 par Santé Canada, mais prennent en compte les plus récentes recommandations. Reformulées en termes plus accessibles au public, elles sont regroupées en une série d'énoncés ayant pour titre *Les recommandations alimentaires pour la santé des Canadiens et*

Les recommandations sur la nutrition pour les Canadiens *régime alim. équilibré*

- Le régime alimentaire des Canadiens devrait fournir l'énergie nécessaire pour maintenir leur poids corporel dans les limites recommandées.

- Le régime alimentaire des Canadiens devrait fournir les quantités recommandées d'éléments nutritifs essentiels.

- Le régime alimentaire des Canadiens adultes devrait fournir de 20 à 35 % de la quantité totale d'énergie sous forme de lipides provenant surtout des sources alimentaires d'acides gras monoinsaturés et polyinsaturés. L'intervalle recommandé chez les jeunes de 1 à 3 ans et ceux de 4 à 18 ans est de 30 à 40 %, et de 25 à 35 %, respectivement.

- Le régime alimentaire des Canadiens devrait fournir de 45 à 65 % de la quantité totale d'énergie sous forme de glucides. Les Canadiens devraient limiter leur consommation de sucres ajoutés.

- La teneur en sodium du régime alimentaire des Canadiens devrait être abaissée.

- Le régime alimentaire des Canadiens ne devrait pas fournir plus de 5 % de l'apport total en énergie sous forme d'alcool, ou deux consommations de boisson alcoolisée par jour, le choix devant porter sur la plus faible des deux quantités d'alcool.

- Le régime alimentaire des Canadiens ne devrait pas leur fournir plus de caféine que l'équivalent de quatre tasses de café par jour.

- Lorsque l'eau provenant de la municipalité contient moins de 1 mg de fluor par litre, elle devrait être fluorée pour atteindre ce taux.

Source : Adapté de Nadeau, M.H. (2004).

Canadiennes (voir l'encadré ci-dessous). Afin d'encourager la population canadienne à adopter ces recommandations, Santé Canada propose diverses stratégies, notamment l'élaboration d'interventions communautaires favorisant une saine alimentation dans les écoles, les milieux de travail, les restaurants et les supermarchés, ainsi que la révision, au besoin, des politiques et des lois touchant l'alimentation, et la mise en valeur de la recherche et de la surveillance en matière de nutrition.

Les recommandations alimentaires pour la santé des Canadiens et Canadiennes

- Agrémentez votre alimentation par la variété.

- Dans l'ensemble de votre alimentation, donnez la plus grande part aux céréales, pains et autres produits céréaliers ainsi qu'aux légumes et aux fruits.

- Optez pour des produits laitiers moins gras, des viandes plus maigres et des aliments préparés avec peu ou pas de matières grasses.

- Cherchez à atteindre et à maintenir un poids normal en étant régulièrement actif et en mangeant sainement.

- Lorsque vous consommez du sel, de l'alcool ou de la caféine, faites-le avec modération.

Source : Santé et bien-être social Canada. *Action concertée pour une saine alimentation – Recommandations alimentaires pour la santé des Canadiens et Canadiennes et stratégies recommandées pour leur mise en application*, 1990.

Figure 8.2
Le Guide alimentaire canadien pour manger sainement (1992)

 Santé et Bien-être social Canada   Health and Welfare Canada

Savourez chaque jour une variété d'aliments choisis dans chacun de ces groupes.

Choisissez de préférence des aliments moins gras.

Produits céréaliers
Choisissez de préférence des produits à grains entiers ou enrichis.

Légumes et fruits
Choisissez plus souvent des légumes vert foncé ou orange et des fruits orange.

Produits laitiers
Choisissez de préférence des produits laitiers moins gras.

Viandes et substituts
Choisissez de préférence viandes, volailles et poissons plus maigres et légumineuses.

Canada

Source : Santé et Bien-être social Canada. *Pour mieux se servir du guide alimentaire*, Ottawa, ministre des Approvisionnements et Services Canada, 1992.

Des quantités différentes pour des personnes différentes

La quantité que vous devez choisir chaque jour dans les quatre groupes alimentaires et parmi les autres aliments varie selon l'âge, la taille, le sexe, le niveau d'activité; elle augmente durant la grossesse et l'allaitement. Le guide alimentaire propose un nombre plus ou moins grand de portions pour chaque groupe d'aliments. Ainsi, les enfants peuvent choisir les quantités les plus petites et les adolescents, les plus grandes. La plupart des gens peuvent choisir entre les deux.

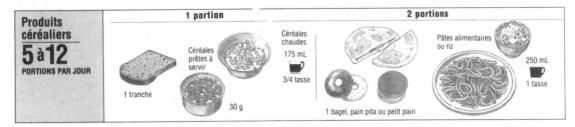

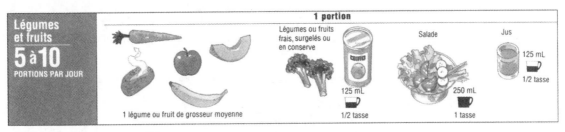

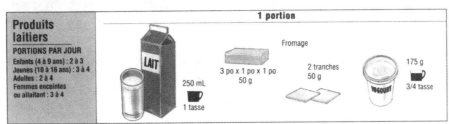

Autres aliments

D'autres aliments et boissons qui ne font pas partie des quatre groupes peuvent aussi apporter saveur et plaisir. Certains de ces aliments ont une teneur plus élevée en gras ou en énergie. Consommez-les avec modération.

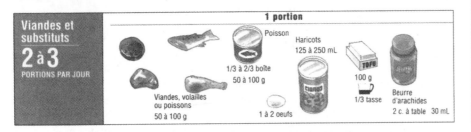

Mangez bon, mangez bien. Bougez. Soyez bien dans votre peau. C'est ça la VITALITÉ

La création de conditions favorables à une saine alimentation dans les écoles est une des stratégies pour amener la population canadienne à adopter de bonnes habitudes.

Le Guide alimentaire canadien pour manger sainement

Même si elles sont fondamentales, les *Recommandations alimentaires pour la santé des Canadiens et Canadiennes* ont une utilité limitée quand vient le temps de composer un menu quotidien. De l'information plus détaillée est contenue dans le *Guide alimentaire canadien pour manger sainement*, un outil d'éducation conçu par Santé Canada et visant à encourager l'adoption de saines habitudes alimentaires dans la population. Lancé pour la première fois en 1942 sous le titre *Règles alimentaires officielles du Canada*, le *Guide alimentaire* a fait l'objet depuis lors d'un certain nombre de révisions, dont la dernière a été publiée en 1992 (voir la figure 8.2, aux pages 198 et 199).

À qui s'adresse le *Guide alimentaire canadien*?

Le *Guide alimentaire canadien* a été conçu pour répondre aux besoins nutritionnels des personnes en santé âgées de quatre ans et plus. Il ne convient donc pas aux nourrissons et aux enfants de moins de quatre ans, le nombre et la grosseur des portions d'aliments recommandés étant trop importants pour eux. Il peut néanmoins être adapté pour les enfants de deux ans et plus, comme le suggèrent deux documents publiés par Santé Canada (voir la section *Ressources supplémentaires*, à la page 216). Le *Guide* doit également être adapté aux personnes dont les besoins nutritionnels sont modifiés par la maladie ou la prise de certains médicaments.

Les fondements du *Guide alimentaire canadien*

L'actuelle version du *Guide alimentaire canadien* se fonde sur ce qu'on appelle «la ration alimentaire totale». Elle vise à combler les besoins en énergie et en éléments nutritifs essentiels des consommateurs en les orientant dans tous leurs choix d'aliments, y compris ceux ayant une faible valeur nutritive.

La classification des aliments dans le *Guide alimentaire canadien*

Les aliments de base qui contribuent à la valeur nutritive du régime alimentaire moyen des Canadiens sont divisés en quatre groupes :

- «Produits céréaliers» (voir le chapitre 9) ;
- «Légumes et fruits» (voir le chapitre 10) ;
- «Produits laitiers» (voir le chapitre 11) ;
- «Viandes et substituts» (voir le chapitre 12).

Les aliments n'appartenant à aucun de ces groupes forment une catégorie à part, celle des «Autres aliments» (voir le chapitre 13).

Cette classification des aliments se fonde d'abord sur leur origine agricole ; ainsi, un aliment qui est principalement composé de farine de blé appartient nécessairement au groupe «Produits céréaliers». Comme nous le constaterons dans la seconde partie du présent ouvrage, la classification du *Guide* prend également en compte la composition nutritionnelle de certains aliments, un facteur expliquant par exemple qu'on exclue le beurre du groupe «Produits laitiers» (voir le chapitre 11).

De fait, la classification du *Guide* fait en sorte qu'il existe plusieurs similitudes dans la teneur en nutriments des aliments d'un même groupe ; chaque groupe d'aliments fournit donc un éventail de nutriments qui lui est propre. Pour cette raison, les quatre groupes de base du *Guide alimentaire canadien* ne sont pas interchangeables. Ils sont toutefois complémentaires, chaque groupe constituant une composante essentielle d'un régime alimentaire équilibré.

Un arc-en-ciel pour illustrer le *Guide alimentaire canadien*

Le *Guide alimentaire canadien* est illustré au moyen d'un arc-en-ciel. De cette façon, il est possible de visualiser la place que devrait occuper chacun des quatre groupes de base dans notre alimentation. En effet, les quantités d'aliments que nous devrions consommer en moyenne quotidiennement ne sont pas nécessairement équivalentes d'un groupe à l'autre. Elles sont plus importantes pour les groupes « Produits céréaliers » et « Légumes et fruits » que pour ceux des « Produits laitiers » et « Viandes et substituts ».

Dans chaque groupe d'aliments, les quantités à consommer sont variables, permettant ainsi à chacun d'entre nous d'ajuster sa consommation selon ses besoins particuliers. Par exemple, une femme dont les besoins énergétiques quotidiens sont d'environ 1800 kcal choisira un plus petit nombre de portions dans chaque groupe d'aliments qu'un adolescent actif ayant besoin de 3200 kcal par jour. En fait, le *Guide alimentaire canadien* permet de composer des menus qui assurent un très large éventail d'apports énergétiques, selon le type d'aliments choisis, la grosseur et le nombre de portions consommées. Toutefois, en se satisfaisant des plus faibles quantités d'aliments dans chaque groupe, les personnes dont les besoins énergétiques sont moindres doivent choisir leurs aliments avec encore plus de soin que celles dont les besoins énergétiques sont élevés, car de faibles besoins énergétiques n'impliquent pas nécessairement que les besoins en nutriments essentiels soient réduits.

Des conseils sur le choix des aliments

À l'intérieur du *Guide alimentaire canadien*, des énoncés clés fournissent des conseils sur la façon de choisir les aliments. Toutefois, un principe de base du *Guide alimentaire canadien* demeure celui de la variété, qui permet de profiter de la valeur nutritive d'un large éventail d'aliments à l'intérieur de chaque groupe. Nous verrons un peu plus loin, ainsi qu'en consultant les chapitres 9 à 13, que la teneur des aliments en nutriments peut varier au sein d'un même groupe, d'une part à cause des différences existant entre les aliments à l'état naturel, d'autre part à cause des procédés de transformation, des mesures d'enrichissement et des méthodes de préparation à la maison. Le principe de la variété est donc un élément capital d'une saine alimentation ; il contribue à prévenir à la fois les insuffisances et les excès nutritionnels.

Compte tenu de sa simplicité et de sa grande souplesse, le *Guide alimentaire canadien pour manger sainement* s'avère un outil de premier choix pour qui veut évaluer la qualité de son alimentation ou celle de régimes alimentaires populaires. Une grille d'évaluation fondée sur le *Guide* est proposée à l'annexe 5. Avant de procéder à l'analyse de son alimentation, il faut commencer par en dresser un bilan aussi représentatif que possible (voir le chapitre 1).

L'étiquetage des aliments

L'étiquette des aliments emballés constitue une importante source d'information nutritionnelle pour les consommateurs canadiens. De façon générale, il s'agit d'une source d'information fiable, car le système d'étiquetage en vigueur au Canada est normalisé. En effet, pour composer leurs étiquettes, les fabricants d'aliments canadiens sont tenus de respecter les politiques et règlements établis par différents paliers de gouvernement. Les politiques et règlements établis par le gouvernement fédéral sont colligés dans un document intitulé *Guide d'étiquetage et de publicité sur les aliments*. L'Agence canadienne d'inspection des aliments (ACIA) est l'organisme chargé de veiller à l'application de tous les règlements fédéraux en matière d'étiquetage des aliments (voir la section *Références*, à la page 215).

La liste des ingrédients

À quelques exceptions près, tous les aliments emballés vendus sur le marché canadien doivent comporter une liste des ingrédients qu'ils renferment, une information précieuse pour les personnes devant respecter certaines restrictions alimentaires (en raison d'allergies, par exemple). Les ingrédients doivent être classés par ordre décroissant d'importance, selon la proportion que chacun représente par rapport au poids de l'aliment. Par déduction, on peut ainsi évaluer la composition approximative d'un aliment. Par exemple, un produit dont le premier ingrédient est un corps gras (huile végétale, beurre, saindoux, etc.) renferme nécessairement une quantité significative de matières grasses. Toutefois, il n'est pas toujours simple d'interpréter la liste des ingrédients contenus dans un aliment ; par exemple, le sucre peut porter plusieurs appellations (voir le chapitre 13). De plus, certains ingrédients sont déclarés sous un nom collectif ; l'appellation « huile végétale », par exemple, ne fournit aucune indication quant au type d'acides gras qui prédomine dans l'aliment renfermant cet ingrédient.

Le tableau de valeur nutritive

Au Canada, l'étiquetage nutritionnel est **obligatoire** pour la plupart des aliments préemballés. L'information concerne toujours le produit tel que vendu, mais peut en plus fournir des renseignements sur sa valeur nutritive après préparation (par exemple, les céréales pour le petit-déjeuner additionnées de lait). La valeur nutritive de l'aliment apparaît sous la forme d'un tableau, qui doit respecter certaines exigences de présentation, incluant la terminologie et les unités utilisées. L'information obligatoire concerne la teneur de l'aliment en énergie et en 13 éléments nutritifs ; si le fabricant le désire, ce tableau peut être plus détaillé (voir l'encadré *Le tableau de valeur nutritive*).

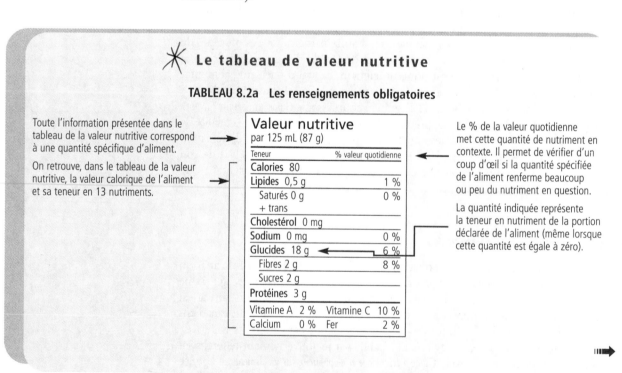

✳ Le tableau de valeur nutritive

TABLEAU 8.2a   Les renseignements obligatoires

Toute l'information présentée dans le tableau de la valeur nutritive correspond à une quantité spécifique d'aliment.

On retrouve, dans le tableau de la valeur nutritive, la valeur calorique de l'aliment et sa teneur en 13 nutriments.

Valeur nutritive	
par 125 mL (87 g)	
Teneur	% valeur quotidienne
Calories 80	
Lipides 0,5 g	1 %
Saturés 0 g	0 %
+ trans	
Cholestérol 0 mg	
Sodium 0 mg	0 %
Glucides 18 g	6 %
Fibres 2 g	8 %
Sucres 2 g	
Protéines 3 g	
Vitamine A 2 % Vitamine C 10 %	
Calcium 0 % Fer 2 %	

Le % de la valeur quotidienne met cette quantité de nutriment en contexte. Il permet de vérifier d'un coup d'œil si la quantité spécifiée de l'aliment renferme beaucoup ou peu du nutriment en question.

La quantité indiquée représente la teneur en nutriment de la portion déclarée de l'aliment (même lorsque cette quantité est égale à zéro).

TABLEAU 8.2b Les renseignements complémentaires

Les acides gras polyinsaturés	Vitamine D	Phosphore
polyinsaturés oméga-6	Vitamine E	Iodure (ou iode)
polyinsaturés oméga-3	Vitamine K	Magnésium
Acides gras monoinsaturés	Thiamine (ou vitamine B_1)	Zinc
Potassium	Riboflavine (ou vitamine B_2)	Sélénium
Fibres solubles	Niacine	Cuivre
insolubles	Vitamine B_6	Manganèse
Polyalcools (ou polyols)	Folate	Chrome
Amidon	Vitamine B_{12}	Molybdène
	Biotine	Chlorure
	Pantothénate (ou acide pantothénique)	

Les données correspondent à une portion d'aliment dont la grosseur doit être clairement indiquée. Les quantités d'énergie et de macronutriments sont exprimées en valeurs absolues ; certains de ces renseignements sont également exprimés en pourcentages de la valeur quotidienne (VQ) recommandée, telle que définie dans le règlement canadien (voir l'encadré de la page suivante). Dans le cas des vitamines et des minéraux (autres que le sodium et le potassium), les quantités sont exprimées en pourcentages de la VQ uniquement.

Les allégations nutritionnelles

L'étiquette des aliments comporte aussi diverses allégations relatives à leur valeur nutritive. Certaines de ces allégations vantent la richesse d'un aliment en protéines, en fibres alimentaires, en vitamines ou en minéraux ; d'autres font plutôt valoir la « faible teneur » d'un aliment en énergie ou en nutriments qu'il est préférable de consommer avec modération (matières grasses, acides gras saturés et trans, cholestérol, sucre, sodium). D'autres, enfin, servent à souligner les avantages nutritionnels d'un aliment par rapport à d'autres (par exemple, « 50 % moins de sel que nos craquelins traditionnels »). Les enquêtes montrent que les consommateurs portent une attention particulière à toutes ces allégations.

Il faut savoir que les allégations nutritionnelles figurant sur l'emballage des aliments ne sont permises que si elles satisfont à des exigences bien définies. Ainsi, pour porter l'allégation « sans cholestérol », un aliment doit renfermer moins de 2 mg de cholestérol par 100 g ; de plus, sa teneur en acides gras saturés et trans doit être faible, et tous les renseignements concernant sa composition en lipides (teneurs en matières grasses totales, en acides gras polyinsaturés, monoinsaturés, saturés et trans, et en cholestérol) doivent apparaître sur l'étiquette. Malgré tout, il semble que l'allégation « sans cholestérol » demeure confuse pour plusieurs consommateurs. Interrogés à ce sujet lors d'une étude effectuée en Ontario, près d'un consommateur sur deux pensait qu'un aliment portant cette allégation était nécessairement réduit en énergie, tandis que près de trois consommateurs sur quatre étaient convaincus qu'il s'agissait d'un aliment réduit en matières grasses.

Que sont les valeurs quotidiennes (VQ)?

Les VQ sont des quantités de nutriments dérivées des apports nutritionnels de référence (ANREF) et servant à exprimer celles déclarées sur l'emballage des aliments vendus au Canada; ces valeurs sont regroupées au tableau 8.3. Dans le cas des macronutriments, la VQ est ajustée selon un apport énergétique quotidien de 2000 kcal, alors que, pour les vitamines et les minéraux, elle correspond généralement à la valeur la plus élevée des ANREF (ceux proposés en 1983) pour les différents groupes d'âge et de sexe, omission faite des besoins supplémentaires dus à la grossesse ou à l'allaitement. Les VQ correspondent donc aux quantités de nutriments qu'une personne ayant des besoins énergétiques modérés devrait consommer quotidiennement, sans égard au sexe ou à l'âge (sauf pour les enfants de moins de deux ans).

TABLEAU 8.3　Les valeurs quotidiennes (VQ) recommandées pour les Canadiens

Éléments nutritifs	Unités	Personnes âgées d'au moins 2 ans	Enfants de moins de 2 ans
Macronutriments			
Lipides	g	65	
Acides gras saturés + trans	g	20	
Cholestérol	mg	300	
Glucides	g	300	
Fibres	g	25	
Micronutriments			
Vitamine A	ÉR*	1000	400
Vitamine D	mcg	5	10
Vitamine E	mg	10	3
Vitamine C	mg	60	20
Thiamine (B_1)	mg	1,3	0,45
Riboflavine (B_2)	mg	1,6	0,55
Niacine	ÉN**	23	8
Vitamine B_6	mg	1,8	0,7
Folacine ou folate	mcg	220	65
Vitamine B_{12}	mcg	2	0,3
Acide pantothénique	mg	7	2
Vitamine K	mcg	80	30
Biotine	mcg	30	8
Sodium	mg	2400	
Potassium	mg	3500	
Chlorure	mg	3400	1000
Calcium	mg	1100	500
Phosphore	mg	1100	500
Magnésium	mg	250	55
Fer	mg	14	7
Zinc	mg	9	4
Iodure	mcg	160	55
Sélénium	mcg	50	15
Cuivre	mg	2	0,5
Manganèse	mg	2	1,2
Chrome	mcg	120	12
Molybdène	mcg	75	15

* ÉR = équivalents de rétinol.
** ÉN = équivalents de niacine.

Source: Santé Canada, *Loi et règlements sur les aliments et drogues*.

Les allégations relatives à la santé

Au Canada, l'étiquette d'un aliment peut comporter une allégation établissant un lien entre sa consommation et la santé si la composition de l'aliment et la formulation de l'énoncé respectent certaines exigences. Les allégations permises peuvent établir les liens suivants :

- sodium et hypertension,
- calcium et ostéoporose,
- graisses saturées et trans et maladies du cœur,
- fruits et légumes et cancer,
- glucides fermentescibles et carie dentaire.

Sont également jugés acceptables les énoncés ayant trait aux recommandations sur la nutrition et au *Guide alimentaire canadien pour manger sainement*, de même que certaines allégations relatives au rôle biologique des nutriments contenus dans un aliment. Ainsi, il est permis d'inscrire sur l'étiquette d'un aliment riche en calcium que « le calcium favorise la formation et le maintien de bons os et de dents saines ». Toutes ces allégations peuvent constituer un outil d'information positif pour faire la promotion de la santé, pour autant qu'elles ne portent pas à confusion.

Les facteurs influant sur la valeur nutritive des aliments

Comme nous venons de le voir, il est facile de composer des menus équilibrés en s'inspirant du *Guide alimentaire canadien pour manger sainement* et en consultant l'information nutritionnelle qui apparaît sur l'emballage des aliments. Toutefois, si l'on veut maximiser la qualité de son alimentation, il s'avère souvent avantageux d'en savoir un peu plus sur la valeur nutritive des aliments et sur les facteurs susceptibles de la faire varier. La deuxième partie de cet ouvrage fournit une information détaillée sur ce sujet (voir les chapitres 9 à 13). La présente section résume l'information relative aux facteurs qui influent sur la composition nutritionnelle des aliments.

Les facteurs liés à la production des aliments

Les aliments d'origine végétale – De nombreux facteurs déterminent la composition nutritionnelle intrinsèque des aliments à la base de notre alimentation. Parmi tous ces facteurs, soulignons d'abord ceux d'ordre génétique. Ainsi, les quantités de nutriments que les végétaux renferment varient à l'intérieur d'une même famille ; par exemple, 100 g de pomme peut contenir de 2 à 39 mg de vitamine C, selon la variété. Notons qu'il est possible de modifier la valeur nutritive d'une plante par des manipulations génétiques (y compris par transgénèse), mais aucune plante « génétiquement enrichie » n'a encore été commercialisée au Canada (voir l'encadré *Les organismes génétiquement modifiés [OGM]*, à la page suivante).

Il existe aussi des écarts significatifs dans les quantités de nutriments selon le degré de maturité ou la partie de la plante qui est consommée ; ceux-ci ne sont pas nécessairement répartis uniformément à l'intérieur d'un végétal, la partie externe étant souvent plus riche que la partie interne. Les autres facteurs susceptibles de modifier la valeur nutritive des végétaux que nous consommons concernent :

- la qualité intrinsèque du sol,
- le type d'engrais (organique ou chimique) utilisé pour la fertilisation du sol,
- les conditions climatiques (y compris le degré d'ensoleillement),
- le mode de culture : traditionnel, en serre, hydroponique, « biologique » (voir l'encadré *Les aliments biologiques*, à la page 207),
- la maladie,
- la pollution de l'air et du sol.

Les organismes génétiquement modifiés (OGM)

Qu'est-ce qu'un OGM?

Un OGM est un organisme (plante, animal, microorganisme) présentant une caractéristique inhabituelle après modification de son bagage génétique à l'aide de la biotechnologie. On procède habituellement par transgénèse, c'est-à-dire en ajoutant un ou plusieurs gènes étrangers au matériel génétique d'un être vivant; étant formés d'une molécule universelle, l'ADN (voir le chapitre 5, à la page 127), les gènes peuvent être transférés d'une espèce vivante à une autre, même quand celles-ci sont éloignées. La biotechnologie permet aussi de modifier le matériel génétique d'un organisme en inactivant un gène jugé indésirable. Les organismes issus du génie génétique sont apparus au milieu du xxᵉ siècle. Toutefois, le bagage génétique du vivant est modifié par la sélection génétique et le croisement entre espèces proches parentes depuis fort longtemps.

À quoi servent les OGM?

Les modifications par génie génétique peuvent avoir de très nombreuses applications. En agriculture par exemple, elles peuvent augmenter la résistance des plantes aux insectes et aux virus, ou encore leur tolérance à des herbicides (utilisés pour éliminer les mauvaises herbes) ou à certains stress climatiques (gel ou sécheresse). Ces modifications peuvent aussi améliorer la valeur nutritive des plantes, transformer leur texture ou éliminer certains de leurs composants (comme l'allergène de l'arachide ou la caféine du grain de café). Elles peuvent même les amener à produire des médicaments ou des composés industriels (cela se fait aussi avec des bactéries) ou encore les rendre capables de décontaminer le sol! Chez les animaux, les modifications par génie génétique peuvent accélérer la croissance, augmenter la résistance aux maladies, modifier la composition du lait (diminuer sa teneur en lactose par exemple) et les amener, eux aussi, à fabriquer des composés utiles, récupérables dans les liquides qu'ils produisent. Elles pourraient même faire en sorte que des organes d'animaux soient plus faciles à greffer chez l'humain en inactivant les gènes codant les antigènes responsables des rejets. Bien sûr, nombre de ces applications sont encore au stade de la recherche.

Quels sont les OGM présents dans notre alimentation?

Les OGM sont réglementés au Canada, comme dans plusieurs autres pays. Ici, l'Agence canadienne d'inspection des aliments, Santé Canada et Environnement Canada se partagent la responsabilité de les approuver, selon l'utilisation à laquelle ils sont destinés. Jusqu'à maintenant, seules des plantes GM (une dizaine environ) l'ont été à des fins de consommation humaine ou animale; aucun animal GM n'a encore été homologué. Les plantes approuvées ne sont pas toutes commercialisées et parmi celles qui le sont, certaines ne percent pas le marché. À l'heure actuelle, les principales cultures commercialisées au Canada et au Québec sont le colza (canola), le soja et le maïs-grain (non sucré), toutes trois modifiées pour des raisons agronomiques. Des ingrédients dérivés de ces plantes (par exemple huiles de canola et de soja, amidon de maïs, lécithine de soja) se retrouvent dans les aliments que nous consommons, mais les fabricants ne sont pas tenus d'indiquer leur présence.

Y a-t-il des risques associés à la consommation d'aliments renfermant des OGM?

Les OGM approuvés à des fins de consommation humaine ou animale sont jugés sécuritaires par les organismes chargés de leur homologation. Dans l'état actuel des connaissances, personne ne peut toutefois affirmer qu'ils sont totalement sans risque pour la santé et l'environnement, vu le peu d'études disponibles sur leur impact à long terme. Les craintes exprimées sont nombreuses (émergence de nouvelles toxines et de nouveaux allergènes, propagation non contrôlée des gènes, apparition d'organismes nuisibles, effets négatifs sur la biodiversité, etc.) et ne concernent pas seulement la science; elles sont aussi d'ordre social et éthique. Selon le Conseil de la science et de la technologie du Québec, qui a publié un avis sur la question en 2002, « les défis associés aux aliments de source transgénique se posent à l'échelle internationale, dans un contexte de forte controverse. Il devient ainsi difficile de prédire quel sera l'avenir des OGM, ou même de dire si les OGM "sont là pour rester" ou non, que ce soit au Québec ou ailleurs ».

Les aliments d'origine animale – L'espèce, le bagage génétique et l'âge de l'animal au moment de l'abattage influent sur la valeur nutritive des produits qui en sont dérivés. Il en est de même pour la physiologie de son tube digestif, laquelle explique, par exemple, que la graisse d'un ruminant (comme le bœuf) soit généralement plus fortement saturée que celle d'un non-ruminant (tels le porc ou le poulet). En outre, la nourriture animale constitue un important déterminant des réserves nutritionnelles d'un animal ; elle influe, elle aussi, sur la composition de la viande, de la volaille, des poissons et de leurs dérivés (lait, œufs).

La contamination des aliments de base – Les plantes et les animaux accumulent divers polluants pendant leur croissance. Les pesticides, des produits chimiques agricoles servant à lutter contre des agents susceptibles de nuire aux récoltes, comptent parmi ceux qui suscitent le plus d'inquiétude chez les Canadiens (voir l'encadré *Les aliments biologiques*). Ils comprennent surtout des herbicides, des insecticides et des fongicides (pour combattre les maladies causées par les champignons). Des résidus industriels et médicamenteux s'accumulent aussi dans les aliments de base. L'Agence canadienne d'inspection des aliments est l'organisme chargé de surveiller les concentrations de résidus chimiques dans l'approvisionnement alimentaire canadien ; environ 220 000 échantillons d'aliments seraient analysés chaque année grâce à un programme national de surveillance des résidus chimiques.

Les aliments biologiques

La popularité des produits agroalimentaires « biologiques » est en pleine croissance dans plusieurs populations industrialisées. L'inquiétude qu'y suscite la présence de résidus chimiques dans les aliments et le désir de plusieurs consommateurs de contribuer à la protection de l'environnement et au bien-être des animaux expliquent le phénomène. De façon générale, les produits certifiés biologiques doivent se conformer à des normes strictes touchant l'agriculture, l'élevage des animaux et la transformation alimentaire ; ces normes proscrivent les méthodes de production intensives, l'utilisation d'engrais ou d'additifs de synthèse, de pesticides, de médicaments vétérinaires et d'organismes génétiquement modifiés (OGM), ainsi que l'irradiation des aliments. Au Québec, le Conseil des appellations agroalimentaires du Québec (CAAQ), qui relève du ministère de l'Agriculture, des Pêcheries et de l'Alimentation (MAPAQ), voit à l'application de la loi concernant l'appellation « biologique » par l'accréditation d'organismes certificateurs (*Québec Vrai*, par exemple).

Il est permis de se demander si le fait de continuer à choisir des produits non certifiés, souvent moins coûteux que ceux qui le sont, comporte vraiment des risques pour la santé. Plusieurs des pratiques en cours dans la production agroalimentaire présentent des dangers à la fois pour l'humain et pour l'environnement. Pour cette raison, de nombreux pays, dont le Canada, ont mis en place des structures d'encadrement permettant entre autres de gérer l'utilisation des produits chimiques (pesticides, médicaments vétérinaires, additifs alimentaires, etc.) et la surveillance des résidus accumulés dans la chaîne alimentaire. Le programme de surveillance du gouvernement canadien indique qu'une faible proportion (moins de 2 %) des échantillons d'aliments analysés renferment des quantités de résidus chimiques dépassant les normes, y compris de résidus de pesticides, un sujet de préoccupation pour de nombreux Canadiens. En 2002, le *Consumer Reports* rapportait des résultats similaires concernant les légumes et fruits vendus aux États-Unis et confirmait que ceux certifiés « biologiques » renferment significativement moins de résidus de pesticides que les autres ; toutefois, selon ces analyses, près de 25 % des produits certifiés en renfermeraient des traces, tandis qu'un peu plus de 25 % des produits non certifiés en seraient exempts. Soulignons que les mesures sont effectuées sur des produits non lavés. Or, le lavage réduit la quantité de résidus présents à la surface des légumes et des fruits. L'épluchage ainsi que la cuisson élimineraient aussi une partie des résidus de pesticides.

Sur le plan nutritionnel, les différences entre produits certifiés et non certifiés ne seraient pas très marquées, du moins en ce qui concerne les légumes et les fruits (les aliments les plus étudiés). Certains légumes et fruits portant l'appellation « biologique » seraient un peu plus riches en vitamine C et en composés phénoliques. Il est recommandé de bien laver les légumes et les fruits avant de les consommer. Même si des traces de résidus de pesticides peuvent subsister à l'intérieur des produits non certifiés, les bénéfices pour la santé de la consommation de ces aliments excèdent vraisemblablement les risques que l'ingestion de résidus comporte.

Plusieurs facteurs sont susceptibles de modifier la valeur nutritive des végétaux que nous consommons.

Les procédés de transformation des aliments

Les objectifs de la transformation – De nos jours, les aliments sont de plus en plus soumis à des transformations chimiques et physiques, très souvent appliquées en milieu industriel. Plusieurs de ces transformations contribuent à maintenir une abondance de nourriture saine et nutritive en limitant notamment l'action enzymatique et microbienne, en grande partie responsable de la détérioration des aliments et, par conséquent, de la perte de leur valeur nutritive.

Ainsi, des procédés tels que la mise en conserve (appertisation), la surgélation et la dessication permettent de conserver très longtemps un grand nombre d'aliments normalement périssables (voir le chapitre 10). D'autres procédés, tels la pasteurisation, l'acidification, l'emballage sous vide ou sous atmosphère contrôlée, l'irradiation (ou ionisation) et la microfiltration, prolongent eux aussi, bien que de façon moins marquée, la durée de conservation de plusieurs aliments. Il en est de même pour certains additifs alimentaires utilisés comme agents de conservation, tels les propionates, qui retardent la croissance des levures dans les produits de boulangerie.

Divers procédés physiques et chimiques servent également à modifier l'apparence, la composition, la saveur ou encore la texture des aliments et à réduire leur temps de préparation, élargissant ainsi la gamme des produits offerts sur le marché. Citons à titre d'exemples le raffinage, la mouture et la cuisson-extrusion des céréales, l'extraction des jus de fruits, la coagulation des protéines de soja pour fabriquer le tofu, l'hydrogénation des huiles, l'écrémage du lait, la fermentation alcoolique de certaines matières végétales, l'hydrolyse de l'amidon de maïs et sa transformation en sirop, l'utilisation de colorants, d'arômes, d'agents stabilisants, épaississants, de blanchiment, etc. Ajoutons à toutes ces transformations les nombreuses manipulations que les aliments subissent à la maison.

L'impact de la transformation – Certains des procédés susmentionnés ont des effets bénéfiques sur le plan nutritionnel. Ainsi, les procédés nécessitant le chauffage des aliments inactivent les facteurs antinutritionnels pouvant y être contenus, tout en améliorant la digestibilité de certains composants (l'amidon notamment). Dans les aliments fermentés, l'action microbienne favorise la synthèse de vitamines du groupe B et améliore la disponibilité de certains nutriments (le fer des produits de boulangerie, par exemple).

Mais la transformation des aliments a le plus souvent des effets négatifs sur leur valeur nutritive. Les vitamines, nous l'avons déjà vu, sont des composés organiques ; divers éléments, tels le pH de l'aliment, la présence d'oxygène ou encore le contact avec la lumière, peuvent donc modifier leur structure moléculaire et rendre ces vitamines inactives (voir le tableau 8.4). Il en est de même pour la chaleur, qui, de surcroît, accélère les réactions de dégradation ; son effet varie d'une vitamine à une autre ainsi qu'en fonction de l'intensité et de la durée du chauffage. La chaleur ne réduit évidemment pas la teneur des aliments en minéraux, mais la cuisson dans l'eau peut causer une perte appréciable si l'eau de cuisson n'est pas récupérée ; ce mode de cuisson entraîne aussi la perte par solubilisation de vitamines hydrosolubles et de composés phytochimiques (voir le chapitre 10). Soulignons toutefois que, selon sa composition, l'eau qu'on ajoute aux aliments peut aussi augmenter leur teneur en minéraux (en fluor notamment). De la même manière, certains des minéraux entrant dans la composition des matériaux dont sont fabriqués les ustensiles de cuisson peuvent migrer dans les aliments ; c'est le cas, par exemple, du fer et du chrome contenus dans l'acier inoxydable et du fer contenu dans la fonte. Enfin, certaines manipulations industrielles entraînent d'importantes pertes nutritionnelles ; par exemple, les procédés de raffinage et d'extraction réduisent considérablement la teneur des aliments en vitamines, minéraux, composés phytochimiques et fibres alimentaires, alors que le procédé d'hydrogénation a un effet tout aussi négatif sur la teneur des huiles en acides gras essentiels (voir le chapitre 4).

TABLEAU 8.4 L'influence de divers facteurs sur la stabilité
des nutriments dans les aliments

Nutriments	Chaleur	Lumière	O$_2$ (air)	pH
Vitamine A	I	I	I	I à pH ↓
Vitamine D	I	I	I	I à pH ↑
Vitamine E	I	I	I	S
Vitamine K	S	I	S	I à pH ↓ ou ↑
Vitamine C	I	I	I	I à pH neutre ou ↑
Thiamine	I	S	I	I à pH neutre ou ↑
Riboflavine	I	I	S	I à pH ↑
Niacine	S	S	S	S
Vitamine B$_6$	I	I	S	S
Vitamine B$_{12}$	S	I	I	S
Acide pantothénique	I	S	S	I à pH ↓ ou ↑
Acide folique	I	I	I	I à pH neutre ou ↓
Biotine	I	S	S	S
Choline	S	S	I	S
Minéraux	S	S	S	S
Composés phytochimiques	?	?	?	?

I = instable, S = stable.

Source : Adapté de Henry et Heppell (2002).

Qu'elles soient domestiques ou industrielles, plusieurs manipulations peuvent donc modifier la valeur nutritive des aliments; il en est de même pour les conditions dans lesquelles ces derniers sont conservés. Il importe donc d'en être conscient lorsque que nous choisissons, entreposons ou manipulons des aliments. Des conseils pertinents pour la préparation des légumes et des fruits sont fournis au chapitre 10.

La transformation des aliments peut également y entraîner l'accumulation de substances indésirables, par exemple la nitrosamine et l'acrylamide, deux composés qui seraient cancérigènes chez les animaux. La **nitrosamine** est liée à la présence de nitrites et de nitrates dans les aliments (voir le chapitre 12), alors que l'**acrylamide** se forme principalement dans des aliments frits ou grillés à haute température et riches en glucides (croustilles de pomme de terre ou de maïs, frites, biscuits et pâtisseries, par exemple). Des mesures gouvernementales ont été entreprises pour contrôler la présence de ce type de composés dans nos aliments. Toutefois, le meilleur moyen de se prémunir contre leurs effets possiblement délétères est de consommer une alimentation variée et riche en végétaux peu transformés, possédant naturellement des composés anticancérigènes. Afin d'assurer le plus possible l'innocuité des aliments et prévenir les toxi-infections liées à leur consommation, il importe aussi de respecter certaines règles élémentaires d'hygiène, telles celles apparaissant à l'annexe 8, qui proviennent du MAPAQ.

L'enrichissement des aliments

Dans plusieurs pays, il existe une politique permettant l'ajout de nutriments aux produits alimentaires. Au Canada, le ministère de la Santé est chargé d'élaborer les règlements en matière d'enrichissement. Ces règlements déterminent les aliments qui peuvent ou doivent être enrichis, l'ajout de nutriments étant obligatoire dans certains aliments et facultatif dans d'autres. Les règlements déterminent également la nature et les quantités des éléments nutritifs ajoutés aux aliments, afin d'éviter que cette pratique n'occasionne des déséquilibres nutritionnels au sein de la population.

Le Canada autorise l'enrichissement des aliments principalement pour les raisons suivantes :

- **Pour prévenir ou résoudre des problèmes nutritionnels importants pour la santé publique.** Afin de répondre à cet objectif, Santé Canada exige, par exemple, que de la vitamine D soit ajoutée au lait de vache et à la margarine. Ces deux aliments servent de véhicules pour augmenter l'apport, souvent insuffisant, de vitamine D dans l'alimentation de la population (voir le chapitre 11). Il en est de même pour le sel ordinaire (« sel de table »), qui est obligatoirement enrichi en iode (voir le chapitre 13).

- **Pour compenser la perte d'éléments nutritifs qui étaient présents dans un aliment avant son conditionnement.** Cet objectif sous-tend entre autres les mesures d'enrichissement des produits céréaliers raffinés (y compris la farine blanche), le raffinage des céréales entraînant d'importantes pertes de nutriments (voir le chapitre 9). Dans certains cas, l'enrichissement vise aussi à corriger les variations naturelles dans la teneur des aliments en éléments nutritifs ; par exemple, l'ajout de vitamine C est permis dans les jus de fruits naturellement pauvres en cette vitamine.

- **Pour améliorer la valeur nutritive d'aliments vendus pour remplacer des aliments traditionnels.** Ainsi, divers éléments nutritifs peuvent être ajoutés aux boissons de soja, souvent utilisées de la même façon que le lait de vache (voir le chapitre 11). En outre, de la vitamine A, naturellement présente dans le beurre, est obligatoirement ajoutée à la margarine.

- **Pour conférer une valeur nutritive à des produits vendus comme source alimentaire unique.** Au Canada, les préparations commerciales de lait pour nourrissons, les préparations pour régime liquide et les substituts de repas sont obligatoirement enrichis de nombreux éléments nutritifs, compte tenu de la place que ces aliments peuvent occuper dans l'alimentation.

- **Pour améliorer la qualité nutritionnelle de l'approvisionnement alimentaire.** Santé Canada a récemment révisé sa politique d'enrichissement afin d'élargir la gamme des aliments pouvant être enrichis, et ce, sans accroître les risques liés à la consommation excessive de nutriments. En outre, un plus grand nombre de produits spéciaux (par exemple, des produits destinés aux sportifs ou aux personnes âgées) pourront être désormais enrichis.

Nous avons vu aux chapitres 6 et 7 que l'addition de nutriments aux aliments peut avoir d'importantes répercussions sur la santé d'une population. Dans les pays industrialisés, des maladies telles que le goitre, le rachitisme et la pellagre ont pratiquement été éliminées grâce à cette pratique. Mais il est nécessaire de prendre en compte un certain nombre de facteurs avant d'ajouter un élément nutritif à un aliment. Ainsi, s'il s'agit d'une vitamine, il est important de choisir une forme qui peut demeurer relativement stable à l'intérieur de l'aliment, compte tenu des conditions dans lesquelles celui-ci est généralement entreposé et des manipulations auxquelles il est le plus souvent soumis. En formant des liens avec divers composés ou en favorisant, par exemple, des réactions d'oxydation, certains minéraux peuvent modifier l'apparence ou la saveur d'un aliment ou encore réduire sa durée de conservation.

Avant d'ajouter un nutriment dans un aliment, on doit également s'assurer qu'il est sous une forme relativement bien assimilable par l'organisme. Précisons que les nutriments ajoutés aux aliments ne sont pas nécessairement moins bien absorbés que ceux y étant naturellement présents. En effet, l'assimilation d'un nutriment relève d'un certain nombre de facteurs et pas uniquement de la source. Ainsi, le fer ajouté à la farine de blé raffinée est généralement mieux absorbé que celui naturellement présent dans la farine de blé entier, puisque le son contenu dans cette dernière renferme des phytates pouvant inhiber l'absorption du fer (voir le chapitre 9). Il en est de même pour l'acide folique, qui est ajouté à la farine de blé raffinée sous une forme plus facilement assimilable que celle naturellement présente dans les aliments.

Pour en savoir plus 🧄 🧄 🧄

Les suppléments de vitamines et de minéraux sont-ils nécessaires ?

Les suppléments de vitamines et de minéraux jouissent d'une très grande popularité. En Amérique du Nord, les dépenses liées à l'achat de ces produits s'élèvent à quelques milliards de dollars. Selon une enquête effectuée dans la population canadienne, près de 40 % des adultes en consommeraient au moins à l'occasion, la proportion variant selon le sexe et l'âge. Ainsi, les suppléments de vitamines et de minéraux sont plus populaires chez les femmes que chez les hommes, et leur consommation tend à augmenter avec l'âge.

Les différents types de suppléments de vitamines et de minéraux

Les suppléments de vitamines et de minéraux peuvent être classés en trois catégories, selon leur posologie et l'usage auquel ils devraient être réservés. Toutefois, cette classification n'est pas réglementée ; les appellations suivantes n'apparaissent donc pas sur l'étiquette des suppléments vendus dans le commerce :

• Une première catégorie regroupe les **suppléments à doses prophylactiques**, soit ceux fournissant de 0,5 à 2 fois les apports nutritionnels de référence (ANREF). Il peut s'agir de suppléments ne renfermant qu'un seul nutriment ou encore de préparations multivitaminiques et minérales, qui excluent toutefois la vitamine K, celle-ci étant disponible uniquement sur prescription médicale. Comme l'indique leur appellation, les suppléments à doses prophylactiques sont destinés plus spécifiquement aux personnes qui, pour diverses raisons, présentent certains risques nutritionnels sans manifester de signes de carence :

– les personnes ayant souvent recours à un régime amaigrissant ou à d'autres régimes restrictifs (dans les cas d'allergie alimentaire notamment) qui limitent l'apport en plusieurs éléments nutritifs ;

– les personnes de plus de 50 ans, chez qui le risque de malabsorption de la vitamine B_{12} d'origine alimentaire est accru ;

– les personnes confinées à la maison ou qui s'exposent rarement au soleil et dont l'alimentation ne comble pas le besoin en vitamine D ;

– les femmes ayant des pertes menstruelles suffisamment abondantes pour amoindrir les réserves de fer, ou dont les besoins en calcium sont accrus en raison de changements hormonaux liés à la ménopause ;

– les femmes enceintes, dont les besoins nutritionnels (en fer et en acide folique notamment) sont particulièrement accrus ;

– les femmes planifiant une grossesse, pour qui un supplément d'acide folique réduit le risque de malformation du tube neural chez le fœtus ;

– les végétariens stricts (excluant tous les aliments d'origine animale de leur alimentation), dont l'alimentation ne comble pas le besoin en vitamine B_{12} (voir le chapitre 12) ;

– les bébés exclusivement nourris au lait maternel, dont l'apport en vitamine D peut être insuffisant.

• Une deuxième catégorie regroupe les **suppléments à doses thérapeutiques**, soit ceux qui fournissent de 3 à 20 fois les ANREF. L'étiquette de ces suppléments doit porter la mention « pour usage thérapeutique ». Ils sont destinés aux personnes souffrant de carences nutritionnelles bien établies ou de maladies qui modifient sérieusement l'état nutritionnel, par exemple celles touchant le tube digestif.

• Enfin, une troisième catégorie regroupe les **suppléments à doses pharmacologiques (ou mégadoses)**, soit ceux qui fournissent de 20 à 600 fois les ANREF. Dans les faits, seuls certains suppléments de vitamines (C, E et B) entrent dans cette catégorie ; leur étiquette doit porter la mention

« pour usage thérapeutique », à l'instar de celle des suppléments dits à doses thérapeutiques. Comme nous l'avons déjà souligné au chapitre 6, l'utilité des mégadoses de vitamines n'est solidement établie que pour traiter certains états pathologiques bien définis nécessitant un suivi médical.

Des suppléments pour tous ?

Étant donné que le recours aux suppléments de vitamines et de minéraux se justifie dans plusieurs conditions, il est normal de se demander s'il ne serait pas préférable d'y avoir recours d'emblée, par simple mesure de précaution. Certains médecins sont de cet avis, tel qu'en fait foi un article publié en 2002 dans la revue de l'Association médicale américaine. Des études montrent qu'il y a moins d'apports nutritionnels insuffisants chez les consommateurs de suppléments que chez ceux n'en consommant pas. Un certain nombre d'arguments incitent malgré tout à la prudence :

- **Les suppléments de vitamines et de minéraux peuvent diminuer la consommation d'aliments sains, en procurant un faux sentiment de sécurité.** Or, quelle que soit leur formulation, ces suppléments demeurent incomplets. Nous avons vu au chapitre 6, et le constaterons dans la seconde partie de cet ouvrage, que les aliments renferment une multitude de composés qui exercent des actions bénéfiques sur l'organisme humain, sans pour autant être considérés comme des nutriments indispensables. Les nutritionnistes savent encore peu de choses sur ces composés, qu'il s'agisse de leur mode d'action, des quantités à consommer ou des interactions qu'ils exercent entre eux et avec des nutriments mieux connus. Seule une alimentation variée et équilibrée permet à l'organisme de tirer profit de l'action biologique de ces composés.

- **Les suppléments de vitamines et de minéraux comportent des risques.** Ingérés en grande quantité, plusieurs nutriments peuvent avoir des effets toxiques dans l'organisme, tel que l'indique le tableau 8.5 ; or, un supplément est souvent en cause lorsque l'apport en un nutriment est excessif. La toxicité d'un nutriment dépend d'un certain nombre de facteurs, y compris son taux d'absorption au niveau intestinal (sa biodisponibilité), l'état de santé de l'organisme et la facilité avec laquelle ce dernier arrive à se débarrasser d'un surplus. Ainsi, des minéraux dont l'excès est éliminé principalement dans l'urine, tels le magnésium et le potassium, s'accumulent plus rapidement chez une personne souffrant de troubles rénaux que chez une personne dont les reins sont fonctionnels. Des facteurs héréditaires exercent aussi leur influence. Par exemple, certaines personnes peuvent accumuler un excès de fer dans leur organisme en raison d'une anomalie génétique favorisant

une absorption anormalement élevée de ce minéral au niveau intestinal ; il s'agit de l'hémochromatose, une maladie relativement rare qui affecte principalement le foie. De la même manière, un apport excessif de calcium peut précipiter la formation de calculs rénaux chez les personnes prédisposées à l'hypercalciurie (taux élevé de calcium dans l'urine). Même si le taux d'absorption de plusieurs nutriments baisse significativement quand l'apport est élevé, à long terme, d'importantes quantités peuvent malgré tout s'accumuler dans l'organisme et nuire à son fonctionnement.

- **À ce jour, les preuves scientifiquement fondées permettant d'affirmer que la consommation de suppléments de vitamines et de minéraux s'avère avantageuse pour la santé des personnes bien portantes demeurent limitées.** Les chercheurs ont bien observé un lien entre la consommation de suppléments et divers indices de santé dans un certain nombre d'études, mais aucun lien dans d'autres, et même des effets délétères insoupçonnés dans quelques essais (voir *Les vitamines antioxydantes*, à la page 160). En outre, il faut être prudent dans l'interprétation des résultats de la recherche. Ainsi, dans une étude finlandaise, la prise de suppléments de vitamine E a été associée à une diminution des risques d'infarctus du myocarde, mais aussi à une augmentation des risques d'embolie cérébrale, et s'est donc révélée sans effet sur la mortalité générale.

- **Enfin, le recours aux suppléments de vitamines et de minéraux peut induire des déséquilibres nutritionnels et perturber l'action de certains médicaments.** Plusieurs nutriments interagissent entre eux ou avec d'autres substances. Par exemple, consommés en grande quantité, la vitamine E perturbe l'action de la vitamine K, le calcium réduit l'absorption du fer et le zinc, celle du cuivre. Un supplément de pyridoxine peut inhiber l'action de la L-dopa, un médicament utilisé dans le traitement de la maladie de Parkinson, tandis qu'un supplément d'acide folique masquera une déficience en vitamine B$_{12}$, laquelle peut avoir des séquelles neurologiques irréversibles.

Pour toutes ces raisons, il paraît plus sage, quand nous sommes en santé, de compter d'abord sur les aliments (y compris ceux qui sont enrichis) pour bien nous nourrir. Il importe toutefois de les choisir avec soin et de les consommer en quantités qui répondent à nos besoins nutritifs, en nous inspirant du *Guide alimentaire canadien pour manger sainement*. Nous pouvons consulter une nutritionniste pour savoir si un supplément est indiqué dans notre cas ; dans l'affirmative, elle saura orienter notre choix selon nos besoins nutritionnels. Une grille facilitant la comparaison entre les quantités de vitamines et de minéraux contenues dans un supplément et les ANREF est présentée à l'annexe 7.

TABLEAU 8.5   Les symptômes liés à l'ingestion de grandes quantités de vitamines et de minéraux

Vitamines

Thiamine (B_1)	Peu fréquents.
Riboflavine (B_2)	Peu fréquents, hormis une coloration prononcée de l'urine.
Niacine	Acide nicotinique : rougeurs généralisées pouvant s'accompagner de sensations de brûlure, de piqûre ou de picotements, troubles gastro-intestinaux, démangeaisons, baisse de la tension artérielle.
	Autres effets : anomalies métaboliques, éruptions cutanées, hyperpigmentation, sécheresse de la peau, troubles de la vue, agitation, atteinte musculaire.
Vitamine B_6	Peu fréquents. À très fortes doses (2 à 6 g/jour) sur une période prolongée : troubles nerveux sensoriels touchant principalement les extrémités des membres.
Acide folique	Peu fréquents. Possibilité de réactions d'hypersensibilité. Peut masquer une déficience en vitamine B_{12}.
Vitamine B_{12}	Peu fréquents.
Acide pantothénique	Peu fréquents. Doses très élevées (6 g/jour) : diarrhée.
Biotine	Peu fréquents.
Vitamine C	Peu fréquents. Nausées, vomissements, diarrhée, brûlures d'estomac, crampes abdominales, fatigue, rougeur, maux de tête, insomnie, somnolence.
Vitamine A	Rétinol : augmentation de la pression intracrânienne, perte d'appétit, faiblesse, douleurs aux articulations et aux os, sécheresse de la peau et des lèvres, ongles cassants, perte de cheveux, élargissement du foie et de la rate, anomalies sanguines, troubles oculaires. Effet tératogène. Augmentation possible du risque de fracture chez la femme, selon certaines études.
	Bêta-carotène : peu fréquents, hormis une coloration jaune de la peau. Augmentation possible du risque de cancer du poumon chez les fumeurs, selon certaines études.
Vitamine D	Perte d'appétit, nausées, faiblesse, perte de poids, douleurs vagues, raideur, constipation, diarrhée, convulsions, arriération mentale, anomalies sanguines, troubles rénaux, calcification des tissus mous, y compris le cœur, les vaisseaux sanguins, les reins et les poumons.
Vitamine E	Peu fréquents. Hémorragie, nausée, diarrhée, crampes abdominales, fatigue, faiblesse, maux de tête, vision brouillée, rash, anomalies métaboliques.
Vitamine K	Non disponible sans ordonnance médicale.

Minéraux

Calcium	Irritation gastrique, constipation, troubles neurologiques. Hausse du calcium sanguin. Formation de lithiases rénales chez les personnes prédisposées à l'hypercalciurie (hausse du calcium urinaire). Diminution de l'absorption de certains minéraux, dont le fer, le zinc et le manganèse.
Magnésium	Diarrhée. Troubles neurologiques et cardiaques.
Iode	Peu fréquents. Altération de la fonction thyroïdienne. Possibilité de réaction d'hypersensibilité.
Potassium	Troubles gastro-intestinaux. Hausse du potassium sanguin chez les personnes qui y sont prédisposées.
Sélénium	Troubles neurologiques, perte de cheveux, paralysie, anomalies de la peau et des ongles.
Fer	Troubles gastro-intestinaux. Accumulation toxique de fer dans les tissus mous (foie principalement) chez les personnes prédisposées à l'hémochromatose.
Zinc	Déficience en cuivre.
Cuivre	Peu fréquents. Nausée, vomissements, altération de la muqueuse intestinale.
Phosphore	Hausse du taux de calcium sanguin.
Chrome	Peu fréquents.
Manganèse	Diminution de l'absorption du fer. Troubles neurologiques.
Molybdène	Peu fréquents.
Fluor	Fluorose dentaire.

Résumé

Sont regroupées sous l'appellation « apports nutritionnels de référence (ANREF) » les recommandations concernant l'énergie et les nutriments nécessaires au bon fonctionnement d'un organisme en santé : protéines, glucides, lipides, vitamines, eau et minéraux. Les ANREF varient selon l'âge, le sexe ou encore certaines conditions telles que la grossesse et l'allaitement (voir l'annexe 1) ; ils comprennent différentes valeurs. L'**apport nutritionnel recommandé (ANR)** est établi à partir du besoin moyen estimé (BME), lequel se fonde sur une bonne connaissance du métabolisme des nutriments à l'intérieur de l'organisme. L'ANR couvre les besoins en éléments nutritifs de presque tous les individus (97,5 %) d'un même groupe, puisqu'il prend en compte la variation autour du BME. Quand l'ANR pour un nutriment donné ne peut être établi, des observations et des expérimentations sur des populations apparemment en bonne santé sont utilisées pour estimer ce qu'on appelle l'**apport suffisant (AS)**. L'**apport maximal tolérable (AMT)** sert également de guide puisqu'il correspond à la quantité maximale d'un nutriment que la plupart d'entre nous pouvons consommer quotidiennement sans risque d'effets indésirables ; la consommation de suppléments de vitamines et de minéraux est très souvent en cause dans l'apparition d'effets indésirables liés à un apport nutritionnel excessif. Enfin, les recommandations touchant les macronutriments sont exprimées par rapport à l'apport énergétique ; les proportions pouvant varier tout en demeurant adéquates, des intervalles de valeurs, appelés **fourchettes de distribution acceptables des macronutriments (FDAM)**, servent de référence.

Les caractéristiques générales d'un régime alimentaire équilibré sont décrites dans l'encadré de la page 197. Elles s'inspirent d'un document publié en 1990 par le ministère fédéral de la Santé, *Recommandations sur la nutrition pour les Canadiens*, mais tiennent compte des plus récentes recommandations. Elles sont reformulées en termes plus accessibles au public dans une série d'énoncés ayant pour titre *Recommandations alimentaires pour la santé des Canadiens et Canadiennes* (voir l'encadré à la page 197).

Des renseignements encore plus détaillés sont contenus dans le *Guide alimentaire canadien pour manger sainement*, un outil d'éducation conçu par Santé Canada et visant à encourager l'adoption de saines habitudes alimentaires par les Canadiens en santé âgés de quatre ans et plus. Illustrée sous la forme d'un arc-en-ciel, l'actuelle version du *Guide alimentaire canadien* se fonde sur ce qu'on appelle « la ration alimentaire totale ». Les aliments de base qui contribuent à la valeur nutritive du régime alimentaire moyen des Canadiens y sont divisés en quatre groupes : « Produits

céréaliers », « Légumes et fruits », « Produits laitiers » et « Viandes et substituts » ; ceux qui n'appartiennent à aucun de ces groupes forment une catégorie à part, celle des « Autres aliments ». Les quatre groupes de base du *Guide alimentaire canadien* ne sont pas interchangeables ; ils sont toutefois complémentaires, chaque groupe constituant une composante essentielle d'un régime alimentaire équilibré. Le *Guide alimentaire canadien* permet de composer des menus assurant un très large éventail d'apports énergétiques, selon le type d'aliments choisi, la grosseur et le nombre de portions consommées. On y trouve aussi des énoncés clés sur la façon de choisir ses aliments.

La plupart des emballages doivent maintenant fournir des renseignements sur la valeur nutritive des aliments. De façon générale, il s'agit d'une source d'information fiable, car le système d'étiquetage en vigueur au Canada est normalisé. Pour composer leurs étiquettes, les fabricants d'aliments canadiens sont tenus de respecter les politiques et règlements établis par différents paliers de gouvernement ; ceux établis par le gouvernement fédéral sont réunis dans un document intitulé *Guide d'étiquetage et de publicité sur les aliments*. L'Agence canadienne d'inspection des aliments (ACIA) est l'organisme chargé de veiller à l'application de tous les règlements fédéraux en matière d'étiquetage des aliments.

La variété est un principe capital d'une saine alimentation. En effet, les teneurs en nutriments des aliments peuvent grandement varier, non seulement à l'intérieur d'un même groupe, mais aussi pour un aliment donné, notamment en raison des différences existant à l'état naturel et des nombreux procédés industriels de transformation des aliments. Plusieurs manipulations domestiques peuvent aussi modifier la valeur nutritive des aliments, de même que les conditions dans lesquelles ces derniers sont conservés. Il importe donc d'en être conscient lorsque nous choisissons, entreposons ou préparons des aliments ; certaines règles élémentaires d'hygiène doivent également être respectées.

D'importants changements dans la composition nutritionnelle des aliments sont également attribuables à des mesures d'enrichissement. Au Canada, le ministère de la Santé détermine les aliments pouvant ou devant être enrichis, ainsi que la nature et les quantités des éléments nutritifs ajoutés à ces aliments. Le ministère autorise l'enrichissement des aliments pour diverses raisons, que ce soit pour corriger une carence dans la population, compenser la perte d'éléments nutritifs ou conférer une valeur nutritive à des aliments spéciaux (succédanés, produits constituant une source alimentaire unique, etc.).

Références

AGENCE CANADIENNE D'INSPECTION DES ALIMENTS. *Fiche de renseignements – Programme national de surveillance des résidus chimiques*, novembre 2004. Site Internet : <www.inspection.gc.ca>.

AGENCE CANADIENNE D'INSPECTION DES ALIMENTS. *Guide d'étiquetage et de publicité sur les aliments*, 2003. Site Internet : <www.inspection.gc.ca>.

AGENCE DE RÉGLEMENTATION DE LA LUTTE ANTI-PARASITAIRE. *Fiche technique – La réglementation des pesticides au Canada*, mars 2003. Site Internet : <www.hc-sc.gc.ca>.

CONSEIL DE LA SCIENCE ET DE LA TECHNOLOGIE. *OGM et alimentation humaine : impacts et enjeux pour le Québec*, gouvernement du Québec, 2002.

FLETCHER, R.H. et K.M. FAIRFIELD. « Vitamins for chronic disease prevention in adults. Clinical applications », *Journal of the American Medical Association*, vol. 287, 2002, p. 3127-3129.

HATHCOCK, J.N. « Vitamins and minerals : efficacy and safety », *American Journal of Clinical Nutrition*, vol. 66, 1997, p. 427-437.

HENRY, C.J.K. et N. HEPPELL. « Nutritional losses and gains during processing : future problems and issues », *Proceedings of the Nutrition Society*, vol. 61, 2002, p. 145-148.

HUNT, J.R. « Tailoring advice on dietary supplements : an opportunity for dietetics professionals », *Journal of the American Dietetic Association*, vol. 102, 2002, p. 1754-1755.

INSTITUTE OF FOOD TECHNOLOGISTS' EXPERT PANEL ON FOOD SAFETY AND NUTRITION. *Effects of food processing on nutritive values*, Chicago, Institute of Food Technologists, 1986.

KARMAS, E. et R.S. HARRIS (réd.). *Nutritional Evaluation of Food Processing*, 3e éd., New York, Van Nostrand Reinhold Compagny, 1988.

KIMURA, M. et Y. ITOKAWA. « Cooking losses of minerals in foods and its nutritional significance », *Journal of Nutritional Science and Vitaminology*, vol. 36, 1990, p. S25-S33.

LEDUC, H.D. *La contamination des aliments*, Mont-Royal, Modulo Éditeur, 1991.

MAGKOS, F., F. ARVANITI et A. ZAMPELAS. « Organic food : nutritious food or food for thought ? A review of the evidence », *International Journal of Food Sciences and Nutrition*, vol. 54, 2003, p. 357-371.

MOZAFAR, A. *Plant Vitamins – Agronomic, Physiological, and Nutritional Aspects*, Boca Raton, CRC Press, 1994.

MUELLER, H.R. « The effect of industrial handling on micronutrients », *Journal of Nutritional Science and Vitaminology*, vol. 36, 1990, p. S47-S55.

NADEAU, M.H. « Besoins nutritionnels », dans *Manuel de nutrition clinique*, 3e éd., Chagnon Decelles, D., Daignault Gélinas, M., Lavallée Côté, L. et autres (réd.), Montréal, Ordre professionnel des diététistes du Québec, 1997 (mise à jour 2004).

PARK, J. et H.C. BRITTIN. « Increased iron content of food due to stainless steel cookware », *Journal of the American Dietetic Association*, vol. 97, n° 6, 1997, p. 659-661.

PENNISTON, K.L. et S.A. TANUMIHARDJO. « Vitamin A in dietary supplements and fortified foods : too much of a good thing ? », *Journal of the American Dietetic Association*, vol. 103, 2003, p. 1185-1187.

REID, D.J. et S.M. HENDRICKS. « Consumer understanding and use of fat and cholesterol information on food labels », *Revue canadienne de santé publique*, vol. 85, n° 5, 1994, p. 334-337.

RICHARDSON, D.P. « Symposium on food industry, nutrition and public health. The addition of nutrients to foods », *Proceedings of the Nutrition Society*, vol. 56, 1997, p. 807-825.

SANTÉ CANADA. *Adjonction de vitamines et de minéraux aux aliments. Politique et plans de mise en œuvre proposés par Santé Canada*, 2005.

SANTÉ CANADA. *Déclaration de Santé Canada concernant la présence d'acrylamide dans les aliments*, mars 2005. Site Internet : <www.hc-sc.gc.ca>.

SANTÉ CANADA. *Loi et règlements des aliments et drogues*, Ottawa, ministre des Approvisionnements et Services Canada.

SANTÉ CANADA. *Utilisation des apports nutritionnels de référence*, août 2003. Site Internet : <www.hc-sc.gc.ca>.

SANTÉ CANADA. *Vitamines et minéraux : des choix clairs pour les consommateurs*, février 2000. Site Internet : <www.hc-sc.gc.ca>.

SANTÉ CANADA. *Votre santé et vous. La sécurité des ustensiles de cuisson*, 1993.

SANTÉ ET BIEN-ÊTRE SOCIAL CANADA. *Action concertée pour une saine alimentation – Recommandations alimentaires pour la santé des Canadiens et Canadiennes et stratégies recommandées pour leur mise en application*. Rapport du Comité des communications et de la mise en application, Ottawa, ministre des Approvisionnements et Services Canada, 1990.

SANTÉ ET BIEN-ÊTRE SOCIAL CANADA. *Recommandations sur la nutrition*. Rapport du Comité de révision scientifique, Ottawa, ministre des Approvisionnements et Services Canada, 1990.

THE AMERICAN DIETETIC ASSOCIATION. « Position of the American Dietetic Association : Food fortification and dietary supplements », *Journal of the American Dietetic Association*, vol. 101, 2001, p. 115-125.

TROPPMANN, L., K. GRAY-DONALD et T. JOHNS. « Supplement use : is there any nutritional benefit ? », *Journal of the American Dietetic Association*, vol. 102, 2002, p. 818-825.

TROPPMANN, L., T. JOHNS et K. GRAY-DONALD. « Natural health product use in Canada », *Revue canadienne de santé publique*, vol. 93, n° 6, 2002, p. 426-430.

WILLIAMS, C.M. « Nutritional quality of organic food : shades of grey or shades of green ? », *Proceedings of the Nutrition Society*, vol. 61, 2002, p. 19-24.

Ressources supplémentaires

Documentation sur le *Guide alimentaire canadien* :

Les indications pour se procurer l'une ou l'autre des publications suivantes sont disponibles sur le site de Santé Canada : www.santecanada.gc.ca/nutrition

- *L'approche Vitalité*

- *Le Guide alimentaire canadien pour manger sainement* : un feuillet à l'intention des consommateurs.

- *Le Guide alimentaire canadien pour manger sainement – Renseignements sur les enfants d'âge préscolaire*.

- *Le Guide alimentaire canadien pour manger sainement – Renseignements sur les enfants de 6 à 12 ans*.

- *Pour mieux se servir du Guide alimentaire* : une brochure à l'intention des consommateurs expliquant les principes fondamentaux énoncés dans le feuillet.

- *Renseignements sur le Guide alimentaire à l'intention des éducateurs et des communicateurs* : une série de feuillets fournissant une information de base aux spécialistes de la nutrition, aux éducateurs dans le domaine de la santé, aux spécialistes en économie domestique et à tous ceux et celles qui font la promotion d'une saine alimentation.

Autres adresses électroniques :

Conseil des appellations agroalimentaires du Québec (CAAQ) : www.caaq.org

Consumer Reports : www.consumerreports.org

Fichier canadien sur les éléments nutritifs, 2005 (données sur la valeur nutritive des aliments) : www.santecanada.gc.ca/fcenenligne

Gouvernement du Québec. Source d'information sur les organismes génétiquement modifiés : ogm.gouv.qc.ca

Programme des aliments de Santé Canada : www.hc-sc.gc.ca/food-aliment

U.S. National Institute of Health. Office of dietary supplements : dietary-supplements.info.nih.gov

Partie 2

La valeur nutritive des aliments

Chapitre 9

Les produits céréaliers

Le mot « céréale » vient du mot latin *cerealis*, lui-même dérivé de Cérès, déesse des moissons chez les Romains. Il y a fort longtemps que les céréales occupent une place de choix dans l'alimentation humaine. Elles y auraient été introduites il y a environ 10 000 ans. Depuis lors, les humains se sont adaptés à une alimentation fondée sur les produits céréaliers et cette adaptation est quasi universelle. Le phénomène s'explique en bonne partie par le fait que ces aliments constituent d'excellentes réserves d'énergie alimentaire peu coûteuses à produire, ce qui est un atout indéniable pour la survie de l'espèce.

Le développement de la culture céréalière a bien sûr modifié de façon sensible la teneur de notre régime alimentaire en éléments nutritifs. Selon certains paléontologistes, l'introduction des céréales dans l'alimentation humaine aurait même contribué à diminuer la taille et la densité osseuse de nos ancêtres, en raison notamment de la faible teneur en calcium de ces aliments. Mais la culture des grains de céréales aurait aussi joué un rôle déterminant dans l'histoire de l'humanité en favorisant la sédentarité et l'accroissement des populations ; elle aurait donc marqué le début de la civilisation humaine !

Le présent chapitre décrit les produits céréaliers et rend compte de leur contribution à l'apport en éléments nutritifs essentiels dans le régime alimentaire des Canadiens. Nous discuterons aussi de l'impact du procédé de raffinage sur la valeur nutritive intrinsèque des céréales ainsi que de l'effet protecteur exercé par ces aliments sur notre santé.

Que sont les produits céréaliers ?

Le groupe « Produits céréaliers » comprend bien sûr les céréales, qui sont des grains comestibles produits par diverses plantes appartenant à la famille des **graminées**. Le tableau 9.1 regroupe les espèces le plus largement consommées dans le monde et indique leur origine. Le blé, le riz et le maïs sont les principales céréales cultivées à l'échelle mondiale, mais l'orge, l'avoine, le seigle, le millet et le sorgho ont aussi leur importance. Le tableau 9.1 comprend également trois **pseudocéréales** : le quinoa, le sarrasin et l'amarante ; même si ces grains sont issus de plantes qui ne font pas partie des graminées, ils sont souvent considérés comme des céréales, tant par leur utilisation que par leur composition.

Un grand nombre de produits fabriqués à partir de farine ou de semoule de céréales font aussi partie du groupe « Produits céréaliers ». Sont toutefois exclus certains aliments dérivés des céréales, mais de composition fort différente, comme le sirop, l'huile et l'amidon de maïs, ou encore diverses boissons alcoolisées.

Les céréales cuites

En raison de leur faible teneur en eau, les céréales crues sont des aliments très peu périssables, mais aussi très peu digestibles. Il faut donc utiliser divers procédés pour augmenter leur digestibilité. L'un d'eux consiste à bien les humecter en les cuisant dans un liquide ; on apprête ainsi le riz, le riz sauvage, l'orge, le millet ou encore le **bulghur**, du blé concassé traité selon une méthode traditionnellement utilisée dans certains pays du Proche-Orient. Le volume d'eau et le temps nécessaires à la cuisson des céréales varient selon le type de céréales et le degré de transformation qu'elles ont subi. Ainsi, les céréales cuisent plus rapidement quand elles sont sous forme de flocons ; c'est le cas de l'avoine, utilisé entre autres dans la préparation du **gruau**, un mets consommé surtout au petit-déjeuner. La taille et l'épaisseur des flocons déterminent d'ailleurs la mention apparaissant sur les sacs d'avoine vendus dans le commerce : « à l'ancienne », « rapide » ou « 1 minute ». Enfin, avant d'être apprêtés, les grains de céréales peuvent être rôtis ; c'est ainsi que le sarrasin est transformé en **kacha** (ou **kasha**).

Les produits fabriqués à partir de farine ou de semoule de céréales

Les céréales sont très souvent réduites en farine avant d'être apprêtées. Au Canada et dans plusieurs autres pays, la farine de blé est la plus populaire. Elle entre dans la fabrication de très nombreux produits, tels le **pain** (sous différentes formes), les **bagels**, les **brioches**, les **crêpes**, les **gaufres**, les **croissants**, les **craquelins**, la **pâte à pizza**, les **tortillas** commerciales, les **biscuits**, les **muffins** et les **pâtisseries**. Toutefois, parmi ces aliments, seuls ceux qui renferment une bonne quantité de farine (ou autre ingrédient céréalier) sont considérés comme faisant partie du groupe « Produits céréaliers » dans le *Guide alimentaire canadien*.

La mouture des grains de céréales conduit aussi à la fabrication de semoule, une sorte de farine dont les granules sont plus grossiers que ceux de la farine ordinaire. La semoule entre dans la préparation de plusieurs aliments. Par exemple, les **pâtes alimentaires** et le **couscous** (un plat d'origine nord-africaine) sont fabriqués à partir de différents types de semoule de blé. La crème de blé, habituellement consommée au petit-déjeuner, se compose également de semoule de blé. Quant aux **tortillas** traditionnelles, elles sont préparées avec une semoule de maïs spécialement traitée appelée *masa harina* ; transformée en bouillie, la semoule de maïs devient de la **polenta** (un plat italien).

Au Canada, la farine de blé est la plus populaire. Elle entre notamment dans la fabrication des croissants.

TABLEAU 9.1 Les céréales et les pseudocéréales

Amarante (*amaranth*)
- Pseudocéréale originaire d'Amérique centrale

Avoine (*oats*)
- Originellement cultivé en Europe
- Sert notamment à préparer le gruau

Blé (*wheat*)
- Originaire du Proche-Orient
- Aussi appelé FROMENT
- Une des céréales les plus largement cultivées à l'échelle mondiale
- ÉPEAUTRE (*spelt*) et KAMUT (*kamut*) : anciennes espèces apparentées au blé

Maïs (*corn* ou *maize*)
- Originellement cultivé en Amérique, où il était considéré comme un « don des dieux » par les Amérindiens
- Aussi appelé « blé d'Inde », nom donné à la plante lorsque les premiers explorateurs européens, croyant découvrir les Indes, abordèrent le continent américain
- Maïs sucré (*sweet corn*) : variété riche en sucre consommée comme légume

Millet (*millet*)
- Denrée de base dans certains pays d'Afrique et d'Asie, dont il est originaire
- Comprend le TEFF, variété de millet probablement originaire d'Éthiopie

Orge (*barley*)
- Originaire du Proche-Orient : avec le blé, une des premières céréales à être cultivées
- Cultivé entre autres pour la production de malt (orge germé grillé), un ingrédient essentiel en brasserie
- Orge mondé : grain d'orge ayant conservé son enveloppe de son
- Orge perlé : grain d'orge poli, donc débarrassé de son enveloppe de son

Quinoa (*quinoa*)
- Pseudocéréale originaire d'Amérique du Sud

Riz (*rice*)
- Céréale semi-aquatique originellement cultivée en Chine et dans le sud de l'Asie
- Sa couleur peut varier selon la couleur du péricarpe (son) : brun, rouge ou noir
- Comprend certaines variétés renfermant des substances aromatiques naturellement présentes dans le grain (tel le riz basmati)

Riz sauvage (*wild rice*)
- Céréale qui, en dépit de son nom, n'est pas à proprement parler du riz
- Cultivé à l'origine par les Amérindiens vivant dans la région des Grands Lacs

Sarrasin (*buckwheat*)
- Pseudocéréale originaire d'Asie centrale, aussi appelée « blé noir »
- Utilisé pour faire les nouilles SOBA, un aliment japonais
- KACHA (ou KASHA) : grains de sarrasin rôtis

Seigle (*rye*)
- Céréale originaire d'Asie, populaire surtout en Europe de l'Est

Sorgho (*sorghum*)
- Originellement cultivé en Afrique et en Asie, où il constitue un aliment de base dans plusieurs pays, en particulier dans les régions semi-arides

Triticale (*triticale*)
- Céréale issue du croisement du blé et du seigle

Les céréales prêtes à manger

Durant les dernières décennies, plusieurs formes de céréales prêtes à consommer sont apparues dans le commerce. Dans certains cas, il s'agit de céréales qu'il suffit d'ébouillanter car elles sont précuites ou ont été traitées à l'aide d'enzymes pour augmenter leur digestibilité ; mentionnons par exemple le riz précuit, la crème de blé ou encore le gruau instantané. Dans d'autres cas, il s'agit de grains de céréales

Le blé

Le blé est une céréale appartenant au genre *Triticum*. Cette plante, bien adaptée aux régions tempérées, serait originaire du Proche-Orient, où elle serait apparue à la suite de croisements entre des herbes sauvages, il y a plusieurs milliers d'années.

La structure du grain de blé

La structure d'un grain de blé est illustrée à la figure 9.1 ci-dessous. Elle comprend trois parties distinctes : le son, le germe et l'endosperme. Le **son** (ou péricarpe) correspond à l'enveloppe qui recouvre le grain ; il représente un peu moins de 15 % du poids du grain de blé. Le **germe** (ou embryon) renferme le matériel génétique et les éléments nutritifs servant à la reproduction du grain ; il ne contribue que très peu (un peu moins de 3 %) au poids du grain de blé. Enfin, l'**endosperme** constitue la majeure partie (83 %) du poids du grain de blé ; il se compose de granules d'amidon (un polysaccharide) enchâssés dans un réseau de protéines.

Figure 9.1   La structure d'un grain de blé

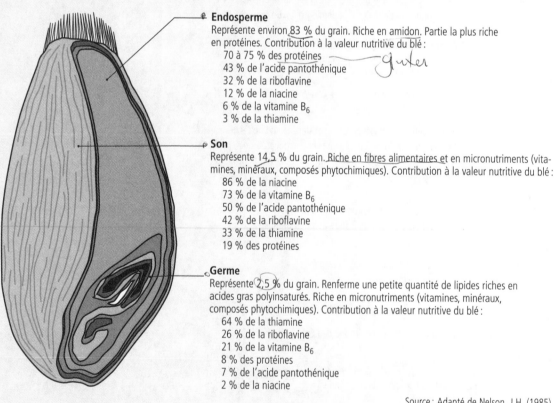

Endosperme
Représente environ 83 % du grain. Riche en amidon. Partie la plus riche en protéines. Contribution à la valeur nutritive du blé :
70 à 75 % des protéines
43 % de l'acide pantothénique
32 % de la riboflavine
12 % de la niacine
6 % de la vitamine B$_6$
3 % de la thiamine

Son
Représente 14,5 % du grain. Riche en fibres alimentaires et en micronutriments (vitamines, minéraux, composés phytochimiques). Contribution à la valeur nutritive du blé :
86 % de la niacine
73 % de la vitamine B$_6$
50 % de l'acide pantothénique
42 % de la riboflavine
33 % de la thiamine
19 % des protéines

Germe
Représente 2,5 % du grain. Renferme une petite quantité de lipides riches en acides gras polyinsaturés. Riche en micronutriments (vitamines, minéraux, composés phytochimiques). Contribution à la valeur nutritive du blé :
64 % de la thiamine
26 % de la riboflavine
21 % de la vitamine B$_6$
8 % des protéines
7 % de l'acide pantothénique
2 % de la niacine

Source : Adapté de Nelson, J.H. (1985).

Les protéines du blé lui confèrent des propriétés fonctionnelles particulières. En effet, une fois hydratées, ces protéines forment le **gluten**, une matière élastique et extensible qui rend la farine de blé panifiable. Pour cette raison, le blé est largement utilisé en boulangerie. Le gluten peut être extrait de la pâte de blé et cuit ; on obtient ainsi le **seitan**, un aliment généralement utilisé comme substitut de la viande. Certaines personnes présentent toutefois une hypersensibilité au gluten. Chez ces individus, la consommation de blé (et de certaines autres céréales) provoque une inflammation caractéristique de la muqueuse intestinale nommée **maladie cœliaque**.

Les variétés de blé

Il existe plusieurs variétés de blé. Celles cultivées dans l'hémisphère Nord sont souvent regroupées en trois catégories : le blé tendre vitreux (*hard*), le blé tendre mou (*soft*) et le blé dur ambré, aussi appelé blé durum. Les propriétés fonctionnelles du blé diffèrent sensiblement d'une catégorie à l'autre. Ainsi, le **blé tendre vitreux** est celui qui se prête le mieux à la confection des produits de boulangerie ; on le moud pour fabriquer la farine tout usage. Le **blé tendre mou** donne la farine à gâteau, qui sert surtout à confectionner les biscuits et les pâtisseries vendus dans le commerce. Quant au **blé durum**, on le transforme principalement en semoule, utilisée notamment pour fabriquer les pâtes alimentaires et le couscous.

Deux espèces proches parentes du blé commun, l'**épeautre** et le **kamut**, sont aussi cultivées, mais à plus petite échelle. Il s'agit de cultures traditionnelles autrefois importantes et maintenant remplacées par les variétés modernes de blé à plus haut rendement. À l'instar du blé commun, l'épeautre et le kamut renferment du gluten.

L'impact nutritionnel de la réduction du blé en farine ou en semoule

Le blé subit divers traitements lorsqu'il est transformé en farine ou en semoule. Un traitement courant consiste à éliminer le germe et la majeure partie du son ; on appelle ce procédé le **raffinage du blé**. Le germe est éliminé, car les lipides qu'il renferme réduisent la durée de conservation de la farine. Quant au son, il confère aux produits finis une couleur et une texture particulières, pas toujours appréciées des consommateurs.

Malheureusement, plusieurs des nutriments présents dans le blé sont concentrés dans le germe et le son (voir la figure 9.1). Le raffinage diminue donc grandement la valeur nutritive du blé. Les pertes occasionnées par ce procédé excèdent 50 % pour la plupart des vitamines et des minéraux, et peuvent même aller au-delà de 90 %. De plus, le raffinage élimine une bonne partie des fibres alimentaires ainsi que les composés phytochimiques avantageux pour la santé liés à ces constituants. Seuls certains nutriments mieux répartis à l'intérieur du grain de blé, comme les protéines, subissent des pertes moins importantes.

soufflés ou encore précuits, puis filamentés ou aplatis en flocons avant d'être déshydratés. Ces produits présentent aussi très souvent une texture aérée grâce au procédé de cuisson-extrusion ; celui-ci permet, en un temps très bref, de cuire et de découper selon différentes formes une pâte constituée principalement de céréales.

Plusieurs de ces aliments prêts à consommer sont vendus comme **céréales pour le petit-déjeuner**. D'autres sont offerts sous forme de **grignotines**. Toutefois, à moins d'être consommées « nature », les grignotines sont exclues du groupe « Produits céréaliers » dans le *Guide alimentaire canadien* en raison de leur teneur généralement élevée en matières grasses et en sel (voir le chapitre 13). Il en va de même pour le **maïs éclaté** (popcorn), une forme de céréale prête à consommer qui existe depuis très longtemps.

La valeur nutritive des produits céréaliers

Des quatre groupes d'aliments constituant la base du *Guide alimentaire canadien pour manger sainement*, le groupe « Produits céréaliers » est celui qui contribue le plus à l'apport en énergie dans le régime alimentaire des Canadiens. La contribution de ce groupe à l'apport en éléments nutritifs est également importante (voir le tableau 9.2). Elle est attribuable non seulement à la valeur nutritive intrinsèque des céréales, mais aussi à l'ajout d'éléments nutritifs aux produits céréaliers, tel que le permet la réglementation canadienne. En effet, les traitements et les transformations subis par les céréales entraînent souvent d'importantes pertes d'éléments nutritifs que les programmes d'enrichissement en vigueur au Canada tendent à combler, même s'ils le font de façon incomplète.

~ **TABLEAU 9.2   La contribution relative des produits céréaliers à l'apport en éléments nutritifs dans le régime alimentaire moyen des Canadiens**

Macronutriments	Vitamines	Minéraux	Composés phytochimiques
Glucides (incluant les fibres alimentaires)	Thiamine Acide folique	Fer	
Protéines	Autres vitamines du groupe B (excluant la vitamine B$_{12}$)	Autres oligoéléments Magnésium Phosphore Sodium	Lignans, Phytostérols, Antioxydants

La contribution des produits céréaliers à l'apport en macronutriments dans le régime alimentaire des Canadiens

Les glucides totaux

La teneur de diverses céréales en macronutriments apparaît au tableau 9.3. Nous pouvons constater à sa lecture que les céréales sont en bonne partie constituées de glucides. De fait, environ 40 % des glucides consommés par les Canadiens proviennent des produits céréaliers. Même si du sucre est ajouté à plusieurs de ces aliments, le glucide prédominant y demeure l'**amidon**, un polysaccharide assimilable présent en bonne quantité dans l'endosperme (la partie la plus volumineuse) des grains de céréales (voir la figure 9.1, à la page 222).

Les fibres alimentaires

Des fibres alimentaires composent aussi les glucides contenus dans les produits céréaliers. Ce groupe d'aliments fournit d'ailleurs près de 40 % des fibres dans le régime alimentaire moyen des Canadiens.

La teneur des céréales en fibres alimentaires varie selon l'espèce (voir le tableau 9.3), mais plus encore selon le degré de raffinage qu'elles subissent. En effet, nous avons souligné au chapitre 3 que les fibres alimentaires contenues dans les grains de céréales sont situées principalement dans l'enveloppe de son les recouvrant (voir la figure 9.1) ; les céréales pour le petit-déjeuner à base de son comptent d'ailleurs parmi les aliments les plus riches en fibres alimentaires (voir *La valeur nutritive des céréales pour le petit-déjeuner*, à la page 233).

TABLEAU 9.3 La teneur des céréales et pseudocéréales en macronutriments

Grains céréaliers crus (100 g)	Eau (g)	Protéines (g)	Lipides (g)	Glucides (g)	Fibres alimentaires totales (g)
Avoine	8,2	16,9	6,9	66,3	10,6
Blé blanc tendre	10,4	10,7	2,0	75,4	12,7*
Blé vitreux roux du printemps	12,8	15,4	1,9	68,0	12,2*
Maïs jaune, campagnard	10,4	9,4	4,7	74,3	–
Millet	8,7	11,0	4,2	72,9	8,4
Orge	9,4	12,5	2,3	73,5	17,3
Riz brun, grain long	10,4	7,9	2,9	72,2	3,6
Riz sauvage	7,8	14,7	1,1	74,9	5,2
Seigle	11,0	14,8	2,5	69,8	13,6
Sorgho	9,2	11,3	3,3	74,6	–
Triticale	10,5	13,1	2,1	72,1	18,1
Pseudocéréales					
Amarante	9,8	14,5	6,5	66,2	15,2
Quinoa	9,3	13,1	5,8	68,9	6,9
Sarrasin	9,8	13,3	3,4	71,5	3,5

* USDA Nutrient Database for Standard Reference (2004).

Source : Santé Canada, Fichier canadien sur les éléments nutritifs, 2001.

Le raffinage des céréales diminue grandement leur teneur en fibres alimentaires en éliminant une bonne partie du son. Nous pouvons constater à la lecture des tableaux 9.4 et 9.5, aux pages 226 et 227, que les produits céréaliers à grains entiers tels le bulghur, le riz brun, la farine et les pâtes de blé entier renferment significativement plus de fibres alimentaires que les produits céréaliers raffinés tels le couscous, le riz blanc, la farine raffinée (blanche) et les pâtes ordinaires.

L'utilisation d'une farine de grains entiers ou encore l'ajout de son dans la préparation de certains aliments (pains, biscuits, muffins, gâteaux, etc.) augmente nécessairement leur teneur en fibres alimentaires. La teneur du son en fibres varie toutefois d'une céréale à l'autre ; il en va de même pour le type de fibres qui composent le son. Ainsi, le son d'avoine est plus riche en fibres solubles, mais moins riche en fibres insolubles, que le son de blé.

Les autres macronutriments

Les céréales ont une faible teneur en **lipides** (voir le tableau 9.3), lesquels sont surtout contenus dans le germe. Étant donné qu'ils sont riches en acides gras polyinsaturés, composés s'oxydant facilement au contact de l'oxygène, les lipides des céréales peuvent grandement diminuer la durée de conservation des farines. Pour cette raison, le germe est souvent éliminé pendant la transformation des céréales en farine (voir l'encadré *Les différentes sortes de farine dérivées du blé*, à la page 230). Mais qu'ils soient ou non dépourvus du germe, les produits céréaliers constituent des aliments très pauvres en matières grasses lorsqu'on les consomme tels quels. Toutefois, l'ajout de corps gras dans la préparation de plusieurs produits à base de farine, comme les croissants, les gâteaux, les muffins, les beignes et les biscuits, en augmente grandement la teneur en lipides. De plus, quand ils sont préparés avec une graisse hydrogénée, ces aliments contiennent des acides gras trans.

TABLEAU 9.4   La valeur nutritive des produits du blé par 100 g

Éléments nutritifs	ANREF*	Grains		Farines de blé		Spaghetti, sec		
		Bulghur, sec	Couscous, sec	Blé entier	Blanche	Blé entier	Non enrichi	Enrichi
Énergie (kcal)		342	376	339	364	348	371	371
Protéines (g)		12,3	12,8	13,7	10,3	14,6	12,8	12,8
Lipides (g)		1,3	0,6	1,9	1,0	1,4	1,6	1,6
Glucides (g)		75,9	77,4	72,6	76,3	75,0	74,7	74,7
Fibres (g)		10,7	3,8	12,6	3,1	7,9	2,4	2,4
Thiamine (mg)	1,1-1,2	0,23	0,16	0,45	0,79**	0,49	0,09	1,03**
Riboflavine (mg)	1,1-1,3	0,12	0,08	0,22	0,49**	0,14	0,06	0,44**
Niacine (ÉN)	14-16	8,3	6,2	9,9	8,0**	8,3	4,4	10,2**
A. pantothénique (mg)	5	1,05	1,24	1,01	0,44	0,98	0,43	0,43
Acide folique (ÉFA)	400	27	20	44	244**	57	18	380**
Vitamine B_6 (mg)	1,3	0,34	0,11	0,34	0,04	0,22	0,11	0,11
Fer (mg)	8-18	2,46	1,08	3,88	4,64**	3,63	1,30	3,86**
Magnésium (mg)	310-420	164	44	138	22	143	48	48
Zinc (mg)	8-11	1,93	0,83	2,93	0,70	2,37	1,21	1,21
Cuivre (mg)	0,90	0,34	0,25	0,38	0,14	0,45	0,25	0,25
Manganèse (mg)	1,8-2,3	3,05	0,78	3,80	0,68	3,06	0,69	0,69
Sélénium (mcg)	55	2	–	71	34	73	62	62

* ANREF = Apport nutritionnel de référence pour un adulte de 50 ans ou moins (varie selon l'âge et le sexe).
** Valeur due à l'enrichissement.

Source : Santé Canada, Fichier canadien sur les éléments nutritifs, 2001.

Les céréales renferment aussi des **protéines** (voir le tableau 9.3, à la page précédente). Sans être très élevée, la quantité de protéines contenue dans les produits céréaliers contribue de façon significative (environ 20 %) à l'apport en protéines dans le régime alimentaire moyen des Canadiens. Les protéines des céréales sont déficientes en lysine (un acide aminé essentiel), mais leur qualité s'améliore lorsqu'on les combine avec d'autres aliments tels que les légumineuses ou encore le lait et les œufs, ingrédients utilisés dans la préparation de plusieurs produits céréaliers (voir le chapitre 5).

La contribution des produits céréaliers à l'apport en micronutriments dans le régime alimentaire des Canadiens

Les céréales sont des aliments naturellement riches en **minéraux** et en **vitamines du groupe B**, à l'exception de la vitamine B_{12}. Même si les produits céréaliers que nous consommons sont largement raffinés (voir l'encadré *Le blé*, à la page 222), leur contribution à la valeur nutritive du régime alimentaire canadien demeure substantielle puisque, au Canada, plusieurs de ces produits sont enrichis. De fait, des quatre groupes constituant la base du *Guide alimentaire canadien pour manger sainement*, le groupe « Produits céréaliers » est celui contribuant le plus à l'apport en **thiamine**, en **acide folique** et en **fer** dans le régime alimentaire moyen des Canadiens. Sa contribution à l'apport en plusieurs autres éléments nutritifs essentiels est également importante (voir le tableau 9.2, à la page 224).

TABLEAU 9.5   La valeur nutritive de différents riz

Éléments nutritifs	ANREF*	Riz à grains longs, sec (100 g)			
		Brun	Blanc, ordinaire	Blanc, à l'étuvée	Blanc, précuit enrichi
Énergie (kcal)		370	365	371	379
Protéines (g)		7,9	7,1	6,8	7,7
Lipides (g)		2,9	0,7	0,6	0,3
Glucides (g)		77,2	80,0	81,7	83,6
Fibres (g)		3,6	1,0	1,7	1,6
Thiamine (mg)	1,1-1,2	0,40	0,07	0,10	0,45**
Riboflavine (mg)	1,1-1,3	0,09	0,05	0,07	0,06
Niacine (ÉN)	14-16	6,8	3,0	4,9	5,7**
A. pantothénique (mg)	5	1,49	1,01	1,13	0,43
A. folique (ÉFA)	400	20	8	17	16**
Vitamine B_6 (mg)	1,3	0,51	0,16	0,35	0,04
Fer (mg)	8-18	1,47	0,80	1,50	1,60**
Magnésium (mg)	310-420	143	25	31	12
Zinc (mg)	8-11	2,02	1,09	0,96	0,96
Cuivre (mg)	0,90	0,28	0,22	0,19	0,17
Manganèse (mg)	1,8-2,3	3,74	1,09	0,85	0,65
Sélénium (mcg)	55	23	15	23	47

* ANREF = Apport nutritionnel de référence pour un adulte de 50 ans ou moins (varie selon l'âge et le sexe).
** Valeur due à l'enrichissement.

Source : Santé Canada, Fichier canadien sur les éléments nutritifs, 2001.

Selon la réglementation canadienne, la farine de blé raffinée doit obligatoirement être enrichie des cinq éléments nutritifs suivants : **thiamine**, **riboflavine**, **niacine**, **acide folique** et **fer**. Même s'il est permis d'y ajouter certains autres nutriments (voir le tableau 9.6), les minoteries s'en tiennent presque toujours aux ajouts obligatoires. Ce programme d'enrichissement s'applique aussi bien à la farine de blé raffinée vendue dans le commerce qu'à celle utilisée par l'industrie, et ce, quelle que soit l'appellation dont on se sert pour la désigner (voir l'encadré *Les différentes sortes de farine dérivées du blé*, à la page 230).

TABLEAU 9.6   Les éléments nutritifs ajoutés à la farine blanche (y compris la farine non blanchie) selon la réglementation canadienne

Ajouts obligatoires : thiamine
riboflavine
niacine
acide folique
fer

Ajouts facultatifs : acide pantothénique
vitamine B_6
magnésium
calcium*

*Ajout obligatoire dans la province de Terre-Neuve.

Au Canada, l'ajout d'éléments nutritifs est également autorisé dans les pâtes alimentaires, les céréales pour le petit-déjeuner, le riz blanc et la semoule de maïs ; toutefois, l'enrichissement de ces aliments étant facultatif, il faut consulter la liste des ingrédients pour savoir si des éléments nutritifs y ont été ajoutés.

La thiamine

La moitié de la thiamine contenue dans le régime alimentaire moyen des Canadiens provient des produits céréaliers. Nous avons vu précédemment qu'il ne s'agit pas uniquement de la thiamine naturellement présente dans les grains de céréales, mais aussi de celle dont sont enrichis plusieurs produits céréaliers (notamment ceux fabriqués à partir de farine raffinée).

L'ajout de thiamine aux produits céréaliers permet de remplacer les importantes pertes occasionnées par le procédé de raffinage. Dans le blé par exemple, la majeure partie de la thiamine se trouve dans le germe et le son (voir la figure 9.1, à la page 222) ; le germe de blé constitue d'ailleurs une excellente source de thiamine. À moins d'être enrichis, les produits céréaliers raffinés sont donc nécessairement moins riches en thiamine que ceux à grains entiers (voir les tableaux 9.4 et 9.5, aux pages 226 et 227).

Après le groupe « Produits céréaliers », le groupe « Viandes et substituts » contribue le plus à l'apport en thiamine dans le régime alimentaire des Canadiens, notamment en raison de la richesse de la viande de porc en cette vitamine (voir le chapitre 12). Parmi les autres bonnes sources de thiamine se trouvent les légumineuses, les noix et les graines ainsi que le kéfir (un produit laitier fermenté).

L'acide folique

À l'instar de la thiamine, l'**acide folique** est ajouté à plusieurs produits céréaliers (notamment ceux fabriqués à base de farine raffinée). Toutefois, l'ajout d'acide folique à ces aliments ne vise pas seulement à remplacer les pertes occasionnées par le raffinage du blé. La quantité d'acide folique qui y est contenue dépasse souvent très largement celle naturellement présente lorsque ces denrées sont dérivées de grains non raffinés (voir le tableau 9.4, à la page 226). La mesure a pour objectif d'augmenter l'apport, souvent marginal, en acide folique dans l'alimentation des Canadiens. Les autorités espèrent ainsi contribuer à réduire l'incidence de certains problèmes de santé soupçonnés d'être liés à un faible apport en acide folique, tels les malformations du tube neural chez le nouveau-né, le cancer et les maladies cardiovasculaires (voir le chapitre 6).

Ces ajouts importants d'acide folique dans l'alimentation canadienne n'ont cours que depuis 1998. Les enquêtes nutritionnelles indiquent que cette mesure a permis d'augmenter de manière significative le contenu en acide folique du régime alimentaire moyen des Canadiens, car un peu plus de la moitié de ce contenu provient maintenant du groupe « Produits céréaliers ». Le groupe « Légumes et fruits » est également reconnu pour sa richesse en acide folique (voir le chapitre 10). Il en est de même pour le foie et les légumineuses, deux aliments du groupe « Viandes et substituts » (voir le chapitre 12).

Le fer

La contribution des produits céréaliers à l'apport en fer dans le régime alimentaire moyen des Canadiens s'avère tout aussi importante que leur contribution à l'apport en thiamine et en acide folique. En effet, nous puisons en moyenne près de la moitié du fer que nous consommons dans les produits céréaliers, ceux à grains entiers ou enrichis constituant les meilleures sources. Le blé compte d'ailleurs parmi les céréales

les plus riches en fer, sa teneur en étant deux fois plus élevée que celle du riz. Toutefois, si l'on prend en compte les pseudocéréales, le quinoa en renferme la plus grande quantité.

Nous avons vu au chapitre 7 que le fer des végétaux (y compris celui des céréales) s'absorbe plus difficilement que celui contenu dans les tissus animaux. En outre, le son des céréales est riche en **phytates**, composés qui lient le fer et empêchent son absorption au niveau intestinal. Le fer des produits céréaliers raffinés est d'ailleurs mieux absorbé que celui des produits à grains entiers. Cependant, à moins d'être enrichis en fer, les produits raffinés renferment moins de fer que ceux à grains entiers. Par conséquent, en valeur absolue, la quantité de fer absorbée dans l'organisme n'est pas nécessairement plus élevée quand on consomme des produits raffinés.

Les céréales renferment en outre de la phytase, une enzyme qui, dans certaines conditions, dégrade les phytates et améliore l'absorption du fer. Il semble que ce soit le cas dans les produits fermentés (les produits de boulangerie notamment), surtout lorsque la fermentation s'opère lentement, par exemple dans le pain au levain. Toutefois, la phytase serait rapidement détruite par certains procédés industriels, tel le procédé de cuisson-extrusion utilisé dans la fabrication de plusieurs céréales pour le petit-déjeuner prêtes à manger.

Compte tenu de leur richesse en fer, les aliments du groupe « Viandes et substituts » apportent eux aussi une contribution significative à l'apport en fer dans le régime alimentaire des Canadiens (voir le chapitre 12). En outre, la viande, la volaille, les abats et le poisson renferment du fer héminique, plus facilement assimilable que celui non héminique contenu dans les végétaux. Parmi les autres aliments renfermant de bonnes quantités de fer se trouvent certains légumes verts (tels les petits pois, la chicorée, les épinards et la bette à carde), les fruits séchés ainsi que la mélasse noire.

Les autres nutriments

Les céréales, nous l'avons déjà vu, sont une source intéressante non seulement de thiamine et d'acide folique, mais aussi de l'ensemble des **vitamines du groupe B**, à l'exception de la vitamine B_{12}, présente uniquement dans le règne animal. Le germe des céréales renferme en plus de la vitamine E. La contribution de ces aliments à l'apport en **minéraux** ne se limite pas au fer ; elles fournissent aussi des quantités intéressantes d'autres éléments, dont le magnésium, le phosphore, le zinc, le manganèse, le cuivre et le sélénium. Les produits céréaliers constituent d'ailleurs, avec les légumes et les fruits, la principale source de **cuivre** dans l'alimentation canadienne.

Toutefois, à l'instar de la thiamine, de l'acide folique et du fer, ces nutriments sont grandement affectés par le raffinage des céréales. L'enrichissement compense en partie les pertes, mais plusieurs nutriments, tels que la vitamine E, la biotine, le potassium, le cuivre, le manganèse et le sélénium, ne sont pas remplacés. C'est pourquoi, en ce qui concerne la variété des nutriments, les produits céréaliers à grains entiers demeurent plus avantageux que les produits céréaliers raffinés.

Enfin, les produits céréaliers à grains entiers comportent un autre avantage sur le plan nutritionnel : leur richesse en **composés phytochimiques** qui, sans être essentiels, sont bénéfiques pour notre santé. En effet, le son et le germe des grains céréaliers constituent une importante source de phytostérols, lesquels aident à normaliser le taux de cholestérol dans le sang (voir le chapitre 4). Ils renferment aussi des lignans, substances s'apparentant aux isoflavones contenues dans le soja (voir le chapitre 12), ainsi que plusieurs composés possédant des propriétés antioxydantes (tels les phytates et divers acides phénoliques).

Les différentes sortes de farine dérivées du blé

La farine de blé entier

Par définition, la farine de blé entier est une farine renfermant tous les composants du blé (y compris le son et le germe); très souvent, cette farine est «moulue sur pierre». Toutefois, la production de farine de blé vraiment complète demeure limitée, car le germe en altère la saveur assez rapidement; il est d'ailleurs préférable de conserver cette farine au congélateur.

Pour éviter cet inconvénient, il est possible d'enlever le germe de la farine de blé entier. De fait, qu'elle soit utilisée par l'industrie ou vendue dans le commerce, la farine de blé entier est dans bien des cas une farine blanche (non enrichie) à laquelle on a restitué le son, mais pas le germe (voir la figure 9.2). Cette façon de procéder est légale puisque, selon le règlement canadien, la farine de blé entier (ou farine de blé complet) «doit renfermer les constituants naturels du grain de blé dans la proportion d'au moins 95 % du poids total du blé dont elle provient». Or, le germe de blé représente un peu moins de 3 % du poids du grain de blé (voir la figure 9.1, à la page 222).

La farine tout usage

La farine tout usage est une farine de blé raffinée, c'est-à-dire dépourvue du germe et du son (voir la figure 9.2). Au Canada, cette farine est **obligatoirement enrichie** de cinq éléments nutritifs, et ce, qu'elle soit qualifiée ou non du vocable «enrichie».

La farine tout usage peut être blanche ou non blanchie. Fraîchement moulu, l'endosperme du blé donne une farine de couleur crème, dont les propriétés fonctionnelles s'améliorent lorsqu'elle «blanchit». Les minoteries ont souvent recours à certains additifs alimentaires (tels le chlore ou le peroxyde de benzoyle) pour obtenir une **farine blanche**. Il est toutefois possible de se passer de ces additifs et de laisser agir des enzymes naturellement présentes; on obtient alors une **farine non blanchie**. Mais qu'elle soit blanche ou non blanchie, la farine tout usage demeure une farine raffinée et obligatoirement enrichie. De plus, même non blanchie, cette farine renferme souvent d'autres types d'additifs permettant d'améliorer ses propriétés fonctionnelles.

Figure 9.2   La réduction du blé en farine

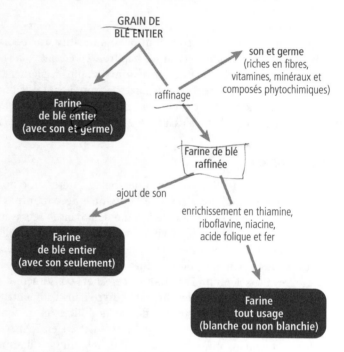

La farine à gâteaux

La farine à gâteaux ressemble à la farine tout usage, soit une farine raffinée dont l'enrichissement est obligatoire. Toutefois, sa teneur en protéines est moindre que celle de la farine tout usage. Elle n'est pas recommandée dans la fabrication du pain, mais s'avère en revanche particulièrement utile en biscuiterie et en pâtisserie.

La place des produits céréaliers dans le *Guide alimentaire canadien pour manger sainement*

Comme nous pouvons le constater, les produits céréaliers fournissent à notre organisme plusieurs éléments nutritifs essentiels, en plus de constituer une source d'énergie relativement peu coûteuse à produire et souvent pauvre en matières grasses. Pour cette raison, les produits céréaliers occupent une place de choix à l'intérieur de l'arc-en-ciel illustrant le *Guide alimentaire canadien*.

Le nombre de portions de produits céréaliers que l'on devrait consommer en moyenne chaque jour varie de 5 à 12, un intervalle relativement large permettant à la plupart des personnes d'ajuster leur consommation en fonction de leurs besoins en énergie. Le tableau 9.7 indique les quantités de divers produits céréaliers équivalant à une portion dans le *Guide alimentaire canadien*. Soulignons qu'une portion de produits céréaliers fournit de 15 à 20 g d'amidon. Dans les produits peu ou pas du tout sucrés, comme le pain, les biscottes, le riz ou les pâtes alimentaires, la quantité d'amidon correspond approximativement à la quantité de glucides totaux. Toutefois, dans les produits céréaliers plus sucrés, la quantité de glucides totaux excède nettement la teneur en amidon, le sucre entrant dans la catégorie des glucides.

TABLEAU 9.7 Les quantités de divers produits céréaliers équivalant à une portion dans le *Guide alimentaire canadien*

Céréales cuites
Riz, bulghur, millet, couscous, etc.   125 ml

Céréales pour le petit-déjeuner
prêtes à servir   30 g*
chaudes   175 ml

Pains, biscottes et pâtes alimentaires
Bagel   1/2
Biscottes
   au seigle (type *zwieback*)   2
   type rusk   2
   type melba   4
Muffin anglais   1/2
Pain (blé entier, aux raisins, seigle, multigrains, etc.)   1 tranche
Pain pita   1/2 (16,5 cm diam.)
Pain à hot-dog ou à hamburger   1/2
Pâtes alimentaires cuites   125 ml

Autres produits céréaliers
Biscuits à l'avoine ou à la mélasse   2 moyens
Coquille à taco   2
Craquelins salés   6 à 10 petits (20 à 30 g)
Crêpe   1 (15 cm diam.)
Gaufre   1 (10 cm × 10 cm)
Maïs soufflé nature   500 ml
Muffin   1 petit
Pain à la semoule de maïs   1/2 tranche
Pain aux bananes   1/2 tranche
Pain doré   1 tranche
Tortilla   1/2 (20 cm diam.)

* La portion est indiquée au poids plutôt qu'au volume, car la densité des céréales prêtes à servir peut varier de façon considérable. Il est généralement possible de calculer le volume correspondant à 30 g d'une céréale donnée à partir de l'information nutritionnelle fournie sur l'emballage.

Le *Guide alimentaire canadien* donne le conseil suivant à propos du groupe « Produits céréaliers » : **« Choisissez de préférence des produits à grains entiers ou enrichis. »** Nous avons pu constater jusqu'à maintenant que certains choix s'avèrent plus avantageux sur le plan nutritionnel. Les produits enrichis constituent souvent les meilleures sources d'acide folique. Toutefois, les produits céréaliers à grains entiers sont plus riches en fibres alimentaires. Ils renferment aussi une plus grande variété d'éléments nutritifs (vitamines, minéraux et composés phytochimiques) que les produits raffinés, même enrichis.

Il est donc recommandé d'inclure plusieurs portions de produits céréaliers à grains entiers dans notre alimentation quotidienne, afin de bénéficier de leurs propriétés nutritionnelles particulières. De l'avis de plusieurs experts, **parmi les produits céréaliers que nous consommons quotidiennement, au moins trois portions devraient être fabriquées à partir de grains entiers**.

Les bienfaits des grains entiers

Les recherches effectuées à ce jour montrent que la consommation régulière de ce type d'aliments s'avère avantageuse à plusieurs égards. Ainsi, dans un bon nombre d'études prospectives, les chercheurs ont observé une relation inverse entre la mortalité due aux maladies cardiaques et la consommation de produits céréaliers à grains entiers, alors qu'aucune relation n'a été établie avec la consommation de produits raffinés. Un certain nombre d'études attribuent aussi aux produits à grains entiers un effet protecteur sur le développement de plusieurs types de cancer (ceux touchant le tube digestif notamment), de même que sur le développement du diabète de type 2 (le plus fréquent chez l'adulte). Enfin, la consommation de produits à grains entiers semble faciliter le contrôle du poids corporel. Dans une étude prospective, les chercheurs ont constaté que les personnes consommant de bonnes quantités de produits à grains entiers maintiennent un poids corporel inférieur à celui des personnes en consommant peu, en plus de voir réduit de moitié leur risque de devenir obèses.

Ces études montrent que les personnes optant pour les produits céréaliers à grains entiers ont souvent de meilleures habitudes alimentaires et de vie que celles choisissant des produits raffinés. Ces liens favorables persistent néanmoins quand les analyses statistiques prennent en compte plusieurs de ces facteurs confondants. Les chercheurs avancent un certain nombre d'hypothèses pour expliquer le rôle que les céréales entières peuvent jouer dans la prévention de la maladie. Il est toutefois permis de penser que ces aliments exercent leurs bienfaits sur notre santé grâce à l'ensemble des nutriments qui les composent.

➤ Pain blanc enrichi ou pain blanc ordinaire ?

De façon générale, les fabricants « enrichissent » un aliment en lui ajoutant des vitamines et des minéraux. Cependant, l'appellation « enrichi » prend une signification inhabituelle quand elle est apposée sur l'emballage d'un pain blanc. En effet, selon un règlement canadien, un pain blanc est « enrichi » quand, en plus d'être fabriqué à partir d'une farine enrichie, il renferme des ingrédients (lait ou légumineuses) qui améliorent de façon notable sa **valeur protéique**. La confusion est d'autant plus grande qu'un pain blanc ne portant pas l'appellation « enrichi » est nécessairement fabriqué à partir d'une farine enrichie ! Ce pain est seulement un peu moins riche en protéines que celui portant cette allégation.

Les tendances de consommation

Selon une enquête nutritionnelle effectuée auprès de la population canadienne adulte, nous consommons en moyenne un peu plus que le minimum recommandé par jour de produits céréaliers. Toutefois, les hommes en consomment plus que les femmes ; en effet, le menu quotidien des hommes comprend en moyenne sept portions de produits céréaliers, et celui des femmes, tout juste cinq portions (voir la figure 9.3). Ces observations sont similaires à celles notées dans une enquête moins récente effectuée auprès de la population québécoise. Selon cette enquête, seulement 45 % des femmes consomment le nombre minimal de portions recommandé dans le *Guide alimentaire canadien*, alors que cette proportion atteint 70 % chez les hommes. En revanche, il semble que les céréales et les pains à grains entiers apparaissent un peu plus souvent (bien qu'en moindre quantité) dans le régime alimentaire des femmes que dans celui des hommes ; dans les deux groupes, la popularité de ces aliments augmente avec l'âge. Néanmoins, le nombre moyen de portions de produits à grains entiers consommées quotidiennement demeure faible, soit environ une portion, selon certaines données américaines. Chez les jeunes, la consommation de ces aliments demeure également très faible.

Ce n'est qu'à l'ère industrielle que les produits céréaliers raffinés sont apparus dans l'alimentation humaine. Ces aliments y occupent toujours une place de choix, vraisemblablement en raison de leurs qualités sensorielles particulières. Les facteurs pouvant expliquer la faible popularité des produits à grains entiers ont été étudiés dans un certain nombre d'enquêtes. Les résultats obtenus font état des barrières suivantes : préférence pour les produits raffinés ; manque de variété, coût élevé et faible disponibilité des produits à grains entiers vendus dans le commerce ou offerts dans les restaurants ; inconfort intestinal lié à la consommation de ces aliments chez certaines personnes. Seraient aussi responsables de la faible popularité des grains entiers le manque d'information des consommateurs sur les qualités nutritives de ces aliments et sur la façon de les préparer, ainsi que la difficulté qu'ont plusieurs personnes à distinguer les produits non raffinés des produits raffinés.

Figure 9.3
La consommation de produits céréaliers dans la population canadienne adulte en comparaison avec la quantité suggérée dans le *Guide alimentaire canadien*

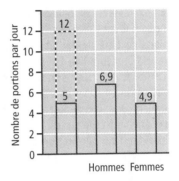

Source : Gray-Donald et autres (2000).

Pour en savoir plus ◦ ◦ ◦

La valeur nutritive des céréales pour le petit-déjeuner

Dans bon nombre de marchés d'alimentation, les céréales pour le petit-déjeuner occupent à elles seules presque tout un côté d'une allée ! Elles se présentent sous différentes formes, parfums, couleurs et textures. Plusieurs d'entre elles renferment du sucre et parfois des fruits, du son ou des noix. Même si leur emballage donne de l'information sur leur valeur nutritive, les bons choix ne sont pas toujours faciles à effectuer.

De façon générale, la composition nutritionnelle des céréales pour le petit-déjeuner s'apparente à celle de l'ensemble des produits céréaliers. Ces céréales fournissent une quantité somme toute assez modeste de protéines, souvent comprise entre 2 et 4 g par portion de 30 g. Leur teneur en matières grasses est généralement faible, puisque la plupart d'entre elles en renferment moins de 3 g par portion ; font exception à cette règle les céréales ordinaires de type granola, qui peuvent en contenir un peu plus, soit de 5 à 6 g par portion de 30 g. Enfin, à l'instar de l'ensemble des produits céréaliers, la valeur énergétique des céréales pour le petit-déjeuner repose en grande partie sur leur contenu en glucides.

Le profil glucidique

Il existe de grandes différences dans le profil glucidique des céréales pour le petit-déjeuner. Nous avons vu précédemment que les glucides composant les grains céréaliers sont essentiellement des polysaccharides, surtout de l'amidon lié à une quantité plus ou moins importante de fibres alimentaires. Les **céréales pour le petit-déjeuner à grains entiers (peu transformées)**, tels le blé filamenté et le gruau (avoine), fournissent en moyenne **de 15 à 20 g d'amidon** et **de 2 à 4 g de fibres alimentaires** par portion de 30 g ; leur teneur en sucre est négligeable.

Nous pouvons utiliser ces valeurs pour évaluer l'information nutritionnelle apparaissant sur l'emballage des céréales pour le petit-déjeuner. Ainsi, nous constaterons que les **céréales pour le petit-déjeuner raffinées**, comme les flocons de maïs, le riz croustillant et le riz soufflé, renferment elles aussi de bonnes quantités d'amidon, mais que leur teneur en fibres alimentaires est peu élevée (moins de 2 g par portion de 30 g). Or, plusieurs éléments nutritifs (essentiels et non essentiels) sont liés aux fibres alimentaires contenues dans les céréales.

En examinant l'emballage des céréales pour le petit-déjeuner, nous pouvons aussi constater que la présence de son (*bran*) dans ce type de céréales diminue leur teneur en amidon, mais augmente leur teneur en fibres alimentaires. De fait, les **céréales riches en son** renferment moins d'amidon (souvent moins de 10 g par portion de 30 g) que les céréales à grains entiers. De façon générale, leur teneur en fibres est nettement supérieure à celle des céréales à grains entiers ; elle peut même excéder 10 g par portion de 30 g. Le son de blé est particulièrement populaire ; à l'instar du son de maïs, sa teneur en fibres est élevée. Le son d'avoine a une plus faible teneur en fibres que le son de blé ou de maïs, mais il aurait l'avantage d'aider à réduire le taux de cholestérol dans le sang (voir le chapitre 3). Le psyllium, une autre source de fibres, aurait les mêmes propriétés « hypocholestérolémiantes ».

L'**ajout de sucre** aux céréales pour le petit-déjeuner diminue nécessairement leur teneur en amidon ; cet ajout diminue également leur teneur en fibres alimentaires, à moins que du son n'entre dans leur composition. La teneur en sucre des céréales pour le petit-déjeuner varie grandement ; dans certaines céréales très sucrées, elle peut représenter jusqu'à 50 % du poids (soit 15 g de sucre par portion de 30 g) ! L'ajout de fruits séchés contribue à augmenter la teneur en sucre des céréales.

La teneur en vitamines et en minéraux

La loi canadienne autorise l'enrichissement des céréales pour le petit-déjeuner, quelle que soit leur composition. La mesure vise à combler, du moins en partie, les pertes dues à la transformation, ainsi qu'à accroître la qualité nutritionnelle du régime alimentaire, compte tenu de la popularité de ces aliments. La nouvelle politique d'enrichissement permet donc l'ajout d'éléments nutritifs qui ne sont pas naturellement présents dans les céréales, telles les vitamines D et B_{12}. Toutefois, il est nécessaire de consulter la liste des ingrédients pour savoir si une céréale a été enrichie et quels éléments nutritifs y ont été ajoutés. Certaines céréales pour le petit-déjeuner enrichies peuvent fournir de très bonnes quantités de vitamines et de minéraux, tel qu'en fait foi l'information nutritionnelle apparaissant sur l'emballage. Une portion suffit parfois à combler plus de la moitié de la valeur quotidienne recommandée en certains éléments nutritifs, notamment en thiamine. Les céréales à grains entiers ou riches en son fournissent en plus une bonne quantité de fibres alimentaires, elles-mêmes liées à divers composés moins connus mais bénéfiques pour notre santé !

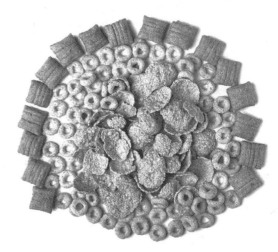

Une portion de céréales enrichies pour le petit-déjeuner suffit parfois à combler plus de la moitié de l'apport quotidien recommandé en thiamine.

Résumé

🌾 Dans le *Guide alimentaire canadien pour manger sainement*, les aliments suivants sont regroupés sous l'appellation « Produits céréaliers » :

- les **céréales cuites** (blé, riz, millet, orge, avoine, etc.), lesquelles comprennent aussi les pseudocéréales (quinoa, sarrasin, amarante) ;

- les **produits fabriqués à partir de farine ou de semoule de céréales** (pain, brioches, crêpes, gaufres, craquelins, pâtes alimentaires, couscous, tortillas, etc.) ;

- les **céréales prêtes à consommer** (céréales pour le petit-déjeuner, grignotines « nature »).

🌾 Des quatre groupes d'aliments constituant la base du *Guide alimentaire canadien*, le groupe « Produits céréaliers » contribue le plus à l'apport en énergie dans le régime alimentaire des Canadiens. Les enquêtes de consommation montrent que les produits céréaliers fournissent aussi plusieurs éléments nutritifs (voir le tableau 9.2, à la page 224). Nous puisons environ 40 % des **glucides** que nous consommons dans les produits céréaliers. La contribution de ce groupe d'aliments à l'apport en **fibres alimentaires** dans notre alimentation s'avère tout aussi importante. Cependant, le procédé de raffinage réduit grandement la teneur en fibres alimentaires des céréales, car il élimine le son, la partie où sont concentrées les fibres. Pour cette raison, les produits céréaliers à grains entiers (farine de blé entier, riz brun, bulghur, etc.) renferment significativement plus de fibres que les produits raffinés (farine blanche, riz poli, couscous, etc.). Les céréales de son comptent parmi les aliments les plus riches en fibres alimentaires.

Dans notre régime alimentaire, les produits céréaliers fournissent plusieurs éléments nutritifs essentiels, principalement des **vitamines du groupe B** (à l'exception de la vitamine B_{12}) et des **minéraux**. À titre d'exemple, la moitié de la **thiamine**, de l'**acide folique** et du **fer** contenus dans le régime alimentaire moyen des Canadiens provient des produits céréaliers. Cette contribution est attribuable non seulement à la valeur nutritive intrinsèque des céréales, mais aussi à l'ajout d'éléments nutritifs aux produits céréaliers, conformément à la réglementation canadienne. En effet, le raffinage des céréales entraîne d'importantes pertes d'éléments nutritifs que les programmes d'enrichissement en vigueur au Canada tendent à combler, mais de façon incomplète.

Selon la réglementation canadienne, la farine de blé raffinée doit obligatoirement être enrichie des cinq éléments nutritifs suivants: **thiamine**, **riboflavine**, **niacine**, **acide folique** et **fer**. Le règlement s'applique autant à la farine vendue dans le commerce qu'à celle utilisée dans l'industrie, et ce, même si elle n'affiche pas la mention « enrichie ». L'ajout d'éléments nutritifs est également autorisé dans d'autres aliments, tels les pâtes alimentaires, les céréales pour le petit-déjeuner, le riz blanc et la semoule de maïs. La quantité d'acide folique qui y est ajoutée dépasse souvent très largement la quantité naturellement présente dans le blé, car la mesure vise à augmenter l'apport, généralement marginal, en acide folique dans l'alimentation des Canadiens.

Les produits céréaliers occupent une place de choix à l'intérieur de l'arc-en-ciel illustrant le *Guide alimentaire canadien*. Le nombre de portions de produits céréaliers que nous devrions consommer en moyenne chaque jour varie de 5 à 12, un intervalle suffisamment large pour permettre à la plupart des personnes d'ajuster leur consommation à leurs besoins en énergie. Certains choix s'avèrent plus avantageux que d'autres sur le plan nutritionnel. Ainsi, les produits céréaliers à grains entiers constituent les meilleures sources de fibres alimentaires. Ils renferment aussi une plus grande variété d'éléments nutritifs que les produits raffinés, même enrichis, malgré le fait que ces derniers constituent souvent de meilleures sources d'acide folique. Parmi les produits céréaliers que nous consommons quotidiennement, au moins trois portions devraient être fabriquées à partir de grains entiers.

Références

AGRICULTURE ET AGROALIMENTAIRE CANADA. *Food group sources of nutrients in the average canadian diet* (à partir des données de l'Enquête sur les dépenses alimentaires de 2001).

BOUDREAU, A. et G. MÉNARD. *Le blé: éléments fondamentaux et transformation*, Sainte-Foy, Les Presses de l'Université Laval, 1992.

BURK, R.F. et N.W. SOLOMONS. « Trace elements and vitamins and bioavailability as related to wheat and wheat foods », *American Journal of Clinical Nutrition*, vol. 41, 1985, p. 1091-1102.

GRAY-DONALD, K., L. JACOBS-STARKEY ET L. JOHNSON-DOWN. « Food habits of Canadians: reduction in fat intake over a generation », *Canadian Journal of Public Health*, vol. 91, 2000, p. 381-385.

HALLBERG, L., L. ROSSANDER et A. SKANBERG. « Phytates and the inhibitory effect of bran on iron absorption in man », *American Journal of Clinical Nutrition*, vol. 45, 1987, p. 988-996.

INSTITUT DE LA STATISTIQUE DU QUÉBEC. *Enquête sociale et de santé auprès des enfants et des adolescents québécois. Volet nutrition*, Sainte-Foy, gouvernement du Québec, 2004. Site Internet: <www.stat.gouv.qc.ca>.

INSTITUT NATIONAL DE LA NUTRITION. *Le rôle des céréales dans l'alimentation des Canadiens*, avril 1999.

KANTOR, L.S. et autres. « Choose a variety of grains daily, especially whole grains: a challenge for consumers », *Journal of Nutrition*, vol. 131, 2001, p. 473S-486S.

KOH-BANERJEE, P. et autres. « Changes in whole-grain, bran and cereal fiber consumption in relation to 8-y weight gain among men », *American Journal of Clinical Nutrition*, vol. 80, 2004, p. 1237-1245.

LANG, R. et S.A. JEBB. « Who consumes whole grains and how much ? », *Proceedings of the Nutrition Society*, vol. 62, 2003, p. 123-127.

LIU, S. et autres. « Relation between changes in intakes of dietary fiber and grain products and changes in weight and development of obesity among middle-aged women », *American Journal of Clinical Nutrition*, vol. 78, 2003, p. 920-927.

LOPEZ, H.W., C. REMESY et C. DEMIGNE. « L'acide phytique : un composé utile ? », *Médecine et nutrition*, vol. 4, 1998, p. 135-143.

LORENZ, K.J. et K. KULP (réd.). *Handbook of Cereal Science and Technology*, New York, Marcel Dekker, 1991.

MARQUART, L. et autres. « Whole grain health claims in the USA and other efforts to increase whole-grain consumption », *Proceedings of the Nutrition Society*, vol. 62, 2003, p. 151-160.

MARTIN, G.-B. et autres. *L'homme et ses aliments : initiation à la science des aliments*, Sainte-Foy, Les Presses de l'Université Laval, 2001.

McKEOWN, N.M. et autres. « Carbohydrate nutrition, insulin resistance and the prevalence of the metabolic syndrome in the Fragmingham Offspring Cohort », *Diabetes Care*, vol. 27, 2004, p. 538-546.

MONETTE, S. *Le nouveau dictionnaire des aliments*, Montréal, Éditions Québec Amérique, 1996.

MURTAUGH, M.A. et autres. « Epidemiological support for the protection of whole grains against diabetes », *Proceedings of the Nutrition Society*, vol. 62, 2003, p. 143-149.

NELSON, J.H. « Wheat : its processing and utilization », *American Journal of Clinical Nutrition*, vol. 41, 1985, p. 1070-1076.

SANTÉ CANADA. *Adjonction de vitamines et de minéraux aux aliments. Politique et plans de mise en œuvre proposés par Santé Canada*, 2005.

SANTÉ CANADA. *Loi et règlements des aliments et drogues*, Ottawa, ministre des Approvisionnements et Services Canada.

SANTÉ QUÉBEC, L. BERTRAND (sous la dir. de). *Les Québécoises et les Québécois mangent-ils mieux ? Rapport de l'Enquête québécoise sur la nutrition*, 1990, Montréal, ministère de la Santé et des Services sociaux, gouvernement du Québec, 1995.

SLAVIN, J.L. et autres. « The role of whole grains in disease prevention », *Journal of the American Dietetic Association*, vol. 101, 2001, p. 780-785.

SLAVIN, J. « Why whole grains are protective : biological mechanisms », *Proceedings of the Nutrition Society*, vol. 62, 2003, p. 129-134.

SMITH, A.T. et autres. « Behavioural, attitudinal and dietary responses to the consumption of whole grains », *Proceedings of the Nutrition Society*, vol. 62, 2003, p. 455-467.

TRUSWELL, A.S. « Cereal grains and coronary heart disease », *European Journal of Clinical Nutrition*, vol. 56, 2002, p. 1-14.

Ressource supplémentaire

www.wholegrainsbureau.ca

Chapitre 10

Les légumes et les fruits

Les légumes et les fruits font partie intégrante de l'alimentation de l'être humain, et ce, depuis le début de son évolution. Avant l'ère de l'agriculture, ces aliments comprenaient principalement des racines, des herbes et des fruits sauvages, que l'on récoltait au moment des cueillettes, selon leur disponibilité. Le développement de la culture potagère a permis d'améliorer les variétés comestibles et de s'assurer un meilleur approvisionnement. Jusqu'à tout récemment, la disponibilité des légumes et des fruits variait selon la saison, le climat et la région géographique. En améliorant les méthodes de production, de transport et de conservation, la technologie moderne a grandement élargi la variété des légumes et des fruits dont nous disposons tout au long de l'année.

Le présent chapitre décrit les légumes et les fruits et rend compte de leur importante contribution à l'apport en éléments nutritifs dans le régime alimentaire des Canadiens. Il traite aussi de l'impact de divers traitements sur la valeur nutritive des légumes et des fruits ainsi que de l'effet protecteur que la consommation de ces aliments semble exercer sur notre santé.

Bien qu'elles soient des fruits au sens botanique, les tomates sont habituellement apprêtées comme légumes et désignées ainsi dans le langage populaire.

Que sont les légumes et les fruits ?

Les légumes et les fruits regroupent un très grand nombre de végétaux aux couleurs, textures et saveurs hautement diversifiées. Il peut s'agir de produits frais ou transformés. Les produits frais comprennent les légumes et les fruits à consommer pendant la belle saison, ceux cultivés en serre et ceux provenant d'entrepôts à atmosphère contrôlée, qu'ils soient ou non importés. Quant aux produits transformés, ils englobent les légumes et les fruits cuits, ceux dont la durée de conservation est prolongée grâce à divers procédés (mise en conserve, surgélation, déshydratation, etc.) ainsi que les jus de légumes et de fruits.

Les légumes et les fruits frais

Les légumes

De façon générale, le terme «légume» renvoie à l'une ou l'autre des diverses parties des plantes potagères entrant dans notre alimentation. Les légumes sont d'ailleurs souvent regroupés selon leur aspect morphologique, constituant ainsi les catégories apparaissant à la figure 10.1.

**Figure 10.1
La classification des légumes**

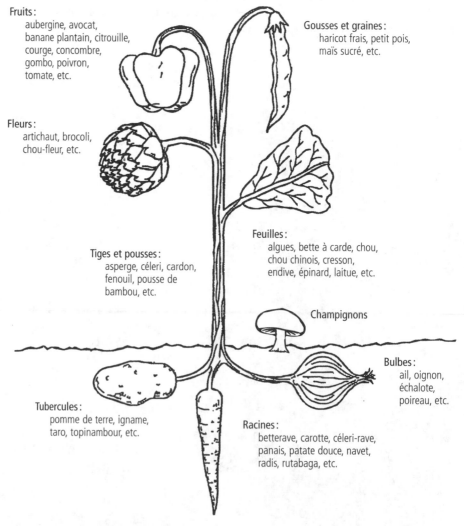

Fruits :
aubergine, avocat, banane plantain, citrouille, courge, concombre, gombo, poivron, tomate, etc.

Gousses et graines :
haricot frais, petit pois, maïs sucré, etc.

Fleurs :
artichaut, brocoli, chou-fleur, etc.

Feuilles :
algues, bette à carde, chou, chou chinois, cresson, endive, épinard, laitue, etc.

Tiges et pousses :
asperge, céleri, cardon, fenouil, pousse de bambou, etc.

Champignons

Bulbes :
ail, oignon, échalote, poireau, etc.

Tubercules :
pomme de terre, igname, taro, topinambour, etc.

Racines :
betterave, carotte, céleri-rave, panais, patate douce, navet, radis, rutabaga, etc.

Source : Traduit et adapté de Brown, A. *Understanding Food Principles and Preparation*, 2ᵉ éd., 2004.

Cette classification exclut les haricots, les fèves et les pois secs (ou légumineuses), lesquels sont regroupés avec les « Viandes et substituts » dans le *Guide alimentaire canadien pour manger sainement* (voir le chapitre 12). Par contre, elle comprend certains végétaux constituant des « fruits » au sens botanique du terme (voir ci-dessous). Il s'agit toutefois de fruits ayant une saveur relativement peu sucrée, une caractéristique propre aux légumes ; ils sont habituellement apprêtés comme légumes dans la tradition culinaire et désignés ainsi dans le langage populaire.

Les fruits

En botanique, le mot « fruit » désigne la partie d'une plante se développant après que la fleur a été fécondée et renfermant les graines. Dans le langage courant, ce mot s'applique surtout à ces végétaux généralement charnus et sucrés, souvent un peu acides, consommés au dessert, mais aussi au petit-déjeuner et à la collation.

Les fruits peuvent être regroupés selon certaines de leurs caractéristiques :

- les petits fruits ou baies (bleuet, fraise, framboise, etc.) ;
- les fruits à pépins (pomme, poire, etc.) ;
- les fruits à noyau central, aussi appelés drupes (pêche, abricot, prune, cerise, etc.) ;
- les melons (cantaloup, melon d'eau, melon casaba, etc.) ;
- les fruits citrins, aussi appelés agrumes (orange, pamplemousse, clémentine, citron, mandarine, etc.) ;
- les fruits exotiques (banane, ananas, carambole, kiwi, papaye, datte, etc.).

Cette classification exclut les fruits oléagineux, c'est-à-dire les noix, regroupées avec les « Viandes et substituts » dans le *Guide alimentaire canadien pour manger sainement* (voir le chapitre 12).

Les légumes et les fruits transformés

Pour agrémenter nos menus, nous consommons aussi **les légumes et les fruits cuits**. Divers modes de cuisson peuvent être utilisés : à la vapeur, au four à micro-ondes, à l'eau, sautés dans l'huile, grillés, etc. Certains procédés aident également à leur conservation ; les plus couramment utilisés sont la surgélation, la mise en conserve (appertisation) et la déshydratation (voir l'encadré de la page 240). Sont donc compris dans le groupe « Légumes et fruits » les **légumes et fruits en conserve, surgelés ou séchés**, de même que certains **légumes conditionnés sous vide** ; quelques produits fermentés à forte teneur en sel, telles la **choucroute** et les **olives**, en font également partie.

Les **jus** extraits des légumes et des fruits entrent eux aussi dans le groupe « Légumes et fruits », qu'il s'agisse des jus **fraîchement pressés**, **réfrigérés** (après avoir été pasteurisés), reconstitués à partir de **concentrés surgelés**, ou mis **en conserve** (souvent après reconstitution à partir de concentrés). Sont toutefois exclues du groupe les boissons à arôme de fruits, y compris les boissons renfermant une certaine quantité de jus, puisque cette quantité dépasse rarement 25 % du volume (voir le chapitre 13). Sont également exclues les confitures et les gelées de fruits, en raison de leur forte teneur en sucre, de même que le vinaigre et les boissons alcoolisées dérivés des fruits (voir le chapitre 13).

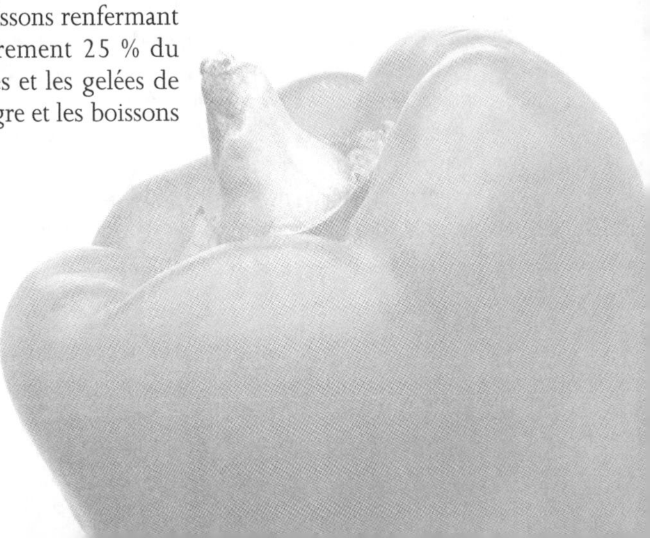

Les effets des procédés de conservation
sur la valeur nutritive des légumes et des fruits

Les légumes et les fruits frais sont des aliments fragiles. Après la cueillette, plusieurs d'entre eux peuvent se détériorer assez rapidement. Outre les dommages causés par la manutention et le transport, divers agents sont responsables de la détérioration des légumes et des fruits. Il y a tout d'abord les enzymes, naturellement présentes à l'intérieur des cellules végétales, qui catalysent les réactions métaboliques s'y déroulant. Ces enzymes continuent d'agir après la récolte, entraînant une dégradation progressive des tissus. Avec le temps se produit également une perte d'humidité. Enfin, divers microorganismes (bactéries, levures, moisissures) concourent à la détérioration des légumes et des fruits, et leur action s'accélère lorsque ceux-ci sont endommagés.

Les conditions d'entreposage

Plusieurs moyens sont utilisés pour prolonger la durée d'entreposage des légumes et des fruits. Habituellement, ils sont réfrigérés le plus rapidement possible après la cueillette. Plusieurs variétés peuvent être entreposées dans des chambres à atmosphère contrôlée où l'on modifie la composition de l'air en oxygène, en gaz carbonique et en azote, de manière à ralentir l'activité métabolique à l'intérieur des cellules végétales. Il est également possible de contrôler la composition de l'air au moment de l'empaquetage et d'utiliser des matériaux d'emballage appropriés.

Durant l'entreposage, la teneur des légumes et des fruits en vitamines et en composés phytochimiques peut subir des changements dont l'étendue diffère d'un nutriment à un autre, et selon la variété de légume ou de fruit. Ainsi, dans une étude où les chercheurs ont simulé les conditions prévalant dans un supermarché, ils ont constaté la perte de plus de la moitié de la vitamine C contenue dans des haricots verts entreposés, puis placés en étalage pendant une semaine, mais aucune perte de vitamine C dans un brocoli conservé dans les mêmes conditions. En outre, les quantités de bêta-carotène contenues dans les deux légumes sont demeurées inchangées.

La surgélation

La surgélation des légumes et des fruits permet de ralentir à la fois l'action enzymatique et la prolifération microbienne. En soi, le procédé modifie relativement peu la valeur nutritive des aliments. Toutefois, des nutriments peuvent être perdus dans le liquide se séparant au moment de la décongélation de certains fruits (les baies par exemple). Dans le cas des légumes, le traitement de chaleur (appelé blanchiment) généralement appliqué avant la surgélation (afin d'inactiver les enzymes) entraîne aussi des pertes qui varient selon le mode de blanchiment (à la vapeur ou dans l'eau), la variété de légume et la stabilité de chaque nutriment. Néanmoins, la surgélation demeure un procédé permettant de préserver une bonne partie de la valeur nutritive des légumes et des fruits. La même observation s'applique aux concentrés de jus de fruits. Selon une étude portant sur le contenu en vitamine C du jus d'orange, celui fait à partir d'un concentré surgelé constitue un meilleur choix que le jus réfrigéré, parce que ce dernier est généralement pasteurisé avant sa mise en marché.

La mise en conserve (appertisation)

Mis au point par Nicolas Appert au début du xixe siècle, ce procédé soumet les légumes et les fruits à un traitement de chaleur suffisamment intense pour inactiver les enzymes et inhiber toute prolifération microbienne ; l'étanchéité des récipients assure la conservation des produits appertisés.

Certaines vitamines sont en partie détruites par le traitement de chaleur que nécessite la **stérilisation** des légumes et des fruits. Les pertes varient selon les conditions dans lesquelles elle s'effectue, la variété de légume ou de fruit, et la stabilité de chaque vitamine. La vitamine C et l'acide folique peuvent être particulièrement sensibles à la chaleur, même si leur fragilité dépend aussi du degré d'acidité du milieu. Dans plusieurs légumes en conserve, les pertes de vitamine C excèdent 50 %. Enfin, des vitamines hydrosolubles, des minéraux (du potassium principalement) et des composés phénoliques diffusent dans le liquide des conserves et sont donc perdus, à moins que ce liquide ne soit consommé.

⠂⠂⠂➡

Malgré tout, sans être optimale, la valeur nutritive des légumes et des fruits en conserve n'est pas négligeable. Bien appliqué, le procédé permet de préserver une part significative des éléments nutritifs que ces aliments renferment à l'état frais. En outre, on procède habituellement à la mise en conserve des légumes et des fruits lorsque leur fraîcheur (et par conséquent leur valeur nutritive) est à son meilleur.

La déshydratation

La conservation des légumes et des fruits déshydratés est assurée grâce à la faible présence de l'eau, milieu essentiel à l'action enzymatique et microbienne. La déshydratation peut entraîner d'importantes pertes de vitamine C. Toutefois, l'impact de la déshydratation sur la valeur nutritive des légumes et des fruits varie selon le procédé utilisé. La déshydratation par lyophilisation (séchage à froid) est le procédé permettant la meilleure rétention des éléments nutritifs, mais il est aussi le plus coûteux.

Notons que la dessiccation des légumes et des fruits permet de concentrer les éléments nutritifs qui y sont retenus. Pour cette raison, la valeur nutritive des fruits séchés paraît souvent plus avantageuse que celle des fruits frais quand elle est exprimée par rapport au poids (par 100 g par exemple).

La conservation des légumes et des fruits déshydratés est assurée grâce à la faible présence de l'eau, milieu essentiel à l'action enzymatique et microbienne.

La valeur nutritive des légumes et des fruits

Les enquêtes de consommation montrent que les légumes et les fruits fournissent une contribution significative à l'apport en éléments nutritifs dans le régime alimentaire (voir le tableau 10.1, à la page suivante), surtout en raison de leur valeur nutritive intrinsèque. En effet, contrairement aux aliments qui composent le groupe « Produits céréaliers », ceux du groupe « Légumes et fruits » sont relativement peu touchés par les normes canadiennes d'enrichissement. Toutefois, nous verrons plus loin que les traitements et les transformations subis par ces aliments ne sont pas sans effet sur leur valeur nutritive.

La contribution des légumes et des fruits à l'apport en macronutriments dans le régime alimentaire des Canadiens

Les légumes et les fruits se distinguent par leur richesse en **eau** ; plusieurs d'entre eux ont une teneur relative en eau comprise entre 80 % et 95 % (voir le chapitre 7). Les fruits renferment aussi des **glucides**, principalement des sucres (voir le chapitre 3). Il en est de même pour les légumes, même si leur teneur en glucides est généralement moindre que celle des fruits ; font exception à cette règle les tubercules, riches en amidon (un polysaccharide). Dans l'ensemble, la contribution des légumes et des fruits à l'apport en glucides dans le régime alimentaire moyen des Canadiens est d'environ 20 %. Quant à leur contribution à l'apport en protéines et en lipides, elle est négligeable.

Par ailleurs, la contribution des légumes et des fruits à l'apport en **fibres alimentaires** dans le régime alimentaire canadien s'avère presque aussi importante que celle des « Produits céréaliers ». De fait, près de 40 % des fibres alimentaires que nous ingérons proviennent des légumes et des fruits. En moyenne, ces aliments fournissent de 2 à 2,5 g de fibres par portion usuelle, à l'exception des jus, qui en renferment beaucoup moins (voir le chapitre 3). Les fibres alimentaires font partie de la structure des légumes et des fruits, et l'extraction des jus élimine une bonne partie de ces composés.

La contribution des légumes et des fruits à l'apport en micronutriments dans le régime alimentaire des Canadiens

Des quatre groupes de base du *Guide alimentaire canadien*, le groupe « Légumes et fruits » contribue le plus à l'apport en **vitamine C**, en **vitamine A**, en **vitamine K**, en **vitamine B$_6$** et en **potassium** dans le régime alimentaire moyen des Canadiens (voir le tableau 10.1). Sa contribution à l'apport en **acide folique**, en **vitamine E**, en **cuivre** et en **magnésium** est également substantielle. Enfin, ce groupe se distingue par sa richesse en **composés phytochimiques**.

TABLEAU 10.1   La contribution relative des légumes et fruits à l'apport en éléments nutritifs dans le régime alimentaire moyen des Canadiens

Macronutriments	Vitamines	Minéraux	Composés phytochimiques
Glucides (y compris les fibres alimentaires)	Vitamine C	Potassium	Composés phénoliques
	Vitamine A		Composés à base de soufre
	Vitamine K		Caroténoïdes
	Vitamine B$_6$		
	Acide folique	Cuivre	Phytostérols
	Vitamine E	Magnésium	

La vitamine C (acide ascorbique)

Le groupe « Légumes et fruits » constitue pour ainsi dire l'unique source de vitamine C dans notre alimentation, puisqu'il fournit près de 90 % de l'apport en cette vitamine. Les herbes utilisées en guise d'assaisonnement de même que certains abats (le ris de veau notamment) en renferment aussi, mais leur contribution à l'apport en vitamine C dans notre régime alimentaire est négligeable. Il en est de même pour les boissons à arôme de fruits, même si cet aliment du groupe « Autres aliments » est habituellement enrichi en vitamine C (voir le chapitre 13).

Les agrumes sont reconnus pour leur richesse en vitamine C. Cependant, d'autres fruits ainsi que plusieurs légumes en constituent également d'excellentes sources (voir le tableau 10.2). Il en est de même pour les jus obtenus à partir de ces végétaux, ainsi que de diverses boissons végétales souvent enrichies en vitamine C, comme les nectars de fruits, les jus de pomme, de raisin et d'ananas et les mélanges de jus de légumes.

La vitamine C est fragile, car elle perd rapidement son pouvoir vitaminique lorsqu'elle entre en contact avec l'oxygène, la lumière ou encore certains métaux (tels le fer et le cuivre). Ainsi, le simple fait de couper en dés les légumes et les fruits ou d'en extraire le jus entraîne des pertes de vitamine C variant selon la durée d'exposition à l'air et à la lumière. En outre, la chaleur accélère la dégradation de la vitamine C, même si la fragilité de cette vitamine est aussi déterminée par le degré d'acidité des aliments dans lesquels elle se trouve.

La vitamine C est avant tout considérée comme un élément nutritif, mais l'industrie s'en sert également comme agent de conservation. En raison de ses propriétés antioxydantes, la vitamine C prévient l'oxydation de certains composés, améliorant ainsi la durée de conservation de divers aliments.

TABLEAU 10.2   Quelques excellentes sources de vitamine C
(≥ 30 mg/portion) parmi les légumes et fruits

Légumes

Brocoli, bouilli	125 ml
Chou cru : à feuilles non pommé, vert frisé, chou-rave	125 ml haché
Choux de Bruxelles, bouillis	125 ml
Patate douce, en purée	125 ml
Pois mange-tout, bouillis	125 ml
Poivron cru : jaune, vert, rouge	1/2

Fruits

Agrumes (orange, pamplemousse, tangerine, pomélo) en sections	125 ml
Fraises	125 ml
Goyave	125 ml
Jus d'agrumes (lime, citron, pamplemousse, orange, tangerine)	125 ml
Jus de fruits et nectars additionnés de vitamine C	125 ml
Kiwi	1 moyen
Kumquats	5
Litchis	125 ml
Melon cantaloup	1/6
Melon Honeydew	1/10
Papaye, en cubes	125 ml

Source : Santé Canada. Fichier sur les éléments nutritifs, 2001.

La vitamine A

La moitié de la vitamine A contenue dans l'alimentation des Canadiens provient des légumes et des fruits. En effet, comme l'indique le tableau 10.3 ci-après, plusieurs de ces aliments en renferment de bonnes quantités.

Nous avons vu au chapitre 6 que la teneur des aliments en vitamine A est désormais exprimée en équivalents d'activité rétinol (ÉAR), une unité de mesure prenant en compte l'activité vitaminique des différents précurseurs de la vitamine A. Les végétaux sont dépourvus de vitamine A proprement dite ; ils renferment plutôt divers composés appelés **caroténoïdes**, dont certains peuvent être convertis en vitamine A dans l'organisme. Les caroténoïdes étant des pigments qui donnent aux végétaux une couleur jaune ou orangée, les légumes et les fruits arborant cette couleur renferment souvent de bonnes quantités de vitamine A (voir le tableau 10.3, à la page suivante). La chlorophylle contenue dans les légumes vert foncé tend à masquer la présence de caroténoïdes, mais ces légumes constituent eux aussi de bonnes sources de vitamine A.

Par ailleurs, une couleur vive n'est pas nécessairement synonyme de vitamine A. Ainsi, les betteraves, le chou rouge, les framboises et les fraises en ont une très faible teneur. Leur couleur rouge tirant sur le bleu est attribuable à certains pigments, les anthocyanes, qui ne font pas partie des caroténoïdes et ne peuvent donc pas être convertis en vitamine A dans l'organisme. Ces pigments sont néanmoins intéressants sur le plan nutritionnel puisqu'ils font partie des **flavonoïdes**, une classe de composés phénoliques (voir le chapitre 6, à la page 160).

La couleur jaune ou orangée des poivrons provient de pigments appelés caroténoïdes dont certains peuvent être convertis en vitamine A dans l'organisme.

TABLEAU 10.3   La teneur en vitamine A de divers légumes et fruits

Légumes	Portion	Vitamine A (mcg d'ÉAR)
Patate douce en purée	125 ml	1478
Carotte bouillie, tranchée	125 ml	1012
Poivron rouge, cru	1/2	234
Brocoli bouilli, haché	125 ml	69
Avocat (de Floride)	1/2	47
Tomate crue	1 tomate	38
Choux de Bruxelles, bouillis	4	32
Poivron vert, cru	1/2	26
Petits pois verts, bouillis	125 ml	25
Rutabaga bouilli, en cubes	125 ml	25
Haricots jaunes ou verts, bouillis	125 ml	21
Maïs sucré, bouilli	125 ml	10
Chou bouilli, haché	125 ml	5
Betteraves bouillies, tranchées	125 ml	1
Chou rouge bouilli, haché	125 ml	1
Chou-fleur bouilli, tranché	125 ml	1
Pomme de terre bouillie, chair seulement	125 ml	0
Légumes en feuilles, crus		
Feuilles de pissenlit	250 ml	408
Chicorée	250 ml	380
Chou vert frisé	250 ml	315
Épinards	250 ml	200
Laitue romaine	250 ml	78
Laitue frisée	250 ml	55
Laitue Boston	250 ml	28
Laitue pommée Iceberg	250 ml	10
Endive (chicorée Witloof)	1	1
Fruits frais		
Mangue, en tranches	125 ml	170
Cantaloup	1/6 fruit	143
Abricots	3 fruits	139
Nectarine	1 fruit	50
Pêche	1 fruit	23
Pamplemousse rose	1/2 fruit	16
Melon d'eau, en dés	125 ml	15
Papaye en cubes	125 ml	10
Kiwi	1 gros fruit	8
Banane	1 fruit	5
Framboises	125 ml	5
Bleuets	125 ml	4
Pomme	1 fruit	4
Poire	1 fruit	2
Fraises	125 ml	1
Pamplemousse blanc	1/2 fruit	1

Source : Desaulniers, M. et M. Dubost. Table de composition des aliments, département de nutrition, Université de Montréal, 2003 (valeurs dérivées du Fichier canadien sur les éléments nutritifs, 2001).

Quant aux autres sources de vitamine A dans l'alimentation, elles comprennent le foie, dont la teneur est particulièrement élevée, ainsi que les produits laitiers, deuxième source de vitamine A dans l'alimentation canadienne (voir le chapitre 11). S'ajoutent à cette liste les œufs, le beurre ainsi que la margarine, dont l'enrichissement en vitamine A est obligatoire (voir le chapitre 13).

La vitamine K

Il a toujours été difficile de quantifier la contribution des légumes et des fruits à l'apport en vitamine K dans l'alimentation car, jusqu'à tout récemment, il existait peu de données relatives à la teneur en vitamine K des aliments. Les nutritionnistes savent cependant que cette contribution s'avère importante en raison de la richesse en vitamine K de plusieurs légumes, en particulier ceux qui sont feuillus ou qui appartiennent à la famille du chou (voir le tableau 10.4). Près de la moitié de notre apport en vitamine K serait attribuable aux légumes verts. Il y aurait d'ailleurs un lien entre la teneur des légumes en vitamine K et leur contenu en chlorophylle.

Deux types d'huile végétale, l'huile de soja et l'huile de canola, renferment aussi des quantités intéressantes de vitamine K. L'utilisation de ces huiles dans la préparation des aliments augmente la teneur du régime alimentaire en vitamine K. Toutefois, il importe de conserver ces huiles à l'abri de la lumière, car la vitamine K est rapidement détruite lorsqu'elle y est exposée. En revanche, elle demeure stable quand on la chauffe.

La vitamine B_6

La vitamine B_6 est bien répandue dans les légumes et les fruits, mais les quantités qui s'y trouvent sont souvent relativement faibles. Il peut donc paraître étonnant d'apprendre que le groupe « Légumes et fruits » fournit à lui seul 40 % de la vitamine B_6 contenue dans le régime alimentaire moyen des Canadiens. L'explication la plus plausible tient au fait que certains légumes et fruits particulièrement populaires, tels la pomme de terre, la banane et les pruneaux, comptent parmi ceux renfermant le plus de vitamine B_6. D'autres sources de vitamine B_6 sont l'avocat, les choux de Bruxelles, la carotte, la patate douce, les poivrons, les épinards et la banane plantain.

Le groupe « Viandes et substituts » apporte lui aussi une contribution significative (30 %) à l'apport en vitamine B_6 dans le régime alimentaire moyen des Canadiens ; plusieurs des aliments composant ce groupe renferment des quantités particulièrement intéressantes de cette vitamine, comme en font foi les valeurs apparaissant au chapitre 12. Enfin, les produits céréaliers à grains entiers et ceux enrichis de vitamine B_6 contribuent également à l'apport en cette vitamine dans notre alimentation (voir le chapitre 9).

Le potassium

De tous les minéraux contenus dans les légumes et les fruits, le potassium est celui que l'on trouve en plus grande quantité. En effet, les légumes et les fruits fournissent le tiers du potassium que nous ingérons. Le tableau 10.5 de la page suivante regroupe divers légumes et fruits renfermant plus de 300 mg de cet élément par portion usuelle. Plusieurs autres, tels l'orange, la nectarine, la poire, le brocoli et la tomate, en renferment entre 200 et 300 mg. Toutefois, la cuisson des légumes dans l'eau entraîne la perte d'une quantité significative de potassium, à moins que le liquide de cuisson ne soit récupéré.

De façon générale, les produits laitiers (lait, yogourt) ainsi que les viandes et leurs substituts constituent également de bonnes sources de potassium. Il en est de même pour le son de blé, lequel augmente de façon significative la teneur en potassium des produits céréaliers. La mélasse, en particulier la mélasse noire, est elle aussi une très bonne source de cet élément (voir le chapitre 13).

TABLEAU 10.4
Quelques excellentes sources de vitamine K (> 100 mcg/portion) parmi les légumes (incluant les herbes fraîches)

Algues (100 g)

Bette à carde crue (125 ml)

Brocoli frais ou congelé (125 ml)

Chou cavalier bouilli (125 ml)

Chou cru (125 ml)

Chou frisé cru (125 ml)

Choux de Bruxelles (4)

Épinards frais ou bouillis (125 ml)

Feuilles de vigne, essorées (100 g)

Laitue rouge (100 g)

Herbes fraîches (100 g) :

Aneth	Origan
Basilic	Romarin
Cerfeuil	Sarriette
Estragon	Sauge
Menthe	

Source : Ferland, G., B. Bertrand et S. Potvin (2000).

Les autres nutriments essentiels

Le groupe « Légumes et fruits » a longtemps constitué la principale source d'**acide folique** dans notre alimentation. Nous avons vu au chapitre précédent que le groupe « Produits céréaliers » contribue désormais le plus à l'apport en acide folique dans l'alimentation, la farine raffinée vendue au Canada étant maintenant obligatoirement enrichie de cette vitamine.

Plusieurs légumes et fruits constituent néanmoins de bonnes sources, parfois même d'excellentes sources, d'acide folique (voir le tableau 10.6). Ces légumes et fruits n'ont toutefois pas de caractéristiques communes, même si l'on y trouve un certain nombre de légumes verts feuillus. L'acide folique, tout comme la vitamine C, est une vitamine fragile ; sa fragilité s'accentue en milieu acide. Les pertes d'acide folique dans les légumes et les fruits cuits peuvent atteindre 50 %.

À l'instar du groupe « Produits céréaliers », le groupe « Légumes et fruits » apporte une contribution intéressante (30 %) à l'apport en **cuivre** dans l'alimentation canadienne. Parmi les légumes et les fruits renfermant le plus de cuivre se trouvent la pomme de terre, les champignons, l'artichaut, la patate douce, l'avocat et les fruits séchés. Les légumes et les fruits peuvent aussi renfermer des quantités intéressantes d'autres éléments nutritifs essentiels tels que le **fer** (voir le chapitre 9), le **calcium** (voir le chapitre 11) ou la **vitamine E** (voir le chapitre 13). Certains de ces aliments, tels les bettes à carde, les épinards, la pomme de terre, les petits pois, le maïs, le gombo, l'artichaut, la banane et les fruits séchés, fournissent aussi du **magnésium**.

Les composés phytochimiques

Enfin, les légumes et les fruits se distinguent par leur richesse en composés phytochimiques biologiquement actifs. Plusieurs de ces aliments constituent d'excellentes sources de **composés phénoliques** possédant un grand pouvoir antioxydant. Des exemples sont présentés dans le tableau 6.4, à la page 160. Soulignons que plusieurs facteurs déterminent la teneur des légumes et des fruits en composés phénoliques ; ces facteurs incluent la variété, le degré de maturité, les transformations subies et les conditions d'entreposage. La cuisson dans l'eau peut entraîner d'importantes pertes.

Les légumes et les fruits renferment également de nombreux **caroténoïdes** (lycopène, lutéine, astaxanthine, etc.) ayant, eux aussi, un grand pouvoir antioxydant, même si plusieurs sont dépourvus d'activité vitaminique. Nous avons vu précédemment que les meilleures sources sont les légumes et les fruits de couleur jaune, orange ou rouge. La tomate, un légume populaire, doit sa couleur rouge au lycopène, un caroténoïde connu pour son effet protecteur présumé dans le développement du cancer de la prostate ; le melon d'eau, le pamplemousse rose et l'abricot en renferment aussi de petites quantités.

Un certain nombre de légumes, tels ceux de la famille du chou (chou, choux de Bruxelles, chou-rave, brocoli, chou-fleur, navet, rutabaga) et de l'oignon (oignon, ail, échalote, poireau), contiennent des **composés à base de soufre** (tels des glucosinolates et du sulfure d'allyle) qui, une fois transformés dans l'organisme, pourraient avoir une action anticancérigène (voir *Les légumes et les fruits : une arme contre la maladie ?*, à la page 248). Environ le tiers de la quantité contenue dans ces légumes serait perdue à la cuisson.

Enfin, plusieurs légumes et fruits, dont le brocoli, les choux de Bruxelles, le chou-fleur et l'avocat, constituent de bonnes sources de **phytostérols**, des substances qui s'apparentent au cholestérol et en réduisent l'absorption au niveau intestinal ; la cuisson a peu d'effets sur la teneur en phytostérols des légumes et des fruits.

La place des légumes et fruits dans le *Guide alimentaire canadien pour manger sainement*

Compte tenu de sa richesse en éléments nutritifs, le groupe « Légumes et fruits » occupe une place importante dans l'arc-en-ciel illustrant le *Guide alimentaire canadien pour manger sainement*. Celui-ci recommande de consommer de 5 à 10 portions de légumes et de fruits par jour, un intervalle relativement large qui met en lumière la place que nous devrions accorder à ces aliments dans notre alimentation quotidienne.

Cette recommandation rejoint celle d'un groupe d'experts de l'Organisation pour l'alimentation et l'agriculture (FAO) et de l'Organisation mondiale de la santé (OMS). Dans son rapport sur l'alimentation, la nutrition et les maladies chroniques publié en 2003, ce groupe recommande la consommation quotidienne d'au moins 400 g (soit environ 5 portions) de légumes et de fruits (en excluant les tubercules telle la pomme de terre). Nous devrions donc consommer cette quantité minimale de légumes et de fruits pour pouvoir bénéficier des bienfaits que ces aliments semblent exercer sur notre santé (voir *Les légumes et les fruits : une arme contre la maladie ?*, à la page suivante).

Afin d'orienter nos choix vers les légumes et fruits les plus avantageux sur le plan nutritionnel, le *Guide alimentaire canadien pour manger sainement* donne le conseil suivant : **« Choisissez plus souvent des légumes vert foncé ou orange, et des fruits orange. »** Nous avons constaté jusqu'à maintenant que plusieurs éléments nutritifs essentiels (acide folique, vitamines A, C et K notamment) se trouvent en bonnes quantités dans ces légumes et fruits colorés. Nous devrions donc les inclure régulièrement dans nos menus quotidiens, sans pour autant mettre de côté tous les autres légumes et fruits, bien au contraire ! Des légumes et des fruits à chair blanche, telles l'aubergine et la pomme, constituent de très bonnes sources de composés phénoliques.

Voici quelques conseils pour préserver de façon optimale la valeur nutritive des légumes et des fruits :

- **Ne pas couper à l'avance les légumes et les fruits** – Couper ou râper les légumes et les fruits augmente la surface de contact de ces aliments avec l'oxygène de l'air et avec la lumière. Or, plusieurs vitamines sont rapidement détruites en présence de ces éléments. Il est donc recommandé de manipuler les légumes et les fruits à la dernière minute, soit juste avant de les utiliser.
- **Utiliser un volume d'eau minimal pour cuire les légumes** – La cuisson des légumes dans l'eau entraîne la fuite de nutriments hydrosolubles. Pour cette raison, il est préférable de cuire ces aliments dans un faible volume d'eau et de récupérer l'eau de cuisson (en l'ajoutant aux soupes et aux sauces, par exemple). Les modes de cuisson limitant les pertes de nutriments par diffusion dans l'eau sont la cuisson sous pression, à la vapeur (dans une étuveuse), dans un four ordinaire ou à micro-ondes, ainsi qu'une brève friture dans une petite quantité d'huile.
- **Ne pas trop cuire les légumes et les fruits** – Certaines vitamines sont instables à la chaleur. Pour cette raison, il est recommandé d'éviter de trop cuire les légumes et les fruits. Afin de limiter au minimum le temps de cuisson et, par la même occasion, de diminuer la concentration en oxygène de l'eau, porter celle-ci à ébullition avant d'y mettre les légumes. En outre, le fait de plonger directement ces aliments dans l'eau bouillante inactive rapidement des enzymes susceptibles de dégrader les vitamines.
- **Inclure des légumes et des fruits crus dans le régime alimentaire** – La plupart des légumes et des fruits peuvent être mangés crus. De façon générale, la valeur nutritive des légumes et fruits crus est supérieure à celle des légumes et fruits cuits, même si la cuisson présente parfois certains avantages (voir le chapitre 8). Nous devrions bien laver les légumes et les fruits avant de les consommer ; toutefois, il n'est pas recommandé de les laisser

---

TABLEAU 10.6

Les bonnes sources d'acide folique parmi les légumes et les fruits*

Algues crues (125 ml)

Artichaut bouilli (1)

Asperges bouillies (4)

Avocat (1/2)

Betterave bouillie (125 ml)

Brocoli cru (3 tiges)

Chayotte crue (1/2)

Chou cavalier bouilli (125 ml)

Choux de Bruxelles bouillis (5)

Épinards bouillis (125 ml)

Germes de haricots Mungo crus (250 ml)

Gombo congelé, bouilli (125 ml)

Gourganes fraîches bouillies (125 ml)

Jus d'orange frais (200 ml)

Laitue romaine crue (250 ml)

Maïs sucré bouilli (200 ml)

Panais bouilli (200 ml)

Scarole crue (250 ml)

Soja frais bouilli (125 ml)

* ≥ 60 mcg d'ÉFA.

Source : Desaulniers, M. et M. Dubost. Table de composition des aliments, département de nutrition, Université de Montréal, 2003 (valeurs dérivées du Fichier canadien sur les éléments nutritifs, 2001).

séjourner dans l'eau. Le lavage des légumes et des fruits réduit la quantité de résidus de pesticides potentiellement présents à la surface de ces aliments (voir *Les aliments biologiques*, à la page 207).

Ces conseils permettent également de préserver les qualités organoleptiques des légumes et des fruits, c'est-à-dire leurs saveurs, leurs textures et leurs belles couleurs. Cet avantage n'est pas à négliger, le goût semblant être un facteur déterminant dans la consommation de ces aliments. L'habitude de consommer de bonnes quantités de légumes et de fruits durant l'enfance influencerait également la consommation de ces aliments à l'âge adulte.

Les tendances de consommation

En 1995, les résultats d'une enquête nutritionnelle effectuée auprès de la population québécoise adulte révélaient que le Québécois moyen consommait tout juste la quantité minimale recommandée de légumes et fruits, soit cinq portions par jour. Même si des études de marché suggèrent que les achats de légumes et de fruits sont à la hausse, une enquête nutritionnelle plus récente effectuée dans la population canadienne adulte montre que nous en sommes toujours au minimum recommandé en ce qui concerne la consommation moyenne de ces aliments (voir la figure 10.2). Aux États-Unis, la consommation de légumes et de fruits se situe elle aussi autour de cinq portions par jour.

Les jeunes ne semblent pas beaucoup plus friands de légumes et de fruits que leurs aînés. Selon les résultats d'une enquête publiée en 2004, la consommation médiane des enfants québécois âgés de 6 à 16 ans se situe à 4,3 portions par jour. Plus de la moitié d'entre eux consomment donc moins que la quantité minimale de légumes et de fruits recommandée.

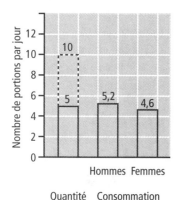

Figure 10.2
La consommation de légumes et fruits dans la population canadienne adulte en comparaison avec la quantité suggérée dans le *Guide alimentaire canadien*

Source : Gray-Donald et autres (2000).

Pour en savoir plus ● ● ●

Les légumes et les fruits : une arme contre la maladie ?

Des quatre groupes à la base du *Guide alimentaire canadien pour manger sainement*, le groupe « Légumes et fruits » est peut-être celui dont la valeur nutritive est le plus largement reconnue, bien des gens étant conscients de la richesse de ces végétaux en éléments nutritifs essentiels.

Un grand nombre d'études ont été réalisées pour vérifier les bienfaits de la consommation de légumes et de fruits sur la santé. Les résultats d'études épidémiologiques de grande envergure montrent qu'une alimentation riche en légumes et en fruits réduit le risque de maladies cardiovasculaires. Même si elles reposent sur des données moins probantes, diverses études indiquent que la consommation de bonnes quantités de légumes et de fruits pourrait contribuer à réduire le risque d'apparition de plusieurs autres problèmes de santé : accidents vasculaires cérébraux, certains types de cancer, maladies

pulmonaires (tels l'asthme et la bronchite), diverticulose, cataracte et ostéoporose (chez la femme).

On a avancé plusieurs hypothèses pour expliquer l'effet bénéfique des légumes et des fruits sur notre santé. Il est possible que ces aliments exercent leur action en se substituant à d'autres aliments dont la composition est susceptible de promouvoir le développement de la maladie. Une alimentation riche en légumes et en fruits pourrait aussi être simplement liée à de saines habitudes de vie. Cependant, dans plusieurs études, le lien entre ce type d'alimentation et la santé persiste quand les analyses statistiques prennent en compte ces facteurs confondants.

Les antioxydants

Nous pouvons donc penser que la composition intrinsèque de ces végétaux leur confère une action protectrice sur notre santé. Nous avons vu précédemment que les légumes et les fruits sont riches en antioxydants ; ils renferment non seulement les **vitamines C et E**, mais aussi une multitude de **composés phénoliques** et de **caroténoïdes**. Or, ces nutriments ont en commun la capacité d'inhiber les radicaux libres, lesquels interviennent dans diverses réactions d'oxydation potentiellement dommageables pour l'organisme humain (voir *Les vitamines antioxydantes*, à la page 160).

Les autres nutriments

Les légumes et les fruits renferment des **fibres alimentaires** et des **phytostérols** aidant à contrôler le taux de cholestérol dans le sang. Ils fournissent en plus du **potassium** et du **magnésium** contribuant à maintenir une tension artérielle normale, ainsi que de l'**acide folique**, une vitamine ayant elle aussi un effet visiblement favorable sur la santé cardiovasculaire.

Ces aliments renferment aussi des **bicarbonates**, capables de neutraliser l'excès d'acidité généré dans l'organisme par la consommation de bonnes quantités de produits animaux et de céréales. Ils aideraient ainsi à protéger le tissu osseux en inhibant le processus de déminéralisation qu'un excès d'acidité peut induire (voir *Le calcium et la santé des os*, à la page 186). L'effet bénéfique des légumes et fruits sur le tissu osseux pourrait aussi être attribuable à leur richesse en vitamine K, essentielle à la santé de ce tissu.

Enfin, des **composés à base de soufre** sont contenus dans les légumes appartenant aux familles du chou et de l'oignon. Des expériences effectuées sur des animaux de laboratoire montrent que ces composés peuvent être d'actifs anticarcinogènes. Certains d'entre eux inhiberaient la prolifération des cellules cancéreuses ; d'autres pourraient bloquer la formation de substances carcinogènes à l'intérieur de l'organisme, ou encore stimuler l'activité des enzymes servant à inactiver ces substances.

En conclusion, il y a fort à parier que les légumes et les fruits nous réservent encore des surprises quant à ce qu'ils recèlent en composés pouvant nous protéger de la maladie. Et il y a tout lieu de penser que tous ces composés (y compris les nutriments essentiels) exercent leur action bénéfique sur notre santé par un effet synergique. En effet, pris isolément, un certain nombre d'entre eux peuvent avoir un effet délétère dans certaines conditions (voir *Les vitamines antioxydantes*, à la page 160). La consommation quotidienne de légumes et de fruits demeure donc un élément essentiel dans une alimentation équilibrée et une mesure incontournable pour qui se soucie de sa santé !

Résumé

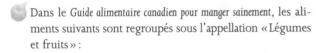 Dans le *Guide alimentaire canadien pour manger sainement*, les aliments suivants sont regroupés sous l'appellation «Légumes et fruits» :

- **les légumes et les fruits frais** ;
- **les légumes et les fruits transformés**, qu'ils soient cuits, surgelés, appertisés, conditionnés sous vide ou déshydratés ;
- **les jus de légumes et de fruits**.

Sont toutefois exclus du groupe les haricots, les fèves et les pois secs (légumineuses) ainsi que les fruits oléagineux (noix), car ils sont considérés comme des substituts de la viande (voir le chapitre 12). Sont également exclues les boissons aux arômes de fruits, de même que les gelées et les confitures de fruits.

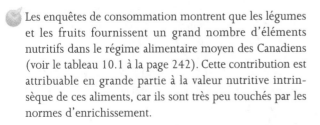 Les enquêtes de consommation montrent que les légumes et les fruits fournissent un grand nombre d'éléments nutritifs dans le régime alimentaire moyen des Canadiens (voir le tableau 10.1 à la page 242). Cette contribution est attribuable en grande partie à la valeur nutritive intrinsèque de ces aliments, car ils sont très peu touchés par les normes d'enrichissement.

- Les légumes et les fruits renferment principalement de l'**eau** et des **glucides**. Ils fournissent à eux seuls environ 40 % des **fibres alimentaires** que nous consommons. De fait, les fibres font partie de la structure des légumes et des fruits. Cependant, l'extraction des jus élimine une bonne partie de ces fibres.

- Dans notre régime alimentaire, les légumes et les fruits fournissent aussi plusieurs vitamines et minéraux essentiels. Près de 90 % de la **vitamine C** contenue dans l'alimentation canadienne provient des légumes et des fruits. Ces aliments contribuent aussi pour une part importante de notre apport en **vitamine A**, en **vitamine K**, en **vitamine B$_6$** et en **potassium**. En outre, les légumes et les fruits se distinguent par leur richesse en **composés phytochimiques** biologiquement actifs : caroténoïdes, composés phénoliques, composés à base de soufre et phytostérols. Toutefois, les traitements et les transformations que ces aliments subissent diminuent leur valeur nutritive.

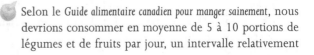 Selon le *Guide alimentaire canadien pour manger sainement*, nous devrions consommer en moyenne de 5 à 10 portions de légumes et de fruits par jour, un intervalle relativement

large qui met en lumière la place que nous devrions accorder à ces aliments dans notre alimentation quotidienne. Afin d'orienter nos choix vers ceux qui s'avèrent les plus avantageux sur le plan nutritionnel, le *Guide alimentaire canadien* donne le conseil suivant : **« Choisissez plus souvent des légumes vert foncé ou orange, et des fruits orange. »** De fait, plusieurs éléments nutritifs essentiels (acide folique, vitamines A, C et K notamment) se trouvent en bonnes quantités dans ces légumes et fruits colorés.

Afin de préserver autant que possible la valeur nutritive et les qualités organoleptiques (saveur, couleur, texture) des légumes et des fruits, il est recommandé :

- de ne pas couper à l'avance les légumes et les fruits ;

- d'utiliser un volume d'eau minimal pour cuire les légumes et de récupérer l'eau de cuisson (en l'ajoutant aux soupes et aux sauces, par exemple) ;

- de ne pas trop cuire les légumes et les fruits ;

- d'inclure des légumes et fruits crus dans son alimentation.

Plusieurs études établissent un lien positif entre la santé et la consommation de légumes et de fruits. Malgré tout, les Canadiens s'en tiennent au minimum recommandé en ce qui concerne la consommation de ces aliments.

Références

AGRICULTURE et AGROALIMENTAIRE CANADA. *Food group sources of nutrients in the average canadian diet* (à partir des données de l'Enquête sur les dépenses alimentaires de 2001).

BOOTH, S.L. et autres. « Vitamin K intake and bone mineral density in women and men », *American Journal of Clinical Nutrition*, vol. 77, 2003, p. 512-516.

CRAIG, W.J. « Phytochemicals : Guardians of our health », *Journal of the American Dietetic Association*, vol. 97, n° 2, 1997, p. S199-S204.

DAVEY, M.W. et autres. « Plant L-ascorbic acid : chemistry, function, metabolism, bioavailability and effects of processing », *Journal of the Science of Food and Agriculture*, vol. 80, 2000, p. 825-860.

FERLAND, G., B. BERTRAND et S. POTVIN. *Régime contrôlé en vitamine K*, dans CHAGNON DECELLES, D. et autres. *Manuel de nutrition clinique*, 3e éd., Montréal, Ordre professionnel des diététistes du Québec, 2000.

FESKANICH, D. et autres. « Vitamin K intake and hip fractures in women : a prospective study », *American Journal of Clinical Nutrition*, vol. 69, 1999, p. 74-79.

GRAY-DONALD, K., L. JACOBS-STARKEY et L. JOHNSON-DOWN. « Food habits of Canadians : reduction in fat intake over a generation », *Canadian Journal of Public Health*, vol. 91, 2000, p. 381-385.

HUNG, H.-C. et autres. « Fruit and vegetable intake and risk of major chronic disease », *Journal of the National Cancer Institute*, vol. 96, 2004, p. 1577-1584.

INSTITUT DE LA STATISTIQUE DU QUÉBEC. *Enquête sociale et de santé auprès des enfants et des adolescents québécois.Volet nutrition*, Sainte-Foy, gouvernement du Québec, 2004. Site Internet : <www.stat.gouv.qc.ca>.

JOHNSON, C.S. et D.L. BOWLING. « Stability of ascorbic acid in commercially available orange juices », *Journal of the American Dietetic Association*, vol. 102, 2002, p. 525-529.

KARMAS, E. et R.S. HARRIS (réd.). *Nutritional Evaluation of Food Processing*, 3e éd., New York, Van Nostrand Reinhold Compagny, 1988.

KREBS-SMITH, S.M. et autres. « Psychosocial factors associated with fruit and vegetable consumption », *American Journal of Health Promotion*, vol. 10, n° 2, 1995, p. 98-104.

KREBS-SMITH, S.M. et L.S. KANTOR. « Choose a variety of fruits and vegetables daily : understanding the complexities », *Journal of Nutrition*, vol. 131, 2001, p. 487S-501S.

LAW, M.R. et J.K. MORRIS. « By how much does fruit and vegetable consumption reduce the risk of ischemic heart disease ? », *European Journal of Clinical Nutrition*, vol. 52, 1998, p. 549-556.

LIU, R.H. « Potential synergy of phytochemicals in cancer prevention : mechanism of action », *Journal of Nutrition*, vol. 134, 2004, p. 3479S-3485S.

MANACH, C. et autres. « Polyphenols : food sources and bioavailability », *American Journal of Clinical Nutrition*, vol. 79, 2004, p. 727-747.

MARTIN, G.-B. et autres. *L'homme et ses aliments : initiation à la science des aliments*, Les Presses de l'Université Laval, 2001.

McNAUGHTON, S.A. ET G.C. MARKS. «Development of a food composition database for the estimation of dietary intakes of glucosinolates, the biologically active constituents of cruciferous vegetables», *British Journal of Nutrition*, vol. 90, 2003, p. 687-697.

MONETTE, S. *Le nouveau dictionnaire des aliments*, Montréal, Éditions Québec Amérique, 1996.

NEW, S.A. et autres. «Dietary influences on bone mass and bone metabolism : further evidence of a positive link between fruit and vegetable consumption and bone health», *American Journal of Clinical Nutrition*, vol. 71, 2000, p. 142-151.

PUUPPONEN-PIMIÄ, R. et autres. «Blanching and long-term freezing affect various bioactive compounds of vegetables in different ways», *Journal of the Science of Food and Agriculture*, vol. 83, 2003, p. 1389-1402.

RHODES, M.J.C. «Physiologically-active compounds in plant foods : an overview», *Proceedings of the Nutrition Society*, vol. 55, 1996, p. 371-384.

RUMM-KREUTER, D. et I. DEMMEL. «Comparison of vitamin losses in vegetables due to various cooking methods», *Journal of Nutritional Science and Vitaminology*, vol. 36, 1990, p. S7-S15.

SANTÉ QUÉBEC, L. BERTRAND (sous la dir.). *Les Québécoises et les Québécois mangent-ils mieux ? Rapport de l'Enquête québécoise sur la nutrition, 1990*, Montréal, ministère de la Santé et des Services sociaux, gouvernement du Québec, 1995.

STEINMETZ, K.A. et J.D. POTTER. «Vegetables, fruits, and cancer prevention : A review», *Journal of the American Dietetic Association*, vol. 96, 1996, p. 1027-1039.

TALALAY, P. et J.W. FAHEY. «Phytochemicals from cruciferous plants protect against cancer by modulating carcinogen metabolism», *Journal of Nutrition*, vol. 131, 2001, p. 3027S-3033S.

TUCKER, K.L. et autres. «Potassium, magnesium, and fruit and vegetable intakes are associated with greater bone mineral density in elderly men and women», *American Journal of Clinical Nutrition*, vol. 69, 1999, p. 727-736.

VAN DUYN, M.A.S. et E. PIVONKA. «Overview of the health benefits of fruit and vegetable consumption for the dietetics professional : selected literature», *Journal of the American Dietetic Association*, vol. 100, 2000, p. 1511-1521.

WILLETT, W.C. «Diet and cancer – An evolving picture», *Journal of the American Medical Association*, vol. 293, n° 2, 2005, p. 233-234.

WORLD HEALTH ORGANIZATION. *Diet, nutrition and the prevention of chronic diseases. Report of a Joint WHO/FAO Expert Consultation*, WHO Technical Report Series 916, Genève, 2003. Site Internet : <www.who.int/hpr/NPH/docs/who_fao_expert_report.pdf>.

WU, Y., A.K. PERRY et B.P. KLEIN. «Vitamin C and beta-carotene in fresh and frozen green beans and broccoli in a simulated system», *Journal of Food Quality*, vol. 15, 1992, p. 87-96.

YUSUF, S. et autres. «Effect of potentially modifiable risk factors associated with myocardial infarction in 52 countries (the INTERHEART study) : case-control study», *Lancet*, vol. 364, 2004, p. 937-952.

Ressource supplémentaire

5 à 10 par jour pour votre santé (site Internet : www.5to10 aday.com) – Site Internet élaboré en collaboration avec la Fondation des maladies du cœur et la Société canadienne du cancer.

Chapitre 11

Les produits laitiers et leurs substituts

Dans plusieurs populations du monde, les enfants continuent de boire du lait après le sevrage et conservent souvent cette habitude même à l'âge adulte. Le lait se consomme depuis très longtemps dans les régions propices à l'élevage du bétail. Les populations qui y vivent sont issues de peuples de pasteurs dont les ancêtres ont appris, il y a plusieurs milliers d'années, à domestiquer les animaux et à profiter de la valeur nutritive du lait des mammifères. Dans l'histoire de l'être humain, l'habitude de consommer du lait après la petite enfance n'est donc pas nouvelle, bien qu'elle ne soit pas universelle.

De nos jours, la production laitière constitue une importante industrie agricole dans plusieurs pays, dont le Canada. Cette industrie a mis au point divers procédés de transformation qui ont grandement élargi la gamme des produits laitiers entrant dans notre alimentation. Le présent chapitre rend compte de la contribution des produits laitiers à l'apport en éléments nutritifs dans le régime alimentaire des Canadiens, et fait état des effets des procédés de transformation sur la valeur nutritive du lait. Nous y discuterons également de la valeur nutritive de produits souvent utilisés en tant que succédanés du lait.

Que sont les produits laitiers et leurs substituts ?

Les produits laitiers

Dans le *Guide alimentaire canadien pour manger sainement*, un grand nombre d'aliments sont regroupés sous l'appellation « Produits laitiers ». Ce groupe comprend le lait, les aliments fabriqués à partir du lait (à l'exception du beurre) et les aliments préparés dont le principal ingrédient est le lait (voir la figure 11.1).

Par définition, le lait est le produit de la sécrétion des glandes mammaires d'un mammifère femelle (voir l'encadré ci-dessous). Au Canada, le lait de vache demeure le type de lait le plus largement consommé. Pour cette raison, il n'est pas nécessaire de mentionner le nom de l'animal sur les contenants de lait. Les producteurs de lait doivent l'indiquer uniquement s'il s'agit d'un animal autre que la vache, par exemple la chèvre.

Les différentes formes de lait disponibles dans le commerce

Le lait étant un aliment très périssable, divers moyens sont utilisés pour le conserver. Pour cette raison, le lait se vend sous différentes formes :
Les laits frais pasteurisés – Au Canada, le lait frais destiné à la consommation est toujours pasteurisé, la vente de lait cru étant illégale. La pasteurisation, un procédé inventé au XIXe siècle par le microbiologiste français Louis Pasteur, permet de conserver le lait pendant plusieurs jours, car elle tue une bonne partie des microorganismes susceptibles d'avoir contaminé le lait au moment de la traite ; les bactéries

Figure 11.1
Les produits laitiers

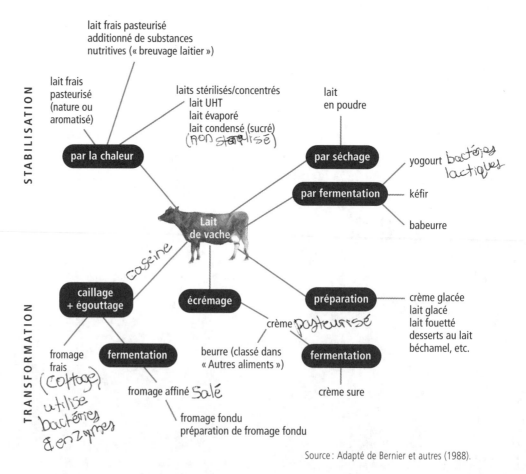

Source : Adapté de Bernier et autres (1988).

Que signifie le mot « lait » ?

Le mot « lait » désigne le liquide sécrété par les glandes mammaires d'un mammifère femelle en vue de nourrir un nouveau-né. En plus du lait maternel, les humains consomment depuis très longtemps le lait des mammifères qui partagent leur environnement, telles la vache, la chèvre, la brebis, l'ânesse, la jument et la bufflonne. Le lait étant, par définition, un produit d'origine animale, l'appellation « lait » ne convient pas pour désigner des boissons fabriquées à partir de végétaux, comme le soja, même si elles servent souvent de substituts au lait et peuvent en avoir l'apparence. Dans ce cas, le mot « boisson » convient mieux.

pathogènes (pouvant nuire à la santé humaine) sont complètement éliminées. Pour pasteuriser le lait, il faut le chauffer pendant un court moment à une température inférieure au point d'ébullition, puis le refroidir rapidement. Il est possible de réduire davantage la charge bactérienne du lait et de prolonger son temps de conservation grâce à certains procédés, telles la **microfiltration** (lait « pur filtre ») et la **multicentrifugation** (« ultralait »).

Étant donné qu'il renferme des matières grasses, le lait est soumis à un autre procédé physique, appelé **homogénéisation**. Ce traitement permet de fractionner la matière grasse en fine gouttelettes qui se dispersent dans le lait plutôt que de s'agglutiner à la surface. Il est appliqué à la plupart des laits frais vendus dans le commerce. Soulignons que l'information relative à la teneur en matières grasses apparaît sur l'étiquette d'un grand nombre de produits laitiers. Au Canada, elle est exprimée en pourcentage par rapport au poids, soit par 100 g d'aliments. Ainsi, le **lait entier** renferme 3,25 % de matières grasses, soit un taux légèrement inférieur à celui du lait non traité (3,7 % en moyenne). Le **lait partiellement écrémé** peut renfermer 1 ou 2 % de matières grasses, alors que le **lait écrémé** ne peut en contenir plus de 0,3 % (0,1 % s'il est produit au Québec). Le lait entier a longtemps dominé le marché des laits frais, mais le lait partiellement écrémé est maintenant le grand favori.

Il est aussi possible de trouver dans le commerce des laits frais pasteurisés sucrés et aromatisés (au chocolat par exemple). D'autres portent l'appellation « **breuvage laitier** » ; ils sont additionnés d'ingrédients visant entre autres à en améliorer la valeur nutritive. Citons à titre d'exemples les solides du lait, pour hausser la concentration de calcium, et l'huile de lin, comme source d'oméga-3.

Les laits stérilisés et les laits concentrés – Pour conserver le lait encore plus longtemps, il est possible de le stériliser. Aussi longtemps que son contenant demeure scellé, le lait stérilisé peut être conservé sans être réfrigéré, car il a été chauffé à une température suffisamment élevée pour détruire tous les microorganismes présents. Le **lait UHT** (pour **ultra-haute température**) en est un exemple. Le **lait concentré** (ou **évaporé**) est lui aussi un lait stérilisé ; toutefois, sa teneur en eau ayant été réduite par évaporation, ses principaux constituants s'y trouvent deux fois plus concentrés que dans le lait ordinaire. Pour sa part, le **lait condensé (sucré)** est un lait concentré non stérilisé dont la teneur en eau est moindre que celle du lait concentré ordinaire, et auquel on a ajouté une quantité substantielle de sucre pour en assurer la conservation.

Le lait en poudre – Le lait en poudre est une forme de lait également facile à conserver. Pour le fabriquer, on commence habituellement par faire évaporer une partie de l'eau du lait, puis ce qu'il reste est pulvérisé à l'air chaud. Ainsi traité, le lait a une teneur en eau représentant moins de 5 % de son poids. Le lait en poudre vendu dans le commerce est généralement du lait écrémé.

Les autres produits laitiers

Les produits laitiers fermentés

Pour améliorer la conservation du lait, il est aussi possible de le laisser fermenter sous l'action de bactéries inoffensives qui transforment une partie du lactose (le sucre du lait) en acides (voir l'encadré *Les produits laitiers fermentés*). Une fois acidifié, le lait est moins sujet à la croissance bactérienne ; sa texture s'épaissit, car l'acidification favorise la coagulation des protéines du lait. Ce processus permet d'obtenir le **yogourt**, un aliment traditionnel dans la culture de plusieurs pays, notamment la Grèce, les pays du Proche-Orient et certains pays d'Asie. Le yogourt est vendu nature ou aromatisé avec du sucre, des essences ou des fruits. Il existe aussi du yogourt de consistance liquide, appelé « yogourt à boire ».

Un aliment s'apparentant au yogourt est le **kéfir**, populaire dans les pays d'Europe de l'Est. À l'instar du yogourt, le kéfir résulte de l'action de bactéries lactiques ; toutefois, on y ajoute également des levures, qui transforment une partie du lactose en gaz carbonique et en alcool. Le résultat est un yogourt légèrement gazeux dont le taux d'alcool dépasse rarement 1 %.

Le **babeurre** (ou lait de beurre) entre aussi dans la catégorie des laits fermentés. En théorie, le babeurre correspond au liquide un peu suret qui se sépare de la crème pendant la fabrication du beurre. Le babeurre commercial est plutôt produit par l'ajout d'un ferment lactique à du lait écrémé ; il s'agit donc d'un lait écrémé légèrement fermenté.

Les fromages

Le fromage est un autre aliment fabriqué à partir du lait. Il est obtenu en coagulant les protéines (la caséine principalement) du lait et en laissant s'égoutter le caillé. Les fabricants ont longtemps compté sur l'action acidifiante des bactéries contaminant le lait pour amorcer sa coagulation, processus qu'ils accéléraient ensuite à l'aide de présure, une enzyme extraite de l'estomac du veau.

De nos jours, la plupart des fromages produits par l'industrie sont fabriqués avec du lait pasteurisé, et la présure est utilisée de moins en moins pour faire coaguler le lait. Les fabricants ont plutôt recours à d'autres agents : cultures bactériennes, enzymes (protéases) provenant de divers microorganismes, pepsine. Après la coagulation, ils procèdent à l'égouttage, qui consiste à séparer le caillé du liquide restant, appelé **lactosérum**. Il est ensuite possible de saler le caillé ou d'y ajouter du sucre, des essences ou des fruits ; le résultat ainsi obtenu est un **fromage frais** prêt à être consommé, tels le cottage, le fromage à la crème et les fromages aux fruits vendus dans de petits contenants (surtout destinés aux enfants). Par contre, si le caillé est laissé à mûrir après avoir été salé, il devient un **fromage affiné**. La maturation du fromage s'opère dans des conditions propres à chaque type de fromage ; elle lui confère sa saveur, sa texture et son aspect caractéristiques.

Enfin, les fabricants de fromage ont mis au point des **fromages fondus** et des **préparations de fromage fondu**, de texture plus ou moins molle, un peu élastique. Ils sont obtenus en malaxant une ou plusieurs variétés de fromage fondu (incluant très souvent le cheddar) avec divers autres ingrédients, notamment des agents stabilisants et émulsifiants. Nous voyons aussi apparaître sur le marché des **fromages « à valeur ajoutée »**, comme celui fabriqué avec un lait naturellement enrichi en oméga-3 ; il est en effet possible de modifier la composition du lait en modifiant la nourriture de la vache.

Précisons que l'information apparaissant sur l'étiquette des fromages concernant leur teneur en matières grasses porte parfois à confusion. Au Canada, cette information doit être exprimée en pourcentage par rapport au poids du produit, donc par 100 g de

Le fromage s'obtient en faisant coaguler les protéines du lait pour former un caillé qu'on laisse s'égoutter.

Les produits laitiers fermentés

Qu'est-ce que la fermentation?

La fermentation est la transformation d'une substance organique sous l'action de divers microorganismes. La fermentation aide à la conservation des aliments. Elle est aussi utilisée pour créer de nouveaux produits. La fermentation du lait ou de ses sous-produits conduit à la fabrication d'aliments comme le yogourt, le kéfir, la crème sure et le babeurre. Elle entre également dans le processus de fabrication de nombreux fromages.

Étant donné qu'il est riche en éléments nutritifs, le lait constitue un excellent milieu de culture. Pendant longtemps, l'être humain a consommé des produits laitiers fermentés qui résultaient de réactions microbiennes spontanées, parfois imprévisibles. Grâce au développement de la microbiologie, les produits consommés dans les pays industrialisés sont maintenant plus sécuritaires et de meilleure qualité. Les microorganismes le plus couramment utilisés sont des bactéries lactiques dont l'innocuité ne fait aucun doute. Les composés issus du métabolisme bactérien sont en grande partie des acides, tels l'acide lactique et l'acide acétique, qui confèrent aux produits laitiers fermentés leur saveur aigrelette.

Le yogourt

Le yogourt est un lait fermenté ayant beaucoup gagné en popularité depuis quelques décennies. Pour fabriquer le yogourt traditionnel, il faut inoculer au lait pasteurisé deux souches de bactéries: *Lactobacillus bulgaricus* et *Streptoccus thermophilus*. Ces bactéries ne font pas partie de la flore habitant normalement le côlon (gros intestin) des humains; de plus, elles résistent difficilement aux sécrétions digestives. Néanmoins, leur présence dans des aliments comme le yogourt s'avère avantageuse à certains égards. Par exemple, elle améliore la tolérance au lactose (sucre du lait) chez les personnes qui le digèrent difficilement (voir *La place des produits laitiers dans l'alimentation des personnes souffrant d'intolérance au lactose*, à la page 268).

Dans le commerce, nous trouvons aussi des yogourts renfermant des souches de bactéries peu conventionnelles, tels les bifidobactéries et les lactobacilles du groupe caséi, souvent qualifiés de **probiotiques**. Il s'agit d'espèces bactériennes qui cohabitent naturellement dans la flore intestinale de l'être humain. Une fois ingérées, plusieurs de ces bactéries arrivent à survivre aux conditions prévalant dans le tractus gastro-intestinal. Sans pouvoir s'implanter à l'intérieur de la microflore du côlon, elles transiteraient suffisamment longtemps pour modifier les activités métaboliques qui s'y déroulent. Selon certaines études, elles réduiraient l'activité d'enzymes soupçonnées d'être liées au développement du cancer du côlon. Elles pourraient aussi contribuer à réduire l'incidence et la sévérité de diverses maladies gastro-intestinales, incluant certaines diarrhées, notamment celles provoquées par la prise d'antibiotiques. Toutefois, la littérature scientifique portant sur le sujet fait souvent preuve de beaucoup de réserve, les résultats des recherches chez l'humain prêtant parfois à controverse.

fromage. Sur l'étiquette des fromages importés, la teneur en matières grasses est parfois exprimée par rapport à la matière sèche, en excluant le poids de l'eau, donnant ainsi l'impression que le fromage est beaucoup plus gras qu'il ne l'est en réalité.

La crème et la crème sure

Les producteurs procèdent aussi à l'écrémage du lait, ce qui permet de concentrer les matières grasses. Ils obtiennent ainsi de la **crème**, plus ou moins riche en matières grasses selon la quantité de lait qui y est ajoutée, et qui est pasteurisée avant d'être mise en marché. Surie au moyen d'une culture bactérienne, la crème pasteurisée devient de la **crème sure**.

L'écrémage du lait conduit aussi à la fabrication du beurre, laquelle s'effectue en barattant de la crème pasteurisée. Selon la loi canadienne, le beurre doit contenir au moins 80 % de matières grasses. Étant donné que la fabrication du beurre élimine une bonne partie des principaux constituants du lait, à l'exception des matières grasses, **le beurre est exclu du groupe « Produits laitiers » dans le *Guide alimentaire canadien pour manger sainement*.**

Les aliments préparés avec du lait

Les produits laitiers comptent également plusieurs mets dont le principal ingrédient est le lait, par exemple la béchamel, les laits fouettés ainsi que des desserts tels la crème glacée, le lait glacé et les poudings au lait. De plus, en cuisine, nous avons souvent recours aux produits laitiers. Il faut donc tenir compte des quantités incorporées dans les mets cuisinés lorsque nous évaluons la consommation de produits laitiers (par exemple lait ou crème ajouté aux potages, fromage à gratiner, yogourt utilisé pour allonger les sauces, etc.).

Les boissons végétales enrichies

Le marché canadien offre des boissons fabriquées à partir de diverses denrées végétales et pouvant servir de succédanés du lait. Celles dérivées du soja sont les plus populaires. Nous verrons plus loin que la réglementation canadienne relative à l'enrichissement de ces boissons fait en sorte que leur contenu en vitamines et minéraux s'apparente à celui du lait. Toutefois, l'ajout d'éléments nutritifs y étant facultatif, seules les boissons enrichies conformément au règlement sont considérées comme des substituts du lait sur le plan nutritionnel. Il faut consulter l'étiquette pour s'en assurer.

La valeur nutritive des produits laitiers et de leurs substituts

Les enquêtes de consommation réalisées auprès de la population canadienne montrent que les produits laitiers contribuent de façon significative à l'apport en éléments nutritifs dans le régime alimentaire (voir le tableau 11.1). Cette contribution est attribuable à la valeur nutritive intrinsèque du lait et, dans une moindre mesure, à l'ajout obligatoire d'éléments nutritifs au lait de consommation, conformément à la réglementation canadienne.

TABLEAU 11.1 La contribution relative des produits laitiers et de leurs substituts à l'apport en éléments nutritifs* dans le régime alimentaire moyen des Canadiens

Macronutriments	Vitamines	Minéraux
	Riboflavine	Calcium _60%_
	Vitamine D _60%_	Phosphore
Protéines _(caséine)_	Vitamine B$_{12}$ _30%_	Magnésium
Lipides _(saturés_	Vitamine A	Potassium
Glucide(lactose)		Zinc

* Les boissons végétales fournissent en plus des composés phytochimiques, telles les **isoflavones**, dont la structure s'apparente à celle des œstrogènes sécrétés par les ovaires de la femme ; les isoflavones sont surtout présentes dans les boissons dérivées du soja.

V. A & D ajoutées obligatoirement

La composition nutritionnelle d'une portion de 250 ml de lait pasteurisé apparaît dans le tableau 11.2 ; nous pouvons y comparer les valeurs aux quantités de nutriments recommandées quotidiennement chez l'adulte. Un grand nombre de nutriments sont fournis en quantité intéressante dans une portion de lait ; seuls quelques nutriments (dont le fer et la vitamine C) y sont présents en très faible quantité. Si on tient compte des quantités de nutriments recommandées, la composition du lait de chèvre est assez semblable à celle du lait de vache, surtout quand il est enrichi, comme c'est souvent le cas. L'enrichissement du lait de chèvre étant facultatif, il est préférable de consulter l'information apparaissant sur le contenant pour s'en assurer.

TABLEAU 11.2   La valeur nutritive des laits de vache et de chèvre et d'une boisson végétale enrichie

Nutriments	ANREF*	Par portion de 250 ml		
		Lait de vache, 2 % m.g.	Lait de chèvre entier enrichi	Boisson de soja enrichie
Énergie (kcal)		130	178	85
Protéines (g)		8,5	9,3	7,0
Glucides (g)		12,5	11,5	4,8
Lipides (g)		5,0	10,8	5,0
Vitamine A (ÉAR)	700-900	145	145	103**
Vitamine D (mcg)	5	2,6**	2,3***	2,3**
Vitamine C (mg)	75-90	3	3	0
Thiamine (mg)	1,1-1,2	0,10	0,13	0,43
Riboflavine (mg)	1,1-1,3	0,43	0,35	0,38**
Niacine (mg)	14-16	2,3	2,5	2,3
Vitamine B_6 (mg)	1,3	0,10	0,13	0,10
Vitamine B_{12} (mcg)	2,4	1,0	0,3	1,0**
Acide pantothénique (mg)	5	0,8	0,8	0,1
Acide folique (ÉFA)	400	13	33**	5
Calcium (mg)	1000	313	345	320**
Phosphore (mg)	700	245	285	128
Potassium (mg)	4700	398	528	365
Magnésium (mg)	310-420	35	35	50
Fer (mg)	8-18	0,1	0,1	1,5
Zinc (mg)	8-11	1,0	0,8	1,0**
Cuivre (mg)	0,90	0,03	0,13	0,30

  * ANREF = apport nutritionnel de référence pour un adulte de 50 ans et moins (varie selon le sexe et l'âge).
 ** Quantité obtenue grâce à l'enrichissement.
*** Quantité obtenue grâce à l'enrichissement ; donnée fournie par le fabricant.

Source : Santé Canada. Fichier canadien sur les éléments nutritifs, 2001.

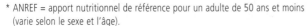

Quant aux boissons de soja enrichies, elles fournissent plusieurs des vitamines et minéraux contenus dans le lait ; leur valeur nutritive se distingue néanmoins de celle du lait à plusieurs égards, notamment par la présence de composés propres au règne végétal.

Nous verrons plus loin que les traitements et les transformations que subit le lait influencent de façon plus ou moins marquée sa valeur nutritive intrinsèque. Mentionnons simplement que la pasteurisation du lait, à l'instar de sa dessiccation, modifie peu sa composition, alors que la stérilisation du lait et sa mise en conserve réduisent sa teneur en vitamines.

La contribution des produits laitiers et de leurs substituts à l'apport en macronutriments dans le régime alimentaire des Canadiens

Nous avons vu que le lait et les autres produits laitiers renferment des **protéines** de haute valeur biologique. Ils renferment aussi des **glucides**, lesquels contribuent toutefois pour moins de 10 % à l'apport en glucides dans l'alimentation canadienne ; les glucides des produits laitiers se composent de lactose (naturellement présent dans le lait) ainsi que d'autres sucres ajoutés au moment de la fabrication des laits et yogourts aromatisés et des desserts au lait (voir le chapitre 3).

Les produits laitiers sont également une source de **lipides**. Leur contribution à l'apport en lipides dans notre alimentation peut être plus ou moins importante, selon les choix que nous effectuons (voir le chapitre 4). Dans le régime alimentaire moyen des Canadiens, les produits laitiers fournissent environ le cinquième des lipides, mais plus du tiers des acides gras saturés, la matière grasse laitière étant particulièrement riche en ce type d'acides gras. Le lait étant un produit d'origine animale, le cholestérol y est présent, sa quantité variant selon le taux de matières grasses. On y trouve aussi une petite quantité d'acides gras trans, mais différents de ceux générés pendant l'hydrogénation des huiles végétales (voir l'encadré ci-dessous).

Quant aux boissons de soja, elles sont moins riches en glucides que le lait, sont dépourvues de lactose et renferment des fibres alimentaires. Leur teneur en lipides équivaut à celle du lait à 2 % de m.g. Toutefois, leurs lipides sont constitués en bonne partie d'acides gras insaturés et sont exempts de cholestérol.

Les produits laitiers et les acides gras trans

Le gras des animaux ruminants (tels le bœuf et l'agneau) et celui contenu dans leur lait renferment une petite quantité d'acides gras trans, dont la structure diffère sensiblement de celle des acides gras trans générés pendant l'hydrogénation des huiles végétales. Les acides gras trans d'origine animale sont synthétisés par les bactéries présentes dans le tube digestif des ruminants à partir des lipides contenus dans le fourrage ; ils comprennent entre autres l'**acide linoléique conjugué (ou ALC)**. Diverses études effectuées principalement chez des animaux montrent que l'ALC pourrait avoir une action bénéfique sur la santé ; les chercheurs tentent actuellement d'évaluer son rôle possible dans la prévention de problèmes de santé tels que le cancer, les maladies cardiovasculaires et l'obésité. Il importe toutefois d'être prudent dans l'interprétation de résultats obtenus chez l'animal car il est toujours difficile de les extrapoler à l'humain. À ce jour, peu d'études bien contrôlées portant sur l'ALC permettent de confirmer chez l'humain les observations effectuées chez l'animal.

La contribution des produits laitiers et de leurs substituts à l'apport en micronutriments dans le régime alimentaire des Canadiens

Les produits laitiers forment le groupe d'aliments contribuant le plus à l'apport en **calcium**, en **vitamine D**, en **phosphore** et en **riboflavine** dans le régime alimentaire moyen des Canadiens. Leur contribution à l'apport en vitamine A, en vitamine B_{12}, en potassium, en magnésium et en zinc est également substantielle. La plupart de ces nutriments se trouvent aussi en bonne quantité dans les boissons végétales enrichies (voir l'encadré ci-dessous).

Le calcium

Le calcium et les produits laitiers – Au Canada, un peu plus de la moitié du calcium contenu dans le régime alimentaire moyen provient des produits laitiers. La teneur de divers produits laitiers en calcium apparaît dans le tableau 11.3, à la page suivante. Nous y voyons qu'une portion de 250 ml de **lait** (nature ou aromatisé) fournit environ 300 mg de calcium, soit près du tiers de la quantité de calcium recommandée quotidiennement chez l'adulte de 50 ans ou moins (voir l'annexe 1). Le lait conserve la même quantité de calcium peu importe son taux de matières grasses, car **l'écrémage du lait ne modifie pas sa teneur en calcium**. Par ailleurs, l'ajout de solides du lait au lait frais augmente sa teneur en calcium.

Le lait de chèvre est légèrement plus concentré en calcium que le lait de vache, alors que le lait humain en contient beaucoup moins. Ces différences s'expliquent par le fait que, pour chaque espèce, la teneur du lait maternel en calcium est adaptée au besoin spécifique du nouveau-né.

Les composants du lait étant souvent plus concentrés dans le yogourt que dans le lait frais, une portion de 175 g (ou 175 ml) de yogourt nature suffit pour obtenir la quantité de calcium contenue dans 250 ml de lait. Toutefois, l'addition de fruits au yogourt tend à diminuer sa concentration en calcium. Quant au fromage, sa teneur en calcium dépend de sa méthode de fabrication et de son taux d'humidité. En moyenne, une portion de 50 g de fromage (ou de 125 ml dans le cas du ricotta) fournit autant de calcium que 250 ml de lait. Font exception à cette règle certains fromages frais, comme le cottage et le fromage à la crème, qui en fournissent beaucoup

---

L'enrichissement des boissons végétales vendues comme succédanés du lait

Au Canada, l'enrichissement des boissons dérivées du soja est facultatif ; il faut consulter l'étiquette pour s'en assurer. Le fabricant qui choisit d'enrichir sa boisson doit obligatoirement lui ajouter les six nutriments suivants :

vitamine A	riboflavine
vitamine D	calcium
vitamine B_{12}	zinc

Il peut en plus ajouter à sa boisson l'un ou l'autre des éléments nutritifs suivants : vitamine B_6, acide pantothénique, vitamine C, phosphore, thiamine, potassium, niacine, magnésium, acide folique. L'enrichissement des boissons dérivées d'autres végétaux (par exemple noix, grains céréaliers) est également permis, pour autant que la teneur en protéines soit suffisante.

moins. La teneur en calcium des autres aliments formant le groupe des produits laitiers varie selon la quantité de lait (ou de solides du lait) qu'ils renferment. À titre d'exemple, il faut environ 400 ml de crème glacée pour obtenir la même quantité de calcium que dans 250 ml de lait.

TABLEAU 11.3   La teneur en calcium de divers produits laitiers*

Aliments	Portion	Calcium mg/portion (mg/100g)	Lipides g/portion
Lait entier, 3,3 % m.g.	250 ml	308 (119)	9
Lait au chocolat, 2 % m.g.	250 ml	300 (114)	5
Lait partiellement écrémé, 1 % m.g.	250 ml	318 (123)	3
« Breuvage laitier », 1 % m.g. (avec solides du lait)	250 ml	370 (142)	3
Babeurre	250 ml	303 (116)	2
Lait de chèvre entier	250 ml	345 (134)	11
Lait humain	250 ml	83 (32)	11
Yogourt nature, 2 % – 4 % m.g.	175 g	282 (161)	5
Yogourt avec fruits au fond, 2 % – 4 % m.g.	175 g	250 (143)	5
Yogourt à boire, aux fruits	200 ml	220 (106)	2
Kéfir, 1,9 % m.g.**	175 g	220 (126)	4
Fromage suisse, emmental	50 g	480 (961)	14
Fromage cheddar	50 g	361 (721)	17
Fromage ricotta fait de lait part. écrémé	125 ml	354 (272)	10
Fromage mozzarella fait de lait part. écrémé	50 g	366 (731)	9
Fromage cheddar fondu, fait de lait écrémé	50 g	281 (562)	3
Fromage camembert	50 g	194 (388)	12
Fromage parmesan râpé	30 ml	174 (1376)	4
Fromage de chèvre	50 g	149 (298)	15
Fromage brie	50 g	92 (184)	14
Fromage cottage (2 % m.g.)	125 ml	81 (69)	2
Fromage à la crème	30 ml	24 (80)	10
Crème glacée à la vanille, 11 % m.g.	125 ml	89 (128)	8
Lait glacé à la vanille	125 ml	97 (139)	3
Pouding au chocolat	125 ml	164 (99)	4

* Produits laitiers faits de lait de vache, à moins d'indications contraires.
** Données fournies par le fabricant (Liberté).
Source : Santé Canada. Fichier canadien sur les éléments nutritifs, 2001.

Le calcium et les autres aliments – Hormis les produits laitiers, divers aliments peuvent contribuer de façon intéressante à l'apport en calcium dans le régime alimentaire (voir le tableau 11.4). C'est le cas des boissons de soja **enrichies**, dont la teneur en calcium se compare à celle du lait. C'est également le cas des poissons en conserve, tels le saumon et les sardines (parce qu'on peut les consommer avec les

TABLEAU 11.4 Les autres sources de calcium[1]

Aliments	Portion	Calcium (mg)
Boisson de soja enrichie[2]	250 ml	320
Viandes et substituts		
Saumon rose en conserve avec les arêtes	100 g	211
Sardines en conserve dans l'huile	100 g	382
Tofu ordinaire, nature (préparé avec du sulfate de Ca)	100 g	350
Tofu ordinaire, nature (préparé avec du chlorure de Mg et du sulfate de Ca)	100 g	111
Soja sec, bouilli	250 ml	185
Haricots blancs bouillis	250 ml	170
Amandes, rôties à sec, non blanchies	60 ml	98
Beurre d'amande	30 ml	88
Noix du Brésil, séchées, non blanchies	60 ml	62
Graines de sésame séchées (non décortiquées)	30 ml	178
Légumes et fruits		
Chicorée crue, hachée	250 ml	190
Soja frais bouilli	125 ml	138
Épinards bouillis[3]	125 ml	129
Chou cavalier bouilli, haché	125 ml	120
Feuilles de pissenlit crues, hachées	250 ml	108
Gombo surgelé bouilli, tranché	125 ml	94
Chou à feuille (non pommé) bouilli, haché	125 ml	91
Feuilles de betteraves bouillies[3]	125 ml	87
Chou de Chine (*pak-choi*) bouilli, émincé	125 ml	84
Algues crues, *kelp*	125 ml	71
Cardon cru, émincé	125 ml	66
Algues crues, *wakame*	125 ml	63
Artichaut bouilli	1 moyen	56
Brocoli bouilli	3 tiges et fleurs	51
Jus d'orange enrichi de calcium	125 ml	154-182[4]
Rhubarbe surgelée, cuite avec sucre[3]	125 ml	184
Figues séchées	3 fruits	81
Orange de la Californie, Navel	1 fruit	56
Autres aliments		
Mélasse noire[5]	15 ml	179

1. Aliments fournissant au moins 50 mg de calcium par portion.
2. Se distingue de la boisson de soja non enrichie, laquelle fournit 10 mg de Ca par 250 ml.
3. Aliments dont le calcium n'est que très faiblement absorbé en raison de leur teneur élevée en oxalates.
4. Données fournies par le fabricant. Se distingue du jus d'orange frais, lequel fourni 15 mg de Ca par 125 ml.
5. Se distingue de la mélasse de fantaisie, laquelle fournit 43 mg de Ca par 15 ml.

Source : Santé Canada. Fichier canadien sur les éléments nutritifs, 2001.

arêtes), de certaines légumineuses, tels les haricots blancs et le soja, et d'un dérivé du soja, le tofu ; ce dernier est encore plus riche en calcium s'il est préparé avec un coagulant à base de calcium (chlorure ou sulfate de calcium). Peuvent être ajoutés à ces aliments les amandes, les noix du Brésil, les graines de sésame non décortiquées, la mélasse noire et divers légumes et fruits. Enfin, les jus de fruit additionnés de solides du lait ou enrichis de calcium contiennent aussi de bonnes quantités de calcium ; toutefois, les jus ordinaires en renferment très peu.

Nous avons vu précédemment que le calcium contenu dans certains légumes et fruits, les épinards et la rhubarbe notamment, se trouve sous une forme difficile à absorber (voir le chapitre 7). La biodisponibilité du calcium ajouté aux boissons végétales ne serait pas très élevée, non plus. Cela ne signifie pas que tout le calcium d'origine végétale soit difficile à assimiler ; ainsi, le calcium contenu dans plusieurs légumes de la famille du chou s'absorbe plus facilement que celui du lait.

La vitamine D

La contribution des produits laitiers à l'apport en vitamine D dans le régime alimentaire moyen des Canadiens (environ 60 %) s'avère tout aussi importante que leur contribution à son apport en calcium. La vitamine D fournie par les produits laitiers se retrouve essentiellement dans le lait. En effet, **au Canada, tous les laits de vache destinés à la consommation sont obligatoirement enrichis de vitamine D**, qu'il s'agisse de lait frais pasteurisé (y compris les laits aromatisés et les « breuvages laitiers »), stérilisé, condensé ou en poudre. Une portion de 250 ml de lait frais fournit environ 2,5 mcg de vitamine D, soit la moitié de la quantité recommandée quotidiennement chez les personnes de 50 ans ou moins (voir l'annexe 1). Il en est de même du lait de chèvre enrichi. Le lait cru étant naturellement pauvre en vitamine D (voir le tableau 11.5), cet ajout ne vise pas à compenser une quelconque perte, mais vise plutôt à prévenir la déficience en vitamine D, laquelle entraîne le rachitisme chez l'enfant et contribue au développement de l'ostéoporose chez l'adulte (voir le chapitre 7). La population canadienne est particulièrement sujette à la carence en vitamine D en raison de la rareté des sources naturelles de vitamine D et du climat nordique dans lequel elle vit. Le lait est considéré comme un bon véhicule pour l'ajout de vitamine D au régime alimentaire parce qu'il est généralement apprécié des enfants, et que le calcium a besoin de vitamine D pour être absorbé.

Le lait constitue une excellente source de vitamine D, mais ce n'est pas le cas des autres produits laitiers. À moins d'être fabriqués à la maison, les produits laitiers tels que le yogourt, le fromage et les desserts au lait renferment habituellement très peu de vitamine D, car l'industrie alimentaire n'est pas tenue d'utiliser un lait enrichi en vitamine D pour les fabriquer. Certains fabricants de yogourt et de fromage frais le font, mais il faut lire l'information sur le contenant pour le savoir. Quant au beurre, sa teneur en vitamine D est faible (voir le tableau 11.5). La margarine en renferme davantage car, pour se conformer à la réglementation canadienne, les fabricants de margarine doivent lui en ajouter (voir le chapitre 13). Selon le règlement, les boissons de soja enrichies doivent également renfermer de la vitamine D (voir l'encadré de la page 261).

Les autres sources de vitamine D sont peu nombreuses (voir le tableau 11.5) ; les poissons constituent la meilleure source, mais les charcuteries, les œufs et les champignons en renferment tout de même d'assez bonnes quantités. L'huile de foie de morue est une source très concentrée de vitamine D, mais elle n'est pas à proprement parler un aliment ; elle a longtemps été utilisée pour prévenir le rachitisme chez les enfants, avant que les autorités ne décident d'enrichir le lait en vitamine D. S'ajoutent maintenant à cette liste certaines céréales pour le petit-déjeuner, qui peuvent désormais être enrichies en vitamine D.

TABLEAU 11.5   La teneur en vitamine D de quelques aliments

Aliments	Quantité	Vitamine D (mcg)
Lait de vache du commerce*	250 ml	2,6-2,8
Lait d'agriculteur (non enrichi)	250 mL	0,1-0,2**
Boisson de soja enrichie	250 ml	2,3
Beurre	2 carrés = 10 g	0,1
Margarine*	2 carrés = 10 g	1,3
Huile de foie de morue	10 g	25,0***
Œufs crus	2 (100 g)	0,8
Poisson frais ou en conserve	100 g	3,0-21,5
Charcuteries	100 g	0,7-1,4
Champignons frais	100 g	1,9***

* Aliment dont l'enrichissement est obligatoire au Canada.
** Selon des données européennes.
*** Selon le U.S. Department of Agriculture (2004).

Source : Santé Canada. Fichier canadien sur les éléments nutritifs, 2001.

Le phosphore

Les produits laitiers sont riches en phosphore ; leur contribution à la quantité contenue dans le régime alimentaire des Canadiens s'élève à 30 %. Le phosphore est relativement bien répandu dans les aliments de base, sauf dans les légumes et les fruits, où il est souvent en faible concentration. Les produits céréaliers à grains entiers en renferment plus que les produits raffinés, car le son des céréales est particulièrement riche en phosphore. Il en est de même des arachides et de certaines noix et graines (par exemple, amandes, pin, sésame, tournesol).

La riboflavine

Environ le tiers de la riboflavine contenue dans le régime alimentaire moyen des Canadiens provient des produits laitiers. Une portion de 250 ml de lait fournit à elle seule au moins le tiers de la quantité quotidienne recommandée pour un adulte (voir l'annexe 1) ; une portion identique d'une boisson de soja enrichie en fournit tout autant. Le lait demeure une excellente source de riboflavine dans la mesure où il est conservé dans un contenant opaque, car la riboflavine est facilement détruite lorsqu'elle est exposée à la lumière.

Une portion de 175 g de yogourt nature fournit sensiblement la même quantité de riboflavine que 250 ml de lait. Quant au fromage, il demeure une source intéressante de riboflavine, même si, pour un grand nombre de fromages, une partie de la riboflavine du lait se perd en cours de fabrication.

Les aliments du groupe « Viandes et substituts » (voir le chapitre 12) et ceux du groupe « Produits céréaliers » (voir le chapitre 9) apportent eux aussi une contribution significative à l'apport en riboflavine dans le régime alimentaire des Canadiens. La teneur en riboflavine de plusieurs de ces aliments apparaît dans les chapitres qui leur sont consacrés. Certains de ces aliments sont particulièrement riches en riboflavine, par exemple certains abats tels le foie, les rognons et le cœur, la viande de gibier et certains mollusques.

Les autres nutriments

Les produits laitiers contribuent à l'apport en plusieurs autres nutriments dans notre régime alimentaire. Mentionnons d'abord leur contribution à notre apport en **vitamine B$_{12}$**. Dans le régime alimentaire moyen des Canadiens, cette vitamine provient en bonne partie du groupe « Viandes et substituts », car elle est présente uniquement dans le règne animal ; les produits laitiers en constituent la seule autre source, hormis quelques aliments enrichis en vitamine B$_{12}$, telles les boissons de soja.

Il faut également souligner la contribution des produits laitiers à notre apport en **vitamine A**, laquelle, nous l'avons vu, est aussi contenue en bonne quantité dans de nombreux légumes et fruits (voir le chapitre 10). Étant liposoluble, la vitamine A est intimement liée aux matières grasses du lait. Par conséquent, l'écrémage du lait réduit considérablement sa teneur en vitamine A. Pour cette raison, **de la vitamine A est obligatoirement ajoutée au lait écrémé et partiellement écrémé vendu au Canada**. Toutefois, les produits laitiers (fromage, yogourt, etc.) à teneur réduite en matières grasses vendus dans le commerce sont généralement fabriqués à partir de lait écrémé ou partiellement écrémé non enrichi ; la plupart d'entre eux s'avèrent donc moins riches en vitamine A que ceux fabriqués à partir de lait entier. La vitamine A est aussi ajoutée dans les boissons de soja enrichies.

Les boissons de soja sont toutefois plus riches en fer et en cuivre que le lait. Elles se distinguent aussi par leur richesse en **isoflavones** ; ces composés sont aussi appelés phytœstrogènes, car leur structure s'apparente à celle des œstrogènes sécrétés par les ovaires de la femme (voir le chapitre 6, à la page 160). Les phytœstrogènes sont l'objet de plusieurs études, car certaines données suggèrent qu'ils pourraient avoir des effets bénéfiques dans l'organisme (voir le chapitre 12). Le soja et ses dérivés constituent de loin la meilleure source d'isoflavones dans l'alimentation.

La place des produits laitiers et de leurs substituts dans le *Guide alimentaire pour manger sainement*

Nous constatons que les produits laitiers et leurs substituts constituent une source importante d'éléments nutritifs dans l'alimentation des Canadiens. Plusieurs de ces nutriments jouent un rôle majeur dans la santé du tissu osseux (voir le chapitre 7) ; des minéraux, comme le calcium, le potassium et le magnésium, ont également un effet bénéfique sur le niveau de la tension artérielle (voir le chapitre 13). Dans certaines études, la consommation de bonnes quantités de lait est liée à un risque accru de cancer de la prostate, mais aussi à un risque réduit de cancer du côlon distal et du rectum. Enfin, certaines études indiquent que la consommation de bonnes quantités de produits laitiers (ou encore de calcium) tend à limiter l'accumulation de la graisse corporelle et pourrait peut-être contribuer à prévenir l'obésité.

La place accordée aux produits laitiers dans le *Guide alimentaire canadien* semble donc amplement justifiée. Chez l'adulte, une consommation quotidienne de deux à quatre portions de produits laitiers (ou de leurs substituts) serait souhaitable. Toutefois, compte tenu des plus récentes recommandations relatives à l'apport en calcium (voir l'annexe 1), il est préférable de ne pas nous en tenir au nombre minimal recommandé, si nous voulons être sûrs de combler nos besoins.

Nous avons vu précédemment que certains choix peuvent s'avérer plus avantageux que d'autres. Ainsi, pour combler le besoin en vitamine D de l'organisme, nous devrions opter régulièrement pour le lait ou une boisson de soja enrichie, surtout si nous mangeons peu de poisson (souvent riche en cette vitamine). Nous pouvons augmenter la consommation de lait en l'incorporant dans divers mets préparés à la maison (par exemple, potages, boissons ou poudings au lait). Afin de nous permettre de mieux contrôler notre consommation de lipides, en particulier de gras saturés et de cholestérol, il vaut mieux rechercher les produits laitiers écrémés ou partiellement écrémés, car ils sont tout aussi riches en éléments nutritifs (sauf peut-être en vitamine A) que les produits laitiers non écrémés.

Enfin, la **variété** demeure le principe fondamental du *Guide alimentaire canadien*. En variant nos aliments, nous pouvons profiter des bienfaits des produits laitiers fermentés (voir l'encadré *Les produits laitiers fermentés*, à la page 257), ou encore éviter que des produits relativement pauvres en calcium (notamment le cottage) ou riches en matières grasses (comme la crème) ne se trouvent trop souvent au menu !

Les tendances de consommation

Selon les plus récentes enquêtes effectuées tant au Québec que dans l'ensemble du Canada, la consommation moyenne de produits laitiers demeure faible. Dans la population canadienne adulte, elle se situerait à 1,4 portion par jour chez la femme et à 1,8 portion par jour chez l'homme (voir la figure 11.2), des quantités inférieures au minimum de deux portions suggéré dans le *Guide alimentaire canadien*. Les hommes en consomment un peu plus que les femmes, mais les quantités diminuent avec l'âge dans les deux groupes. Seuls les jeunes hommes âgés de 18 à 34 ans ont une consommation moyenne suffisante. Même si les boissons de soja, souvent enrichies, gagnent en popularité, il est difficile d'estimer dans quelle mesure leur consommation comble le déficit en produits laitiers.

Chez les jeunes, la consommation de produits laitiers est également faible. Selon les résultats d'une enquête publiée en 2004, la consommations médiane des enfants québécois âgés de 6 à 16 ans se situe à 2,1 portions par jour. Plus de la moitié d'entre eux consomment donc moins que la quantité minimale de produits laitiers recommandée par jour, soit 2 à 3 portions pour les enfants de 4 à 9 ans, et 3 à 4 portions pour ceux de 10 à 16 ans.

Les laits partiellement écrémés, nous l'avons déjà souligné, dominent maintenant le marché des laits frais. Il est possible que les Canadiens les préfèrent au lait entier dans le but de diminuer leur consommation de matières grasses. Selon une enquête américaine, l'apport en lipides dans le régime alimentaire des consommateurs choisissant le lait écrémé ou partiellement écrémé est effectivement plus faible que celui des consommateurs fidèles au lait entier. Selon cette enquête, il y aurait aussi des différences dans les autres habitudes alimentaires. Ainsi, l'alimentation des buveurs de lait écrémé ou partiellement écrémé est souvent plus riche en légumes et en fruits, et moins riche en viandes rouges, que celle des buveurs de lait entier.

Figure 11.2
La consommation de produits laitiers dans la population canadienne adulte en comparaison avec la quantité suggérée dans le *Guide alimentaire canadien pour manger sainement*

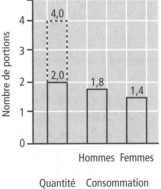

Source : Gray-Donald, K. et autres (2000).

Pour en savoir plus ● ● ●

La place des produits laitiers dans l'alimentation des personnes souffrant d'intolérance au lactose

Qu'est-ce que le lactose ?

Le lactose est le sucre contenu dans le lait des mammifères. Ce disaccharide ne peut traverser la paroi de l'intestin grêle ; il doit d'abord être scindé en deux par la lactase (ou β-galactosidase), une enzyme sécrétée par l'intestin grêle. Seuls le glucose et le galactose, les constituants du lactose, sont absorbés dans l'organisme. Lorsque la production intestinale de lactase est insuffisante, le lactose non digéré demeure dans les voies digestives, y attire l'eau, passe dans le côlon (gros intestin) et fermente, en tout ou en partie, sous l'action des bactéries présentes. Chez certaines personnes, il en résulte du ballonnement, de la flatulence, des crampes et une diarrhée susceptible de perturber l'absorption de certains nutriments et de provoquer un déséquilibre électrolytique ; c'est ce que l'on appelle l'**intolérance au lactose**.

L'insuffisance de lactase et l'intolérance au lactose

La lactase est présente dans l'intestin de presque tous les enfants (son absence complète avant le sevrage est une maladie génétique rare). Cependant, durant l'enfance, plus de la moitié de la population mondiale perdrait, au moins partiellement, la capacité de produire cette enzyme. Ce phénomène est très répandu dans certaines populations méditerranéennes (Grecs cypriotes, Arabes et Juifs) et parmi les Noirs, les Orientaux et les Amérindiens. En revanche, la plupart des Scandinaves et plusieurs populations de l'Europe de l'Ouest ainsi que leurs descendants continuent à produire de la lactase à l'âge adulte. Étant donné que ces populations sont issues de peuples pasteurs qui consommaient le lait de leurs troupeaux, il est possible que cette habitude ancestrale ait favorisé, dans plusieurs populations occidentales, le maintien, à l'âge adulte, de la capacité à synthétiser l'enzyme (possiblement grâce à une mutation génétique). Il arrive aussi que la production de lactase baisse de façon passagère à la suite d'une maladie gastro-intestinale ou de la prise de certains médicaments susceptibles d'altérer la muqueuse intestinale. Des dommages graves à cette dernière peuvent même provoquer une baisse permanente de la production de lactase.

Une faible production de lactase ne conduit pas nécessairement à l'intolérance au lactose, puisqu'elle n'entraîne pas toujours de l'inconfort au niveau gastro-intestinal. Plusieurs facteurs sont en cause, par exemple le niveau d'insuffisance de lactase, la quantité de lactose consommée ainsi que la capacité de la flore bactérienne du côlon à métaboliser le lactose. Il semble qu'il soit possible d'accroître cette capacité par la consommation régulière de lactose.

Que faire en cas d'intolérance au lactose ?

Dans certains cas, l'intolérance au lactose nécessite une diète sans produits laitiers ; il est alors recommandé de consommer des boissons de soja enrichies puisqu'elles sont totalement dépourvues de lactose. Cependant, la majorité des personnes souffrant d'intolérance au lactose peuvent, si elles le désirent, consommer jusqu'à 250 ml (1 tasse) de lait par jour sans problème. La tolérance au lactose s'améliore lorsque le lait est consommé avec d'autres aliments. De plus, les produits lactés ne contiennent pas tous la même quantité de lactose (voir le tableau 3.3, à la page 61). Plusieurs fromages en sont pour ainsi dire dépourvus. Les produits fermentés, tels le yogourt et le kéfir, sont souvent bien tolérés lorsque les cultures bactériennes qu'ils contiennent sont actives ; en plus de transformer une partie du lactose en acide lactique, ces bactéries libèrent de la lactase au cours de leur passage dans le tube digestif. Enfin, il est possible de trouver dans le commerce un type de lait dans lequel le lactose est déjà digéré grâce à l'ajout préalable de lactase. Il existe aussi des suppléments de lactase à ingérer avant de consommer des produits contenant du lactose. La plupart des personnes souffrant d'intolérance au lactose peuvent donc profiter malgré tout des bienfaits nutritifs des produits laitiers. Ces personnes auraient avantage à vérifier leur degré de tolérance aux produits laitiers plutôt que de les éliminer d'emblée de leur alimentation.

Résumé

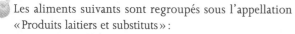 Les aliments suivants sont regroupés sous l'appellation «Produits laitiers et substituts» :

- **Le lait** – Il est vendu sous différentes formes selon le moyen utilisé pour le conserver : lait frais pasteurisé (comprenant le lait nature ou aromatisé et les «breuvages laitiers»), lait stérilisé (lait UHT, lait concentré), lait condensé (sucré) et lait en poudre.

- **Les produits laitiers fermentés** – Ils comprennent notamment le yogourt, le kéfir et le babeurre, qui sont obtenus par fermentation du lait ou de ses sous-produits.

- **Les fromages** – Ils sont fabriqués en faisant coaguler les protéines du lait (la caséine principalement). Ils comprennent les fromages frais (tel le cottage), les fromages affinés (ceux qu'on laisse mûrir), les fromages fondus, les préparations de fromage fondu et les fromages « à valeur ajoutée ».

- **La crème et la crème sure** – Elles sont obtenues en écrémant le lait, permettant ainsi de concentrer les matières grasses. Le barattage de la crème conduit à la fabrication du beurre ; toutefois, étant donné qu'il a perdu une bonne partie des principaux constituants du lait à l'exception des matières grasses, **le beurre est exclu du groupe « Produits laitiers »** dans le *Guide alimentaire canadien pour manger sainement*.

- **Les aliments préparés dont le principal ingrédient est le lait** – Ces aliments comprennent la béchamel, les laits fouettés ainsi que des desserts, tels la crème glacée, le lait glacé et les poudings au lait.

- **Les boissons végétales enrichies pouvant servir de succédanés du lait** – Les boissons de soja sont les plus populaires.

Les enquêtes de consommation réalisées auprès de la population canadienne montrent que les produits laitiers constituent une source importante d'éléments nutritifs dans l'alimentation des Canadiens (voir le tableau 11.1, à la page 258) :

- Le lait et les autres produits laitiers fournissent environ le cinquième des protéines et des lipides (et plus du tiers des acides gras saturés) contenus dans le régime alimentaire moyen des Canadiens, en plus de contribuer à son apport en cholestérol ; toutefois, la contribution de ces aliments à l'apport en glucides est relativement faible (moins de 10 %).

- Plus de la moitié du **calcium** contenu dans le régime alimentaire moyen des Canadiens provient des produits laitiers. Peu importe son taux de matières grasses, une portion de 250 ml de lait fournit environ 300 mg de calcium, soit près du tiers de l'apport quotidien recommandé chez l'adulte d'âge moyen. Il est possible d'obtenir à peu près la même quantité de calcium en consommant 175 ml de yogourt nature ou 50 g de la plupart des fromages. Hormis les produits laitiers, divers aliments peuvent contribuer de façon intéressante à l'apport en calcium dans le régime alimentaire, y compris les boissons de soja enrichies.

- La contribution des produits laitiers à l'apport en **vitamine D** dans le régime alimentaire moyen des Canadiens s'avère tout aussi importante que leur contribution à son apport en calcium. Au Canada, la vitamine D est obligatoirement ajoutée au lait ; toutefois, à moins d'être fabriqués à la maison, les produits laitiers comme le yogourt, le fromage et les desserts au lait renferment habituellement très peu de vitamine D, l'industrie alimentaire n'étant pas tenue d'utiliser un lait enrichi en vitamine D pour les fabriquer. Quant aux autres sources de vitamine D, elles sont peu nombreuses et incluent plusieurs poissons, les boissons végétales enrichies ainsi que la margarine (obligatoirement enrichie de cette vitamine).

- Les produits laitiers sont riches en **phosphore** ; leur contribution à la quantité contenue dans le régime alimentaire des Canadiens s'élève à 30 %. Le phosphore est relativement bien répandu dans les aliments de base, sauf dans les légumes et les fruits, où il se trouve souvent en faible concentration.

- Environ le tiers de la **riboflavine** contenue dans le régime alimentaire moyen des Canadiens provient des produits laitiers. Les aliments du groupe « Viandes et substituts » (voir le chapitre 12) et ceux du groupe « Produits céréaliers » (voir le chapitre 9) apportent eux aussi une contribution significative à cet apport.

- Les produits laitiers fournissent plusieurs autres nutriments essentiels : vitamine A, vitamine B_{12}, potassium, magnésium et zinc. La vitamine A contenue dans le lait étant intimement liée aux matières grasses, l'écrémage du lait en réduit considérablement la teneur. Pour cette raison, de la vitamine A est obligatoirement ajoutée au lait écrémé et partiellement écrémé vendu au Canada.

- Enfin, les boissons de soja se distinguent par leur richesse en isoflavones, des composés dont la structure s'apparente à celle des œstrogènes sécrétés par les ovaires de la femme.

Il est recommandé aux adultes de consommer chaque jour de deux à quatre portions de produits laitiers (ou de leurs substituts). Étant donné que le lait est enrichi en vitamine D, nous devrions en consommer régulièrement ou opter pour une boisson de soja enrichie. Il est également conseillé de rechercher les produits laitiers écrémés ou partiellement écrémés.

Les produits laitiers sont une source d'inconfort pour les personnes souffrant d'**intolérance au lactose**. Toutefois, plusieurs de ces personnes peuvent malgré tout consommer jusqu'à 250 ml (1 tasse) de lait par jour sans problème. La tolérance au lactose augmente lorsque le lait est consommé avec d'autres aliments. De plus, certains produits lactés tels que le yogourt et plusieurs fromages affinés sont souvent bien tolérés. La plupart des personnes souffrant d'intolérance au lactose peuvent donc profiter malgré tout des bienfaits nutritifs des produits laitiers. Elles peuvent aussi opter pour une boisson végétale enrichie, car ce type de boisson est dépourvue de lactose.

Références

ADOLFSSON, O., S.N. MEYDANI et R.M. RUSSEL. « Yogurt and gut function », *American Journal of Clinical Nutrition*, vol. 80, 2004, p. 245-256.

AGRICULTURE et AGROALIMENTAIRE CANADA. *Food group sources of nutrients in the average Canadian diet* (à partir des données de l'Enquête sur les dépenses alimentaires de 2001).

AURISICCHIO, L.N. et C.S. PITCHUMONI. « Lactose intolerance : Recognizing the link between diet and discomfort », *Postgraduate Medicine*, vol. 95, 1994, p. 113-116 et p. 119-120.

BERNIER, J.J., J. ADRIAN et N. VIDON. *Les aliments dans le tube digestif*, Paris, Doin Éditeurs, 1988.

CHO, E. et autres. « Dairy foods, calcium and colorectal cancer : a pooled analysis of 10 cohort studies », *Journal of the National Cancer Institute*, vol. 96, 2004, p. 1015-1022.

GOULET, J. « Les probiotiques », *Nutrition – Science en évolution*, vol. 2, n° 2, 2004, p. 18-19.

GRAY-DONALD, K., L. JACOBS-STARKEY et L. JOHNSON-DOWN. « Food habits of Canadians : reduction in fat intake over a generation », *Canadian Journal of Public Health*, vol. 91, 2000, p. 381-385.

GUDMAND-HOYER, E. « The clinical significance of disaccharide maldigestion », *American Journal of Clinical Nutrition*, vol. 59, suppl., 1994, p. 735S-741S.

HEANEY, R.P., K. RAFFERTY et J. BIERMAN. « Not all calcium-fortified beverages are equal », *Nutrition Today*, vol. 40, n° 1, 2005, p. 39-44.

HERTZLER, S.R. et S.M. CLANCY. « Kefir improves lactose digestion and tolerance in adults with lactose maldigestion », *American Journal of Clinical Nutrition*, vol. 103, 2003, p. 582-587.

INSTITUT DE LA STATISTIQUE DU QUÉBEC. *Enquête sociale et de santé auprès des enfants et des adolescents québécois. Volet nutrition*, Sainte-Foy, gouvernement du Québec, 2004. Site Internet : <www.stat.gouv.qc.ca>.

INSTITUT NATIONAL DE LA NUTRITION. « Polémique sur les groupes d'aliments : le lait au banc des accusés », *Rapport*, vol. 17, n° 2, 2002, p. 1-13.

LEE, H.H.C. et autres. « Energy, macronutrient, and food intakes in relation to energy compensation in consumers who drink different types of milk », *American Journal of Clinical Nutrition*, vol. 67, 1998, p. 616-623.

MARTIN, G.-B. et autres. *L'homme et ses aliments : initiation à la science des aliments*, Les Presses de l'Université Laval, 2001.

MASSEY, L.K. « Dairy food consumption, blood pressure and stroke », *Journal of Nutrition*, vol. 131, 2001, p. 1875-1878.

MATKOVIC, V. et autres. « Nutrition influences skeletal development from childhood to adulthood : a study of hip, spine, and forearm in adolescent females », *Journal of Nutrition*, vol. 134, 2004, p. 701S-705S.

MATTILA, P. et autres. « Cholecalciferol and 25-hydroxycholecalciferol contents in fish and fish products », *Journal of Food Composition and Analysis*, vol. 8, 1995, p. 232-243.

NADEAU, M.H. « La biodisponibilité du calcium », *Diététique en action*, vol. 12, n° 1, 1998, p. 11-13.

ONWULATA, C.I., D.R. RAO et P. VANKINENI. « Relative efficiency of yogourt, sweet acidophilus milk, hydrolysed-lactose milk, and a commercial lactase tablet in alleviating lactose maldigestion », *American Journal of Clinical Nutrition*, vol. 49, 1989, p. 1233-1237.

QIN, L.-Q. et autres. « Milk consumption is a risk factor for prostate cancer : meta-analysis of case-control studies », *Nutrition and Cancer*, vol. 48, 2004, p. 22-27.

RAINER, L. et C.J. HEISS. « Conjugated linoleic acid : health implications and effects on body composition », *Journal of the American Dietetic Association*, vol. 104, 2004, p. 963-968.

ROY, D. « Les probiotiques : des bactéries bienfaisantes », *Diététique en action*, vol. 10, n° 3, 1997, p. 15-20.

SANTÉ CANADA. *Loi et règlements des aliments et drogues*, Ottawa, ministre des Approvisionnements et Services Canada.

SANTÉ QUÉBEC, L. BERTRAND (sous la dir. de). *Les Québécoises et les Québécois mangent-ils mieux ? Rapport de l'Enquête québécoise sur la nutrition, 1990*, Montréal, ministère de la Santé et des Services sociaux, gouvernement du Québec, 1995.

SAVAIANO, D. « Lactose intolerance : A self-fulfilling prophecy leading to osteoporosis ? », *Nutrition Reviews*, vol. 61, n° 6, 2003, p. 221-223.

WANG, Y.W. et P.J.H. JONES. « Conjugated linoleic acid and obesity control : efficacy and mechanisms », *International Journal of Obesity*, vol. 28, n° 8, 2004, p. 941-955.

ZEMEL, M.B. « Calcium, dairy products and weight control », *Sciences des aliments*, vol. 22, 2002, p. 451-458.

Chapitre 12

Les viandes et leurs substituts

Il y a fort longtemps que l'être humain consomme de la viande. La place que cet aliment occupait dans l'alimentation de nos lointains ancêtres était toutefois tributaire de leur environnement et de leur habileté à chasser les animaux. Le développement de l'agriculture a bien sûr favorisé l'élevage du bétail, mais le rendement des cultures, en rapport avec l'essor démographique, a toujours été un facteur déterminant dans l'utilisation du bétail comme nourriture. En effet, d'un point de vue énergétique, la conversion de la matière végétale en matière animale s'avère toujours très coûteuse. Pour cette raison, la viande a rapidement acquis un statut particulier qu'elle conserve encore aujourd'hui, tant dans les populations industrialisées que dans celles économiquement moins favorisées.

Mais si, aux yeux de plusieurs personnes, la viande possède d'indéniables attraits, elle n'est pas irremplaçable puisqu'un grand nombre d'aliments peuvent s'y substituer. décrit les viandes et leurs substituts et rend compte de leur valeur discuterons également du végétarisme, un mode d'alimentation s aliments issus du règne végétal.

Que sont les viandes et leurs substituts ?

Des quatre groupes à la base du *Guide alimentaire canadien pour manger sainement*, celui des « Viandes et substituts » est le plus hétérogène. Il comprend une grande variété d'aliments appartenant aux deux règnes, animal et végétal. Les aliments de ce groupe ont toutefois en commun de contribuer à satisfaire nos besoins en protéines ; pour cette raison, nous les servons souvent comme plats principaux aux repas.

Les aliments d'origine animale

La viande – De façon générale, le mot « viande » désigne un aliment constitué du muscle squelettique d'un animal terrestre (mammifère ou oiseau). Cependant, dans le langage courant, le terme est souvent réservé à la chair des animaux de boucherie (bœuf, porc, veau, agneau, cheval, etc.) ainsi qu'à celle du gibier sauvage (lièvre, orignal, caribou, etc.) et du gibier d'élevage (cerf, sanglier, lapin, etc.).

Au Canada, le bœuf et le porc sont les viandes le plus largement consommées. Il est permis d'utiliser des stimulateurs hormonaux dans l'élevage du bœuf, car ces produits accélèrent sa croissance et produisent une viande plus maigre. Compte tenu de l'état de la recherche scientifique effectuée à ce jour, Santé Canada estime que les résidus hormonaux présents dans la viande ainsi traitée ne posent pas de risque indu pour la santé humaine. Ces produits sont autorisés uniquement dans l'élevage des bovins de boucherie.

Quand un animal est abattu, son corps adopte temporairement un état de rigidité cadavérique, appelé *rigor mortis*, qui disparaît progressivement à mesure que sa viande est préparée pour être mise en marché. Certaines viandes, celle de bœuf notamment, sont laissées à « mûrir » une dizaine de jours additionnels (parfois plus) afin de favoriser leur attendrissement. La tendreté d'une viande dépend également de la quantité de tissu conjonctif (en particulier de collagène) soutenant les fibres musculaires qui la composent ; les viandes tendres en renferment habituellement moins que les viandes dures.

Sur l'emballage des viandes offertes dans les épiceries, le nom est parfois accompagné d'une appellation faisant référence au contenu en matières grasses, telles que « maigre » ou « extra-maigre ». Au Canada, ces appellations sont permises pour autant qu'elles satisfont aux exigences prescrites par le règlement (voir l'encadré de la page suivante).

Les gens cuisent presque toujours la viande avant de la consommer. Les modes de cuisson le plus couramment utilisés sont : à chaleur sèche (dans un four), sur un grill, à la poêle ou dans un liquide (braisage). Ce dernier mode est particulièrement indiqué pour les viandes peu tendres, car il permet de gélatiniser le collagène. Un tableau des températures internes de cuisson recommandées pour les viandes apparaît à l'annexe 8.

La volaille – Le terme « volaille » désigne un oiseau de basse-cour, mais s'étend souvent au gibier à plumes. La volaille la plus populaire est le poulet, mais nous consommons aussi la dinde, le canard, la pintade, la poule, l'oie, le faisan, la caille, etc. Ajoutons aussi à cette liste les ratites tels que l'autruche, l'émeu et le nandou. La chair de la volaille n'a pas besoin de « mûrir » ; elle est donc commercialisée tout de suite après la mort de l'oiseau. Il faut toujours bien faire cuire la volaille avant de la consommer, car elle peut être porteuse de bactéries pathogènes (salmonelles et campylobacter notamment) (voir l'annexe 8).

Notons qu'il n'y aurait que très peu d'avantages à acheter un poulet dit « de grain ». L'allégation n'étant pas réglementée, il est difficile de s'y fier ; en outre, tous les poulets d'élevage consomment une moulée composée en bonne partie de grains, comme le blé, le soja, l'orge et le maïs. Une moulée riche en maïs donne une coloration jaune à la peau de la volaille (en raison des caroténoïdes qui y sont contenus).

Contrairement à la chair de bœuf, celle de la volaille, dont l'oie, n'a pas besoin de « mûrir » avant d'être commercialisée.

Les appellations relatives au contenu en matières grasses des viandes, volailles et produits de la pêche

Au Canada, les marchands peuvent utiliser les appellations suivantes pour désigner les viandes, volailles et produits de la pêche, pour autant que la teneur en matières grasses de ces aliments, tels qu'ils sont vendus, respecte les critères définis par le règlement :

Appellations autorisées	Teneur en matières grasses permise
Viande, volaille ou produit de la pêche (autre que la viande ou la volaille hachée) :	
Extra-maigre	Max. 7,5 %
Maigre	Max. 10 %
Viande ou volaille hachée :	
Extra-maigre	Max. 10 %
Maigre	Max. 17 %
Mi-maigre	Max. 23 %
Ordinaire	Max. 30 %

Source : Agence canadienne d'inspection des aliments. *Guide d'étiquetage et de publicité sur les aliments*, 2003.

La couleur de la peau d'un poulet dépend aussi du mode de refroidissement de la carcasse à l'abattage ; les poulets refroidis à l'air ont une peau plus jaune et plus sèche que les poulets ordinaires (qui sont refroidis dans l'eau). Le refroidissement à l'air améliore la durée de conservation des poulets.

Les œufs – Les œufs entrent eux aussi dans le groupe « Viandes et substituts ». L'œuf de poule est de loin le plus populaire ; la couleur de sa coquille dépend de la race de la poule. Les œufs s'apprêtent de multiples façons : à la coque, pochés, brouillés, sur le plat, en omelette, etc. Ils sont également incorporés dans de nombreuses préparations culinaires, telles les quiches, les pâtisseries, les boissons, les sauces, etc.

couleur, omega-3

Hormis les œufs ordinaires, nous pouvons trouver dans le commerce des œufs à « valeur ajoutée », tels ceux étiquetés « oméga-3 », qui sont un peu plus riches en ce type d'acides gras essentiels. Les œufs sont enrichis d'oméga-3 par l'ajout de graines de lin (riches en acide alpha-linolénique) à l'alimentation des poules.

Le marché offre aussi des œufs liquides pasteurisés, constitués uniquement de blancs d'œufs, ou d'un mélange renfermant proportionnellement plus de blanc que de jaune et parfois enrichi en oméga-3 (à l'aide d'huile de poisson). Il existe également des « produits d'œufs à jaune substitué » (par exemple, Egg beatersmd), composés de blancs d'œufs pasteurisés et d'un mélange à base d'huile végétale imitant le jaune d'œuf ; ces produits, qui sont exempts de cholestérol, doivent être enrichis en vitamines et minéraux afin de compenser les pertes qu'occasionne l'élimination du jaune d'œuf.

Les abats (ou sous-produits de viande et de volaille) – Les abats sont les parties comestibles d'un animal autres que la viande ; ils comprennent notamment le foie, les rognons (reins), la langue, le cœur et la cervelle. Le thymus des jeunes animaux (aussi appelé ris) entre également dans cette catégorie. Les abats se dégradent rapidement ; il est donc préférable de les apprêter dans les 24 heures suivant leur achat.

Les préparations de viande, de volaille ou de leurs sous-produits – Cette catégorie comprend une grande variété d'aliments tels que les viandes de salaison (comme le

TABLEAU 12.1
**La classification
des animaux marins
et d'eau douce**

Les poissons

poissons d'eau douce
(truite, carpe, achigan, etc.)

poissons de mer (morue, thon,
maquereau, turbot, etc.)

poissons migrateurs (saumon,
anguille, esturgeon, etc.)

Les crustacés

crevettes

crabes

homards, langoustes et langoustines

Les mollusques

coquillages (huître, moule,
palourde, etc.)

céphalopodes (calmar, pieuvre, etc.)

gastéropodes (escargot, limace, etc.)

jambon, le bacon et la viande fumée), les préparations moulées en briques ou en rouleaux, les pâtés, les saucisses et les saucissons. Tous ces produits sont souvent regroupés sous l'appellation « charcuteries », bien que cette dernière ait longtemps été réservée aux produits à base de porc.

La fabrication de certains de ces aliments permet d'utiliser les parties moins populaires d'un animal, par exemple la tête fromagée (à base de tête de porc), les andouilles et les andouillettes (spécialités françaises à base d'estomac et d'intestins) et le boudin noir (composé de sang). Plusieurs produits renferment de bonnes quantités de gras et de sel ainsi que divers additifs, notamment des **sels de phosphates** ou encore des **nitrites** et des **nitrates** ; ces derniers confèrent aux viandes de salaison leur couleur rose et leur saveur particulière (voir l'encadré ci-dessous). Certaines préparations renferment aussi des « allongeurs de produits de viande et de volaille », lesquels sont des ingrédients riches en protéines (souvent tirés du soja).

Les animaux marins et d'eau douce – Le groupe « Viandes et substituts » comprend une grande variété d'animaux aquatiques, qu'il s'agisse de poissons, de crustacés ou de mollusques (voir le tableau 12.1, ci-contre). Ceux disponibles dans le commerce proviennent soit de la pêche commerciale, soit de l'aquaculture (élevage des animaux aquatiques). Ces produits peuvent être vendus frais, congelés, salés et séchés, fumés, en conserve ou déjà apprêtés ; à l'état frais, leur durée de conservation est relativement courte. Nous pouvons les cuisiner de multiples façons ; toutefois, il n'est généralement pas nécessaire de les cuire longtemps. Le poisson peut aussi se manger cru, par exemple dans les sushis (une préparation japonaise). *Pêche/agriculture*

Dans le commerce, il existe des succédanés de fruits de mer, fabriqués à partir d'une pâte de chair de poisson (généralement de la goberge). Appelée **surimi**, cette pâte est aromatisée, façonnée puis colorée de manière à imiter la chair d'un crustacé (par exemple le crabe). Les succédanés de fruits de mer ont l'avantage d'être moins coûteux que les fruits de mer véritables.

Les autres aliments d'origine animale – Peuvent également être compris dans le groupe « Viandes et substituts » divers autres organismes issus du règne animal, dont les amphibiens (comme la grenouille), les reptiles, les insectes et les vers. Ces organismes ne sont pas considérés comme des aliments dans toutes les cultures. Ils sont très peu présents dans l'alimentation nord-américaine.

Les additifs alimentaires autorisés dans les préparations de viande et de volaille

Au Canada, un certain nombre d'additifs alimentaires sont autorisés dans les préparations de viande et de volaille. Deux types d'additifs se retrouvent souvent dans la liste des ingrédients : les sels de phosphate ainsi que les nitrites et les nitrates.

Les sels de phosphate

Plusieurs préparations de viande et de volaille, comme le jambon, les poitrines de poulet assaisonnées et les médaillons de poulet, renferment des sels de phosphate (le plus souvent du phosphate de sodium). Ces sels favorisent la rétention de l'eau à l'intérieur de ces produits, qui acquièrent ainsi une texture plus humide et, par conséquent, plus tendre que les viandes et les volailles non traitées. Toutefois, l'enrichissement en eau se traduit nécessairement par une baisse du taux de protéines. Dans les produits vendus au Canada, ce taux ne doit pas être inférieur à une norme minimale prescrite par la loi ; de plus, le fabricant doit indiquer le « pourcentage de protéines de viande » sur l'emballage des produits ainsi traités.

➧

Les nitrites et les nitrates

Les nitrites et les nitrates sont des agents de conservation. Étant donné qu'ils sont susceptibles de se transformer en nitrosamines, composés potentiellement cancérigènes, la présence de ces additifs dans les aliments inquiète plusieurs personnes. Les nitrites et les nitrates ont toutefois la propriété d'inhiber la croissance d'une bactérie appelée *Clostridium botulinum*. Or, les spores de cette bactérie sécrètent une toxine paralysante, laquelle entraîne le **botulisme**, une maladie pouvant être mortelle. Comme des spores de *Clostridium botulinum* peuvent se retrouver dans diverses préparations de viande et de volaille ainsi que dans certains fromages, l'ajout de nitrites et de nitrates dans ces aliments est permis au Canada. L'ajout d'acide ascorbique (vitamine C) ou d'acide érythorbique est aussi autorisé, car ces acides aident à inhiber la transformation des nitrites et des nitrates en composés à potentiel cancérigène. Il demeure néanmoins préférable de limiter la consommation de ces aliments (voir *La place des viandes et de leurs substituts dans le* Guide alimentaire canadien pour manger sainement, à la page 284).

Les aliments d'origine végétale

Les légumineuses – Les légumineuses constituent une importante famille botanique. Ces plantes produisent des fruits en forme de gousses dans lesquelles sont enfermées des graines. Plusieurs variétés de gousses peuvent être cueillies avant d'avoir atteint leur pleine maturité ; elles sont alors considérées comme des légumes dans le *Guide alimentaire canadien pour manger sainement* (par exemple les haricots jaunes et verts et les gousses dont on extrait les petits pois). Les germes de légumineuses (tels ceux du haricot mungo servant à préparer le chop suey) font également partie du groupe « Légumes et fruits ».

Les légumineuses faisant partie du groupe « Viandes et substituts » sont celles qu'on récolte quand les gousses sont desséchées, car elles sont beaucoup plus riches en protéines que celles provenant de gousses immatures. Elles comprennent :

- les **lentilles** ;
- les **fèves et haricots secs** (soja, doliques, graines de gourganes, et haricots blancs, rouges, pinto, azuki, d'Espagne, de Lima, mungo, etc.) ;
- les **pois secs** (entiers, cassés, chiches, etc.).

Il faut bien cuire les légumineuses sèches avant de les consommer. À quelques exceptions près (les lentilles et les pois cassés, notamment), il est préférable de laisser tremper les légumineuses dans l'eau pendant plusieurs heures avant de les faire cuire ; le fait de renouveler l'eau au moment de la cuisson diminue la flatulence (gaz intestinaux) liée à la consommation de ces aliments. Il faut de une à deux heures en moyenne pour cuire les légumineuses, selon leur grosseur. Plusieurs variétés sont vendues en conserve, déjà cuites. Les légumineuses s'apprêtent de diverses façons, qu'elles soient entières ou en purée, chaudes ou froides. Le **hoummos**, une spécialité libanaise, est une préparation à base de purée de pois chiches et de beurre de sésame.

Le soja est une légumineuse particulièrement polyvalente. C'est la seule dont est tiré un liquide laiteux, la boisson de soja, utilisée généralement comme succédané du lait de vache (voir le chapitre 11). Le **tofu**, le **tempeh** ainsi que divers **succédanés de la viande** sont également fabriqués à partir du soja (voir l'encadré *Le soja et ses dérivés*) ; ces aliments font partie du groupe « Viandes et substituts » en raison de leur richesse en protéines.

Les noix et les graines – Sont regroupés sous cette appellation divers fruits secs et graines oléagineux (c'est-à-dire riches en matières grasses) : noix de Grenoble, de cajou, du Brésil, de pin ; pacanes ; noisettes ; graines de tournesol, de citrouille, de sésame, etc. Cette catégorie d'aliments comprend également les arachides (parfois

appelées cacahuètes) qui sont en fait des légumineuses, mais dont la composition s'apparente beaucoup plus à celle des noix et des graines. Tous ces aliments sont souvent mangés en collation, rôtis à sec ou dans l'huile, salés ou non. Ils sont aussi incorporés dans diverses préparations (salades, biscuits, gâteaux, mets orientaux, etc.) ou transformés en beurres ; le **tahini**, un beurre de sésame un peu coulant, en est un exemple.

Le seitan – Cet aliment se compose de gluten (protéines) de blé cuit et assaisonné. Il remplace la viande dans diverses recettes.

L'appellation « noix et graines » regroupe divers fruits secs et graines oléagineux, c'est-à-dire riches en matières grasses.

Le soja et ses dérivés

Le soja (ou soya) appartient à la famille des légumineuses. Il s'agit d'une plante originaire d'Asie dont la culture est maintenant implantée dans plusieurs pays, y compris au Canada. Les États-Unis occupent actuellement la première place parmi les principaux producteurs de soja dans le monde.

Le soja produit des gousses renfermant chacune de une à quatre graines riches en éléments nutritifs. Les gousses d'une variété appelée **edamame** sont cueillies avant de parvenir à maturité ; elles sont consommées fraîches, un peu comme des haricots verts. Les variétés de soja le plus largement cultivées demeurent celles dont les gousses sont cueillies à maturité ; leurs graines contiennent des composants toxiques, y compris des facteurs antinutritionnels, qui sont inactivés par la chaleur et les réactions de fermentation.

Les graines de soja matures se consomment bouillies. Elles peuvent aussi être rôties après avoir été bien hydratées ; les **graines de soja rôties** ont une saveur approchant celle des arachides et sont souvent consommées en collation. Il est possible de transformer les graines de soja séchées en farine, laquelle est incorporée aux produits de boulangerie ; toutefois, étant dépourvue du gluten qui fait lever les pâtes, la **farine de soja** ne peut y remplacer complètement la farine de blé.

Près de 40 % du poids sec de la graine de soja mature est composé de protéines dont la qualité se compare bien à celle des protéines de la viande. Il est possible d'extraire les **protéines du soja** et de s'en servir comme **allongeurs de produits de viande et de volaille** ; en soumettant ces protéines à un procédé de texturation, les fabricants obtiennent divers **succédanés de la viande** (saucisses, burgers, pâtés, etc.) appelés simili-viandes.

La graine de soja mature se compose également de près de 20 % de lipides ; il s'agit donc d'une graine oléagineuse, dont on peut extraire l'huile. L'**huile de soja**, qui représente une importante part des huiles végétales produites à l'échelle mondiale, est riche en acides gras polyinsaturés ; elle renferme aussi de la lécithine, dont la majeure partie est soustraite pendant le procédé de raffinage. La **lécithine de soja** est présente dans un certain nombre d'aliments ; l'industrie l'utilise comme additif alimentaire, notamment pour ses propriétés émulsifiantes. La lécithine de soja est également vendue comme supplément alimentaire. Les autres dérivés du soja comprennent les produits suivants :

La boisson de soja – Elle est obtenue en laissant tremper des graines de soja dans l'eau, en les broyant puis en chauffant et en filtrant la préparation qui en résulte. Ce liquide laiteux qui se sépare est appelé boisson de soja, vendue nature ou aromatisée, comme succédané du lait de vache. Le programme d'enrichissement des aliments en vigueur au Canada permet d'y ajouter divers éléments nutritifs (voir le chapitre 11).

Le tofu – Le tofu est fabriqué à partir d'une boisson de soja, généralement plus concentrée que celle que nous buvons. On procède en coagulant les protéines, le plus souvent à l'aide de sulfate de calcium ou de chlorure de magnésium. Le caillé égoutté et pressé est appelé tofu et constitue en quelque sorte un « fromage végétal ». Il est souvent vendu en blocs rectangulaires, emballés sous vide. Le tofu peut être plus ou moins ferme ; le tofu ferme est moins riche en eau et plus concentré en éléments nutritifs que le tofu mou (ordinaire), lui-même plus ferme que le tofu soyeux, à la texture lisse et gélatineuse. Étant donné qu'il a une saveur un peu fade, le tofu absorbe facilement celle des aliments avec lesquels il est cuisiné. Il peut être intégré dans diverses préparations, y compris des desserts glacés.

Le tempeh – Le tempeh est un produit fermenté. Pour le fabriquer, il faut ensemencer des graines de soja décortiquées et bouillies (souvent mêlées à du riz ou du millet) avec des champignons microscopiques. Le tempeh se mange cuit.

Le miso – À l'instar du tempeh, le miso est un produit fermenté dérivé du soja, dans lequel peuvent aussi entrer d'autres grains (riz, orge). Cette pâte, généralement très salée, a la consistance du beurre d'arachide et est utilisée pour préparer des bouillons et aromatiser divers mets.

La sauce soja – La sauce soja traditionnelle est un condiment, lui aussi très salé, dérivé de la fermentation du soja ou d'un mélange de soja et de blé ; le tamari et le shoyu en sont des variantes. Dans le commerce, il existe aussi une sauce soja préparée rapidement, sans fermentation, en hydrolysant des protéines de soja, puis en ajoutant à la préparation du sirop de maïs, du caramel et du sel ; la saveur de cette sauce est toutefois nettement moins parfumée que celle de la sauce soja traditionnelle.

La valeur nutritive des viandes et de leurs substituts

À l'instar des trois autres groupes d'aliments à la base du *Guide alimentaire canadien pour manger sainement*, celui des « Viandes et substituts » apporte une contribution importante à l'apport en éléments nutritifs dans le régime alimentaire canadien (voir le tableau 12.2). Cette contribution est en grande partie attribuable à la valeur nutritive intrinsèque des aliments de ce groupe, car ceux-ci sont très peu touchés par les normes d'enrichissement canadiennes.

TABLEAU 12.2   La contribution relative des viandes et de leurs substituts à l'apport en éléments nutritifs dans le régime alimentaire moyen des Canadiens*

Macronutriments	Vitamines	Minéraux	Composés phytochimiques
Protéines	Vitamine B_{12}	Zinc	
Lipides	Niacine		
	Vitamine B_6	Fer	Phytœstrogènes
	Thiamine	Magnésium	
	Riboflavine	Phosphore	
	Potassium		

* Bien que les données demeurent limitées en ce qui concerne la contribution de ce groupe à l'apport en acide pantothénique, en biotine et en sélénium, elle est certainement substantielle.

La contribution des viandes et de leurs substituts à l'apport en macronutriments dans le régime alimentaire des Canadiens

Les aliments du groupe « Viandes et substituts », nous l'avons déjà vu, se distinguent par leur richesse en protéines. Ils contribuent également à notre apport en matières grasses, et ce, de façon significative. Par contre, leur contribution à notre apport en glucides et en fibres alimentaires est dans l'ensemble négligeable. Cette constatation peut sembler paradoxale, car le groupe « Viandes et substituts » comprend les légumineuses qui, en plus d'être riches en amidon, comptent parmi les meilleures sources de fibres alimentaires dans notre alimentation (voir le chapitre 3).

Les protéines

Près de la moitié des protéines contenues dans le régime alimentaire moyen des Canadiens provient des viandes et de leurs substituts. De façon générale, une portion de 100 g des aliments issus du règne animal fournit de 20 à 30 g de protéines, selon leur teneur en eau et en matières grasses (voir le chapitre 5). Cette quantité de protéines permet de combler une part significative des besoins quotidiens en protéines d'un grand nombre de personnes en santé. Étant donné qu'il s'agit de protéines animales, elles sont bien utilisées par l'organisme humain.

Les légumineuses, les noix et les graines fournissent elles aussi d'intéressantes quantités de protéines (voir le chapitre 5). À l'intérieur du règne végétal, elles constituent les aliments qui en renferment le plus. Pour cette raison, les légumineuses, les noix et les graines s'avèrent indispensables dans l'alimentation végétarienne stricte (voir *Le végétarisme*, à la page 285). La qualité de leurs protéines se compare à celle de la viande, de la volaille et du poisson quand on les combine ensemble ou avec d'autres aliments tels les céréales, les œufs et les produits laitiers (voir le chapitre 5).

Les lipides

Les viandes et leurs substituts constituent la deuxième source de matières grasses dans l'alimentation canadienne, après le groupe « autres aliments ». Ils fournissent le quart des **acides gras saturés** et les deux tiers du **cholestérol** qu'elle renferme, ce dernier étant présent uniquement dans les produits d'origine animale.

Rappelons toutefois que la teneur en matières grasses des viandes et de leurs substituts varie grandement. De plus, certains des aliments de ce groupe, soit les poissons, les légumineuses, les noix et les graines, renferment des matières grasses qui sont faiblement saturées. Les poissons se distinguent notamment par leur contenu en acides gras **oméga-3** (voir l'encadré *Les poissons et leurs huiles*) ; l'odeur rance des poissons non frais est d'ailleurs attribuable en bonne partie à ces nutriments fragiles qui, en s'oxydant, se transforment en composés volatils. Enfin, à moins d'être panés et frits, les viandes et leurs substituts renferment très peu d'acides gras trans ; seul le gras des animaux ruminants (par exemple le bœuf) en contient une petite quantité (voir le chapitre 9).

La contribution des viandes et de leurs substituts à l'apport en micronutriments dans le régime alimentaire des Canadiens

Des quatre groupes de base du *Guide alimentaire canadien*, le groupe « Viandes et substituts » est celui qui contribue le plus à l'apport en **vitamine B$_{12}$**, en **niacine** et en **zinc** dans le régime alimentaire moyen des Canadiens. Sa contribution à l'apport en **fer** et en plusieurs autres nutriments est également substantielle (voir le tableau 12.2, à la page 277).

Les matières grasses contenues dans les poissons, les légumineuses, les noix et les graines ont une faible teneur en acides gras saturés.

Les poissons et leurs huiles

Nous avons vu au chapitre 4 que la consommation régulière de poisson réduit le risque de maladies cardiovasculaires. Cet effet bénéfique du poisson serait en grande partie attribuable à son contenu en acides gras hautement insaturés appartenant à la famille des oméga-3. Ces nutriments influenceraient favorablement la fonction cardiovasculaire.

Des quantités variables d'oméga-3

Plusieurs poissons renferment de bonnes quantités d'oméga-3 (voir le tableau 4.3, à la page 92). Ces quantités varient entre autres selon l'espèce ; les poissons gras sont plus riches en oméga-3 que les poissons maigres. Les poissons d'élevage n'en constituent pas nécessairement de moins bonnes sources que les poissons sauvages, le contenu des poissons en oméga-3 variant entre autres selon la nourriture qu'ils reçoivent. Les méthodes de conservation et de préparation influent également sur la teneur des poissons en oméga-3. Les mollusques et les crustacés renferment eux aussi des oméga-3 en quantité généralement comparable à celle des poissons maigres. Le caviar, par contre, en contient beaucoup !

Les recommandations touchant la consommation

Afin de bénéficier des bienfaits des oméga-3 d'origine aquatique, plusieurs organismes de santé conseillent de consommer au moins deux portions de poisson par semaine, en privilégiant les poissons gras (par exemple saumon, hareng, maquereau, flétan du Groenland [turbot], sardine, truite). Répartie sur une base quotidienne, cette ration fournit à l'organisme près de 500 mg par jour de ce type d'oméga-3, une quantité jugée adéquate par un groupe d'experts de l'International Society for the Study of Fatty Acids and Lipids. Selon certaines enquêtes, la consommation d'oméga-3 d'origine aquatique dans la population nord-américaine se situerait plutôt entre 100 et 200 mg par jour. Nous aurions donc avantage à augmenter notre consommation de poisson. Pour les personnes qui n'en consomment pas, les suppléments d'huile de poisson constituent une option valable.

Et les risques de toxicité ?

Plusieurs consommateurs se questionnent sur les risques de toxicité liés à la consommation de poisson. On trouve effectivement plusieurs polluants dits « organochlorés » (comme des biphénylpolychlorés ou BPC) ainsi que du mercure dans les animaux aquatiques. Les polluants organochlorés, à cause de leur structure chimique, s'accumulent dans la graisse ; ils se trouvent donc en plus grande concentration dans la peau des poissons. Pour cette raison, il est préférable de cuire le poisson sans la peau. Quant au mercure, il est plutôt réparti dans la chair. La contamination au mercure touchant particulièrement les gros poissons prédateurs, Santé Canada recommande de ne pas dépasser un repas par semaine d'espadon, de requin ou de thon frais ou congelé (le thon en conserve étant moins contaminé) ; chez les femmes enceintes, celles en âge de procréer et les jeunes enfants, la recommandation est de ne pas dépasser un repas par mois. Un guide de consommation des poissons de pêche sportive est disponible sur le site du ministère de l'Environnement du gouvernement du Québec (voir les ressources supplémentaires à la fin de ce chapitre).

Quant aux suppléments d'huile de poisson, les analyses effectuées par divers laboratoires, dont ceux du Consumer Lab aux États-Unis, font généralement état de faibles taux de contamination, mais il est probablement plus prudent de choisir une marque connue ; les suppléments d'huile de foie de morue sont toutefois à éviter, car ils présentent un taux de contamination plus élevé (ainsi qu'un risque d'excès de vitamine A). Il importe de tenir compte de la quantité d'oméga-3 indiquée sur l'étiquette d'un supplément. Selon la Food and Drug Administration, l'organisme américain réglementant la vente des aliments et des médicaments aux États-Unis, il est préférable de ne pas dépasser 2000 mg par jour d'oméga-3 provenant de suppléments d'huile de poisson (3000 mg par jour s'ils proviennent des aliments). Consommés en trop grande quantité, les oméga-3 d'origine aquatique peuvent entre autres perturber la coagulation du sang et causer des saignements abondants.

La vitamine B$_{12}$

Près des deux tiers de la vitamine B$_{12}$ contenue dans l'alimentation des Canadiens proviennent du groupe «Viandes et substituts». Nous avons vu précédemment que la vitamine B$_{12}$ est présente uniquement dans le règne animal. La viande, la volaille, les abats, le poisson, les crustacés et les mollusques ainsi que les œufs sont tous des sources de cette vitamine (voir le tableau 12.3, à la page 282). Une portion de 100 g de plusieurs de ces aliments permet de combler de 50 à 100 % des besoins en vitamine B$_{12}$ des personnes en santé.

Le foie, les rognons et les mollusques renferment des quantités particulièrement élevées de vitamine B$_{12}$ (voir le tableau 12.3). Étant donné que les bactéries contenues dans le rumen (estomac) des animaux ruminants (bœuf, veau, agneau, etc.) synthétisent cette vitamine, leur chair en contient plus que celle des non-ruminants (porc, volaille, poisson). Les autres sources de vitamine B$_{12}$ dans notre alimentation sont les produits laitiers (voir le chapitre 11) ainsi que certains aliments enrichis, telles les simili-viandes et les boissons de soja.

À l'instar de la plupart des aliments issus du règne végétal, les légumineuses, les noix et les graines sont naturellement dépourvues de vitamine B$_{12}$. Des aliments fermentés, tel le tempeh, de même que certaines algues en renferment une petite quantité, mais pas nécessairement sous une forme active (voir *Le végétarisme*, à la page 285).

La niacine

Le groupe «Viandes et substituts» est également celui qui contribue le plus à notre apport moyen en niacine; sa contribution s'élève à près de 40 % dans l'alimentation canadienne moyenne. La plupart des aliments de ce groupe renferment des quantités intéressantes de niacine, en raison notamment de leur richesse en protéines. Comme nous l'avons souligné au chapitre 6, la teneur en niacine d'un aliment prend en compte le fait qu'une partie du tryptophane qu'il renferme peut servir à la synthèse de niacine dans l'organisme. Or, le tryptophane est un acide aminé; il est donc présent en plus grande quantité dans les aliments riches en protéines que dans ceux en contenant peu.

Le groupe «Produits céréaliers» vient au deuxième rang de ceux qui contribuent à l'apport en niacine dans le régime alimentaire moyen des Canadiens. Dans ce groupe, les aliments renfermant le plus de niacine sont les produits céréaliers riches en son et ceux enrichis en niacine (voir le chapitre 9). En effet, la majeure partie de la niacine contenue dans le blé se trouve dans le son. Le raffinage du blé réduit donc grandement sa teneur en niacine. Toutefois, cette vitamine demeure relativement stable dans bon nombre d'aliments transformés.

Le zinc

Le groupe «Viandes et substituts» apporte une contribution très importante à l'apport en zinc dans l'alimentation des Canadiens. Environ la moitié du zinc consommé provient de ce seul groupe d'aliments. La richesse en zinc des viandes et de leurs substituts tient au fait que ce minéral est souvent lié aux protéines. De façon générale, la viande est plus riche en zinc que la volaille et le poisson; dans le cas de plusieurs coupes de viande, une portion de 100 g comble plus de la moitié des besoins en zinc d'une personne en santé. Il en est de même pour le foie. Les légumineuses, les noix et les graines en renferment aussi d'intéressantes quantités, bien que le zinc d'origine végétale s'absorbe moins bien que celui d'origine animale. Toutefois, la palme revient aux huîtres, dont la teneur en zinc peut être particulièrement élevée (jusqu'à 180 mg/par portion de 100 g!). Les produits laitiers (voir le chapitre 11) et les produits céréaliers (voir le chapitre 9) contribuent aussi de façon significative à l'apport en zinc dans l'alimentation.

Les autres nutriments

Les autres vitamines – Les viandes et leurs substituts (le foie notamment) renferment plusieurs vitamines, en plus de la vitamine B_{12} et de la niacine. Ces aliments viennent en deuxième place pour leur contribution à l'apport en **vitamine B_6** dans l'alimentation canadienne, après le groupe «Légumes et fruits» (voir le chapitre 10). Plusieurs coupes de viande et de volaille constituent de bonnes et même d'excellentes sources de cette vitamine ; il en est de même pour un certain nombre de poissons et de légumineuses (voir le tableau 12.3).

Les viandes et leurs substituts fournissent 20 % de la **thiamine** et de la **riboflavine** contenues dans l'alimentation canadienne ; le porc est particulièrement riche en thiamine, une portion de 100 g de cette viande fournissant de 50 à 100 % des besoins en thiamine d'une personne en santé. Même si elle est difficile à évaluer, la contribution des viandes et de leurs substituts à l'apport en **acide pantothénique** et en **biotine** dans l'alimentation est certainement substantielle, puisque plusieurs de ces aliments en renferment de bonnes quantités. Enfin, les légumineuses se distinguent par leur richesse en **acide folique** (voir le tableau 12.3), alors que plusieurs poissons renferment d'importantes quantités de **vitamine D** (voir le chapitre 11).

Les autres minéraux – En plus du zinc, les viandes et leurs substituts fournissent un grand nombre de minéraux, y compris le **fer**, dont ils constituent la deuxième source dans l'alimentation des Canadiens, après les «Produits céréaliers» (voir le chapitre 9). Plusieurs de ces aliments, dont le foie, renferment effectivement de bonnes quantités de fer. Les viandes rouges (bœuf, agneau, cheval, caribou) en contiennent plus que les viandes blanches (porc, veau) et la volaille (voir le tableau 12.3). Parmi les animaux aquatiques, les crustacés et les mollusques sont plus riches en fer que les poissons. Les légumineuses constituent aussi de très bonnes sources de cet élément. Rappelons toutefois que le taux d'absorption dans l'organisme du fer alimentaire varie grandement. Celui contenu dans la viande, la volaille et les poissons existe en partie sous forme héminique, ce qui en facilite l'absorption. En revanche, tout le fer contenu dans les œufs, le lait, les aliments d'origine végétale de même que celui ajouté par l'enrichissement se trouve sous une forme non héminique, qui s'absorbe plus difficilement (voir les chapitres 7 et 9). La cuisson transformerait une partie du fer héminique en fer non héminique.

Les viandes et leurs substituts fournissent aussi du **phosphore**, du **magnésium** et du **potassium**, trois éléments qui sont bien distribués parmi les aliments de ce groupe (voir le tableau 12.3), ainsi que du **sélénium**, un élément intimement lié aux protéines. Les légumineuses, les noix et les graines renferment en plus de bonnes quantités de **cuivre** ; le foie et les huîtres sont particulièrement riches en ce minéral.

Enfin, rappelons que certains substituts de la viande renferment d'intéressantes quantités de **calcium**. Nous avons vu au chapitre 11 que le tofu fabriqué à l'aide d'un coagulant à base de calcium est une excellente source de cet élément. Il en est de même pour les poissons en conserve consommés avec les arêtes. Les poissons, en particulier ceux provenant de la mer, sont aussi une source d'**iode**. La teneur en iode des poissons de mer varie de 110 µg à 330 µg par portion de 100 g, tandis que celle des poissons d'eau douce varie de 10 µg à 60 µg par portion de 100 g.

Les composés phytochimiques – Les légumineuses, les noix et les graines renferment diverses substances propres au règne végétal, tels des phytostérols et des composés phénoliques, qui peuvent avoir un effet favorable sur le fonctionnement de l'organisme humain. On y trouve entre autres des **phytœstrogènes**, composés pouvant moduler l'action hormonale dans certains tissus lorsque consommés en bonne quantité, puisque leur structure s'apparente à celle des œstrogènes sécrétés par les ovaires de la femme (voir le chapitre 6, à la page 160). Le soja et ses dérivés ainsi que les graines de lin sont particulièrement riches en phytœstrogènes. Ceux-ci

TABLEAU 12.3   La valeur nutritive des viandes et de leurs substituts

Aliments	Portion	Thiamine (mg)	Riboflavine (mg)	Niacine totale (ÉN)	Vitamine B$_6$ (mg)	Acide folique (mcg)	Vitamine B$_{12}$ (mcg)	Fer (mg)	Magnésium (mg)	Zinc (mg)	Potassium (mg)	Phosphore (mg)
ANREF*		1,1-1,2	1,1-1,3	14-16	1,3	400	2,4	8-18	310-420	8-11	4700	700
Origine animale												
Viandes rouges												
Bœuf, bifteck de noix de ronde, maigre, grillé	100 g	0,09	0,17	9,6	0,38	7	2,2	3,00***	25	5,00	405	227
Bœuf haché maigre, grillé, bien cuit	100 g	0,10	0,28	11,2	0,19	11	2,0	2,60***	22	6,90	294	183
Agneau de la Nouvelle-Zélande, gigot, maigre, rôti	100 g	0,12	0,50	12,9	0,14	0	2,6	2,24***	21	4,04	183	234
Cheval rôti	100 g	0,10	0,12	10,7	0,33	–	3,2	5,03***	25	3,82	379	247
Caribou (renne) rôti	100 g	0,25	0,90	13,4	0,32	5	6,6	6,17***	27	5,26	310	233
Viandes blanches												
Porc frais, milieu de longe, maigre, rôti	100 g	0,91	0,27	11,3	0,37	4	0,6	1,04***	22	2,09	362	219
Porc salé, jambon maigre (5 % m.g.), rôti	100 g	0,75	0,20	7,4	0,40	3	0,7	1,48***	14	2,88	266	196
Veau de grain, maigre, braisé	100 g	0,06	0,29	14,0	0,28	15	1,3	1,61***	25	3,75	300	215
Volaille												
Poulet, poitrine, rôti	100 g	0,06	0,09	16,3	0,54	3	0,3	1,08***	23	0,78	236	217
Poulet, cuisse + dos, rôti	100 g	0,06	0,19	10,5	0,31	7	0,3	1,33***	20	2,13	224	171
Dindon, chair et peau, rôti	100 g	0,06	0,18	9,6	0,42	7	0,4	1,78***	25	3,02	282	203
Canard domestique, chair seulement, rôti	100 g	0,26	0,47	10,6	0,25	10	0,4	2,70***	20	2,60	252	203
Abats												
Veau, foie, sauté**	100 g	0,25	3,36	22,1	0,86	320	64,0	5,23***	26	7,87	438	439
Veau, rognons, braisés	100 g	0,19	1,99	10,3	0,18	21	36,9	3,04***	24	4,25	159	372
Veau, cervelle, braisée	100 g	0,08	0,20	4,3	0,17	3	9,7	1,67***	16	1,61	214	385
Veau, thymus, braisé	100 g	0,06	0,16	6,7	0,09	1	2,2	2,01***	17	3,10	342	685

Aliments	Portion	Thiamine (mg)	Riboflavine (mg)	Niacine totale (ÉN)	Vitamine B$_6$ (mg)	Acide folique (mcg)	Vitamine B$_{12}$ (mcg)	Fer (mg)	Magnésium (mg)	Zinc (mg)	Potassium (mg)	Phosphore (mg)
Poissons, crustacés et mollusques												
Aiglefin cuit au four	100 g	0,04	0,05	9,2	0,35	8	1,4	1,35***	50	0,48	399	241
Flétan cuit au four/grillé	100 g	0,07	0,09	12,1	0,40	14	1,4	1,07***	107	0,53	576	285
Thon, chair blanche, en conserve	100 g	0,01	0,04	10,2	0,22	2	1,2	0,97***	33	0,48	237	217
Crevettes bouillies	100 g	0,03	0,03	7,4	0,13	9	1,5	3,09***	34	1,56	182	137
Moules bleues, cuites à la vapeur	100 g	0,30	0,42	7,5	0,10	76	24,0	6,72***	37	2,67	268	285
Œufs, à la coque	100 g (2)	0,07	0,51	2,6	0,12	44	1,1	1,19	10	1,05	126	172
Origine végétale												
Noix et graines												
Arachides rôties à sec	60 ml	0,16	0,04	6,4	0,09	54	0	0,84	65	1,23	244	133
Graines de tournesol rôties à l'huile	60 ml	0,11	0,10	3,3	0,27	80	0	2,29	43	1,78	166	390
Amandes, rôties à sec, non blanchies	60 ml	0,05	0,21	2,7	0,03	11	0	1,33	106	1,71	269	192
Légumineuses												
Lentilles bouillies	250 ml	0,35	0,15	5,0	0,37	378	0	6,97	75	2,66	773	378
Haricots blancs bouillis	250 ml	0,22	0,09	3,9	0,18	153	0	7,00	119	2,61	1060	213
Tofu ordinaire, nature (avec sels de Mg et de Ca)	100 g	0,05	0,04	2,2	0,05	44	0	1,11	27	0,64	120	92
Tempeh (produit de soja fermenté), cuit	100 g	0,05	0,35	5,5	0,19	21	0,1	2,12	77	1,57	401	253

* ANREF = apport nutritionnel de référence pour un adulte de 50 ans ou moins (varie selon le sexe et l'âge).
** Excellente source de vitamine A (5639 ÉAR/100 g) et de cuivre (9,9 mg/100 g).
*** Renferme du fer héminique.

Source : Santé Canada. Fichier canadien sur les éléments nutritifs, 2001.

diffèrent toutefois selon la source ; les phytœstrogènes du soja sont principalement des isoflavones, alors que ceux du lin sont appelés lignans.

La recherche scientifique portant sur les phytœstrogènes est particulièrement abondante, mais les résultats, souvent mitigés. La consommation de soja ou de graines de lin broyées aiderait surtout à réduire le risque de maladies cardiovasculaires chez des personnes à risque, en diminuant notamment le taux de cholestérol sanguin (le « mauvais cholestérol » principalement). Contrairement à la croyance populaire, les phytœstrogènes présents dans ces aliments seraient peu utiles pour atténuer les symptômes liés à la ménopause, telles les bouffées de chaleur. Des études suggèrent qu'ils peuvent réduire le risque de cancer du sein, aider à contrôler le diabète et avoir un effet favorable sur la masse osseuse de femmes ménopausées, mais plusieurs interrogations subsistent concernant ces effets.

La place des viandes et de leurs substituts dans le *Guide alimentaire canadien pour manger sainement*

Comme nous pouvons le constater, les viandes et leurs substituts sont des éléments indispensables dans un régime alimentaire équilibré. Pour cette raison, ils constituent l'un des quatre groupes d'aliments à la base du *Guide alimentaire canadien* et ont donc leur place dans l'arc-en-ciel servant à l'illustrer.

Il est recommandé de consommer chaque jour en moyenne de deux à trois portions de viandes ou de leurs substituts, la grosseur d'une portion pouvant varier quelque peu (voir le chapitre 8). Cette recommandation se fonde en partie sur les besoins de l'organisme en protéines, besoins qui varient selon l'âge et certaines conditions (voir le chapitre 5). Elle prend aussi en compte la contribution des autres groupes d'aliments (celui des produits laitiers notamment) à l'apport en protéines dans le régime alimentaire.

Compte tenu de l'hétérogénéité des aliments composant le groupe « Viandes et substituts », seuls des choix variés peuvent faire en sorte que l'on profite pleinement de la valeur nutritive de ce groupe. Plusieurs personnes auraient donc avantage à remplacer plus souvent la viande et la volaille (les grands favoris du groupe) par du poisson, des légumineuses, des noix et des graines, car on sait que la popularité de ces aliments demeure faible. Or, ces derniers fournissent des nutriments clés qui leur sont propres, en plus de renfermer des matières grasses en bonne partie insaturées. En outre, la recherche scientifique montre un lien favorable entre la consommation de ces aliments et l'état de la santé. Nous avons déjà souligné les bienfaits de la consommation régulière de poisson (voir l'encadré *Les poissons et leurs huiles*, à la page 279) de même que les avantages possiblement liés à la consommation de soja et de graines de lin. Des études prospectives indiquent que la consommation régulière de noix est liée elle aussi à une réduction du risque de maladies coronariennes ; elle serait en plus associée à une réduction du risque de développer des lithiases (pierres) dans la vésicule biliaire.

Une alimentation pauvre en poisson, en légumineuses, en noix et en graines ne serait donc pas optimale. Un tel régime laisse, bien souvent, une large place à la viande. Or, une étude prospective de grande envergure réalisée dans la population américaine montre que les grands consommateurs de viande (plus de 110 g par jour) présentent plus de risques de développer un cancer du côlon et du rectum que les personnes en consommant peu. Ce lien serait toutefois inexistant dans la plupart des études réalisées dans des populations européennes, où la consommation de viande est plus modérée et celle des légumes et des fruits, plus élevée. Consommée en quantité raisonnable à l'intérieur d'une alimentation variée et riche en végétaux, la viande ne présenterait donc pas de danger. Il est toutefois déconseillé de la griller longtemps à chaleur vive, car des composés cancérigènes formés par la combustion tendent alors à s'accumuler à la surface.

Il est également préférable de limiter la consommation de jambon, bacon, viande froide et autres charcuteries. Certaines études (dont celle citée précédemment) montrent un lien entre la consommation de ces viandes transformées et le développement du cancer du côlon et du rectum. Un groupe d'experts de l'Organisation pour l'alimentation et l'agriculture (la FAO) et de l'Organisation mondiale de la santé (l'OMS) recommande de les consommer avec modération. Enfin, il est préférable d'éviter les viandes, volailles et poissons panés et frits, car ils renferment souvent de bonnes quantités d'acides gras trans.

Les tendances de consommation

Les données d'enquêtes nutritionnelles effectuées au Québec et au Canada indiquent que notre consommation moyenne de viandes ou de leurs substituts est généralement suffisante. Elle varie toutefois selon le sexe. Selon des données canadiennes, les hommes en consomment en moyenne 3,4 portions par jour, excédant ainsi le maximum suggéré dans le *Guide alimentaire canadien*, alors que les femmes s'en tiennent au minimum, soit 2,0 portions par jour (voir la figure 12.1). Les hommes âgés de 18 à 34 ans forment le groupe qui en consomme le plus (3,9 portions par jour en moyenne).

Une enquête effectuée auprès des enfants et des adolescents québécois indique que la consommation médiane de viandes et substituts chez les jeunes est également suffisante. Une proportion non négligeable (pouvant atteindre 30 % dans certains groupes d'âge) en consommerait tout de même moins que le minimum recommandé.

Figure 12.1
La consommation de viandes et de leurs substituts dans la population canadienne adulte en comparaison avec la quantité suggérée dans le *Guide alimentaire canadien pour manger sainement*

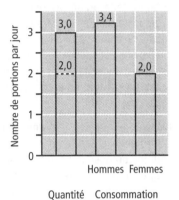

Source : Gray-Donald et autres (2000).

Pour en savoir plus ● ● ●

Le végétarisme

Par définition, le végétarisme accorde une large place aux aliments issus du règne végétal : légumes, fruits, céréales, légumineuses, noix et graines ainsi que leurs dérivés. Ce mode d'alimentation varie beaucoup selon les règles qu'on adopte (voir le tableau 12.4). Ainsi, des aliments d'origine animale (produits laitiers, œufs, poisson, volaille) peuvent être incorporés ou non aux menus, bien que la viande en soit le plus souvent exclue. Une alimentation totalement dépourvue de produits animaux est appelée végétalisme ou végétarisme strict.

Outre le respect de règles alimentaires dictées par certaines pratiques religieuses (tels le bouddhisme ou le mouvement adventiste), plusieurs raisons peuvent motiver l'adhésion au végétarisme. Les plus fréquemment invoquées sont des raisons d'ordre écologique et de santé. Plusieurs personnes voient dans le végétarisme un moyen de répartir plus équitablement les ressources alimentaires de notre planète, la nourriture animale étant beaucoup plus coûteuse à produire que la nourriture végétale. D'autres personnes deviennent végétariennes par sollicitude envers les animaux et par souci pour l'environnement.

TABLEAU 12.4   Les différents types de végétarisme

Types de végétarisme	Aliments consommés	
	Origine végétale	Origine animale
Semi-végétarisme	Tous	Produits laitiers, œufs, poissons, volaille, viande à l'occasion
Pesco-végétarisme	Tous	Produits laitiers, œufs, poissons
Lacto-ovo-végétarisme	Tous	Produits laitiers, œufs
Lacto-végétarisme	Tous	Produits laitiers
Végétalisme (végétarisme strict)	Tous	Aucun

D'autres personnes, enfin, adhèrent au végétarisme car elles croient qu'il favorise un meilleur état de santé que l'alimentation nord-américaine traditionnelle. De fait, la littérature scientifique abonde souvent en ce sens. Plusieurs études suggèrent que les végétariens sont mieux protégés que les non-végétariens contre diverses maladies chroniques, dont l'obésité, les maladies cardiovasculaires, l'hypertension artérielle, le diabète de type 2 (celui qui apparaît à l'âge adulte) et certains cancers ; leur espérance de vie est également accrue. Il est évidemment difficile de déterminer dans quelle mesure cet état de fait est attribuable à l'alimentation seule. En effet, les végétariens ont souvent de saines habitudes de vie (faible consommation d'alcool et de tabac, haut niveau d'activité physique) pouvant elles aussi influer favorablement sur l'état de leur santé. Malgré tout, l'alimentation végétarienne, telle qu'on la conçoit dans les pays industrialisés, comporte d'indéniables atouts pour qui se préoccupe de sa santé ; comparée à l'alimentation nord-américaine traditionnelle, elle est souvent plus riche en vitamines antioxydantes, en fibres alimentaires et en composés phytochimiques (voir le chapitre 10) tout en étant moins riche en acides gras saturés et en cholestérol.

Mais quel que soit le régime alimentaire adopté, sa qualité nutritionnelle tient en grande partie à la variété des aliments qui le composent, et le végétarisme n'échappe pas à cette règle. Une alimentation végétarienne peu diversifiée, par exemple celle de plusieurs pays en développement, comporte nécessairement des lacunes nutritionnelles. Ajoutons que, dans l'histoire de l'humanité, aucun peuple n'a, semble-t-il, spontanément adopté une alimentation strictement végétarienne. Les populations végétariennes l'ont toujours été par nécessité ou par choix. Il reste que, dans l'ensemble, nous aurions fort probablement avantage, tant pour des raisons d'ordre écologique que de santé, à puiser plus souvent notre nourriture parmi les végétaux.

Une alimentation fondée sur le *Guide alimentaire canadien pour manger sainement*

Étant donné qu'il accorde une large place aux végétaux, le *Guide alimentaire canadien* est un outil de choix pour planifier des menus végétariens. Pour assurer un apport nutritionnel optimal, il est toutefois recommandé de ne pas s'en tenir au minimum recommandé dans chaque groupe d'aliments. Ainsi, une alimentation végétarienne équilibrée devrait comprendre, chaque jour, au moins six portions de **produits céréaliers** et autant de portions de **légumes** et de **fruits**. Elle devrait aussi comprendre au moins trois portions de **produits laitiers**, qui s'intègrent bien dans l'alimentation d'un grand nombre de végétariens. Pour ceux préférant s'en abstenir, il est possible de remplacer le lait par une **boisson végétale enrichie** (dérivée de préférence du soja), la teneur en vitamines et minéraux de ce type de boisson se comparant avantageusement à celle du lait (voir le chapitre 11). Au besoin, on peut compléter l'apport en calcium en ciblant certains choix à l'intérieur des autres groupes d'aliments (voir le chapitre 11). Enfin, le *Guide alimentaire canadien* recommande de consommer chaque jour de deux à trois portions de **substituts de la viande** (voir l'encadré ci-contre), soit des œufs, des légumineuses, des noix et des graines, ou encore certains dérivés du soja riches en protéines, tels le tofu, le tempeh et les simili-viandes. Afin

d'assurer un apport adéquat en **oméga-3**, certaines **matières grasses**, comme les huiles de lin, de canola et de soja de même que les graines de lin, le germe de blé et les noix de Grenoble, sont à privilégier (voir le chapitre 3), surtout chez les végétariens ne consommant pas de poisson.

Les végétariens qui consomment des produits laitiers ont avantage à opter pour ceux faits de lait de vache plutôt que de lait de chèvre, ce dernier étant moins riche en **vitamine B$_{12}$** (voir le tableau 11.2, à la page 243) naturellement présente seulement dans les produits animaux. Quand la consommation de produits laitiers ne correspond pas au minimum recommandé, un supplément de vitamine B$_{12}$ est recommandé. Il en est de même pour les végétariens stricts, surtout ceux qui ne consomment pas de boissons de soja ou autres aliments enrichis en vitamine B$_{12}$ (par exemple des simili-viandes) sur une base quotidienne. La spiruline, les algues et les produits fermentés, tels le tempeh et le miso, ne sont pas considérés comme des sources valables de vitamine B$_{12}$, cette dernière pouvant y être présente sous une forme inutilisable par l'organisme. Selon le degré d'exposition au soleil, un supplément de **vitamine D** peut aussi être indiqué chez les végétariens ne consommant pas suffisamment de lait ou de boisson de soja enrichie (voir le chapitre 6).

L'apport en **fer** est un sujet de préoccupation pour plusieurs végétariens. Même si une alimentation végétarienne équilibrée renferme habituellement de bonnes quantités de ce minéral, le taux d'absorption du fer des végétaux peut être relativement faible, ce qui explique pourquoi la quantité de fer recommandée pour les végétariens excède celle recommandée pour les non-végétariens (voir le chapitre 7). Toutefois, nous avons vu précédemment que l'absorption du fer d'origine végétale augmente de façon sensible en présence de vitamine C. Le taux d'anémie par déficience en fer n'étant, semble-t-il, pas plus élevé chez les végétariens que chez les non-végétariens, il est raisonnable de penser que l'abondance de légumes et de fruits dans l'alimentation végétarienne y est pour quelque chose. Une personne végétarienne devrait toutefois demeurer vigilante et faire vérifier régulièrement

Dans un régime végétarien, une portion de substituts de la viande équivaut à :

- 2 œufs ;
- 250 ml de légumineuses cuites, de tofu ou de tempeh ;
- 125 ml de noix ;
- 60 ml de beurre de noix ou de graines ;
- 60 g de simili-viande.

son statut en fer ; ce conseil s'adresse plus particulièrement aux femmes, leur besoin en fer étant nettement plus élevé que celui des hommes. Dans certains cas, un supplément de fer peut être indiqué. Le thé et le café devraient être consommés en dehors des repas parce qu'ils renferment des composés phénoliques réduisant l'absorption du fer.

En conclusion, une alimentation végétarienne fondée sur le *Guide alimentaire canadien* et faisant appel, au besoin, à certains succédanés d'aliments traditionnels ou suppléments nutritionnels, répond adéquatement aux besoins nutritionnels de l'organisme humain. Pour s'en assurer, il est possible aussi de s'inspirer de guides détaillés s'adressant spécifiquement aux personnes végétariennes (voir les références bibliographiques et les ressources supplémentaires). Il faut surtout retenir que le fait d'adopter une alimentation végétarienne n'a rien de compliqué. C'est tout simplement une question d'équilibre !

Résumé

Des quatre groupes à la base du *Guide alimentaire canadien*, le plus hétérogène est celui des « Viandes et substituts ». Les aliments qui le composent sont les suivants :

– origine animale :

- la **viande** : bœuf, porc, veau, agneau, cheval, lièvre, orignal, caribou, cerf, sanglier, etc. ;

- la **volaille** : poulet, dinde, canard, pintade, poule, oie, caille, faisan, etc. ;

- les **œufs** ;

- les **abats** (sous-produits de viande et de volaille) : foie, rognons, langue, cœur, cervelle, thymus (ris), etc. ;

- les **préparations de viande, de volaille ou de leurs sous-produits** : viandes de salaison (jambon, bacon, viande fumée, etc.), préparations moulées en briques ou en rouleaux, pâtés, saucisses, saucissons, etc. ;

- les **animaux marins et d'eau douce** : poissons, crustacés et mollusques ;

- les **autres aliments d'origine animale** : grenouilles, reptiles, insectes, etc.

– origine végétale :

- les **légumineuses** : lentilles, fèves et haricots secs (soja ; doliques ; graines de gourganes ; haricots blancs, rouges, pinto, mungo, etc.), pois secs (entiers, cassés, chiches, etc.) ainsi que certains dérivés du soja (tofu, tempeh, succédanés de la viande) ;

- les **noix et graines** : noix de Grenoble, de cajou, du Brésil ; pacanes ; noisettes ; graines de tournesol, de citrouille, de sésame ; arachides, etc.

- le **seitan** (gluten de blé).

Les enquêtes de consommation indiquent que les aliments du groupe « Viandes et substituts » fournissent un grand nombre d'éléments nutritifs dans le régime alimentaire moyen des Canadiens. Cette contribution est attribuable en grande partie à la valeur nutritive intrinsèque de ces aliments, qui sont relativement peu touchés par les normes d'enrichissement.

- Les viandes et leurs substituts se distinguent par leur richesse en **protéines** ; ce groupe d'aliments fournit à lui seul près de la moitié de celles contenues dans le régime alimentaire moyen des Canadiens. Dans l'ensemble, sa contribution à l'apport en **lipides** dans notre régime alimentaire est également substantielle ; il y occupe la deuxième place, après le groupe « autres aliments », en plus de fournir le quart des **acides gras saturés** et les deux tiers du **cholestérol** qu'il renferme. Toutefois, la teneur en lipides des viandes et de leurs substituts varie grandement. En outre, certains des aliments de ce groupe (poissons, légumineuses, noix et graines) ont une faible teneur en acides gras saturés. Enfin, les légumineuses, les noix et les graines renferment de bonnes quantités de **fibres alimentaires**.

- Les viandes et leurs substituts fournissent aussi plusieurs vitamines et minéraux essentiels. Près des deux tiers de la **vitamine B$_{12}$** contenue dans l'alimentation canadienne provient des viandes et de leurs substituts. Ces aliments contribuent aussi pour une part importante de notre apport en **niacine** et en **zinc**. En outre, ils renferment d'intéressantes quantités d'autres nutriments (vitamine B$_6$, thiamine, riboflavine, fer, magnésium, phosphore, potassium, etc.). Les légumineuses, les noix et les graines renferment en plus divers composés, notamment des **phytœstrogènes**, qui pourraient avoir un effet favorable sur le fonctionnement de l'organisme humain.

Selon le *Guide alimentaire canadien pour manger sainement*, nous devrions consommer chaque jour en moyenne de deux à trois portions de viandes ou de leurs substituts. Cette recommandation se fonde en partie sur les besoins de l'organisme en protéines. Elle prend également en compte la contribution des autres groupes d'aliments (celui des produits laitiers notamment) à l'apport du régime alimentaire en protéines.

Compte tenu de l'hétérogénéité des aliments composant le groupe « Viandes et substituts », seuls des **choix variés** peuvent nous permettre de bénéficier pleinement de leur valeur nutritive. Plusieurs personnes auraient donc avantage à remplacer plus souvent la viande et la volaille (les grands favoris du groupe) par du poisson, des légumineuses, des noix et des graines.

Nous pouvons également opter pour une **alimentation de type végétarien**. Plusieurs études suggèrent d'ailleurs que les végétariens sont mieux protégés que les non-végétariens contre diverses maladies chroniques. Même s'il est difficile de déterminer dans quelle mesure cet état de fait est attribuable à l'alimentation elle-même, le végétarisme comporte d'indéniables atouts pour qui se préoccupe de sa santé. Il doit toutefois être bien planifié et faire appel, au besoin, à certains succédanés d'aliments traditionnels.

Références

AGRICULTURE ET AGROALIMENTAIRE CANADA. *Food group sources of nutrients in the average canadian diet* (à partir de données sur l'Enquête sur les dépenses alimentaires de 2001).

ANTOINE, J.-M. « Définition et historique de l'alimentation végétarienne », *Cahiers de nutrition et de diététique*, vol. 33, n° 2, 1998, p. 77-82.

BHATHENA, S.J. et M.T. VELASQUEZ. « Beneficial role of dietary phytoestrogens in obesity and diabetes », *American Journal of Clinical Nutrition*, vol. 76, 2002, p. 1191-1201.

CARPENTER, C.E. et A.W. MAHONEY. « Contributions of heme and nonheme iron to human nutrition », *Critical Reviews in Food Science and Nutrition*, vol. 31, 1992, p. 333-367.

CHAO, A. et autres. « Meat consumption and risk of colorectal cancer », *Journal of the American Medical Association*, vol. 293, n° 2, 2005, p. 172-182.

CORDAIN, L. et autres. « The paradoxical nature of hunter-gatherer diets : meat-based, yet non-atherogenic », *European Journal of Clinical Nutrition*, vol. 56 (suppl. 1), 2002, p. S42-S52.

CULIOLI, J., C. BERRI et J. MOUROT. « Muscle foods : consumption, composition and quality », *Sciences des aliments*, vol. 23, 2003, p. 13-34.

DABEKA, R. et autres. « Survey of total mercury in some edible fish and shellfish species collected in Canada in 2002 », *Food Additives and Contaminants*, vol. 21, n° 5, 2004, p. 434-440.

DEWAILLY, E. et autres. « N-3 Fatty acids and cardiovascular disease risk factors among the Inuit of Nunavik », *American Journal of Clinical Nutrition*, vol. 74, 2001, p. 464-473.

DODIN, S., C. BLANCHET et I. MARC. « Phytœstrogènes chez la femme ménopausée », *Médecine/Sciences*, vol. 19, 2003, p. 1030-1037.

DUVAL, J. « Le végétarisme est-il un plus pour l'environnement ? », *Diététique en action*, vol. 12, n° 3, 1999, p. 11-13.

« FDA considers health claim for nuts », *Journal of The American Dietetic Association*, vol. 103, 2003, p. 426.

FITZPATRICK, L.A. « Alternatives to estrogen », *Medical Clinics of North America*, vol. 87, 2003.

GRAY-DONALD, K., L. JACOBS-STARKEY et L. JOHNSON-DOWN. « Food habits of Canadians : reduction in fat intake over a generation », *Canadian Journal of Public Health*, vol. 91, 2000, p. 381-385.

HERBERT, V. « Vitamin B-12 : plant sources, requirements and assay », *American Journal of Clinical Nutrition*, vol. 48, 1988, p. 852-858.

HILL, M. « Meat, cancer and dietary advice to the public », *European Journal of Clinical Nutrition*, vol. 56 (suppl. 1), 2002, p. S36-S41.

HUNT, J.R. « Bioavailability of iron, zinc and other trace minerals from vegetarian diets », *American Journal of Clinical Nutrition*, vol. 78 (suppl.), 2003, p. 633S-639S.

INSTITUT DE LA STATISTIQUE DU QUÉBEC. *Enquête sociale et de santé auprès des enfants et des adolescents québécois. Volet nutrition*, Sainte-Foy, gouvernement du Québec, 2004. Site Internet : <www.stat.gouv.qc.ca>.

INSTITUT NATIONAL DE LA NUTRITION. « Les bienfaits potentiels du soya pour la santé », *Le Point INN*, n° 34, 2002, p. 1-11

INTERNATIONAL SOCIETY FOR THE STUDY OF FATTY ACIDS AND LIPIDS. *Report of the sub-committee on Recommendations for intake of polyunsaturated fatty acids in healthy adults*, juin 2004. Site Internet : <www.issal.org.uk>.

KRIS-ETHERTON, P.M., W.S. HARRIS et L.J. APPEL for the Nutrition Committee. « AHA Scientific Statement : Fish consumption, fish oil, omega-3 fatty acids and cardiovascular disease », *Circulation*, vol. 106, 2002, p. 2747-2757.

LOMBARDI-BOCCIA, G., S. LANZI et A. AGUZZI. « Aspects of meat quality : trace elements and B vitamins in raw and cooked meats », *Journal of Food Composition and Analysis*, vol. 18, 2005, p. 39-46.

MARTIN, G.-B. et autres. *L'homme et ses aliments : initiation à la science des aliments*, Québec, Les Presses de l'Université Laval, 2e éd., 2001.

MONETTE, S. *Le nouveau dictionnaire des aliments*, Montréal, Éditions Québec/Amérique, 1996.

ONTARIO SOYBEAN GROWERS' MARKETING BOARD. *Canadian Soyfoods Directory*, Chatham (Ontario), 1997.

« Position of the American Dietetic Association and Dietetians of Canada : Vegetarian diets », *Journal of The American Dietetic Association*, vol. 103, 2003, p. 748-765.

SABATÉ, J. « The contribution of vegetarian diets to health and disease : a paradigm shift ? », *American Journal of Clinical Nutrition*, vol. 78 (suppl.), 2003, p. 502S-507S.

SANTÉ CANADA. *Loi et règlements des aliments et drogues*, Ottawa, ministre des Approvisionnements et Services Canada.

SANTÉ CANADA, DIRECTION DES MÉDICAMENTS VÉTÉRINAIRES. *Foires aux questions – Stimulateurs de croissance hormonaux*, 2005.

SANTÉ QUÉBEC, L. BERTRAND (sous la dir. de). *Les Québécoises et les Québécois mangent-ils mieux ? Rapport de l'Enquête québécoise sur la nutrition, 1990*, Montréal, ministère de la Santé et des Services sociaux, gouvernement du Québec, 1995.

SEBASTIAN, A. « Isoflavones, protein and bone », *American Journal of Clinical Nutrition*, vol. 81, 2005, p. 733-735.

STABLER, S.P. et R.H. ALLEN. « Vitamin B_{12} deficiency as a worldwide problem », *Annual Reviews of Nutrition*, vol. 24, 2004, p. 299-326.

STAGGS, C.G. et autres. « Determination of the biotin content of select foods using accurate and sensitive HPLC/avidin binding », *Journal of Food Composition and Analysis*, vol. 17, 2004, p. 767-776.

TSAI, C.-J. et autres. « A prospective cohort study of nut consumption and the risk of gallstone disease », *American Journal of Epidemiology*, vol. 160, 2004, p. 961-968.

U.S. FOOD AND DRUG ADMINISTRATION, DEPARTMENT OF HEALTH AND HUMAN SERVICES, CENTER FOR FOOD SAFETY AND APPLIED NUTRITION. *Questions and answers – Qualified health claim for omega-3 fatty acids, eicosapentaenoic acid (EPA) and docosahexaenoic acid (DHA)*, septembre 2004.

WALTER, P. « Effects of vegetarian diets on aging and longevity », *Nutrition Reviews*, vol. 55, n° 1, 1997, p. S61-S68.

WORLD HEALTH ORGANIZATION. *Diet, nutrition and the prevention of chronic diseases. Report of a Joint WHO/FAO Expert Consultation*, WHO Technical Report Series 916, Genève, 2003. Site Internet : <www.who.int/hpr/NPH/docs/who_fao_expert_report.pdf>.

Ressources supplémentaires

Guide de consommation du poisson de pêche sportive en eau douce : <www.menv.gouv.qc.ca/eau/guide>. Il s'agit d'un guide réalisé conjointement par le ministère de l'Environnement et le ministère de la Santé et des Services sociaux du Québec.

LAMONTAGNE, D. *Guide alimentaire végétarien*, Montréal, Éditions Léa Beauregard, 1998.

Le guide alimentaire du Saint-Laurent : <www.slv2000.qc.ca/bibliotheque/centre_docum/phase3/guide_alimentaire/accueil_f.asp>. Ce site répertorie un grand nombre d'espèces commerciales de poissons, mollusques et crustacés. Il offre un lexique en français, en anglais et en latin, des tableaux de valeur nutritive et des recettes.

MESSINA, V., V. MELINA et A.R. MANGELS. « A new food guide for North American vegetarians », *Journal of the American Dietetic Association*, vol. 103, 2003, p. 771-775.

Chapitre 13

Les autres aliments

Sont regroupés sous l'appellation « Autres aliments » les aliments qui n'entrent dans aucun des quatre groupes de base du *Guide alimentaire canadien pour manger sainement*. Étant donné que la plupart de ces aliments constituent une source de plaisir et d'agrément, ils sont principalement consommés pour leur valeur hédonistique. Mais plusieurs de ces aliments fournissent aussi de bonnes quantités d'énergie. Des enquêtes canadiennes et américaines indiquent que la contribution moyenne de ce groupe d'aliments à l'apport en énergie dans le régime alimentaire se situe entre 25 et 30 %, ce qui est loin d'être négligeable. Chez certaines personnes, près de la moitié de l'énergie consommée proviendrait de ce seul groupe d'aliments.

Nous oublions toutefois que ces aliments peuvent aussi contribuer à rehausser la valeur nutritive du régime alimentaire (voir le tableau 13.1 ci-après). Bien sûr, tout dépend de la place qu'ils occupent dans notre alimentation. En effet, des données américaines indiquent que l'apport en vitamines (sauf en vitamine E), en minéraux et en fibres dans le régime alimentaire tend à diminuer au fur et à mesure qu'augmente la contribution du groupe « Autres aliments » à l'apport énergétique total. Cela ne signifie pas que nous devions éliminer ces aliments de notre alimentation. Comme nous pourrons le constater, la modération est de mise ; en outre, certains choix s'avèrent plus avantageux que d'autres sur le plan nutritionnel.

Le présent chapitre décrit les aliments qui composent le groupe « Autres aliments » et rend compte de leur valeur nutritive. Nous y abordons également divers sujets d'intérêt, tels la qualité de l'eau de consommation, les critères à retenir lorsque nous devons choisir entre le beurre et la margarine, la place que le sucre devrait occuper dans notre alimentation ou encore les effets du sel, de la caféine et de l'alcool sur notre santé.

TABLEAU 13.1   Les nutriments pouvant être associés aux aliments du groupe « Autres aliments »

Catégories d'aliments	Exemples d'aliments	Nutriments possiblement présents
Boissons	Eau	Fluor, autres minéraux
	Boissons à arôme de fruits	Vitamine C
	Thé	Fluor, manganèse, composés phénoliques
	Vin	Manganèse, composés phénoliques
Sucreries	Mélasse noire	Calcium, potassium, fer, manganèse
	Chocolat noir	Cuivre, manganèse, chrome, magnésium, composés phénoliques
Matières grasses	Beurre	Vitamine A
	Huiles végétales	Vitamines E, K, acides gras essentiels
	Margarine	Vitamines A*, D*, E, K, acides gras essentiels
Sel, fines herbes, épices et condiments	Sel de table	Sodium, iode*

* Nutriment obligatoirement ajouté conformément à la réglementation canadienne.

Les boissons

Les boissons que nous consommons contribuent à maintenir l'équilibre hydrique de notre organisme (voir le chapitre 7). Si certaines boissons tels le lait et les jus de fruits sont des aliments de base du *Guide alimentaire canadien*, plusieurs autres se classent dans le groupe « Autres aliments ».

L'eau – L'eau demeure la boisson par excellence pour restaurer les liquides corporels et prévenir la déshydratation lorsque les pertes sont modérées (voir le chapitre 7). Plusieurs normes régissent la qualité de l'eau que nous consommons, qu'il s'agisse d'une eau d'aqueduc ou d'une eau embouteillée (voir *L'eau du robinet ou l'eau embouteillée ?*, à la page 297).

Le café et le thé – Ces deux boissons renferment de la caféine. Le café est une boisson fabriquée à partir des grains du caféier, un arbuste dont la culture constitue une importante activité économique dans plusieurs pays, notamment en Amérique latine et dans les Caraïbes. Le goût, l'arôme et la composition du café (y compris sa teneur en caféine) varient selon l'espèce et le traitement qu'il a subi. Quant au thé, on l'obtient en infusant les feuilles séchées du théier, un arbre originaire de Chine. La couleur du thé varie selon le degré de fermentation des feuilles.

Le café est une boisson fabriquée à partir des grains du caféier.

Il existe dans le commerce des cafés et des thés « décaféinés », c'est-à-dire débarrassés de la majeure partie de la caféine qu'ils renferment, de même que des succédanés du café, le plus souvent à base de chicorée. On trouve aussi une grande variété de plantes aromatiques (menthe, tilleul, verveine, fleur d'oranger, etc.) pouvant être infusées pour fabriquer des « tisanes ».

Les boissons gazeuses – Les boissons gazeuses sont des eaux sucrées, aromatisées et gazéifiées. Il y a aussi sur le marché des boissons gazeuses « sans sucre », dans lesquelles le sucre a été remplacé par un édulcorant de synthèse ; leur valeur énergétique est nulle (voir le chapitre 3).

Les boissons à arôme de fruits et celles pour sportifs – Les boissons à arôme de fruits (y compris les punchs) sont vendues comme succédanés des jus de fruits. Ce sont des eaux sucrées, colorées et aromatisées. Certaines d'entre elles renferment du jus de fruits, dont la quantité dépasse rarement 25 % du volume. Les boissons pour sportifs sont des boissons à arôme de fruits dont la composition nutritionnelle est un peu mieux adaptée aux besoins des sportifs.

Les boissons alcoolisées – Comme leur nom l'indique, les boissons alcoolisées renferment de l'alcool, plus précisément de l'éthanol (aussi appelé alcool éthylique). Elles proviennent de la fermentation de matières végétales à l'aide de levures qui transforment le sucre en alcool et en gaz carbonique (CO_2). Ainsi, le vin est issu de la fermentation du raisin, le cidre, de la fermentation de la pomme, et la bière, de la fermentation d'un mélange de houblon et d'orge germé. Les boissons alcoolisées comprennent aussi les spiritueux (boissons à forte teneur en alcool) obtenus par distillation de moûts fermentés (vodka, whisky, rhum, cognac, etc.).

La teneur en alcool des boissons alcoolisées, exprimée en pourcentage du volume, est indiquée sur l'étiquette apposée sur le contenant. Elle est d'environ 5 % pour la bière, 12 % pour le vin, 18 % pour le vin fortifié (par exemple le porto) et 40 % pour les spiritueux. Ainsi, les volumes de boissons alcoolisées suivants fournissent tous la même quantité d'alcool, soit environ 18 ml (ou 15 g) d'éthanol[1]. Chaque volume équivaut à une consommation :

- 341 ml (une bouteille) de bière ordinaire ;
- 150 ml (5 oz) de vin ;
- 100 ml (3,5 oz) de vin fortifié ;
- 45 ml (1,5 oz) de spiritueux.

La valeur nutritive des boissons

L'eau

L'eau n'a aucune valeur énergétique. Toutefois, même consommée nature, l'eau constitue une source de nutriments, plusieurs **minéraux** (calcium, magnésium, sodium, fluor, etc.) se retrouvant naturellement en solution dans l'eau. Leurs concentrations varient entre autres selon la source de l'eau et le traitement qu'elle a subi (voir *L'eau du robinet ou l'eau embouteillée ?*). Dans les municipalités où l'on a recours à la fluoration de l'eau, l'eau d'aqueduc est une importante source de **fluor** (voir le chapitre 7). Il en est de même pour les aliments préparés avec de l'eau fluorée.

Parmi les eaux embouteillées, il importe de distinguer celles qualifiées d'**eaux de source** de celles appelées **eaux minérales**, car les teneurs en minéraux, en sodium notamment, de ces deux types d'eau diffèrent de façon notable (voir *L'eau du robinet ou l'eau embouteillée ?*). Comme nous le verrons plus loin, on conseille aux personnes voulant limiter l'apport en sodium dans leur alimentation de préférer une eau de source.

---

1. L'alcool a une densité égale à 0,82.

TABLEAU 13.2
Quelques bonnes
et excellentes sources
de manganèse

Bonnes sources
(≥ 0,75 mg/portion)

Blé filamenté (30 g)

Gruau cuit (175 ml)

Épinards bouillis (125 ml)

Mûres fraîches (125 ml)

Gombo bouilli (125 ml)

Haricots de Lima bouillis (125 ml)

Pois chiches bouillis (125 ml)

Soja bouilli (125 ml)

Arachides grillées à sec (60 ml)

Graines de tournesol séchées
(60 ml)

Noix de Grenoble séchées (60 ml)

Pacanes séchées (60 ml)

Bar d'eau douce cuit au four
(100 g)

Crapet-soleil cuit au four (100 g)

Doré cuit au four (100 g)

Éperlan d'Amérique cuit au four
(100 g)

Lotte cuite au four (100 g)

Meunier noir cuit au four (100 g)

Perchaude cuite au four (100 g)

Truite cuite au four (100 g)

Palourdes cuites à la vapeur
(100 g)

Huîtres du Pacifique cuites
à la vapeur (100 g)

Excellentes sources
(≥ 1,25 mg/portion)

Céréales de son (30 g)

Germe de blé grillé (30 ml)

Son d'avoine cuit (175 ml)

Ananas frais (2 tranches)

Pignons (60 ml)

Moules bleues cuites
à la vapeur (100 g)

N. B. : Parmi les autres sources
de manganèse, on compte :
le thé (0,4 mg/175 ml), le vin
(0,7-0,9 mg/150 ml), le chocolat
amer (0,5 mg/28 g).

Source : Santé Canada.
Fichier canadien sur les éléments
nutritifs, 2001.

Le café et le thé

À l'instar de l'eau, ces deux boissons n'ont aucune valeur énergétique lorsque nous les consommons nature. Le thé fournit toutefois du **fluor** et du **manganèse**. Le groupe « Autres aliments » contribue d'ailleurs le plus à notre apport en manganèse, ce qui peut surprendre compte tenu de la variété des sources de manganèse dans l'alimentation canadienne (voir le tableau 13.2).

Le café et le thé contiennent aussi des **composés phénoliques**. La consommation de thé, en particulier, peut augmenter de façon significative l'apport de ces composés dans l'alimentation. Compte tenu des effets favorables de ceux-ci dans l'organisme (voir le chapitre 6), plusieurs recherches tentent actuellement de vérifier si le thé a un rôle préventif dans le développement du cancer et des maladies cardiovasculaires. On étudie également son rôle possible dans la prévention de l'ostéoporose et de la carie dentaire, en raison de son apport en fluor.

Enfin, le café et le thé fournissent de la **caféine** (voir le tableau 13.3), une substance à action pharmacologique présente dans d'autres végétaux, comme les grains de cacao (servant à fabriquer le chocolat), la noix de kola, les feuilles de Yerba maté et les grains de guarana (deux plantes originaires d'Amérique du Sud). En Amérique du Nord, le café et le thé constituent la première source de caféine chez l'adulte alors que, chez l'enfant et l'adolescent, ce sont les boissons gazeuses (de type cola notamment) et les aliments renfermant du chocolat. Certains médicaments contre le rhume ou les maux de tête renferment aussi de la caféine. Il en est de même pour plusieurs boissons dites « énergisantes », dans lesquelles la caféine est ajoutée telle quelle ou sous forme de guarana ; bien souvent, ces boissons renferment en plus des vitamines et d'autres extraits de plantes (ginseng, ginkgo biloba, échinacées, etc.). Elles doivent être consommées avec prudence à cause de leur action stimulante sur le système nerveux central.

Les recommandations relatives à la consommation de caféine – La caféine fait partie des alcaloïdes, composés biologiquement actifs regroupant entre autres la quinine, la cocaïne et la nicotine. En raison de son effet stimulant sur le système nerveux central, la caféine diminue la fatigue et améliore la capacité d'attention. Toutefois, elle engendre aussi, chez certaines personnes, divers problèmes tels que troubles du sommeil, palpitations, tremblements, maux de tête, irritabilité et malaises gastro-intestinaux. Nous avons vu au chapitre 8 que Santé Canada recommandait en 1990 de ne pas dépasser l'équivalent en caféine de quatre tasses de café par jour. Après avoir passé en revue la littérature scientifique, un groupe d'experts du ministère concluait en 2003 qu'un apport quotidien de caféine ne dépassant pas 400 à 450 mg (l'équivalent de quatre tasses de café) ne présente effectivement pas de risque pour la santé, tant par rapport aux maladies cardiovasculaires qu'au cancer. Même si la caféine augmente les pertes de calcium dans l'urine, une consommation modérée affecterait peu le statut en calcium de l'organisme quand l'apport de ce minéral est suffisant. Les personnes ayant un faible apport en calcium et celles qui sont sensibles à la caféine devraient toutefois se restreindre davantage. De plus, les femmes enceintes, celles prévoyant le devenir et celles qui allaitent ne devraient pas dépasser 300 mg par jour, car il est possible que de fortes doses de caféine augmentent les risques d'avortement spontané et de troubles de fertilité chez la femme, et affectent le bébé allaité. Enfin, la consommation de caféine ne devrait pas excéder 2,5 mg par kg de poids chez l'enfant. Le tableau 13.3 permet de calculer notre apport en caféine.

Les boissons sucrées (gazeuses, à arôme de fruits, pour sportifs)

Les boissons sucrées constituent la première source de **sucres** ajoutés dans l'alimentation américaine (voir *Les sucres ajoutés dans notre alimentation*, à la page 300). Leur valeur énergétique varie essentiellement selon leur teneur en sucres. Dans le cas

TABLEAU 13.3   Les sources de caféine

Produit	Portion	Caféine (mg) (valeurs approximatives)
Café		
Infusé	237 ml (1 tasse)	135
Torréfié moulu, au percolateur	237 ml	118
Torréfié moulu, *filter drip*	237 ml	179
Torréfié moulu, décaféiné	237 ml	3
Instantané	237 ml	76 – 106
Instantané décaféiné	237 ml	5
Thé		
Mélange moyen	237 ml	43
Vert	237 ml	30
Instantané	237 ml	15
En feuilles ou en sachets	237 ml	50
Thé décaféiné	237 ml	0
Boissons cola		
Boisson cola, régulière	355 ml (1 can.)	36 – 46
Boisson cola diète	355 ml	39 – 50
Produits avec cacao		
Lait au chocolat	237 ml	8
1 enveloppe de mélange pour chocolat chaud (reconstitué)	237 ml	5
Bonbons, chocolat au lait	28 g	7
Bonbons autres que chocolat ordinaire	28 g	19
Chocolat pour cuisson, sans sucre	28 g	25 – 58
Gâteau au chocolat	80 g	6
Petits gâteaux au chocolat et aux noisettes	42 g	10
Mousse au chocolat	90 g	15
Pouding au chocolat	145 g	9

Source : Adapté de Santé Canada. *La caféine et votre santé*, 2003.

des boissons gazeuses et à arôme de fruits, une portion de 250 ml en fournit de 6 à 8 c. à café, soit une concentration de sucres similaire à celle de plusieurs jus de fruits. Toutefois, leur teneur en éléments nutritifs essentiels diffère nettement de celle des jus de fruits. Comme nous l'avons vu au chapitre 10, les jus de fruits conservent une bonne partie des éléments nutritifs des fruits dont ils sont extraits, à l'exception des fibres. La plupart des boissons à arôme de fruits ne renferment que de la vitamine C, et elle leur a été ajoutée ; Santé Canada autorise aussi l'ajout d'autres nutriments à ce type de boisson, mais peu de fabricants se prévalent de cette permission. Les boissons gazeuses, pour leur part, ne sont jamais enrichies.

Quant aux boissons pour sportifs, elles fournissent un peu moins de sucre et un peu plus de sodium que les jus de fruits et les boissons à arôme de fruits, et un peu plus de potassium que ces dernières. Ces boissons sont donc mieux adaptées aux besoins des sportifs. Un jus de fruits dilué avec de l'eau et auquel on ajoute une petite quantité de sel s'avère cependant tout aussi utile, à bien meilleur coût. L'enrichissement des boissons pour sportifs sera dorénavant permis ; il faudra consulter l'étiquette pour s'en assurer.

Les boissons alcoolisées

Nous avons vu au chapitre 2 que l'**alcool** constitue une source d'énergie pour l'organisme humain, car il fournit 7 kcal au gramme. Par conséquent, la valeur énergétique des boissons alcoolisées varie selon leur teneur en alcool ; elle varie aussi selon leur teneur en sucre. La bière fournit en outre de petites quantités de vitamines du groupe B, alors que le vin se distingue par sa teneur en composés phénoliques bénéfiques pour la santé (surtout présents dans le vin rouge) et en manganèse (voir le tableau 13.2 à la page 294).

L'alcool et la santé

L'alcool contenu dans les boissons alcoolisées est de l'éthanol, une petite molécule n'ayant pas à être digérée pour être absorbée. L'alcool traverse rapidement la muqueuse gastro-intestinale, mais la présence d'aliments dans l'estomac en retarde quelque peu l'absorption. La majeure partie de l'alcool ingéré est dégradée par le foie ; seulement de 5 à 10 % est éliminé dans l'urine et par les poumons. L'alcool s'accumule dans le sang lorsque la consommation d'alcool excède la vitesse à laquelle le foie peut le métaboliser.

Plusieurs recherches montrent que l'incidence des maladies cardiovasculaires est plus faible chez les personnes consommant de l'alcool modérément que chez celles en consommant beaucoup ou très peu (voir *Le rôle de l'alimentation dans le développement des maladies cardiovasculaires*, à la page 111). Il est possible que l'alcool protège la santé du cœur en augmentant le taux sanguin de HDL (les transporteurs du « bon cholestérol ») et en réduisant la formation de caillots dans le sang. On sait aussi que les composés phénoliques présents dans certaines boissons alcoolisées, le vin rouge notamment, ont une action antioxydante qui peut être bénéfique pour le cœur.

L'alcool demeure toutefois une puissante drogue pouvant entraîner un état de dépendance, surtout chez les personnes qui y sont génétiquement prédisposées. De plus, l'alcool s'avère toxique pour un grand nombre de tissus. Son accumulation dans le sang affecte le fonctionnement de nombreux organes, en particulier celui du système nerveux central, ce qui se traduit par une augmentation significative du risque d'accidents. L'abus d'alcool est également lié à une augmentation de la pression artérielle.

Consommé en grande quantité, l'alcool entraîne aussi divers problèmes d'ordre nutritif. Ainsi, plusieurs alcooliques souffrent de carences nutritionnelles. Ces carences sont attribuables, en partie, à un apport alimentaire insuffisant, l'énergie provenant de l'alcool pouvant représenter une part importante de l'apport énergétique total d'une personne alcoolique. D'autre part, l'ingestion chronique d'alcool nuit à l'absorption et au métabolisme de nombreux nutriments, en plus de causer des dommages, souvent irréversibles, au foie. La consommation chronique d'alcool constitue d'ailleurs la principale cause de cirrhose (maladie dégénérative du foie) dans les pays industrialisés. Elle y est également liée à une augmentation de l'incidence du cancer du foie et des voies digestives supérieures (bouche, gorge, œsophage). Enfin, on observe une augmentation significative du taux d'anomalies congénitales chez les enfants nés de mères alcooliques ; ces anomalies sont caractéristiques du syndrome d'alcoolisme fœtal.

Les recommandations relatives à la consommation d'alcool – Compte tenu des nombreuses répercussions de l'alcool sur la santé (voir l'encadré de la page précédente), Santé Canada recommande la modération quand nous consommons de l'alcool. Ainsi, selon le ministère, la contribution de l'alcool à l'apport en énergie dans notre régime alimentaire ne devrait pas dépasser 5 % (voir le chapitre 8). En pratique, une personne qui consomme environ 2000 kcal par jour ne devrait donc pas ingérer plus d'une consommation de boisson alcoolisée quotidiennement (une consommation fournissant environ 100 kcal sous forme d'alcool). Les personnes dont l'apport énergétique est élevé ne devraient pas dépasser deux consommations par jour. Enfin, certaines personnes devraient tout simplement s'abstenir de consommer de l'alcool, telles les femmes enceintes, les personnes ayant de la difficulté à contrôler leur consommation d'alcool, et celles qui souffrent d'une maladie touchant le foie ou le pancréas. Il est également recommandé d'éviter de consommer de l'alcool quand on prend des médicaments.

Pour en savoir plus ● ● ●

L'eau du robinet ou l'eau embouteillée ?

Les statistiques le prouvent : de plus en plus de personnes achètent leur eau plutôt que de consommer celle du robinet. Plusieurs d'entre elles estiment que l'eau embouteillée comporte moins de risque pour la santé que l'eau du robinet. Pour d'autres, il s'agit surtout d'une question de goût. Mais y a-t-il vraiment une différence entre l'eau d'aqueduc et l'eau embouteillée ?

L'eau d'aqueduc

Tout d'abord, il faut savoir que l'eau pure n'existe pas dans la nature. À moins d'être distillée, l'eau renferme de petites quantités de diverses substances qui sont naturellement présentes dans les sols ; parmi ces substances, on trouve plusieurs composés organiques et des minéraux essentiels comme le calcium, le magnésium, le fer, le fluor, etc. Les quantités varient principalement selon la composition du sol entourant la source d'approvisionnement. Toutefois, depuis le début de l'ère industrielle, nos activités ont grandement modifié la composition des masses d'eau qui nous alimentent. Les sources de pollution sont nombreuses : rejets domestiques, industriels et agricoles, déversés directement dans les cours d'eau ou provenant des décharges publiques, du ruissellement des terres agricoles, des égouts pluviaux et de la contamination atmosphérique. Ces rejets renferment des microorganismes pathogènes, des composés organiques, des produits agricoles (engrais, pesticides), des sels de déglaçage ainsi qu'une multitude de composés issus notamment des industries pétrochimique, plastique et métallurgique. Plusieurs de ces composés sont peu ou pas biodégradables. S'ajoutent à tous ces contaminants ceux provenant du traitement de l'eau (comme le chlore et ses dérivés) ou des matériaux que l'on trouve dans les conduites d'eau (comme le plomb).

Les sources d'eau potable pouvant être consommée sans traitement préalable se font donc de plus en plus rares. Il s'agit le plus souvent d'eaux provenant de nappes souterraines encore peu touchées par la contamination ; ces nappes ne peuvent généralement desservir que de petites municipalités. Au Québec, étant donné que la plupart des grandes municipalités s'alimentent à partir d'eaux de surface (fleuve et rivières), la majorité de la population desservie par un réseau d'aqueduc reçoit une eau traitée. Cette eau doit respecter les normes du **Règlement sur la qualité de l'eau potable** (relevant du ministère de l'Environnement), qui vise à limiter la présence de microorganismes pathogènes (nuisibles pour la santé) et de polluants divers. De façon générale, il semble que l'eau d'aqueduc respecte ces normes. Les infractions touchent surtout les petites municipalités et sont principalement d'ordre bactériologique.

Les eaux embouteillées

Quant aux eaux embouteillées, elles peuvent être naturelles, c'est-à-dire provenir d'une source souterraine protégée de la pollution, ou traitées. Les **eaux naturelles** se divisent en deux catégories : les eaux de source et les eaux minérales. Selon un règlement sur les eaux embouteillées relevant du ministère de l'Agriculture, des Pêcheries et de l'Alimentation du Québec (MAPAQ), lorsque le total des minéraux contenus dans une eau dépasse 1000 ppm (mg/L) ou que l'un des minéraux présents dépasse le seuil critique spécifié dans le règlement, l'eau est obligatoirement appelée « eau minérale ». Autrement, on parle d'une « eau de source ». En pratique, la teneur en minéraux des eaux de source dépasse rarement 500 ppm (mg/L). Pour leur part, les **eaux traitées** ne sont souvent que des eaux d'aqueduc dont la composition chimique a été modifiée. Certaines de ces eaux, dites déminéralisées, sont pour ainsi dire exemptes de minéraux (moins de 10 ppm ou mg/L).

Quant à savoir si l'eau embouteillée est meilleure pour la santé que l'eau d'aqueduc, la réponse n'est pas simple. Une eau embouteillée devrait renfermer moins de résidus de polluants qu'une eau d'aqueduc puisqu'il s'agit, la plupart du temps, soit d'une eau naturelle dont la source devrait être exempte de pollution, soit d'une eau d'aqueduc ayant subi un traitement supplémentaire ; l'eau naturelle est à tout le moins dépourvue des résidus possiblement cancérigènes produits par la désinfection, tels les trihalométhanes (THM). En revanche, les analyses effectuées sur les eaux d'aqueduc montrent que les quantités de résidus de polluants présentes sont généralement inférieures aux normes, donc elles ne devraient pas comporter de risque significatif pour la santé. En outre, à l'exception des sous-produits de la désinfection, les quantités de résidus de polluants présents dans l'eau d'aqueduc ne représenteraient qu'une faible proportion de la somme de résidus que nous absorbons chaque jour. Enfin, de plus en plus de municipalités se dotent de systèmes de purification de l'eau qui en améliorent la qualité. Si bien que, pour la majorité de la population desservie par un réseau d'aqueduc adéquat, on peut se demander si les bénéfices potentiels de l'eau embouteillée pour la santé en valent vraiment le coût, lequel est particulièrement élevé.

Les critères à considérer dans le choix d'une eau embouteillée

En matière d'eau embouteillée, certains choix s'avèrent plus avantageux que d'autres. Contrairement à plusieurs eaux minérales, l'eau de source a une teneur généralement faible en sodium, un atout quand nous tentons de réduire notre consommation de sel (sodium). L'eau traitée déminéralisée n'est pas recommandée, car plusieurs des minéraux naturellement présents dans l'eau remplissent des fonctions essentielles dans l'organisme. Certaines données épidémiologiques indiquent d'ailleurs que les populations consommant une eau dure (riche en minéraux tels le calcium et le magnésium) sont moins sujettes à certains problèmes de santé, par exemple les calculs urinaires, que celles consommant une eau douce. Enfin, il convient d'être prudent si l'on choisit d'acheter une eau en vrac. À moins d'être nettoyés régulièrement, les distributeurs d'eau en vrac deviennent des milieux propices à la prolifération bactérienne.

Les aliments contenant surtout du sucre contribuent très peu à l'apport en éléments nutritifs essentiels dans le régime alimentaire.

Les aliments contenant surtout du sucre

Cette catégorie d'aliments comprend le sucre sous toutes ses formes :

- sucre granulé blanc (sucre de table), sucre brun et mélasse, trois produits tirés de la canne à sucre ou de la betterave à sucre (voir l'encadré ci-après) ;
- produits tirés de la sève d'érable (sirop, tire, sucre) ;
- miel, sirops ;
- bonbons, guimauve ;
- chocolat (produit renfermant du cacao) ;
- la plupart des confitures et gelées de fruits ;
- les desserts et produits de boulangerie riches en sucre (biscuits, pâtisseries, brioches) ;
- divers autres aliments préparés à partir du sucre (comme les sucettes glacées et les sorbets aromatisés aux fruits).

La valeur nutritive des aliments contenant surtout du sucre

Selon des données américaines, ces aliments constituent la deuxième source de sucres ajoutés dans notre alimentation, après les boissons sucrées (voir *Les sucres ajoutés dans notre alimentation*, à la page 300). Leur valeur énergétique est en grande partie déterminée par leur teneur en sucres puisque, à l'exception du chocolat et des desserts et produits de boulangerie riches en sucre, la plupart sont pour ainsi dire dépourvus de protéines et de lipides. Les produits renfermant de la farine (biscuits, pâtisseries, brioches, etc.) fournissent des quantités variables d'éléments nutritifs obligatoirement ajoutés à la farine blanche (voir le chapitre 9). Le chocolat fournit aussi de petites quantités de minéraux (manganèse, cuivre, magnésium et chrome) de même que des composés phénoliques bénéfiques pour l'organisme (voir le chapitre 6) grâce au cacao qui sert à sa fabrication ; le chocolat noir en renferme plus que le chocolat au lait.

Plusieurs personnes se demandent s'il n'est pas avantageux pour la santé de substituer le miel, la cassonade, le sirop d'érable ou la mélasse au sucre blanc. Le tableau 13.4 montre que, de façon générale, les teneurs de ces différents aliments en éléments nutritifs essentiels, exprimées par portion usuelle (15 ml), s'équivalent et qu'elles sont, somme toute, négligeables lorsqu'on les compare aux apports nutritionnels de référence (ANREF) pour ces mêmes nutriments. La mélasse, plus particulièrement la mélasse noire, se distingue par son contenu en minéraux, notamment en calcium, en potassium, en fer et en manganèse, provenant des résidus du raffinage du sucre. Des composés phénoliques seraient aussi présents dans le miel. Mais dans l'ensemble, tous ces sucres contribuent très peu à l'apport en éléments nutritifs dans le régime alimentaire.

TABLEAU 13.4   La valeur nutritive de diverses sources de sucres concentrés (par 15 ml)

Éléments nutritifs	ANREF*	Confitures	Mélasse	Mélasse noire	Miel	Sirop de maïs	Sirop d'érable	Sucre blanc	Sucre brun
Thiamine (mg)	1,1-1,2	0,00	0,01	0,01	0,00	traces	traces	0,00	traces
Riboflavine (mg)	1,1-1,3	traces	traces	0,01	0,01	traces	traces	traces	traces
Niacine (ÉN)	14-16	traces	0,0	0,0	traces	0,0	0,0	0,0	0,0
Acide pantothénique (mg)	5	traces	0,17	0,18	0,01	traces	0,01	0,00	0,01
Vitamine B_6 (mg)	1,3	traces	0,14	0,15	0,01	traces	traces	0,00	traces
Acide folique (mcg d'ÉFA)	400	6,7	0,0	0,2	0,4	0,0	0,0	0,0	0,1
Magnésium (mg)	310-420	1	50	45	traces	traces	3	0	3
Calcium (mg)	1000	4	43	179	1	1	13	traces	8
Potassium (mg)	4700	16	304	518	11	1	41	traces	32
Fer (mg)	8-18	0,10	0,98	3,64	0,09	0,01	0,24	0,01	0,18
Zinc (mg)	8-11	0,01	0,06	0,21	0,05	traces	0,83	traces	0,02
Cuivre (mg)	0,9	0,020	0,101	0,424	0,008	0,002	0,015	0,005	0,027
Manganèse (mg)	1,8-2,3	0,008	0,318	0,543	0,017	0,018	0,659	0,001	0,029

*ANREF = apport nutritionnel de référence pour un adulte de 50 ans ou moins (varie selon le sexe et l'âge).

Source : Santé Canada. Fichier canadien sur les éléments nutritifs, 2001.

L'extraction du sucre

Le sucre granulé blanc (ou sucre de table) est extrait de la canne à sucre ou de la betterave à sucre. La canne à sucre est un roseau, originaire du sud de l'Asie, dont la culture est implantée depuis longtemps dans divers pays tropicaux. La betterave à sucre, une racine qui s'apparente à la betterave que nous consommons comme légume, se cultive en climat tempéré ; son exploitation a été lancée par Napoléon au début du XIXe siècle. Qu'il soit tiré de la canne à sucre ou de la betterave à sucre, le sucre granulé blanc est composé d'un seul et même sucre, le sucrose (ou saccharose).

Dans le cas de la canne à sucre, le procédé de raffinage est amorcé dans les plantations par l'extraction de ce qu'on appelle le **sucre brut**, lequel est ensuite transporté par bateau vers les entrepôts de raffineries à travers le monde. Le sucre brut renferme un grand nombre d'impuretés ; il peut être décontaminé à la vapeur pour devenir du sucre « **turbinado** ». Toutefois, la majeure partie du sucre brut est raffinée de la façon suivante : on le dissout dans l'eau, on filtre la solution pour la débarrasser de ses impuretés, puis on fait évaporer une partie du liquide pour obtenir un sirop très épais, chargé de cristaux de sucre, qu'on essore dans une centrifugeuse et qu'on lave. On obtient ainsi le **sucre granulé blanc**. L'extraction se poursuit avec le liquide restant.

Les sirops obtenus lors du raffinage du sucre de la canne à sucre correspondent à différents types de **mélasse**. Les teneurs en sucre et en résidus de raffinage des mélasses varient selon le stade où celles-ci sont obtenues. Ainsi, la mélasse de première extraction, la mélasse de fantaisie, renferme plus de sucrose et moins de résidus que la mélasse noire (*blackstrap*), une mélasse de troisième extraction. Quant à la **cassonade (sucre brun)**, elle était autrefois extraite directement des sirops de raffinage du sucre ; maintenant, elle est fabriquée par l'ajout de mélasse aux cristaux de sucre blanc. La quantité de mélasse détermine la couleur de la cassonade (pâle, dorée, foncée). Le raffinage du sucre tiré de la betterave à sucre s'opère selon un processus semblable, mais ne comprend pas l'étape de production du sucre brut.

Pour en savoir plus

Les sucres ajoutés dans notre alimentation

Un grand nombre d'aliments renferment des sucres ajoutés au moment de leur préparation en industrie ou à la maison. Par définition, les sucres ajoutés excluent ceux naturellement présents dans les aliments de base, c'est-à-dire dans les fruits, les légumes et le lait, principalement. Dans les listes d'ingrédients, les sucres ajoutés apparaissent sous plusieurs appellations : sucrose (sucre blanc), glucose, fructose, sucre inverti, sirops de glucose/fructose, maltose, dextrose, sirop de maïs, etc. Le tableau 13.5 montre leur répartition dans l'alimentation américaine. Les boissons sucrées (les boissons gazeuses notamment) y constituent la première source de sucres ajoutés ; les desserts et produits de boulangerie riches en sucre arrivent en deuxième place et les confiseries, en troisième place.

Les sucres servent avant tout à relever la saveur des aliments ; ils en modifient également la texture, favorisent leur conservation et nourrissent les levures contenues dans les produits de boulangerie. Toutefois, sur le plan nutritionnel, ils sont généralement dépourvus d'intérêt (voir le tableau 13.4, à la page précédente). Même si, à l'intérieur d'un intervalle relativement large, la consommation de sucres ne semble pas modifier la teneur en éléments nutritifs du régime alimentaire, la place qu'ils peuvent y occuper demeure nécessairement

TABLEAU 13.5   La répartition des sucres ajoutés dans l'alimentation (selon des données américaines)

Boissons sucrées	47 %
Boissons gazeuses	33 %
Boissons à arôme de fruits (incluant les *punchs*)	10 %
Autres boissons (par exemple : thé et café glacés, *cooler*, etc.)	4 %
Desserts et produits de boulangerie riches en sucre (biscuits, pâtisseries, brioches, muffins, etc.)	19 %
Confiseries (sucre, miel, bonbons, sirops, confitures, etc.)	16 %
Produits laitiers sucrés	9 %
Autres aliments contenant du sucre ajouté (condiments, céréales pour le petit-déjeuner, aliments préparés avec une sauce sucrée, etc.)	9 %

Source : Guthrie et Morton (2000).

limitée puisque, lorsqu'ils sont consommés en trop grande quantité, les aliments riches en sucres peuvent se substituer à des aliments plus nutritifs. Pour cette raison, les sucres ajoutés dans nos aliments ne devraient pas représenter plus de 25 % de notre consommation d'énergie (voir le chapitre 3). Le fait de limiter encore plus notre consommation d'aliments riches en sucres pourrait nous aider à contrôler notre poids, puisque l'ajout de sucres dans l'alimentation tend à accroître la consommation d'énergie. Il semble, en effet, que nous n'ajustions pas toujours notre consommation d'énergie après un apport significatif en sucres, surtout quand ceux-ci sont consommés à l'intérieur d'une boisson (voir le chapitre 2).

Les aliments contenant surtout des matières grasses

Cette catégorie regroupe les aliments suivants :

- le beurre ;
- le lard et le saindoux (gras de porc) ;
- le suif (gras de bœuf) ;
- les huiles végétales ;
- les aliments renfermant surtout des huiles végétales, comme la margarine, la mayonnaise, les vinaigrettes à base d'huile et la graisse végétale (*shortening*) ;
- les corps gras allégés, tels le beurre et la margarine allégés (dont la teneur en matières grasses est réduite de moitié).

Sont également inclus dans cette catégorie des aliments non seulement composés de matières grasses, mais qui en renferment de bonnes quantités : grignotines grasses et salées (croustilles de pomme de terre ou de maïs, grignotines à saveur de fromage, etc.), certains desserts particulièrement riches en matières grasses, etc.

La valeur nutritive des aliments contenant surtout des matières grasses

Compte tenu de leur composition, ces aliments fournissent avant tout des **lipides** ; de fait, le groupe « Autres aliments » est celui qui contribue le plus à cet apport dans le régime alimentaire moyen des Canadiens. Les aliments riches en matières grasses ont également une haute valeur énergétique, les lipides constituant une source particulièrement concentrée d'énergie. Nous avons vu au chapitre 4 que plusieurs huiles non hydrogénées (maïs, soja, lin, tournesol, etc.) constituent d'excellentes sources d'**acides gras essentiels**. Elles renferment aussi des vitamines liposolubles, notamment de la **vitamine K**, surtout présente dans les huiles de soja et de canola (voir le chapitre 10), et de la **vitamine E**, contenue dans plusieurs variétés (voir le tableau 13.6, à la page suivante). Les huiles de première pression (non raffinées) renferment plus de vitamine E que les huiles raffinées, car cette vitamine est en partie détruite par les hautes températures servant à les désodoriser (voir l'encadré *L'extraction des huiles végétales*, à la page 303). Les huiles commerciales raffinées et les aliments fabriqués à partir de celles-ci (margarine, mayonnaise, vinaigrettes, etc.) constituent malgré tout la principale source de vitamine E dans l'alimentation canadienne. Parmi les autres sources, mentionnons le germe de blé, les œufs oméga-3, plusieurs noix et graines ainsi que certains légumes (voir le tableau 13.6).

Enfin, les huiles végétales sont une source de **phytostérols**, composés qui réduisent l'absorption du cholestérol au niveau intestinal (voir le chapitre 4) ; les huiles de première pression en renferment plus que les huiles raffinées. Les huiles de première pression fournissent en plus des **composés phénoliques** et des **caroténoïdes**, dont certains sont des précurseurs de la vitamine A (voir l'encadré de la page 303).

Le beurre et la margarine fournissent aussi de la **vitamine A** ; le beurre en renferme naturellement, alors que la margarine en est obligatoirement enrichie. La margarine est également obligatoirement enrichie de **vitamine D** (voir le chapitre 11). Les caractéristiques nutritionnelles du beurre et de la margarine sont examinées en détail dans la rubrique *Pour en savoir plus…*, à la page 304.

TABLEAU 13.6   La teneur en vitamine E de divers aliments

Aliments	Portion	Vitamine E (mg)*
Huiles végétales		
Huile de germe de blé	10 ml	13,7
Huile de tournesol	10 ml	3,8
Huile d'amande	10 ml	3,6
Huile de carthame	10 ml	3,1
Huile de canola	10 ml	1,6
Huile d'arachide	10 ml	1,4
Huile d'olive	10 ml	1,3
Huile de maïs	10 ml	1,3
Huile de soja	10 ml	0,9
Huile de sésame	10 ml	0,1
Huile de noix	10 ml	0,0
Autres sources de vitamine E		
Graines de tournesol rôties à sec	60 ml	8,5
Noisettes/avelines séchées, non blanchies	60 ml	5,1
Arachides grillées à sec	60 ml	2,6
Noix du Brésil, séchées, non blanchies	60 ml	2,0
Beurre d'arachides	15 ml	1,3
Feuilles de pissenlit crues	250 ml hachées	2,8
Bette à carde bouillie	125 ml hachée	1,7
Patates douces, bouillies sans pelure	125 ml en purée	1,6
Avocat de Californie	1/2	1,2
Mangue	1/2	1,2
Œuf oméga-3	1	5,0**
Germe de blé grillé	28 g	4,1

* En mg d'alpha-tocophérol.
** Selon l'étiquette.

Source : USDA National Nutrient Database for Standard Reference, release 16 (2004).

L'extraction des huiles végétales

Les matières premières

Les matières premières dont sont extraites les huiles végétales comestibles sont variées : elles incluent l'olive, le germe de certaines céréales (comme le maïs et le blé), les noix, le soja ainsi que les graines d'autres plantes, par exemple le tournesol, le colza (dont on extrait l'huile de canola), le carthame, le lin, le sésame, l'œillette, le coton et les pépins de raisins et de cassis. Sont également extraites les matières grasses des grains de cacao, de la noix de coco desséchée (appelée coprah) et du fruit du palmier à huile, lequel fournit les huiles de palme (tirée de la pulpe) et de palmiste (tirée de l'amande) ; toutefois, ces huiles dites « tropicales » sont relativement solides à la température ambiante en raison de leur teneur élevée en acides gras saturés. En Amérique du Nord, les « huiles tropicales » sont presque exclusivement utilisées par l'industrie alimentaire.

Les huiles végétales raffinées

L'extraction des huiles végétales comporte diverses étapes. La matière première est d'abord nettoyée, décortiquée au besoin, puis broyée ; il arrive que la pâte soit chauffée après avoir été broyée, car la chaleur facilite l'extraction des matières grasses, en plus de désactiver les enzymes et de détruire les substances toxiques naturellement présentes dans certaines graines (le soja et le coton notamment). Puis arrive l'extraction proprement dite. En production industrielle, on procède parfois à une première extraction par pression mécanique, mais on se sert surtout d'un solvant qui dissout les lipides (par exemple, l'hexane) et qu'on sépare de l'huile une fois l'extraction terminée. L'huile est ensuite raffinée. Pour ce faire, on la débarrasse de son humidité et de plusieurs des composés secondaires qui coexistent normalement avec les triacylglycérols d'une huile et qui nuisent à sa présentation et à sa conservation ; ainsi, on retire les substances responsables de l'odeur et du goût d'une huile, les pigments qui la colorent, les mucilages lui donnant une apparence trouble, les acides gras libres au goût piquant et ayant le défaut de s'oxyder facilement, les résidus de solvant et de pesticides, ainsi que certains composés métalliques.

Contrairement au procédé d'hydrogénation auquel sont souvent soumises les huiles utilisées dans l'industrie alimentaire (voir le chapitre 4), le raffinage des huiles commerciales modifie relativement peu les acides gras présents, si ce n'est en favorisant la formation d'une quantité, somme toute négligeable, d'acides gras « trans ». Le raffinage a cependant pour effet de réduire la teneur d'une huile en composés désirables, tels la vitamine E, les phytostérols, les caroténoïdes et divers composés phénoliques. À l'exception des phytostérols, ces substances ralentissent la détérioration des huiles causée par l'oxydation des acides gras insaturés, laquelle s'accélère quand on les chauffe. Malgré tout, le raffinage des huiles n'augmente pas nécessairement leur susceptibilité à l'oxydation et aux modifications induites par le chauffage, car il élimine en même temps des éléments qui accroissent leur fragilité (acides gras libres, résidus végétaux, composés pro-oxydants).

Soulignons qu'il est permis d'ajouter aux huiles végétales de fabrication canadienne divers additifs, tels des agents émulsifiants, des agents de conservation, des agents antimousse ainsi que du bêta-carotène (pour compenser les pertes) ; toute addition doit cependant apparaître sur l'étiquette. Plusieurs des huiles vendues à l'épicerie en sont exemptes.

Les huiles de première pression

L'extraction d'une huile peut également être effectuée uniquement par pression mécanique (sans l'aide de solvant) ; il s'agit alors d'une huile de première pression. Très souvent, l'huile ainsi obtenue est simplement filtrée pour éliminer les impuretés et n'est donc pas raffinée. Par conséquent, les matières premières doivent être d'une qualité irréprochable. Les fabricants cherchant habituellement à limiter le plus possible le dégagement de chaleur qui accompagne l'extraction par pression, ces huiles sont souvent dites « pressées à froid », une appellation n'étant toutefois pas réglementée au Canada ; il faut se fier à l'honnêteté du fabricant. Il en est de même pour les appellations « huile vierge » et « huile extravierge », sauf s'il s'agit de l'huile d'olive, car elle est importée d'Europe où ces termes sont réglementés.

Les huiles de première pression (non raffinées) sont de plus en plus populaires. Plusieurs consommateurs apprécient leurs saveurs et leurs arômes propres aux végétaux dont elles sont extraites. Celles fortement insaturées (comme l'huile de lin) sont particulièrement fragiles et doivent être conservées au réfrigérateur. À l'instar de n'importe quelle huile, il faut fermer le contenant immédiatement après usage pour éviter un contact prolongé avec l'oxygène de l'air et la lumière, deux éléments qui accélèrent la détérioration des huiles.

Pour en savoir plus ● ● ●

Beurre ou margarine ?

Le beurre est un corps gras traditionnel dans l'alimentation des populations qui consomment le lait de vache (dont il est extrait), mais l'histoire de la margarine est relativement récente. Ce substitut économique du beurre a été mis au point en Europe au siècle dernier et n'est légalement autorisé que depuis 1948 sur le marché canadien, et depuis 1961 sur le marché québécois. Malgré tout, les enquêtes indiquent que les Québécois consomment maintenant plus de margarine que de beurre. Pour faire un choix éclairé, il importe d'être bien informé et d'examiner le beurre et la margarine sous plusieurs aspects.

Le beurre

Le beurre présente l'avantage d'être un aliment relativement peu transformé, dont le goût, de l'avis de ses amateurs, est difficilement égalé. Sur le plan nutritionnel, le beurre renferme une quantité intéressante de vitamine A. Cependant, il a une teneur particulièrement élevée en acides gras saturés, dont plus de la moitié est composée d'acide palmitique et d'acide myristique, les deux acides gras saturés augmentant le plus le niveau de cholestérol dans le sang (voir le chapitre 3). Étant d'origine animale, le beurre constitue aussi une source de cholestérol dans l'alimentation. Soulignons toutefois que les acides gras « trans » (qui ont tendance à faire augmenter encore plus le niveau de cholestérol sanguin) n'y sont présents qu'en faible quantité ; l'un d'eux, l'acide linoléique conjugué (ALC), suscite l'intérêt du milieu scientifique en raison d'effets bénéfiques observés chez l'animal (voir le chapitre 11).

La margarine

La margarine est souvent appréciée en raison de son coût, inférieur à celui du beurre, et de sa texture facile à tartiner, même à la température du réfrigérateur. Sur le plan nutritionnel, toutes les margarines fabriquées au Canada sont de bonnes sources de vitamines A et D, car elles en sont obligatoirement enrichies. Elles renferment aussi de la vitamine E, mais les quantités varient selon le type d'huile utilisé et le fait qu'elles soient enrichies ou non de ce nutriment, car l'ajout de vitamine E dans les margarines fabriquées au Canada est permis, mais non obligatoire. Enfin, certaines margarines renferment d'assez bonnes quantités d'acides gras polyinsaturés (selon le type d'huile utilisé) et constituent donc des sources intéressantes d'acides gras essentiels.

Étant donné qu'elle a une faible teneur en acides gras saturés et qu'elle est nécessairement dépourvue de cholestérol, la margarine est souvent présentée comme étant un meilleur choix que le beurre pour la santé des artères. Mais il importe de nuancer cette affirmation. Les huiles composant les margarines sont « durcies » soit par hydrogénation, soit par l'ajout d'une petite quantité de matières grasses fortement saturées, telles les huiles de palme et de palmiste modifiées ; la teneur en acides gras insaturés des huiles composant les margarines est nécessairement moindre que celle qui les caractérise naturellement, et leur teneur en acides gras saturés, augmentée. De plus, dans les margarines « durcies » par hydrogénation, une partie des acides gras insaturés est transformée en acides gras « trans » (voir le chapitre 4).

L'étendue des changements apportés dans la composition en acides gras des matières grasses composant une margarine dépend de l'importance du « durcissement ». De façon générale, les margarines molles, vendues dans des contenants de plastique, sont plus près de la « nature » que les margarines dures, vendues dans un emballage d'aluminium rappelant celui du beurre. De plus, les margarines molles « non hydrogénées » (généralement étiquetées comme telles) sont dépourvues d'acides gras trans ; elles constituent donc la meilleure option pour qui se soucie de sa santé cardiovasculaire. Toutefois, lorsque l'usage le permet, une huile de qualité demeure encore le meilleur choix.

Enfin, quand nous tartinons une tranche de pain, nous devons nous rappeler que la teneur en matières grasses et, par conséquent, la valeur énergétique de la margarine sont identiques à celles du beurre. Quel que soit notre choix, il est recommandé d'y aller avec modération !

Les fines herbes sont riches en éléments nutritifs.

Le sel, les fines herbes, les épices et les condiments

Sont regroupées dans cette catégorie les denrées aromatiques que l'on ajoute aux aliments en petites quantités pour en rehausser la saveur :

Le sel – Le sel est composé de chlorure de sodium, une petite molécule dont le poids est formé à 40 % de sodium et à 60 % de chlore. Il est vendu sous forme de **gros sel**, de **sel fin (« sel de table »)** ou de **sel en cristaux**. Il est extrait soit de dépôts miniers laissés par d'anciennes mers (sel gemme), soit par évaporation dans des marais salants (sel de mer ou sel marin). Le **sel de mer** gagne en popularité ;

non raffiné, il renferme de petites quantités de minéraux (calcium, magnésium, oligoéléments, etc.) qui lui donnent une teinte grisâtre. En plus du sel nature, il est possible de se procurer dans le commerce divers sels assaisonnés (sels à l'ail, à l'oignon, au céleri, etc.).

Les fines herbes – Ce sont les feuilles de diverses plantes aromatiques, comprenant notamment le basilic, le cerfeuil, la marjolaine, la menthe, l'origan, le persil, le romarin, la sarriette, la sauge et le thym ; les fines herbes comprennent les herbes fraîches et déshydratées.

Les épices – Elles proviennent des autres parties des plantes : fleurs (safran), fruits (piments forts, poivre), graines (moutarde, cardamome, fenugrec), amande (muscade), écorce (cannelle), boutons floraux (clou de girofle, câpre), bulbe (ail, échalote) et racines (gingembre, curcuma, raifort). Les épices ont souvent une saveur piquante.

Les condiments – Sont regroupées sous cette appellation les sauces d'accompagnement et autres préparations aromatisantes, dont plusieurs sont macérées dans le vinaigre (comme le ketchup). Le vinaigre est lui-même considéré comme un condiment ; il s'agit en fait d'une solution d'acide acétique produite grâce à la transformation d'une solution d'alcool par des bactéries. L'alcool éthylique est utilisé pour produire le vinaigre blanc.

La valeur nutritive du sel, des fines herbes, des épices et des condiments

Parmi ces aliments, les fines herbes et les épices sont les plus riches en éléments nutritifs essentiels ; toutefois, étant généralement consommées en faibles quantités, ces denrées contribuent relativement peu à l'apport en vitamines et en minéraux dans le régime alimentaire. On leur attribue de nombreuses vertus médicinales, mais ce sujet porte souvent à controverse, comme en fait foi la littérature portant sur l'ail. Nous aurions néanmoins avantage à les incorporer plus largement dans nos aliments. À l'instar de bien d'autres végétaux, ils renferment divers **composés phytochimiques**, dont plusieurs ont un grand pouvoir antioxydant ; la sauge, la menthe, le thym, le romarin, le clou de girofle, la cannelle et l'*allspice* en fournissent de bonnes quantités. L'industrie alimentaire tire maintenant parti de ces végétaux, puisqu'elle utilise certains extraits (du romarin notamment) comme antioxydants.

De par sa composition, le sel contribue aussi à l'apport en **sodium** dans le régime alimentaire. Il en est de même pour plusieurs condiments. Le sodium est particulièrement bien répandu dans l'alimentation nord-américaine, car l'industrie alimentaire ajoute du sel dans un très grand nombre d'aliments (voir le tableau 13.7, à la page suivante) ; elle y ajoute aussi du bicarbonate de sodium et plusieurs additifs à base de sodium (benzoate, phosphate, carbonate, etc.). De fait, la majeure partie, soit un peu plus des trois quarts, du sodium que plusieurs d'entre nous consommons proviendrait de celui ajouté aux aliments commerciaux (voir la figure 13.1, à la page 307). Le sodium est également présent dans les aliments non transformés, ceux d'origine animale en renfermant un peu plus que ceux d'origine végétale (voir le tableau 13.7) ; toutefois, le sodium naturellement présent dans les aliments contribuerait relativement peu (moins de 15 %) à l'apport total en sodium dans le régime alimentaire d'un grand nombre de Nord-Américains. Il en serait de même pour le sodium provenant de la salière domestique utilisée pour la cuisson des aliments ou à la table.

Enfin, le sel de table vendu au Canada est une source d'**iode**, car il en est obligatoirement enrichi, contrairement au sel utilisé par l'industrie. Les poissons (voir le chapitre 12) et les algues de mer constituent aussi de bonnes sources d'iode.

TABLEAU 13.7   La teneur en sodium de quelques aliments

Aliments	Portion	Sodium (mg)
Produits laitiers		
Lait, partiellement écrémé, 2 % m.g.	250 ml	129
Fromage cheddar	50 g	310
Fromage cheddar fondu, préparation pasteurisée	50 g	798
Viandes et substituts		
Longe de porc grillée	100 g	62
Jambon maigre rôti	100 g	1327
Œuf à la coque	2 gros	124
Saumon rose grillé	100 g	86
Saumon rose en conserve avec les arêtes	100 g	468
Légumes et fruits		
Asperges bouillies égouttées	125 ml	10
Asperges en conserve égouttées	125 ml	368
Jus de légumes en conserve	125 ml	345
Pomme de terre bouillie	1	7
Banane	1	1
Produits céréaliers		
Crème de blé nature, sèche	30 g	1
Gruau nature, gros flocons, sec	30 g	3
Gruau nature instantané, sec	30 g	239
Céréale Rice Krispies	30 g	332
Pain de blé entier	1 tranche	149
Muffins au son de blé	1	265
Autres aliments		
Sel ordinaire (« sel de table »)	1/4 de c. à thé	593
Cornichons surs	1 de 9,5 cm	785
Bouillon de poulet en cubes	1 cube	1416
Soupe crème de champignons, en conserve	250 ml	930
Soupe poulet et nouilles, en conserve	250 ml	1169
Eau de source gazéifiée Montclair	250 ml	3*
Eau minérale gazéifiée Montclair	250 ml	119*

* Selon le fabricant.

Source : Santé Canada. Fichier canadien sur les éléments nutritifs, 2001.

Figure 13.1
La contribution relative
des sources de sodium dans
l'alimentation américaine

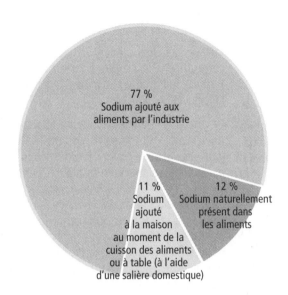

Source : U.S. Department of Agriculture, Health and Human Services. Dietary Guidelines for Americans, 2005.

Les recommandations relatives à la consommation de sodium – De façon générale, notre consommation de sodium dépasse largement l'apport jugé suffisant, estimé à 1500 mg par jour chez l'adulte ; elle dépasse même l'apport maximal tolérable, qui est de 2300 mg par jour (voir l'annexe 1). Selon une enquête effectuée auprès de la population québécoise adulte, l'apport moyen en sodium varie de 2200 à 4100 mg par jour, selon l'âge et le sexe. L'apport en sodium est plus élevé chez les hommes que chez les femmes, et il diminue avec l'âge dans les deux groupes. Toutefois, ces différences s'estompent quand on prend en compte l'apport en énergie.

Même si la relation existant entre l'ingestion de sodium et le niveau de la tension artérielle demeure difficile à cerner (voir *L'influence de l'alimentation sur la pression artérielle*, à la page 308), plusieurs organismes faisant autorité en matière de nutrition considèrent que nous devrions restreindre notre consommation de sodium. Pour y parvenir, il est recommandé :

- de préférer les aliments nature ou cuisinés à la maison aux aliments commerciaux (tels que repas préemballés, préparations de riz et de pâtes, légumes en conserve, viandes et poissons en conserve, salés ou fumés, charcuteries, soupes et potages en conserve ou déshydratés, extraits de bouillon, vinaigrettes commerciales, noix salées, etc.) ;
- de limiter sa consommation d'aliments riches en sodium, tels les préparations de fromage fondu, les sauces commerciales, les sels assaisonnés, le glutamate monosodique (Accent[md]), les marinades, les craquelins et les grignotines salés, etc. ;
- de goûter aux aliments avant d'ajouter du sel ;
- d'utiliser le sel avec modération dans la préparation des aliments et à table ;
- de consulter l'information nutritionnelle sur les emballages et de choisir de préférence les aliments contenant moins de sodium ;
- de préférer les eaux de source aux eaux minérales parmi les eaux embouteillées.

Pour en savoir plus ● ● ●

L'influence de l'alimentation sur la pression artérielle

Qu'est-ce que la pression artérielle ?

La pression artérielle à l'intérieur du système circulatoire constitue la force permettant au sang de circuler dans l'organisme. Elle est déterminée à la fois par le débit cardiaque (volume de sang pompé par le cœur par unité de temps) et la résistance périphérique exercée par les vaisseaux sanguins.

La pression artérielle varie avec les mouvements du cœur. Elle est minimale juste avant la contraction ventriculaire (c'est ce qu'on appelle la pression diastolique) et atteint son maximum au cours de l'éjection ventriculaire (on parle alors de pression systolique). Habituellement, pour déterminer la pression artérielle, on mesure à la fois la pression diastolique et la pression systolique ; le résultat est exprimé en termes de rapport entre la pression systolique (la plus élevée) et la pression diastolique (la plus basse), mesurées en millimètres de mercure (mmHg). La pression artérielle est considérée normale en deçà de 130/85 mmHg, et optimale en deçà de 120/80 mmHg. Une personne souffre d'**hypertension** quand sa pression artérielle se maintient à 140/90 mmHg ou au-delà de ces valeurs.

Les conséquences de l'hypertension artérielle

L'hypertension artérielle peut entraîner divers problèmes, notamment du cœur. Pour contrer la résistance exercée par l'élévation de la pression artérielle, le cœur commence par augmenter de volume. Toutefois, à la longue, la structure du cœur s'affaiblit et la quantité de sang qu'il éjecte devient insuffisante pour répondre aux besoins de l'organisme ; les médecins parlent alors d'**insuffisance cardiaque**, une condition qui s'accompagne souvent d'œdème (accumulation de liquide dans les tissus de l'organisme). L'hypertension artérielle favorise aussi le développement de l'**athérosclérose** (voir le chapitre 4), des **accidents vasculaires cérébraux** et de l'**insuffisance rénale chronique**, et peut entraîner de la confusion et une mort prématurée.

Les causes de l'hypertension artérielle

Un certain nombre de maladies (déséquilibres hormonaux, troubles vasculaires ou rénaux) peuvent elles-mêmes conduire à l'hypertension artérielle. Toutefois, dans 95 % des cas, la cause ne peut être déterminée ; c'est ce qu'on appelle l'**hypertension essentielle** (ou primitive). On croit que des facteurs génétiques interviennent dans le développement de cette affection. Il existe également un certain nombre de facteurs aggravants, notamment le tabagisme, l'abus d'alcool, l'inactivité et l'obésité.

Des facteurs nutritionnels interviendraient aussi dans le développement de l'hypertension artérielle. Des études épidémiologiques montrent qu'une consommation excessive de sel (ou de sodium) augmente le risque d'hypertension. En outre, un régime à faible teneur en sodium entraîne souvent une baisse de la pression artérielle chez les personnes hypertendues. Toutefois, les études portant sur ce sujet ne permettent pas toutes d'établir un lien entre la consommation de sodium et la tension artérielle. Une étude fait même état d'une relation inverse entre la consommation de sodium et le taux de mortalité.

Diverses hypothèses ont été proposées pour expliquer ces résultats divergents. Selon certains chercheurs, l'apport en sodium influerait sur la pression artérielle surtout chez les personnes qui, en raison d'une prédisposition génétique, ont une pression artérielle sensible au sel. En outre, de faibles apports en calcium et en potassium potentialiseraient l'effet hypertenseur d'un régime riche en sodium. De fait, un certain nombre d'études épidémiologiques font état d'une relation inverse entre la consommation de calcium et de potassium d'une part, et la tension artérielle d'autre part. Un faible apport en magnésium serait également lié à une augmentation de la pression artérielle.

Plusieurs minéraux semblent donc influer sur la pression artérielle et leur action sur celle-ci se modulerait selon les interactions que ces nutriments exercent entre eux. D'autres nutriments (acides gras essentiels, vitamines A et C notamment) auraient également un effet. Pour réduire les risques d'hypertension artérielle, un régime alimentaire équilibré, renfermant des quantités adéquates de nutriments, y compris du potassium, du calcium et du magnésium, serait donc avantageux. Plusieurs études ayant évalué l'efficacité de la diète **DASH** (pour *Dietary Approaches to Stop Hypertension*) riche en légumes et en fruits (9 à 12 portions par jour) et renfermant des produits laitiers pauvres en gras, du poisson, des noix, des produits céréaliers à grains entiers, mais peu de viande rouge et de sucre, en arrivent à cette conclusion. Ne pas fumer, limiter sa consommation de sodium et d'alcool et maintenir un « poids-santé » et un bon niveau d'activité physique sont des mesures s'avérant également efficaces tant pour traiter que pour prévenir l'hypertension artérielle.

Résumé

Sont regroupés sous l'appellation « Autres aliments » les aliments qui n'entrent dans aucun des quatre groupes de base du *Guide alimentaire canadien pour manger sainement*. Ces aliments, principalement consommés pour leur valeur hédonistique, comprennent :

- **plusieurs boissons :** eau, café, thé, tisanes, boissons à arôme de fruits, gazeuses, alcoolisées, « énergisantes », etc. ;

- **les aliments contenant surtout du sucre :** sucre blanc ou brun, mélasse, produits tirés de la sève d'érable, miel, sirops, bonbons, guimauve, chocolat, confitures et gelées de fruits, desserts et produits de boulangerie riches en sucre, sucettes glacées, etc. ;

- **les aliments contenant surtout des matières grasses :** beurre, lard, saindoux, suif, huiles végétales, aliments renfermant surtout des huiles végétales (margarine, mayonnaise, vinaigrettes, graisse végétale), beurre et margarine allégés, croustilles, desserts riches en matières grasses, etc. ;

- **le sel, les fines herbes, les épices et les condiments** (y compris le vinaigre).

Plusieurs de ces aliments contribuent à rehausser la valeur nutritive du régime alimentaire (voir le tableau 13.1, à la page 392), par exemple certaines **boissons**, y compris l'eau, qui renferme divers **minéraux** dont les concentrations varient selon la source de l'eau et le traitement qu'elle a subi. Dans les municipalités où l'on a recours à la fluoration de l'eau, l'eau d'aqueduc constitue une importante source de **fluor**. Le thé est une autre source de fluor, en plus de fournir du **manganèse** et des **composés phénoliques**, éléments présents aussi dans le vin rouge. Enfin, de la **vitamine C** est généralement ajoutée aux boissons à arôme de fruits, dont la valeur nutritive globale demeure néanmoins nettement inférieure à celle des jus de fruits.

Dans l'ensemble, les **aliments contenant surtout du sucre** contribuent très peu à l'apport en éléments nutritifs essentiels dans le régime alimentaire. Seuls la mélasse noire et le chocolat noir se distinguent par leur teneur en certains **minéraux**.

Même si les **aliments contenant surtout des matières grasses** contribuent avant tout à l'apport en lipides dans le régime alimentaire, ils renferment un certain nombre d'éléments nutritifs essentiels, notamment des **acides gras essentiels**, présents dans plusieurs huiles végétales non hydrogénées. Ces aliments renferment aussi des vitamines liposolubles, telle la **vitamine K**, qu'on trouve dans l'huile de soja et l'huile de canola. La plupart des huiles végétales fournissent de la **vitamine E**. Enfin, le beurre et la margarine sont une source de **vitamine A**, mais la margarine fournit en plus de la **vitamine D**.

Étant donné que nous les consommons généralement en faibles quantités, **le sel, les fines herbes, les épices et les condiments** contribuent relativement peu à l'apport en éléments nutritifs dans le régime alimentaire, à l'exception du sel de table qui, au Canada, est enrichi en **iode**. De par sa composition, le sel contribue aussi à l'apport en **sodium** dans le régime alimentaire. Toutefois, de façon générale, notre consommation de sodium dépasse largement l'apport jugé suffisant, et même l'apport maximal tolérable. Même si la relation existant entre l'ingestion de sodium et le niveau de la tension artérielle demeure difficile à cerner, nous aurions intérêt à réduire notre consommation de sodium.

Il est également recommandé aux Canadiens de limiter leur consommation de **caféine**, laquelle ne devrait pas dépasser l'équivalent de quatre tasses de café par jour. Enfin, compte tenu des nombreuses répercussions de l'**alcool** sur la santé, Santé Canada recommande d'user de modération quand nous consommons de l'alcool. Ainsi, selon le ministère, la contribution de l'alcool à l'apport en énergie dans notre régime alimentaire ne devrait pas dépasser 5 %. Toutefois, certaines personnes (telles les femmes enceintes et les personnes ayant de la difficulté à contrôler leur consommation d'alcool) devraient tout simplement s'abstenir d'en consommer.

Références

AGRICULTURE ET AGROALIMENTAIRE CANADA. *Food group sources of nutrients in the average canadian diet* (à partir de données sur l'Enquête sur les dépenses alimentaires de 2001).

BARRERA-ARELLANO, D. et autres. « Loss of tocopherols and formation of degradation compounds at frying temperatures in oils differing in degree of unsaturation and natural antioxydant content », *Journal of the Science of Food and Agriculture*, vol. 82, 2002, p. 1696-1702.

BLUMBERG, J. « Introduction to the Proceedings of the Third International Scientific Symposium on Tea and Human Health : role of flavonoids in the diet », *Journal of Nutrition*, vol. 133 (suppl.), 2003, p. 3244S-3246S.

DAS, U.N. « Nutritional factors in the pathobiology of human essential hypertension », *Nutrition*, vol. 17, 2001, p. 337-346.

DE GROOT, L. et P.L. ZOCK. « Moderate alcohol intake and mortality », *Nutrition Reviews*, vol. 56, n° 1, 1998, p. 25-26.

DRAGLAND, S. et autres. « Several culinary and medicinal herbs are important sources of dietary antioxydants », *Journal of Nutrition*, vol. 133, 2003, p. 1286-1290.

ESSLINGER, K.A. et P.J.H. JONES. « Dietary sodium intake and mortality », *Nutrition Reviews*, vol. 56, n° 10, 1998, p. 311-313.

FRANKEL, E.N. « Antioxydants in lipid foods and their impact on food quality », *Food Chemistry*, vol. 57, n° 1, 1996, p. 51-55.

FRARY, C.D., R.K. JOHNSON et M.Q. WANG. « Food sources and intakes of caffeine in the diets of persons in the United States », *Journal of the American Dietetic Association*, vol. 105, 2005, p. 110-113.

GUTHRIE, J.F. et J.F. MORTON. « Food sources of added sweeteners in the diets of Americans », *Journal of the American Dietetic Association*, vol. 100, 2000, p. 43-51.

HARLAND, B.F. « Caffeine and nutrition », *Nutrition*, vol. 16, 2000, p. 522-526.

INSTITUT DE LA STATISTIQUE DU QUÉBEC. *Enquête sociale et de santé auprès des enfants et des adolescents québécois. Volet nutrition*, Sainte-Foy, gouvernement du Québec, 2004. Site Internet : <www.stat.gouv.qc.ca>.

KANT, A.K. et A. SCHATZKIN. « Consumption of energy-dense, nutrient-poor foods by the US population : Effect on nutrient profiles », *Journal of the American College of Nutrition*, vol. 13, n° 3, 1994, p. 285-291.

MINISTÈRE DE L'ENVIRONNEMENT DU QUÉBEC. *Bilan de la qualité de l'eau potable au Québec, janvier 1995 – juin 2002*, juin 2003.

MONETTE, S. *Le nouveau dictionnaire des aliments*, Montréal, Éditions Québec/Amérique, 1996.

MURPHY, S.P. et R.K. JOHNSON. « The scientific basis of recent US guidance on sugar intake », *American Journal of Clinical Nutrition*, vol. 78 (suppl.), 2003, p. 827S-833S.

NAWROT, P. et autres. « Effects of caffeine on human health », *Food Additives and Contaminants*, vol. 20, n° 1, 2003, p. 1-30.

NESTEL, P.J. « How good is chocolate ? », *American Journal of Clinical Nutrition*, vol. 74, 2001, p. 563-564.

OFFICE DE LA PROTECTION DU CONSOMMATEUR. *Magazine Protégez-vous. Cahier spécial* H_2O, mai 1995.

« Position of the American Dietetic Association : Use of nutritive and nonnutritive sweeteners », *Journal of the American Dietetic Association*, vol. 104, 2004, p. 255-275.

SANTÉ CANADA. *Feuillet d'information : La caféine et votre santé*, 2003. Site Internet : <www.hc-sc.gc.ca>.

SANTÉ ET BIEN-ÊTRE SOCIAL CANADA. *Recommandations sur la nutrition : Rapport du Comité de révision scientifique*, Ottawa, ministre des Approvisionnements et Services Canada, 1990.

SANTÉ QUÉBEC, L. BERTRAND (sous la dir. de). *Les Québécoises et les Québécois mangent-ils mieux ? Rapport de l'Enquête québécoise sur la nutrition, 1990*, Montréal, ministère de la Santé et des Services sociaux, gouvernement du Québec, 1995.

SOCIÉTÉ CANADIENNE D'HYPERTENSION ARTÉ-
RIELLE. *Hypertension 2004: une vue d'ensemble*, septembre
2004. Site Internet : <www.hypertension.ca>.

TURNER, B., C. MOLGAARD et P. MARCKMANN.
« Effect of garlic (*Allium sativum*) powder tablets on
serum lipids, blood pressure and arterial stiffness in
normo-lipidaemic volunteers : a randomized, double-
blind, placebo-controlled trial », *British Journal of
Nutrition*, vol. 92, 2004, p. 701-706.

U.S. DEPARTMENT OF AGRICULTURE, HEALTH AND
HUMAN SERVICES. *Dietary Guidelines for Americans*, 2005.
Site Internet :
<www.healthierus.gov/dietaryguidelines>.

U.S. NATIONAL ACADEMY OF SCIENCES, INSTITUTE
OF MEDICINE. *Dietary Reference Intakes for Water, Potassium,
Sodium, Chloride and Sulfate*, Washington, D.C., National
Academy Press, 2004. Site Internet : <www.nap.edu>.

WOLLIN, S.D. et P.J.H. JONES. « Alcohol, red wine
and cardiovascular disease », *Journal of Nutrition*,
vol. 131, 2001, p. 1401-1404.

WRITING GROUP OF THE PREMIER COLLABORA-
TIVE RESEARCH GROUP. « Effects of comprehensive
lifestyle modification on blood pressure control.
Main results of the PREMIER clinical trial », *Journal
of the American Medical Association*, vol. 289, 2003,
p. 2083-2093.

Conclusion

Quelques pistes de réflexion

Dans cet ouvrage, nous avons examiné en détail la composition des aliments, aussi bien en nutriments qui abondent dans la nourriture (les macronutriments) qu'en nutriments s'y trouvant en plus faibles quantités (les micronutriments). Nous avons également fait état des nombreux liens que la recherche en nutrition a permis de mettre en lumière entre la consommation de ces nutriments et l'état de santé de l'organisme humain. Bien sûr, il n'a pas toujours été possible d'établir, de façon absolument certaine, une relation de cause à effet entre l'alimentation et la santé ; de plus, certaines questions relatives à ce sujet sont demeurées sans réponse. Malgré tout, une conclusion s'impose : nos choix d'aliments constituent un important déterminant de l'état de notre santé et cette influence s'exerce non seulement à court terme, mais aussi à long terme.

Les aliments à valeur ajoutée : des superaliments ?

Étant donné qu'il ne fait maintenant aucun doute qu'une saine alimentation contribue à réduire l'incidence de plusieurs problèmes de santé, nombre de personnes cherchent dans les aliments le moyen de préserver et même d'améliorer leur santé. La valorisation de l'approche nutritionnelle a donné naissance à une nouvelle industrie, celle des **aliments fonctionnels** et des **produits nutraceutiques** (du mot anglais *nutraceutical*).

Selon Santé Canada, « un *aliment fonctionnel* est semblable en apparence aux aliments conventionnels, il fait partie de l'alimentation normale et procure des bienfaits physiologiques démontrés et (ou) réduit le risque de maladie chronique au-delà des fonctions nutritionnelles de base ». Le terme s'applique à des aliments enrichis en nutriments (vitamines, minéraux, fibres alimentaires, acides gras essentiels, composés phytochimiques, etc.) soit directement, soit par le biais de divers ingrédients. Dans son sens le plus large, il englobe aussi certains aliments qui renferment des succédanés du sucre ou qui sont réduits en matières grasses, tel le lait écrémé. Il s'applique même à des aliments non transformés, tels les légumes et les fruits riches en composés phénoliques (des antioxydants naturels) ou encore le son d'avoine, qui aide à réduire le taux de cholestérol sanguin. Pour sa part, « un *produit nutraceutique* est fabriqué à partir d'aliments, mais vendu sous forme de pilules ou de poudres (potions) ou sous d'autres formes médicinales qui ne sont pas générale-ment associées à des aliments, et il s'est avéré avoir un effet physiologique bénéfique ou assurer une protection contre les maladies chroniques ». Les suppléments d'huiles de poisson ou d'isoflavones (extraits du soja) en sont des exemples.

Un certain nombre de facteurs expliquent la popularité des aliments fonc-tionnels et des produits nutraceutiques. Tout d'abord, contrairement aux consignes souvent restrictives véhiculées dans les messages nutritionnels traditionnels (par exemple, limiter la consommation d'aliments riches en matières grasses, en sucre et en sel), les aliments fonctionnels et les produits nutraceutiques font partie d'une approche positive pour favoriser une saine alimentation. Bon nombre d'entre eux servent à combler les insuffisances éventuelles dans l'alimentation quotidienne sans que soient remis en question de possibles excès alimentaires. Les aliments fonc-tionnels et les produits nutraceutiques ont aussi l'avantage de favoriser, chez les consommateurs, la prise en charge de leur santé et même l'automédication, un mou-vement que ne peuvent qu'approuver les gouvernements, qui ont à composer avec des coûts exorbitants dans le domaine de la santé. Enfin, cette industrie tire profit du fait que de plus en plus de consommateurs prennent conscience des limites de la méde-cine traditionnelle et se tournent vers d'autres solutions pour soulager leurs maux.

Au Canada, la formulation et la vente d'aliments fonctionnels et de produits nutraceutiques comportent toutefois certaines limites. Nous avons vu au chapitre 8 que les règlements d'application de la Loi sur les aliments déterminent ceux d'entre eux pouvant ou devant être enrichis en éléments nutritifs, de même que la nature et les quantités de ces éléments; l'obligation d'enrichir la farine raffinée de cinq nutriments essentiels en est un exemple. Même si Santé Canada a décidé d'élargir la gamme de produits spéciaux pouvant être enrichis, deux options de rechange s'offrent au fabricant qui désire « bonifier » son produit en l'absence de règlement: y ajouter un ingrédient qui se distingue sur le plan nutritionnel (par exemple ajouter des solides de lait à un jus de fruits pour l'enrichir de calcium) ou obtenir de Santé Canada une autorisation particulière pour l'ajout d'éléments nutritifs. Il est possible aussi que des aliments naturellement enrichis par génie génétique viennent un jour grossir le marché des aliments « à valeur ajoutée ». Les règlements actuels limitent toutefois les allégations permises sur l'emballage d'un aliment concernant sa valeur nutritive ou ses liens possibles avec la santé.

Quant aux produits nutraceutiques, ils doivent répondre aux exigences du Règlement sur les produits de santé naturels, lui-même sous l'égide de la Loi sur les aliments et drogues. L'éventail des allégations relatives à la santé pouvant apparaître sur les contenants de ces produits est plus large que celui permis sur l'emballage des aliments fonctionnels; selon le règlement, ces allégations doivent toutefois s'appuyer sur des preuves jugées suffisantes. Un produit nutraceutique conforme au règlement porte un numéro de produit naturel (NPN) et son étiquette indique les précautions, mises en garde et contre-indications relatives à son utilisation de même que les réactions indésirables pouvant y être liées, car les produits de santé naturels ne sont pas tous inoffensifs.

Il reste que, si certains modes d'alimentation peuvent présenter des avantages pour la santé, il est rarement possible de démontrer que ces avantages reposent sur un seul aliment ou composé alimentaire. On a déjà tenté d'imputer à des aliments isolés les maladies dégénératives qui nous affligent. Il n'est pas du tout certain que la solution pour se débarrasser de ces problèmes réside dans la consommation de quelques produits, aussi nutritifs soient-ils. Utilisés à bon escient, les aliments fonctionnels et les produits nutraceutiques peuvent contribuer à améliorer la qualité nutritionnelle du régime alimentaire. Mais l'influence exercée par ce dernier sur notre santé peut résulter uniquement de l'ensemble des aliments qui le composent, grâce à la synergie s'opérant entre la multitude de composés qu'ils renferment.

Nous avons constaté dans cet ouvrage que la recherche en nutrition préconise un mode d'alimentation simple à mettre en pratique et qui n'a rien de révolutionnaire: régime riche en légumes, en fruits et en céréales à grains entiers, comprenant aussi des produits laitiers, des viandes et substituts judicieusement choisis de même qu'une quantité modérée de matières grasses, surtout insaturées. Il importe aussi de maintenir un bon niveau d'activité physique et d'ajuster en conséquence son apport alimentaire, en portant attention aux signaux de faim et de satiété que le corps émet, afin de conserver un poids associé à un faible risque de problèmes de santé.

La sécurité alimentaire pour tous: un enjeu de taille pour la société

Si les aliments fonctionnels et les produits nutraceutiques gagnent en popularité, une proportion non négligeable de la population échappe à la vague en raison de la difficulté éprouvée à se procurer les aliments de base dont elle a besoin pour se nourrir. Dans notre société pourtant riche, l'insécurité alimentaire persiste; elle a conduit, au cours des dernières décennies, à l'instauration de divers services de dépannage alimentaire (banques d'aliments, soupes populaires, déjeuners dans les écoles) et d'initiatives communautaires fondées sur l'entraide (cuisines collectives, clubs d'achat d'aliments, jardins communautaires, etc.).

Selon le Comité *ad hoc* sur la sécurité alimentaire de l'Ordre professionnel des diététistes du Québec, «il y a **sécurité alimentaire** lorsque toute une population a accès en tout temps, et en toute dignité, à un approvisionnement alimentaire suffisant et nutritif à coût raisonnable, et acceptable aux points de vue social et culturel. Il y a au contraire **insécurité alimentaire** quand on manque d'aliments, quand on a peur d'en manquer ou quand on subit des contraintes dans le choix de ses aliments, contraintes qui affectent la qualité nutritionnelle du régime». Selon le Comité, les principales causes de l'insécurité alimentaire sont la pauvreté, la précarité de l'emploi, les coupes dans les programmes sociaux et les inégalités fiscales. En outre, divers facteurs contribueraient à aggraver l'insécurité alimentaire:

- la diminution du pouvoir d'achat;
- le coût élevé du logement et de la nourriture;
- les problèmes liés à l'approvisionnement alimentaire (par exemple, la rareté des épiceries à prix concurrentiels dans les milieux défavorisés);
- les maladies chroniques et les handicaps engendrant des dépenses supplémentaires (en médicaments notamment);
- les connaissances limitées en matière de budget et d'alimentation.

L'Enquête sur la santé dans les collectivités canadiennes (ESCC) du gouvernement fédéral indique qu'environ un Canadien sur dix (soit trois millions d'individus) souffrent d'insécurité alimentaire; le problème touche particulièrement les ménages à faible revenu (notamment ceux vivant de l'aide sociale), les familles mono-parentales, les autochtones et les enfants. De toute évidence, l'insécurité alimentaire affecte la qualité nutritionnelle du régime alimentaire et l'état nutritionnel des individus. Il est toutefois difficile d'évaluer dans quelle mesure elle affecte le bien-être général des personnes qui en souffrent. Les enquêtes indiquent que ces personnes sont proportionnellement plus nombreuses à se considérer en mauvaise santé que le reste de la population. De plus, plusieurs études montrent qu'il existe un lien entre l'insécurité alimentaire et la prévalence de problèmes de santé physiques et mentaux (notamment la dépression) et de troubles sociaux, y compris chez les enfants. Pour enrayer l'insécurité alimentaire, des regroupements de diététistes ont proposé plusieurs pistes d'action s'adressant non seulement aux gouvernements, mais aussi à l'ensemble des décideurs sociaux et économiques de même qu'aux entreprises.

La nécessité d'une action concertée pour améliorer la santé nutritionnelle de la population

Créé par le ministère de la Santé, le Comité responsable de l'élaboration d'un plan national de nutrition au Canada est également d'avis que l'amélioration de la santé nutritionnelle de l'ensemble de la population, y compris celle des personnes souf-frant d'insécurité alimentaire, nécessite une approche multisectorielle. Dans un document intitulé *La nutrition pour un virage santé: voies d'action*, ce comité propose quatre voies stratégiques:

- **le renforcement des pratiques alimentaires saines** au sein de la population par des politiques favorisant: 1) l'incorporation et le maintien de la nutrition dans les services de santé et les programmes d'enseignement scolaire et professionnel, 2) la promotion de l'allaitement maternel, 3) l'amélioration de l'étiquetage nutritionnel des aliments en tant qu'outil permettant de faire des choix éclairés – un objectif déjà atteint –, et 4) la valorisation d'une saine alimentation dans la publicité et dans l'information véhiculée par les médias;
- **le soutien des populations vulnérables sur le plan nutritionnel**: 1) par des politiques sociales permettant de s'attaquer directement au pro-blème (notamment des programmes de création d'emplois et de soutien du

revenu), 2) par le renforcement des programmes communautaires d'aide alimentaire, de services nutritionnels et d'éducation en nutrition destinés aux groupes vulnérables, et 3) par la création d'un programme de surveillance nutritionnelle des populations vulnérables ;

- **la poursuite des efforts visant à accroître la disponibilité d'aliments favorisant une alimentation saine** grâce à : 1) des politiques agricoles et alimentaires compatibles avec la protection de l'environnement, 2) une évaluation systématique des nouvelles technologies de production et de transformation des aliments, 3) des normes élevées de qualité et de salubrité des aliments (tant produits localement qu'importés), et 4) une collaboration étroite avec le secteur de la restauration ;

- **l'appui à la recherche en nutrition**, y compris celle portant sur les priorités définies précédemment, grâce à l'établissement de sources de financement adéquates et à la création de projets de collaboration multidisciplinaire favorisant la mise en commun d'expertises et de fonds.

Comme nous pouvons le constater, un grand nombre de partenaires doivent interagir pour que ces pistes d'action soient mises en œuvre. Mais il faut d'abord sensibiliser plusieurs de ces intervenants à l'importance de la nutrition comme déterminant de la santé et du bien-être. Faire valoir la nutrition en tant qu'outil efficace de rationalisation constitue une mesure de sensibilisation prometteuse.

La rentabilité de l'investissement nutritionnel

Tel que l'a si bien énoncé le Comité responsable de l'élaboration d'un plan national sur la nutrition pour le Canada, « une population bien nourrie contribue à une main-d'œuvre plus productive, à une diminution des coûts des services sociaux et de santé ainsi qu'à une meilleure qualité de vie ». De fait, la santé d'une population ayant d'importantes répercussions sociales et économiques, des actions directes sur son alimentation influencent nécessairement les bilans de gestion dans le domaine des affaires sociales et de l'économie. À grande échelle, les changements positifs que nous pouvons apporter à notre alimentation représentent donc un important potentiel d'économies pour la société.

Il en est de même pour l'intervention des nutritionnistes auprès de groupes plus vulnérables sur le plan nutritionnel. Malheureusement, les économies que ce type de services peut générer sont rarement mesurées et demeurent largement méconnues des gestionnaires œuvrant dans nos réseaux de santé. Un certain nombre d'études démontrent la rentabilité de ce type de services, notamment chez les femmes enceintes vivant en milieu défavorisé dont l'état nutritionnel influence les risques de morbidité et de mortalité périnatales, ainsi que chez les personnes hospitalisées, touchées à près de 50 % par la malnutrition ; chez ces personnes, l'intervention nutritionnelle améliore l'efficacité du traitement, qu'il soit médical ou chirurgical, en plus de réduire le risque de complications et la durée du séjour en milieu hospitalier. L'objectif consistant à évaluer précisément l'impact économique de l'intervention nutritionnelle dans la prévention de maladies chroniques telles que les maladies cardiovasculaires et le cancer demeure toutefois un défi de taille, compte tenu du temps requis pour ce faire et des nombreux éléments confondants qu'il faut contrôler avec précision.

Il importe malgré tout de mieux faire connaître les avantages que l'ensemble de la société peut retirer d'une alimentation saine et suffisante, tout en favorisant la diffusion d'une information juste et cohérente en matière de nutrition. L'exercice devrait contribuer à susciter, chez nos décideurs, la motivation nécessaire pour les amener à passer à l'action, c'est-à-dire à accorder à la nutrition une place prépondérante s'ils veulent améliorer de façon durable la santé et le bien-être de la population.

Références

CHE, J. et J. CHEN. «Food insecurity in Canadian households», *Health Reports*, vol. 12, n° 4, 2001, p. 11-22.

COMITÉ DIRECTEUR CONJOINT RESPONSABLE DE L'ÉLABORATION D'UN PLAN NATIONAL SUR LA NUTRITION POUR LE CANADA. *La nutrition pour un virage santé : voies d'action*, Ottawa, 1996. Site Internet : <www.hc-sc.gc.ca>.

GAUVIN, J.L. et autres. *Agir ensemble pour contrer l'insécurité alimentaire*, document élaboré par les membres du Comité ad hoc sur la sécurité alimentaire de l'Ordre professionnel des diététistes du Québec, juin 1996.

HERBERS, K. «Vitamin production in transgenic plants», *Journal of Plant Physiology*, vol. 160, 2003, p. 821-829.

HOUDE-NADEAU, M. et H. DOUCET-LEDUC. «Les nutraceutiques : intérêts et enjeux», *Diététique en action*, vol. 10, n° 3, 1997, p. 7-11.

PAVLOVICH, W.D. et autres. «Systematic review of literature on the cost-effectiveness of nutrition services», *Journal of the American Dietetic Association*, vol. 104, 2004, p. 226-232.

«Position of the American Dietetic Association : domestic food and nutrition security», *Journal of the American Dietetic Association*, vol. 102, 2002, p. 1840-1847.

SANTÉ CANADA, DIRECTION GÉNÉRALE DES PRODUITS DE SANTÉ ET DES ALIMENTS, DIRECTION DES PRODUITS DE SANTÉ NATURELS. *Règlement sur les produits naturels*. Site Internet : <www.hc-sc.gc.ca/francais/protection/naturels.html/>.

SANTÉ CANADA. *Document de politique. Produits nutraceutiques/aliments fonctionnels et les allégations relatives aux effets sur la santé liés aux aliments*, novembre 1998.

STUFF, J.E. et autres. «Household food insecurity is associated with adult health status», *Journal of Nutrition*, vol. 134, 2004, p. 2330-2335.

TREMBLAY, R. et autres. *La nutrition, source d'économie pour le réseau de la santé et des services sociaux*, Montréal, Ordre professionnel des diététistes du Québec, juin 1997.

Annexes

Annexe 1

Les apports nutritionnels de référence (ANREF)

Partie A

Les recommandations d'apports individuels en vitamines pour les Canadiens et les Américains (1998-2002)[a]

- Vitamine A
- Vitamine D
- Vitamine E
- Vitamine K
- Thiamine
- Riboflavine
- Niacine
- Vitamine B6
- Acide folique
- Vitamine B12
- Acide pantothénique
- Biotine
- Choline
- Vitamine C

Groupe d'âge m = mois a = année	Vita-mine A[b] µg/j	Vita-mine D[c,d] µg/j	Vita-mine E[e] mg/j	Vita-mine K µg/j	Thiamine mg/j	Ribo-flavine mg/j	Niacine[f] mg/j	Vita-mine B6 mg/j	Acide folique[g] µg/j	Vita-mine B12 µg/j	Ac. panto-thénique mg/j	Biotine µg/j	Choline[h] mg/j	Vita-mine C mg/j
0-6 m	400*	5*	4*	2*	0,2*	0,3*	2*	0,1*	65*	0,4*	1,7*	5*	125*	40*
7-12 m	500*	5*	5*	2,5*	0,3*	0,4*	4*	0,3*	80*	0,5*	1,8*	6*	150*	50*
1-3 a	300	5*	6	30*	0,5	0,5	6	0,5	150	0,9	2*	8*	200*	15
4-8 a	400	5*	7	55*	0,6	0,6	8	0,6	200	1,2	3*	12*	250*	25
Garçons														
9-13 a	600	5*	11	60*	0,9	0,9	12	1,0	300	1,8	4*	20*	375*	45
14-18 a	900	5*	15	75*	1,2	1,3	16	1,3	400	2,4	5*	25*	550*	75[i]
19-30 a	900	5*	15	120*	1,2	1,3	16	1,3	400	2,4	5*	30*	550*	90[i]
31-50 a	900	5*	15	120*	1,2	1,3	16	1,3	400	2,4	5*	30*	550*	90[i]
51-70 a	900	10*	15	120*	1,2	1,3	16	1,7	400	2,4[k]	5*	30*	550*	90[i]
>70 a	900	15*	15	120*	1,2	1,3	16	1,7	400	2,4[k]	5*	30*	550*	90[i]
Filles														
9-13 a	600	5*	11	60*	0,9	0,9	12	1,0	300	1,8	4*	20*	375*	45
14-18 a	700	5*	15	75*	1,0	1,0	14	1,2	400[j]	2,4	5*	25*	400*	65[i]
19-30 a	700	5*	15	90*	1,1	1,1	14	1,3	400[j]	2,4	5*	30*	425*	75[i]
31-50 a	700	5*	15	90*	1,1	1,1	14	1,3	400[j]	2,4	5*	30*	425*	75[i]
51-70 a	700	10*	15	90*	1,1	1,1	14	1,5	400	2,4[k]	5*	30*	425*	75[i]
>70 a	700	15*	15	90*	1,1	1,1	14	1,5	400	2,4[k]	5*	30*	425*	75[i]

Grossesse													
< 19 a	**750**	5*	**15**	75*	**1,4**	**1,4**	**18**	**1,9**	**600**[l]	**2,6**	6*	30*	450*	**80**
19-30 a	**750**	5*	**15**	90*	**1,4**	**1,4**	**18**	**1,9**	**600**[l]	**2,6**	6*	30*	450*	**85**
31-50 a	**750**	5*	**15**	90*	**1,4**	**1,4**	**18**	**1,9**	**600**[l]	**2,6**	6*	30*	450*	**85**
Lactation													
< 19 a	**1 200**	5*	**19**	75*	**1,4**	**1,6**	**17**	**2,0**	**500**	**2,8**	7*	35*	550*	**115**
19-30 a	**1 200**	5*	**19**	90*	**1,4**	**1,6**	**17**	**2,0**	**500**	**2,8**	7*	35*	550*	**120**
31-50 a	**1 200**	5*	**19**	90*	**1,4**	**1,6**	**17**	**2,0**	**500**	**2,8**	7*	35*	550*	**120**

a Ce tableau présente les apports nutritionnels recommandés (ANR) en caractères gras et les apports suffisants (AS) en caractères réguliers suivis d'un astérisque (*). Les ANR et les AS peuvent servir d'objectif pour les apports individuels. Les ANR couvrent les besoins de 97 à 98 % de la population. Chez les enfants âgés de moins d'un an, les AS correspondent aux apports moyens des nourrissons allaités, et sont présumés couvrir les besoins des autres groupes d'âge, bien que les informations disponibles ne permettent pas de préciser ce point.

b Exprimé en Équivalents d'activité rétinol (ÉAR). Un ÉAR égale 1 µg de rétinol, 2 µg de β-carotène sous forme de suppléments, 12 µg de β-carotène alimentaire, ou 24 µg d'α-carotène ou de β-cryptoxanthine. Pour transformer les équivalents rétinol des végétaux en ÉAR, on divise par deux.

c Cholécalciférol. Un µg de cholécalciférol = 40 UI de vitamine D.

d En l'absence d'exposition suffisante au soleil.

e L'α-tocophérol inclut le RRR-α-tocophérol, la seule forme de α-tocophérol présente naturellement dans les aliments, les formes stéréo-isomériques 2R, présentes dans les aliments enrichis et dans les suppléments ; il exclut les formes stéréo-isomériques 2S, présentes aussi dans les aliments enrichis et dans les suppléments.

f Équivalents niacine. Un mg de niacine = 60 mg de tryptophane. De 0 à 6 mois = niacine préformée.

g Équivalents de folate alimentaire (ÉFA). Un ÉFA = un µg de folate des aliments = 0,6 µg d'acide folique (des aliments enrichis ou de suppléments) consommé avec des aliments = 0,5 µg d'acide folique de synthèse (supplément) consommé sans aliments.

h Même si un AS a été fixé pour la choline, peu de données permettent d'estimer le besoin de choline pendant les diverses période de la vie. Les besoins en choline pourraient être comblés par la biosynthèse au cours de certaines de ces périodes.

i Les fumeurs doivent augmenter leur apport en vitamine C de 35 mg par jour.

j Compte tenu des liens connus entre l'apport de folate et les anomalies du tube neural fœtal, il est recommandé que toutes les femmes en âge de procréer consomment 400 µg d'acide folique de synthèse, provenant d'aliments enrichis ou de suppléments, en plus des apports alimentaires de folate.

k L'absorption de la vitamine B$_{12}$ liée aux aliments serait réduite chez 10 à 30 % des personnes âgées. Il est suggéré que les personnes âgées de plus de 50 ans tirent la plus grande partie cette vitamine d'aliments enrichis ou de suppléments de B$_{12}$.

l On présume que les femmes continueront à consommer 400 µg d'acide folique jusqu'à ce que leur grossesse soit confirmée et qu'elles bénéficieront de soins prénataux, ce qui survient habituellement à la fin de la période périconceptionnelle, laquelle est critique pour la formation du tube neural.

Source : U.S. National Academy of Sciences, Institute of Medicine 1998-2002. (Voir la section *Références* des chapitres 6 et 7 du présent ouvrage.)

Partie B

Les recommandations d'apports individuels en minéraux pour les Canadiens et les Américains (1998-2002)ᵃ

- Calcium
- Phosphore
- Magnésium
- Fer
- Zinc
- Cuivre
- Sélénium
- Molybdène
- Manganèse
- Chrome
- Iode
- Fluor

Groupe d'âge	Calcium	Phosphore	Magnésium	Fer	Zinc	Cuivre	Sélénium	Molybdène	Manganèse	Chrome	Iode	Fluor
m = mois a = année	mg/j	mg/j	mg/j	mg/j	mg/j	µg/j	µg/j	µg/j	mg/j	µg/j	µg/j	mg/j
0-6 m	210*	100*	30*	0,27*	2*	200*	15*	2*	0,003*	0,2*	110*	0,01*
7-12m	270*	275*	75*	11	3	220*	20*	3*	0,6*	5,5*	130*	0,5*
1-3 a	500*	460	80	7	3	340	20	17	1,2*	11*	90	0,7*
4-8 a	800*	500	130	10	5	440	30	22	1,5*	15*	90	1*
Garçons												
9-13 a	1 300*	1 250	240	8	8	700	40	34	1,9*	25*	120	2,0*
14-18 a	1 300*	1 250	410	11	11	890	55	43	2,2*	35*	150	3*
19-30 a	1 000*	700	400	8	11	900	55	45	2,3*	35*	150	4*
31-50 a	1 000*	700	420	8	11	900	55	45	2,3*	35*	150	4*
51-70 a	1 200*	700	420	8	11	900	55	45	2,3*	30*	150	4*
> 70 a	1 200*	700	420	8	11	900	55	45	2,3*	30*	150	4*
Filles												
9-13 a	1 300*	1 250	240	8	8	700	40	34	1,6*	21*	120	2*
14-18 a	1 300*	1 250	360	15	9	890	55	43	1,6*	24*	150	3*
19-30 a	1 000*	700	310	18	8	900	55	45	1,8*	25*	150	3*
31-50 a	1 000*	700	320	18	8	900	55	45	1,8*	25*	150	3*
51-70 a	1 200*	700	320	8	8	900	55	45	1,8*	20*	150	3*
> 70 a	1 200*	700	320	8	8	900	55	45	1,8*	20*	150	3*

Grossesse											
< 19 a	1 300*	1 250	400	27	13	1 000	60	50	2,0*	29*	220	3*
19-30 a	1 000*	700	350	27	11	1 000	60	50	2,0*	30*	220	3*
31-50 a	1 000*	700	360	27	11	1 000	60	50	2,0*	30*	220	3*
Lactation											
< 19 a	1 300*	1 250	360	10	14	1 300	70	50	2,6*	44*	290	3*
19-30 a	1 000*	700	310	9	12	1 300	70	50	2,6*	45*	290	3*
31-50 a	1 000*	700	320	9	12	1 300	70	50	2,6*	45*	290	3*

a Ce tableau présente les apports nutritionnels recommandés (ANR) en caractères gras et les apports suffisants (AS) en caractères réguliers suivis d'un astérisque (*). Les ANR et les AS peuvent servir d'objectifs pour les apports individuels. Les ANR couvrent les besoins de 97 à 98 % de la population. Chez les enfants âgés de moins d'un an, les AS correspondent aux apports moyens des nourrissons allaités, et sont présumés couvrir les besoins des autres groupes d'âge, bien que les informations disponibles ne permettent pas de préciser ce point.

Source : U.S. National Academy of Sciences, Institute of Medicine (1998-2002). (Voir la section *Références* des chapitres 6 et 7 du présent ouvrage.)

Partie C

Les apports jugés suffisants en potassium, en sodium et en chlore pour les Canadiens et les Américains (2004)

Groupe d'âge	Potassium (mg/jour)	Sodium (mg/jour)	Chlore (mg/jour)
Nourrissons			
0 à 6 mois	400	120	180
7 à 12 mois	700	370	560
Enfants			
1 à 3 ans	3 000	1 000	1 500
4 à 8 ans	3 800	1 200	1 800
Adolescents			
9 à 13 ans	4 500	1 500	2 300
14 à 18 ans	4 700	1 500	2 300
Adultes			
Plus de 18 ans	4 700	1 500	2 300

Source : U.S. National Academy of Sciences, Institute of Medicine (2004).

Partie D

Les apports jugés suffisants en eau pour les Canadiens et les Américains (2004)[a]

Groupe d'âge	Eau provenant de diverses boissons (en litres/jour)[a]
Nourrissons	
0 à 6 mois	0,7
7 à 12 mois	0,6
Enfants	
1 à 3 ans	0,9
4 à 8 ans	1,2
Adolescents	
9 à 13 ans	1,6 (filles)
	1,8 (garçons)
14 à 18 ans	1,8 (filles)
	2,6 (garçons)
Adultes	
Plus de 18 ans	2,2 (femmes)
	3,0 (hommes)

[a] Ces recommandations concernent la consommation d'eau provenant de boissons tels l'eau de consommation, le lait, le thé, le café, les jus et autres boissons. Le besoin total de l'organisme en eau est plus élevé, mais on assume qu'une partie (environ 20 %) de ce besoin est comblé par l'eau contenue dans les aliments.

Source : U.S. National Academy of Sciences, Institute of Medicine (2004).

Partie E

Les apports maximaux tolérables (AMT) pour certaines vitamines (1998-2002)[a]

Groupe d'âge m = mois a = année	Vita-mine A[b] µg/j	Vita-mine D µg/j	Vita-mine E[c, d] mg/j	Vita-mine K	Niacine[d] mg/j	Vita-mine B$_6$ mg/j	Acide folique de synthèse[d] µg/j	Choline g/j	Vita-mine C mg/j
0-6 m	600	25	ND[e]	ND	ND	ND	ND	ND	ND
6-12 m	600	25	ND	ND	ND	ND	ND	ND	ND
1-3 a	600	50	200	ND	10	30	300	1,0	400
4-8 a	900	50	300	ND	15	40	400	1,0	650
9-13 a	1 700	50	600	ND	20	60	600	2,0	1 200
14-18 a	2 800	50	800	ND	30	80	800	3,0	1 800
19-70 a	3 000	50	1 000	ND	35	100	1 000	3,5	2 000
> 70 a	3 000	50	1 000	ND	35	100	1 000	3,5	2 000
Grossesse									
< 19 a	2 800	50	800	ND	30	80	800	3,0	1 800
19-30 a	3 000	50	1 000	ND	35	100	1 000	3,5	2 000
Lactation									
< 19 a	2 800	50	800	ND	30	80	800	3,0	1 800
19-30 a	3 000	50	1 000	ND	35	100	1 000	3,5	2 000

[a] AMT = apport alimentaire quotidien maximal qui n'entraîne aucun risque d'effets nocifs. Sauf indication contraire, l'AMT représente l'apport des aliments, de l'eau et des suppléments. L'absence de données pertinentes a empêché d'établir un AMT pour la thiamine, la riboflavine, la vitamine B$_{12}$, l'acide pantothénique, et la biotine. En l'absence d'AMT, on recommande encore plus de prudence dans la consommation de doses excédant les apports recommandés.

[b] Vitamine A préformée seulement.

[c] α-tocophérol ; s'applique à toutes les formes d'α-tocophérol provenant de suppléments.

[d] Les AMT pour l'α-tocophérol, la niacine et l'acide folique s'appliquent aux formes obtenues des suppléments, des aliments enrichis ou de la combinaison des deux.

[e] ND : non déterminé en vertu de l'absence de données sur les effets nocifs pour ce groupe d'âge et en tenant compte de la capacité réduite de disposer des quantités excessives. Les sources doivent se limiter aux aliments.

Source : U.S. National Academy of Sciences, Institute of Medicine (1998-2002). (Voir la section *Références* des chapitres 6 et 7 du présent ouvrage.)

Partie F

Les apports maximaux tolérables (AMT) pour certains minéraux (1998-2002)[a]

- Calcium
- Phosphore
- Magnésium
- Fluor
- Fer
- Zinc
- Cuivre
- Sélénium
- Iode
- Molybdène
- Manganèse
- Bore
- Nickel
- Vanadium

Groupe d'âge m = mois a = année	Calcium g/j	Phosphore g/j	Magné-sium[b] mg/j	Fluor mg/j	Fer mg/j	Zinc mg/j	Cuivre mg/j	Sélénium µg/j	Iode µg/j	Molybdène µg/j	Man-ganèse mg/j	Bore mg/j	Nickel mg/j	Vanadium mg/j
0-5 m	ND[c]	ND	ND	0,7	40	4	ND	45	ND	ND	ND	ND	ND	ND
6-11 m	ND	ND	ND	0,9	40	5	ND	60	ND	ND	ND	ND	ND	ND
1-3 a	2,5	3	65	1,3	40	7	1	90	200	300	2	3	0,2	ND
4-8 a	2,5	3	110	2,2	40	12	3	150	300	600	3	6	0,3	ND
9-13 a	2,5	4	350	10	40	23	5	280	600	1100	6	11	0,6	ND
14-18 a	2,5	4	350	10	45	34	8	400	900	1700	9	17	1	ND
19-70 a	2,5	4	350	10	45	40	10	400	1100	2000	11	20	1	1,8
>70 a	2,5	3	350	10	45	40	10	400	1100	2000	11	20	1	1,8
Grossesse														
<19 a	2,5	3,5	350	10	45	34	8	400	900	1700	9	17	1	ND
19-50 a	2,5	3,5	350	10	45	40	10	400	1100	2000	11	20	1	ND
Lactation														
<19 a	2,5	3,5	350	10	45	34	8	400	900	1700	9	17	1	ND
19-50 a	2,5	3,5	350	10	45	40	10	400	1100	2000	11	20	1	ND

[a] AMT = apport alimentaire quotidien maximal qui n'entraîne aucun risque d'effets nocifs. Sauf indication contraire, l'AMT représente l'apport des aliments, de l'eau et des suppléments. En l'absence d'AMT, on recommande encore plus de prudence dans la consommation de doses excédant les apports recommandés.

[b] L'AMT pour le magnésium représente la contribution de préparations pharmaceutiques, et exclut celle de l'eau et des aliments.

[c] ND : non déterminé en vertu de l'absence de données sur les effets nocifs pour ce groupe d'âge et en tenant compte de la capacité réduite de disposer des quantités excessives. Les sources doivent se limiter aux aliments.

Source : U.S. National Academy of Sciences, Institute of Medicine (1998-2002). (Voir la section *Références* des chapitres 6 et 7 du présent ouvrage.)

Annexe 2

Le guide d'activité physique canadien pour une vie active saine

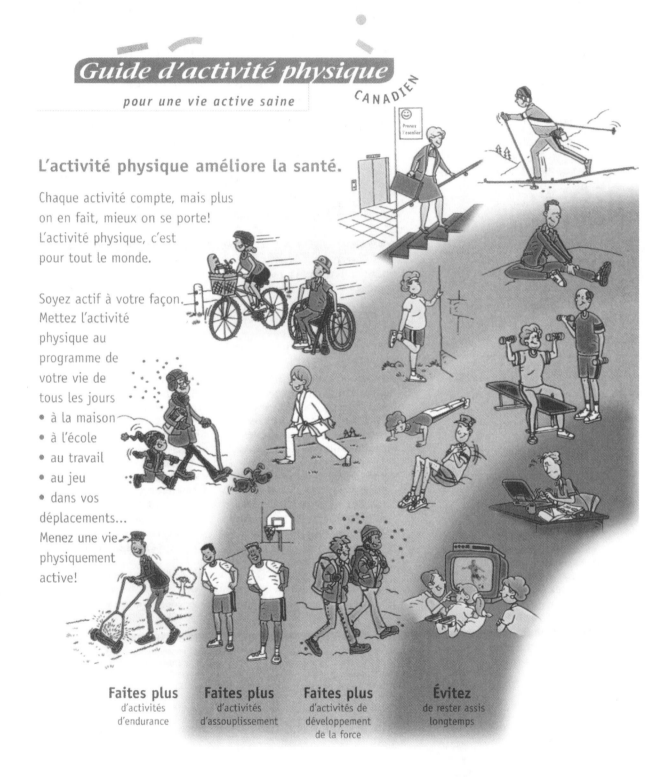

Faites plus
d'activités
d'endurance

Faites plus
d'activités
d'assouplissement

Faites plus
d'activités de
développement
de la force

Évitez
de rester assis
longtemps

 Santé Canada Health Canada

 Société canadienne de physiologie de l'exercice

Choisissez quelques activités qui vous plaisent dans chacun de ces trois groupes.

Endurance

4 à 7 jours par semaine
Activités soutenues, pour faire travailler le cœur et les poumons.

Assouplissement

4 à 7 jours par semaine
Étirements, flexions et extensions en douceur, pour détendre les muscles et demeurer souple.

Force

2 à 4 jours par semaine
Activités à l'aide de poids ou de résistances, pour renforcer les muscles et les os, et améliorer la posture.

Avec une progression lente au début, il n'y a aucun risque, pour la plupart des gens. Dans le doute, consultez un professionnel de la santé.

Pour vous procurer un exemplaire du *Cahier d'accompagnement* ou obtenir d'autres renseignements :
1-888-334-9769 ou **www.guideap.com**

Il est également important de bien s'alimenter. Consultez le *Guide alimentaire canadien pour manger sainement* et faites des choix santé.

Soyez actif à votre façon, tous les jours, à tout âge!

Les scientifiques affirment qu'il faut faire 60 minutes d'activité physique par jour pour demeurer en forme ou améliorer sa santé. À mesure que vous passerez à des activités plus intenses, vous pourrez réduire cet objectif à 30 minutes, 4 jours par semaine. Combinez diverses activités d'au moins 10 minutes chacune. Commencez lentement, puis augmentez graduellement le rythme.

La durée recommandée varie selon l'effort.

Intensité très légère	Intensité légère *60 minutes*	Intensité moyenne *30 - 60 minutes*	Intensité élevée *20 - 30 minutes*	Intensité très élevée
• Marcher lentement • Épousseter	• Marcher d'un pas modéré • Jouer au volley-ball • Effectuer de légers travaux de jardinage • Faire des exercices d'étirement	• Marcher d'un bon pas • Faire de la bicyclette • Ramasser des feuilles • Nager • Danser • Suivre une classe d'aérobie aquatique	• Suivre une classe de danse aérobique • Faire du jogging • Jouer au hockey • Jouer au basket-ball • Nager ou danser à un rythme continu	• Faire des sprints • Participer à une compétition de course à pied

Les niveaux d'activité pour rester en santé

Allez-y. Vous aussi, vous en êtes capable.

L'activité physique n'a pas besoin d'être très difficile. Ajoutez des activités physiques à vos occupations habituelles.

- Marchez chaque fois que vous en avez l'occasion, descendez de l'autobus un peu plus tôt et utilisez l'escalier plutôt que l'ascenseur.
- Évitez de demeurer inactif pendant de longues périodes, comme lorsqu'on regarde la télé.
- Levez-vous de votre siège, étirez-vous, faites des exercices d'assouplissement pendant quelques minutes toutes les heures.
- Activez-vous en jouant avec vos enfants.
- Pour les courtes distances, choisissez la bicyclette, la marche ou, s'il y a lieu, le fauteuil roulant.

- Commencez par une promenade à pied d'une dizaine de minutes, puis augmentez-en la durée graduellement.
- Renseignez-vous sur les pistes cyclables et les sentiers de randonnée pédestre les plus proches et utilisez-les.
- Observez le déroulement d'un cours d'activité physique pour voir si vous aimeriez y participer.
- Commencez par un cours, il n'est pas nécessaire de s'engager à long terme.
- Pratiquez plus souvent les activités physiques que vous faites déjà.

Les bienfaits de l'activité régulière : Les risques liés à l'inactivité :

- meilleure santé
- meilleure condition physique
- amélioration de la posture et de l'équilibre
- meilleure estime de soi
- contrôle du poids
- renforcement des muscles et des os
- regain d'énergie
- détente et contrôle du stress
- plus grande autonomie au troisième âge

- décès prématuré
- maladies du cœur
- obésité
- hypertension artérielle
- diabète de maturité
- ostéoporose
- accidents cérébrovasculaires
- dépression
- cancer du côlon

Annexe 3

La structure chimique de divers composés

Partie A

La structure des vitamines

La structure des vitamines hydrosolubles

Acide ascorbique (vitamine C)

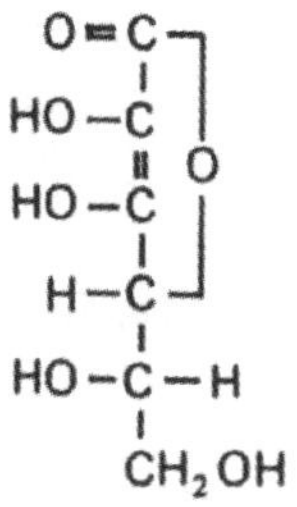

Riboflavine (vitamine B_2)

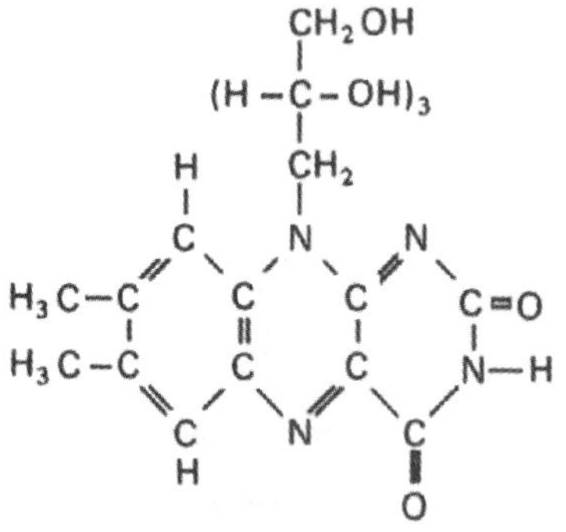

Thiamine (vitamine B_1)

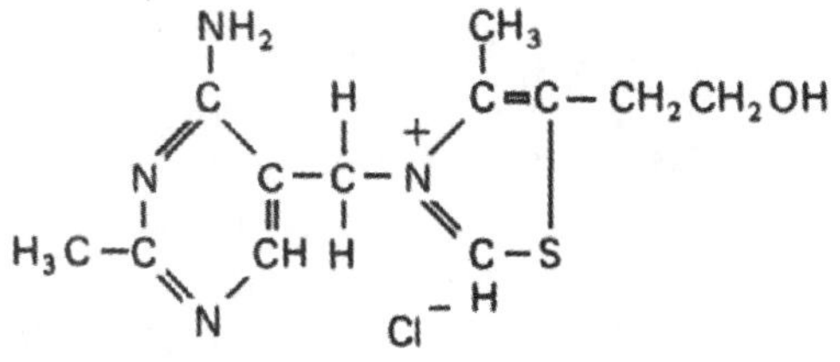

Niacine

Acide nicotinique

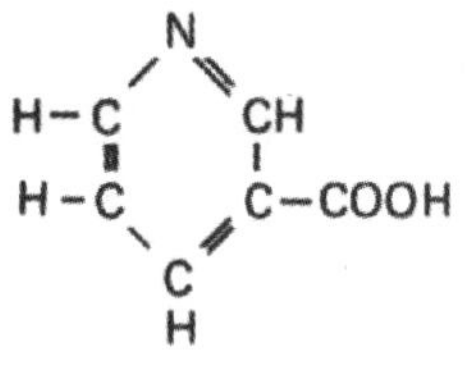

Nicotinamide

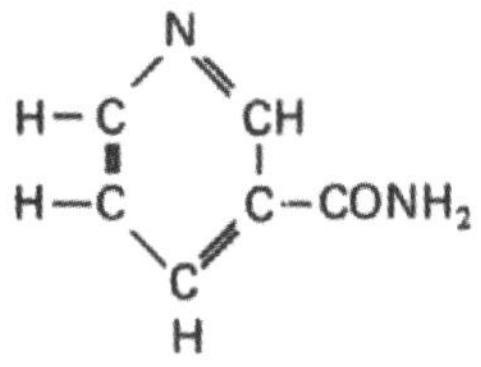

Groupe de la vitamine B_6

Pyridoxine

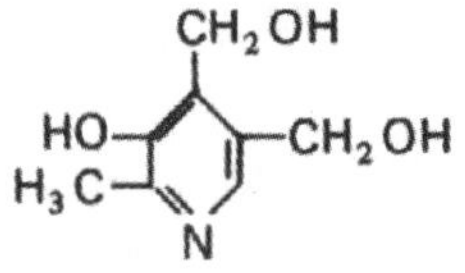

Pyridoxal

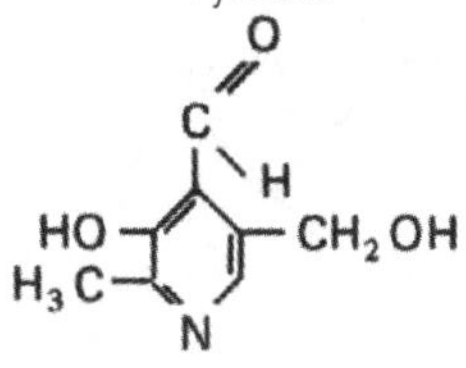

Pyridoxamine

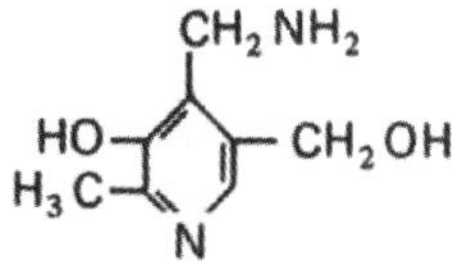

Acide pantothénique

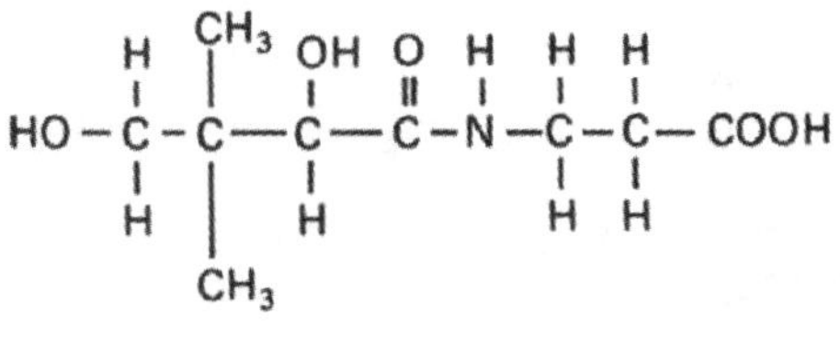

Acide folique (acide monoptéroylglutamique)

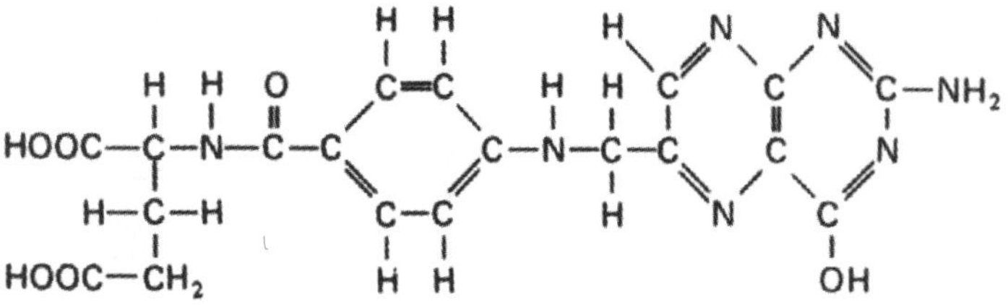

Biotine

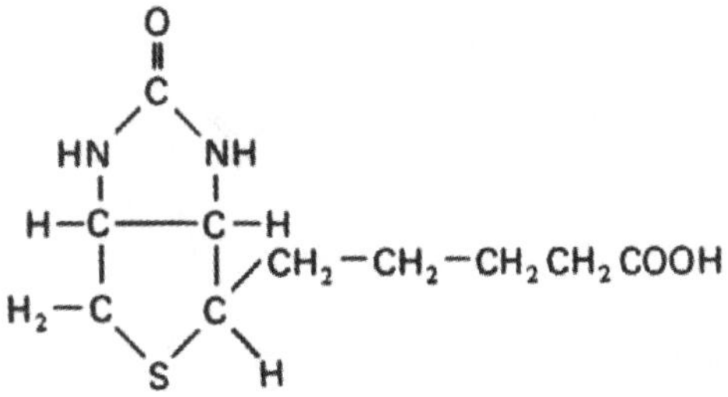

Vitamine B$_{12}$
(cyanocobalamine)

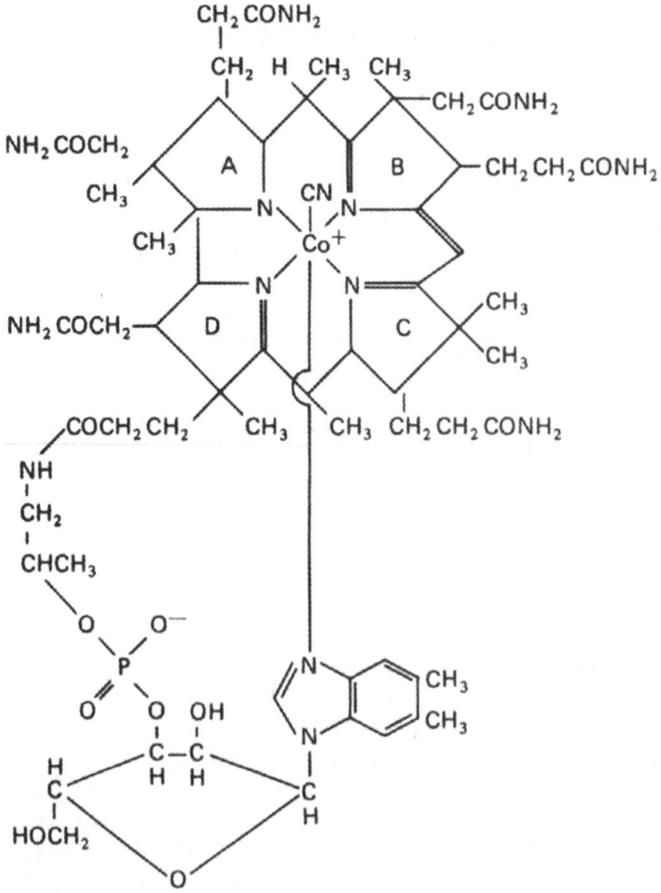

Choline

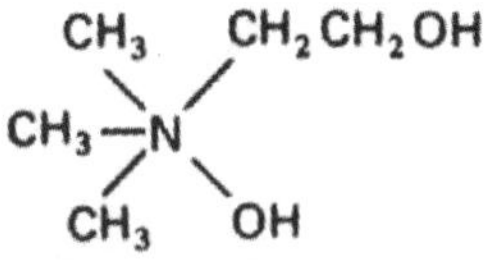

Structure des vitamines liposolubles

Vitamine A (rétinol)

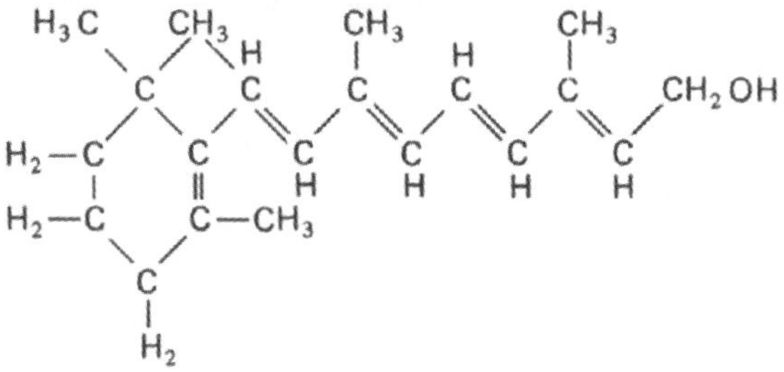

Vitamine D (D$_3$ ou cholécalciférol)

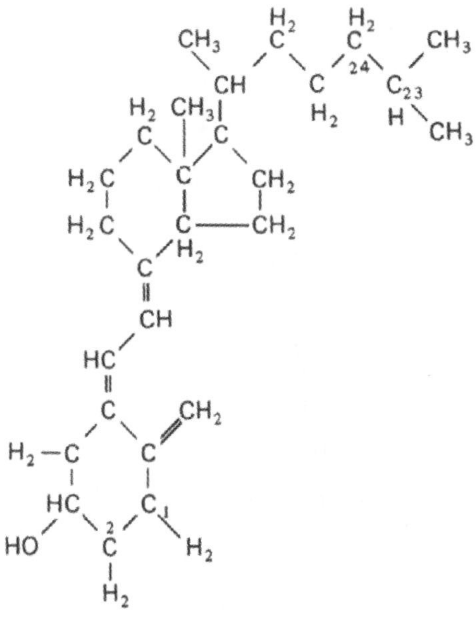

Provitamine A (bêta-carotène)

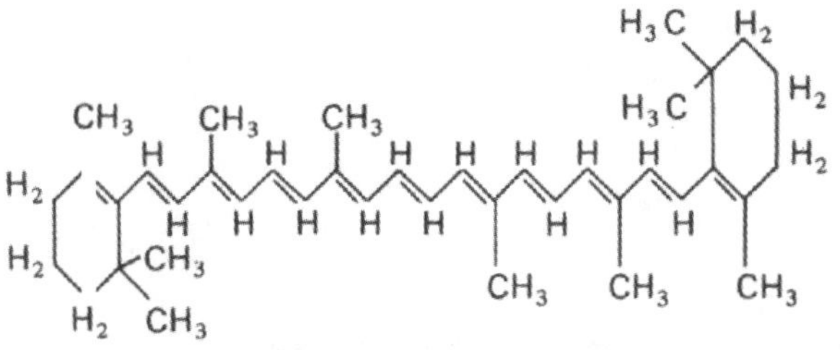

Vitamine E (alpha-tocophérol)

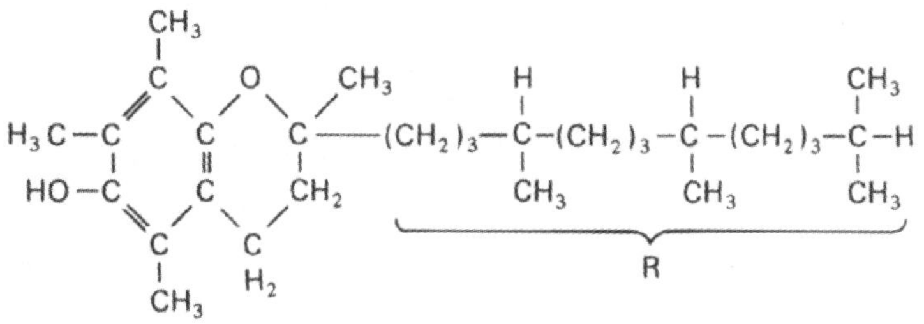

Vitamine K (K$_1$ ou phylloquinone)

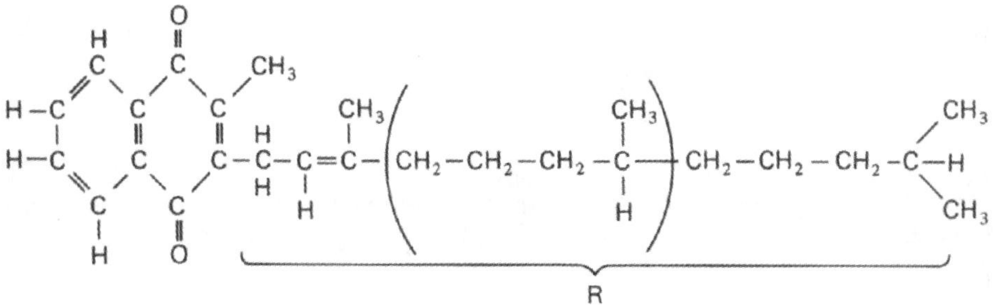

Partie B

La structure des acides aminés

La partie de la molécule d'acide aminé se trouvant dans la boîte grise représente le groupe chimique commun à tous les acides aminés.

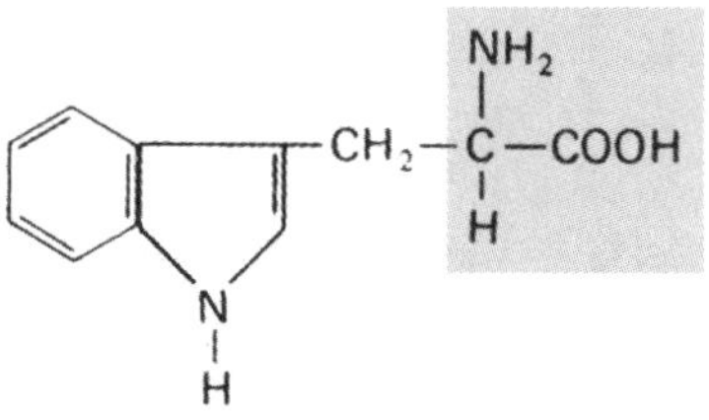

Tryptophane (TRP)

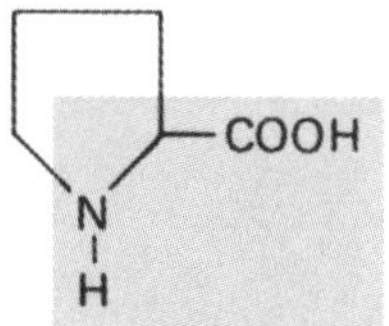

Proline (PRO)

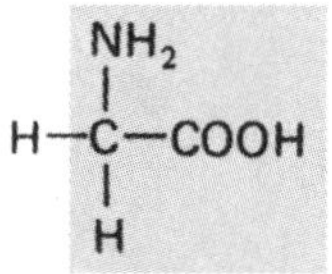

Glycine (GLY)

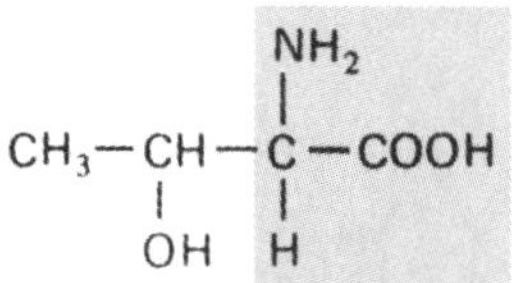

Thréonine (THR)

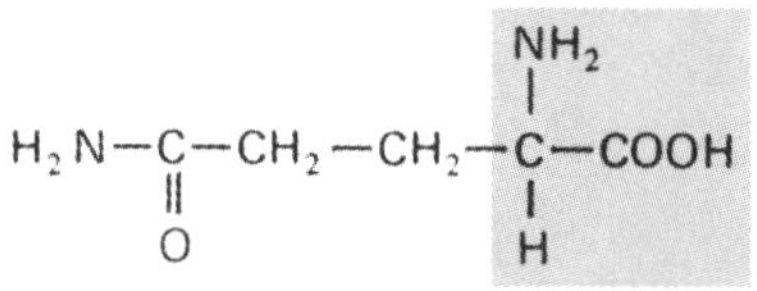

Glutamine (GLN)

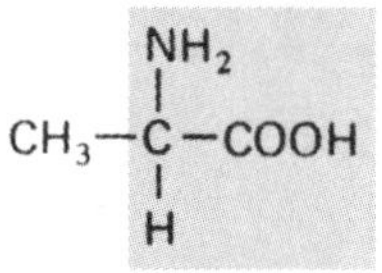

Alanine (ALA)

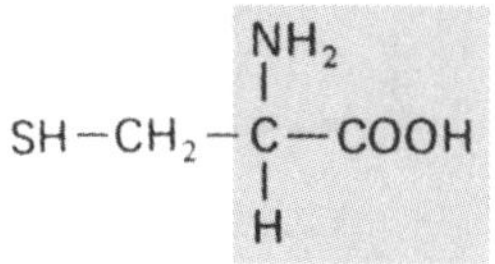

Cystéine (CYS)

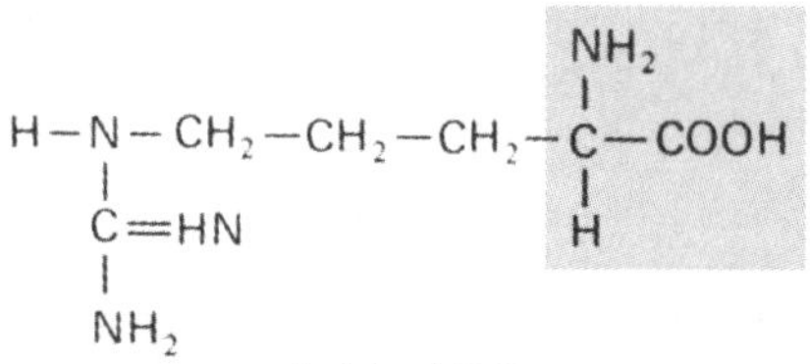

Arginine (ARG)

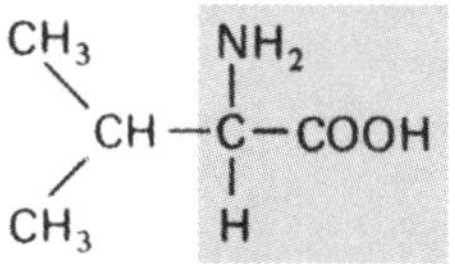

Valine (VAL)

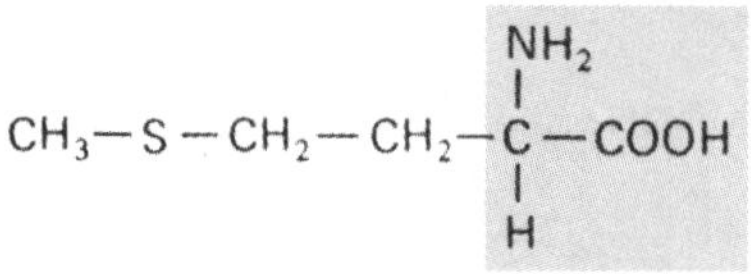

Méthionine (MET)

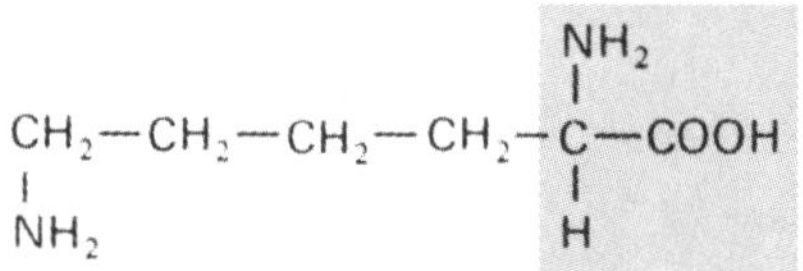

Lysine (LYS)

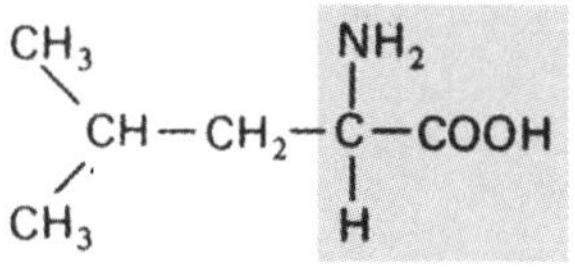

Leucine (LEU)

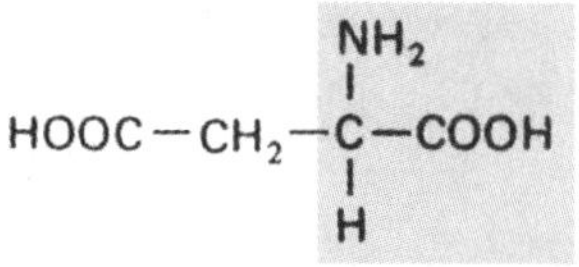

Acide aspartique (ASP)

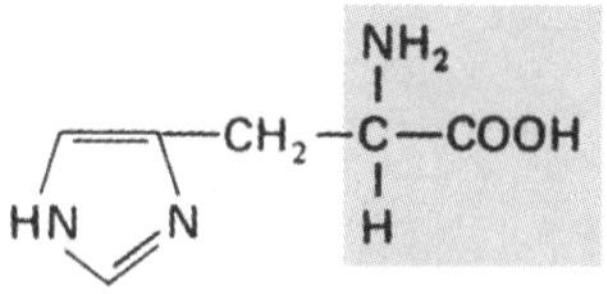

Histidine (HIS)

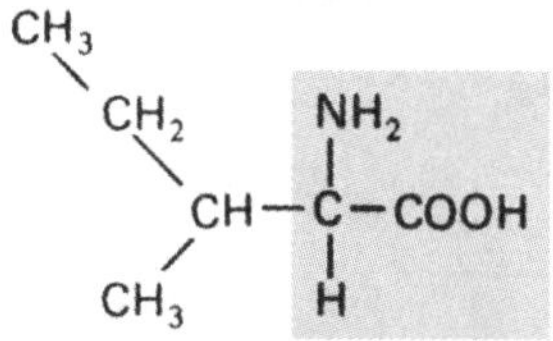

Isoleucine (ILE)

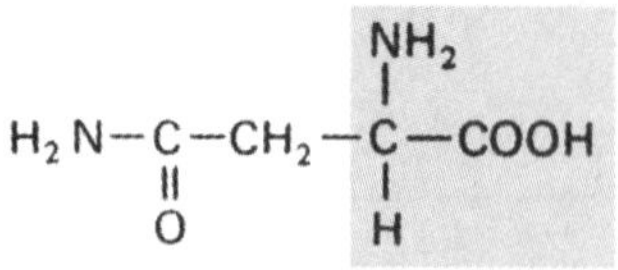

Asparagine (ASN)

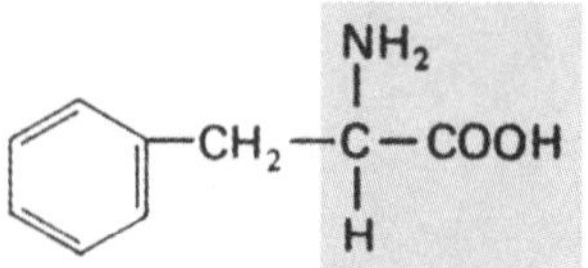

Phénylalanine (PHE)

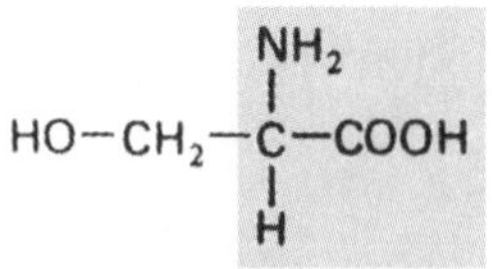

Sérine (SER)

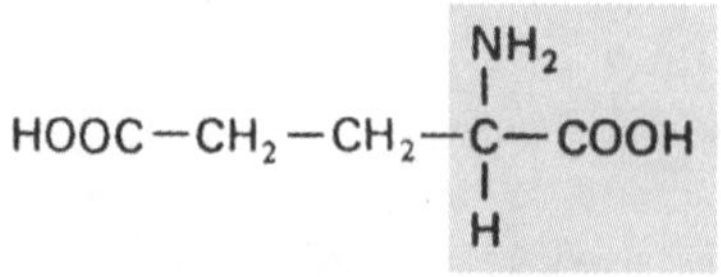

Acide glutamique (GLU)

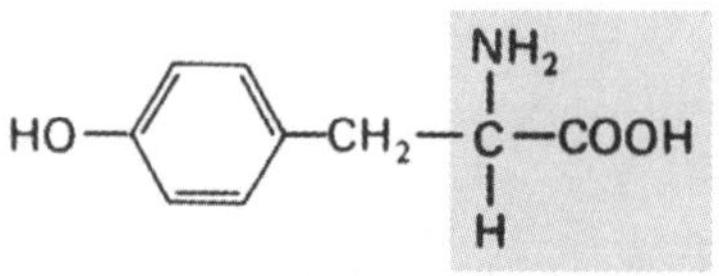

Tyrosine (TYR)

Annexe 4   Les mesures anthropométriques, Partie A

 Santé   Health
Canada Canada

Lignes directrices canadiennes pour la classification du poids chez les adultes
- Guide de référence rapide à l'intention des professionnels -

Points saillants

● Les Lignes directrices canadiennes pour la classification du poids chez les adultes recommandent l'utilisation de l'indice de masse corporelle (IMC) et du tour de taille en tant qu'indicateurs de risque pour la santé.

● Le présent système de classification va dans le sens des recommandations de l'Organisation mondiale de la santé (OMS) qui ont été largement adoptées à l'échelle internationale.

● Le système s'appuie sur des données relatives à la santé des populations. À l'échelle individuelle, le présent système de classification du poids n'est qu'un des éléments d'une évaluation globale de la santé visant à préciser le risque pour la santé.

● Le présent système de classification ne doit pas être utilisé chez:

- les personnes de moins de 18 ans
- les femmes enceintes et les femmes qui allaitent

Il faut aussi tenir compte d'autres facteurs lorsqu'on utilise le système de classification étant donné que celui-ci peut sous-estimer ou surestimer les risques pour la santé chez certains groupes tels que les jeunes adultes qui n'ont pas achevé leur croissance, les adultes qui sont naturellement très minces, les adultes qui ont une forte musculature, les personnes âgées (plus de 65 ans) et certains groupes ethniques ou raciaux. Pour de plus amples informations, consulter le rapport intégral en ligne (www.santecanada.ca/nutrition).

L'indice de masse corporelle (IMC)

● L'IMC (poids (kg)/taille (m)^2) n'est pas une mesure directe de la masse adipeuse. Il demeure cependant le plus étudié et le plus utile des indicateurs du risque pour la santé associé à un poids insuffisant et à un excès de poids.

Classification	Catégorie de l'IMC (kg/m^2)	Risque de développer des problèmes de santé
Poids insuffisant	< 18,5	Accru
Poids normal	18,5 – 24,9	Moindre
Excès de poids	25,0 – 29,9	Accru
Obésité		
Classe I	30,0 – 34,9	Élevé
Classe II	35,0 – 39,9	Très élevé
Classe III	≥ 40,0	Extrêmement élevé

Note : Dans le cas des personnes de 65 ans et plus, l'intervalle «normal» de l'IMC peut s'étendre à partir d'une valeur légèrement supérieure à 18,5 jusqu'à une valeur située dans l'intervalle «excès de poids».

Adapté à partir de : OMS (2000) Obesity: Preventing and Managing the Global Epidemic: Report of a WHO Consultation on Obesity.

Certains problèmes de santé reliés au poids

Excès de poids/l'obésité	Poids insuffisant*
diabète de type 2 lipidémie anormale hypertension maladies coronariennes maladies de la vésicule biliaire apnée obstructive du sommeil certains types de cancer	malnutrition ostéoporose infertilité diminution de la fonction immunitaire

*Peut-être un signe de troubles alimentaires ou d'une autre maladie sous-jacente.

Le tour de taille

● Le tour de taille est un indicateur de risque pour la santé associé à un excès de graisse abdominale.

La personne qui prend la mesure doit s'installer à côté de l'autre personne. On mesure le tour de taille à la partie du torse située à mi-chemin entre la côte la plus basse et la crête iliaque (partie supérieure de l'os pelvien). Il faut bien ajuster le gallon, sans trop le serrer, pour ne pas comprimer les tissus mous sous-jacents.

Seuils du tour de taille	Risque de développer des problèmes de santé*
Hommes ≥ 102 cm (40 po)	Accru
Femmes ≥ 88 cm (35 po)	

*Risque de diabète de type 2, de maladies coronariennes et d'hypertension
Adapté à partir de : OMS (2000) Obesity: Preventing and Managing the Global Epidemic: Report of a WHO Consultation on Obesity.

Risque pour la santé: classification à partir de l'IMC et du tour de taille

● On peut utiliser la mesure du tour de taille chez les individus ayant un IMC dans l'intervalle de 18,5 à 34,9. Lorsque l'IMC est ≥ 35,0, la mesure du tour de taille ne fournit aucune autre information utile quant au niveau de risque.

		IMC		
		NORMAL	EXCÈS DE POIDS	OBÉSITÉ Classe I
Tour de taille	< 102 cm (hommes) < 88 cm (femmes)	Moindre risque	Risque accru	Risque élevé
	≥ 102 cm (hommes) ≥ 88 cm (femmes)	Risque accru	Risque élevé	Risque très élevé

Adapté à partir de : National Institutes of Health (1998) Clinical Guidelines on the Identification, Evaluation, and Treatment of Overweight and Obesity in Adults: The Evidence Report.

- Le nomogramme de l'indice de masse corporelle (IMC) -

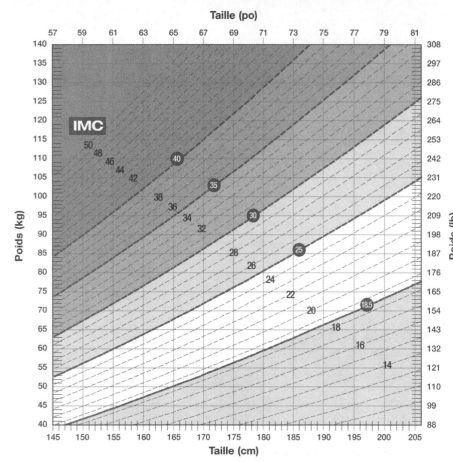

Pour calculer rapidement l'IMC (kg/m²), utilisez une règle pour trouver le point où le poids (lb ou kg) et la taille (po ou cm) se croisent sur le nomogramme. **Trouvez ensuite le chiffre situé le plus près sur la ligne pointillée.** Par exemple, une personne qui pèse 69 kg et mesure 173 cm a un IMC d'environ 23.

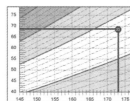

Consultez le tableau ci-dessous pour identifier le niveau de risque associé à un IMC donné.

La formule de l'IMC

On peut aussi calculer l'IMC à l'aide de la formule suivante :
IMC = poids en kilogrammes / (taille en mètres)²

$$IMC = \frac{poids \ en \ kilogrammes}{(taille \ en \ mètres)^2}$$

Note: 1 pouce = 2,54 centimètres; 1 livre = 0,45 kilogrammes

IMC	Risque de développer des problèmes de santé
< 18,5	Accru
18,5 – 24,9	Moindre
25,0 – 29,9	Accru
30,0 – 34,9	Élevé
35,0 – 39,9	Très élevé
≥ 40,0	Extrêmement élevé

Note : Dans le cas des personnes de 65 ans et plus, l'intervalle «normal» de l'IMC peut s'étendre à partir d'une valeur légèrement supérieure à 18,5 jusqu'à une valeur située dans l'intervalle de «l'excès de poids».

Adapté à partir de : OMS (2000) Obesity: Preventing and Managing the Global Epidemic: Report of a WHO Consultation on Obesity.

Pour préciser le risque individuel, d'autres facteurs tels que les habitudes de vie, la condition physique et la présence ou l'absence d'autres facteurs de risque pour la santé doivent aussi être pris en considération.

Le rapport complet «Lignes directrices canadiennes pour la classification du poids chez les adultes» et d'autres informations sont disponibles sur le site web suivant : www.santecanada.ca/nutrition

© Sa Majesté la Reine du Chef du Canada (2003)

ISBN: 0-662-88370-5

N° de cat: H49-179/2003-1F

Also available in English

 Santé Canada / Health Canada

Canada

Partie B

La mesure du tour de taille

Le sujet se tient debout, les bras éloignés du corps, et a le ventre dégagé. En se plaçant à côté du sujet, prendre la mesure à la fin d'une expiration normale, à l'endroit où la taille est la plus fine (voir les figures A4.1 et A4.2). Utiliser un ruban à mesurer en appliquant suffisamment de pression pour le maintenir en position sans marquer la peau. Prendre la mesure à 0,5 cm près. S'il s'avère difficile de localiser la taille, prendre la mesure au niveau de la plus basse côte flottante.

Figure A4.1

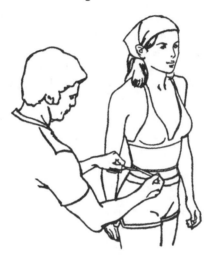

Figure A4.2

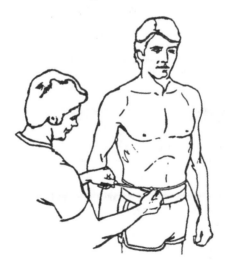

Annexe 5

L'évaluation de l'apport alimentaire

Partie A

Les instructions pour la tenue d'un journal alimentaire

- Veuillez dresser une liste aussi précise que possible de *tout ce que vous mangez et buvez* (excepté l'eau du robinet) aux repas et entre les repas pendant ___ jour(s) (___ jour(s) de semaine et ___ jour(s) de fin de semaine).
- Notez l'heure approximative chaque fois que vous mangez ou buvez.
- Indiquez à quel endroit chaque repas est pris (maison, restaurant, etc.).
- Indiquez le plus précisément possible les quantités d'aliments ou de boissons en unités, tasses, portions, cuillerées à thé, mL ou grammes, tel que suggéré dans le tableau ci-après. Utilisez le système qui vous est le plus familier – onces, millilitres (mL), grammes (g), etc. (consultez l'annexe 9 pour convertir les mesures). L'étiquette de l'aliment peut parfois vous renseigner sur les quantités.
- Si certains aliments proviennent de l'extérieur de la maison (ex.: restauration rapide), veuillez l'indiquer.
- Veuillez lire attentivement les exemples fournis ci-dessous avant de commencer à rédiger votre journal.

Aliments ou boissons	Description	Quantité
Lait et crème	Sorte de lait et de breuvage laitier: entier, 2 % de M.G., 1 % de M.G., écrémé, au chocolat (mode de préparation), oméga-3, etc. Crème 10 % ou 15 % de M.G. (à café ou de table), 35 % de M.G. (à fouetter ou fouettée)	En volume: ex.: 125 mL (4 onces), 175 mL (6 onces), 250 mL (8 onces) Pour thé, café: 15 ou 30 mL (1 ou 2 c. à soupe)
Fromages	Sorte de fromage (ex.: cheddar, suisse, brie, etc.); % M.G. Indiquez s'il y a du fromage dans certains mets composés (ex.: pizza)	1 tranche pour sandwich Ex.: 60 g ou mesurez votre morceau de fromage avec une règle (ex.: 9 cm × 3 cm × 2 cm)
Yogourt	Sorte de yogourt (ex.: aux pêches), % de M.G.	Ex.: 125 g (4 onces), 175 g (6 onces)
Viandes et poissons	Sorte de viande ou de poisson (indiquez si frais, en conserve, congelé, etc.) Mode de préparation et de cuisson (ex.: flétan frit dans l'huile de maïs, bœuf grillé)	Nombre d'unités (ex.: 3 saucisses) En volume: mesurez dans une tasse ou avec une règle vos portions de viande ou de poisson cuits
Œufs	Type d'œuf Mode de cuisson (ex.: œufs bouillis, omelette cuite dans le beurre)	Ex.: omelette 2 œufs cuits dans 5 mL (1 c. à thé) de beurre
Céréales	Sorte de céréale et marque de commerce (ex.: gruau d'avoine, flocon de maïs, granola)	En volume: ex.: 250 mL (1 tasse) Si vous ajoutez du lait, de la crème ou du sucre, indiquez la quantité ajoutée
Pains et craquelins	Pain blanc enrichi, français, de blé entier, de seigle (*rye*), à hamburger, pains bâtons, etc. Craquelins, etc.	Nombre de tranches de pain, de brioches, de craquelins, etc. Précisez la grosseur.
Légumes	Sorte; si mélangés, indiquez les principaux légumes qui entrent dans le mélange (indiquez si frais, en conserve ou congelés) Cuits, indiquez le mode de cuisson (ex.: carottes bouillies) Crus, indiquez la quantité de vinaigrette ou de mayonnaise si vous en ajoutez	Selon les légumes en unités, ex.: • 1 petite pomme de terre bouillie • 6 tranches de tomate • 1 petite feuille de laitue en volume, ex.: • 125 mL (1/2 tasse) de petits pois en conserve

Aliments ou boissons	Description	Quantité
Fruits	Sorte de fruits (frais, en conserve, congelés, etc.)	Selon les fruits, en unités, ex. : • 1 petite pomme fraîche avec pelure • 2 moitiés de poire en conserve avec sirop en volume, ex. : • 75 mL (1/3 tasse) de salade de fruits en conserve
Beurre, margarine, huile, mayonnaise et vinaigrette	Indiquez les quantités ajoutées aux aliments Indiquez la sorte (ex. : margarine non hydrogénée, mayonnaise légère, vinaigrette française, etc.)	Beurre ou margarine Ex. : 1 carré ordinaire (5 mL) ou grand (10 mL) et le type d'huile Autres : c. à thé ou c. à soupe (rases ou combles)
Jus de fruits et de légumes	Sorte : indiquez le nom du jus ou de la boisson Indiquez s'il s'agit d'un jus frais, en conserve, congelé, boissons à arôme de fruits ou en bouteille : • sucré ou sans addition de sucre • enrichi ou non Nommez la marque si possible	En volume : ex. : 125 mL (4 onces), 175 mL (6 onces), une bouteille de 300 ml (10 onces)
Soupes	Sorte, ex. : soupe aux pois (maison ou achetée) Si soupe en conserve ou en sachet, indiquez la marque et si vous avez ajouté du lait _____ % M.G.	En volume : ex. : 175 mL (6 onces), 250 mL (8 onces), 300 mL (10 onces)
Desserts	Aussi complète que possible ; ex. : • pouding au chocolat avec lait _____ % M.G. • gâteau blanc glacé ou sans glaçage • crème glacée au chocolat avec ou sans cornet • Danoise avec confiture de fraises • biscuit « sandwich » au chocolat	Selon le dessert : • en volume si pouding, gélatine ou autre dessert semblable • gâteau : indiquez la forme et la dimension • tarte : ex. : 1/8 d'une petite tarte, 1/6 d'une moyenne tarte, etc. • en unités, ex. : 1 mille-feuilles, 1 biscuit (mesurez le diamètre)
Mets composés et plats spéciaux	Aussi complète que possible ; ex. : • fèves au lard avec sauce tomate • spaghetti à la viande et au fromage • pizza au saucisson et au fromage • mets chinois : les nommer Indiquez si maison, en conserve, congelés, commerciaux	Décrivez la portion le plus exactement possible ; ex. : • macaroni aux tomates, 500 ml (2 tasses) • pizza médium, 1/2 • ragoût de bœuf — bœuf, 6 cubes moyens — carottes, 60 mL (1/4 tasse) — pois, 60 mL (1/4 tasse) — sauce brune, 30 mL (2 c. à soupe)
Divers	Ne pas oublier • la sauce accompagnant la viande, le poisson, la volaille (sauce barbecue, sauce blanche, sauce soja, sauce brune) • les condiments : cornichons sucrés ou salés, olives, relish, sauce chili, ketchup, mayonnaise • les vinaigrettes, l'huile (sorte et quantité consommée) • confiture, marmelade, gelée, sirop, mélasse, sucre, ajoutés aux aliments ou mangés seuls • les bonbons, noix, chocolats, croustilles, bretzels • les boissons : thé, café (indiquez la quantité de lait et de sucre ajoutée), boissons gazeuses, bière, boissons alcoolisées (indiquez la sorte), vins, eaux minérales (indiquez la marque) • les suppléments vitaminiques (sorte et quantité) • les formules nutritives commerciales (sorte et quantité)	Mentionnez les quantités : ex. : Ketchup : 15 mL (1 c. à soupe) confiture de fraises : 10 mL (2 c. à thé rases) tablette de chocolat : 1 (48 g) croustilles : 1 sac (32 g) Boissons gazeuses, ordinaires ou diètes : 1 bouteille (284 mL) orangeade : 175 mL (6 onces) café : 175 mL (6 onces) + 5 mL (1 c. à thé rase) de sucre et 30 mL (1 once) de lait vin rouge sec : 1 verre (125 mL ou 4 onces) eau minérale : 1 petit verre (125 mL ou 4 onces) suppléments vitaminiques : indiquez la dose s'il y a lieu (ex. : 1 comprimé de vitamine C de 100 mg, 1 comprimé Centrum^{md} Select)

M.G. = matières grasses

Source : Adapté de CHAGNON DECELLES, D., M.D. GÉLINAS, L. LAVALLÉE CÔTÉ et autres, *Manuel de nutrition clinique*, 3e éd., Montréal, Ordre professionnel des diététistes du Québec, 1997.

JOURNAL ALIMENTAIRE

Nom : _____

Dossier : _____

Jour n° : _____

Jour de la semaine : _____

Date : _____

Déjeuner :   Heure : _____   Lieu : _____

Aliments :

Quantité :

_____

_____

_____

_____

_____

_____

Collation matin :   Heure : _____   Lieu : _____

Aliments :

Quantité :

_____

_____

_____

_____

_____

_____

Dîner :   Heure : _____   Lieu : _____

Aliments :

Quantité :

_____

_____

_____

_____

_____

_____

Collation après-midi :   Heure : _____   Lieu : _____

Aliments :

Quantité :

_____

_____

_____

_____

_____

_____

Souper :   Heure : _____   Lieu : _____

Aliments :

Quantité :

_____

_____

_____

_____

_____

_____

Collation soirée :   Heure : _____   Lieu : _____

Aliments :

Quantité :

_____

_____

_____

_____

_____

_____

Source : CHAGNON DECELLES, D., M.D. GÉLINAS, L. LAVALLÉE CÔTÉ et autres, *Manuel de nutrition clinique*, 3e éd., Montréal, Ordre professionnel des diététistes du Québec, 1997.

Partie B

La grille d'analyse nutritionnelle d'un journal alimentaire

Nom:

Sexe :

Âge :

Journée choisie :

Table utilisée :

Nº	Aliments consommés	Mesures	Poids (g)	Énergie (kcal)	Pro (g)	Glu (g)	Lip (g)				

Total :

Partie C

La grille d'évaluation d'un journal alimentaire selon le *Guide alimentaire canadien pour manger sainement*

Directives

À partir des informations contenues dans le journal alimentaire que vous avez rempli, utilisez la grille suivante pour évaluer la qualité de votre alimentation selon le *Guide alimentaire canadien pour manger sainement*. Pour chaque portion d'aliment que vous avez consommée, ombrez une case de la grille, en prenant soin de classer chaque aliment dans le groupe auquel il appartient. Quand il s'agit d'une demi-portion (par exemple 125 mL de lait), n'ombrez que la moitié d'une case. Dans le cas d'un mets composé (c'est-à-dire provenant de plus d'un groupe alimentaire), séparez les principaux ingrédients et inscrivez-les individuellement, en évaluant la quantité de chaque ingrédient que vous avez mangé. En ce qui concerne les aliments appartenant au groupe « Autres aliments », dressez-en tout simplement la liste. Procédez de la même manière pour chaque journée de votre journal alimentaire.

Pour chaque groupe d'aliments, additionnez le nombre de portions que vous avez consommées chaque jour ; calculez ensuite votre consommation quotidienne moyenne et comparez-la avec la quantité recommandée dans le *Guide alimentaire canadien pour manger sainement*.

Nombre de portions par jour

Produits céréaliers — Total — Moyenne — Recommandations

Jour 1
Jour 2
Jour 3

Recommandations : 5 à 12

Légumes et fruits — Total — Moyenne — Recommandations

Jour 1
Jour 2
Jour 3

Recommandations : 5 à 10

Produits laitiers — Total — Moyenne — Recommandations

Jour 1
Jour 2
Jour 3

Recommandations : 2 à 4

Viandes et substituts — Total — Moyenne — Recommandations

Jour 1
Jour 2
Jour 3

Recommandations : 2 à 3

Autres aliments

Jour 1 _____

Jour 2 _____

Jour 3 _____

Annexe 6

Des notions de chimie, de biochimie et de biologie

Des atomes aux molécules

Un **atome** est un élément chimique. C'est l'unité fondamentale de la matière, c'est-à-dire la plus petite particule pouvant subsister par elle-même tout en maintenant sa propre identité. Environ 25 éléments seulement suffisent pour constituer les milliers de composés chimiques que l'on trouve dans le corps humain (voir le tableau A6.1).

TABLEAU A6.1 Les éléments essentiels de l'organisme

Élément	Symbole
Principaux éléments : 99,3 % de la totalité des atomes	
Hydrogène	H (63 %)
Oxygène	O (26 %)
Carbone	C (9 %)
Azote	N (1 %)
Éléments minéraux : 0,7 % de la totalité des atomes	
Calcium	Ca
Phosphore	P
Potassium	K (du latin *kalium*)
Soufre	S
Sodium	Na (du latin *natrium*)
Chlore	Cl
Magnésium	Mg
Oligoéléments : moins de 0,01 % de la totalité des atomes	
Fer	Fe
Iode	I
Cuivre	Cu
Zinc	Zn
Manganèse	Mn
Cobalt	Co
Chrome	Cr
Sélénium	Se
Molybdène	Mo
Fluor	F
Étain	Sn (du latin *stannum*)
Silicium	Si
Vanadium	V

Source : VANDER et autres. *Physiologie humaine*, 3e éd., Montréal, Chenelière/McGraw-Hill, 1995, p. 14.

Les atomes peuvent s'associer les uns aux autres pour former une **molécule**, dont la structure varie selon le type, le nombre et la disposition des atomes qui la composent. La structure d'une molécule détermine ses propriétés spécifiques, telles que son point de fusion ou d'évaporation, ou encore sa capacité d'hydrogénation ou d'oxydation. Par exemple, une molécule de chlorure ferrique ($FeCl_3$), constituée d'un atome de fer (Fe) et de trois atomes de chlore (Cl), possède des propriétés tout à fait différentes de celles du tétrachlorure de carbone (CCl_4), lui-même composé d'un atome de carbone (C) et de quatre atomes de chlore (Cl).

À l'intérieur d'une molécule, les atomes sont liés les uns aux autres par des liaisons chimiques. Il existe plusieurs types de liaison chimique, mais la plus commune est la **liaison covalente**, où deux atomes se partagent un ou plusieurs électrons. Il peut se former plus d'un lien chimique entre deux atomes. Quand il n'y a qu'un seul lien chimique, on parle de **liaison simple**; s'il y a deux liens, c'est une **liaison double** et trois liens, une **liaison triple** (voir la figure A6.1). Les propriétés chimiques des liaisons doubles sont d'un intérêt particulier en nutrition, surtout pour l'étude des graisses. En effet, la nature de ces composés ainsi que leur comportement dans les aliments et dans l'organisme varient selon le nombre de liaisons doubles comprises à l'intérieur de leurs molécules (voir le chapitre 4).

L'atome de carbone est un élément chimique particulièrement intéressant puisqu'il peut se combiner à quatre autres atomes, y compris à d'autres atomes de carbone. Cette propriété du carbone rend possible une multitude de combinaisons chimiques. De fait, lorsqu'on examine l'immense variété de composés chimiques présents dans les organismes vivants, on constate que la plupart ont une structure moléculaire où dominent des atomes de carbone (C), liés principalement à des atomes d'hydrogène (H), d'oxygène (O) et d'azote; on dit de ces substances que ce sont des **composés organiques**.

Figure A6.1 Les types de liaisons chimiques

A) *Liaisons simples* – toutes les liaisons dans ces composés sont simples. Quand le carbone ne forme que des liaisons simples, il peut s'unir à quatre autres atomes.

B) *Liaisons doubles* – ces composés possèdent au moins une liaison double. Quand l'atome de carbone forme une liaison double, il ne peut plus s'associer à autant d'autres atomes que lorsqu'il forme uniquement des liaisons simples.

C) *Liaisons triples* – ces composés comportent une liaison triple, mais on les trouve rarement dans le corps humain.

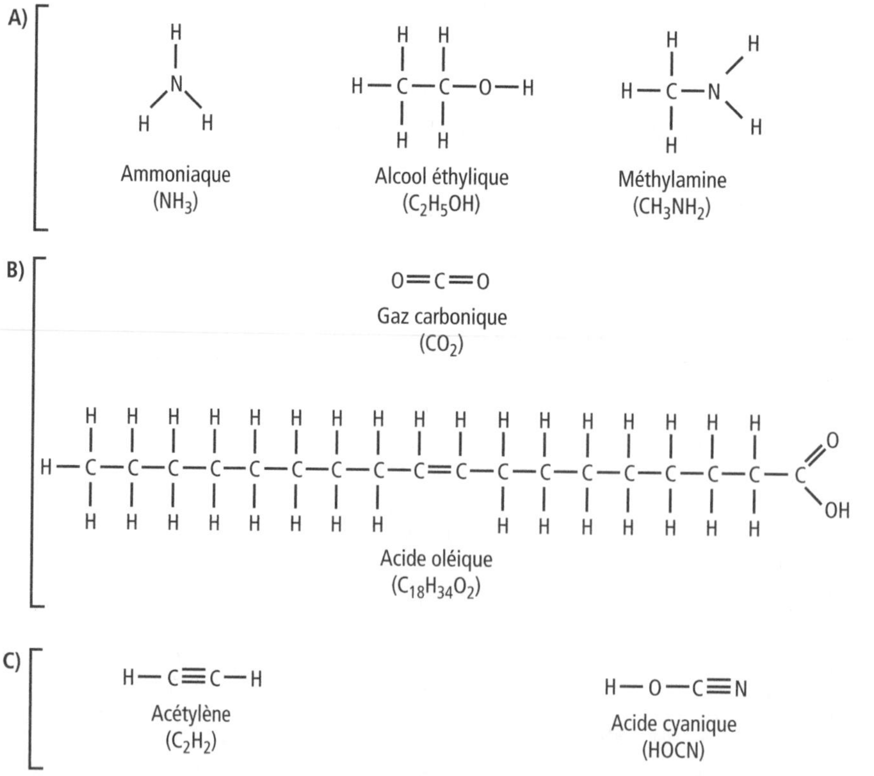

Il est à noter que, si on se sert parfois du terme « organique » pour désigner des substances extraites de plantes ou d'animaux par opposition à des produits de synthèse, la définition chimique du terme ne fait pas de distinction ; elle se fonde uniquement sur la structure moléculaire des composés. En effet, à quelques exceptions près, les chimistes qualifient d'organiques tous les composés du carbone, quelle que soit leur origine. Ainsi, la vitamine C est considérée comme une substance organique, qu'elle provienne de la feuille d'une plante ou qu'elle soit synthétisée en laboratoire. De même, le fer est un élément inorganique, qu'il soit contenu dans un supplément ou dans une bouchée de foie de veau.

Des molécules aux cellules

Dans la nature, les composés organiques agissent à l'intérieur de systèmes biologiques hautement structurés. L'unité fondamentale de tous ces systèmes est la **cellule**, laquelle constitue la plus petite structure vivante capable de fonctionner de façon autonome. À l'intérieur d'une cellule, un certain nombre de composés servent de matériaux de construction ; ils forment les éléments de structure (appelés **organites**) présents dans une cellule, de même que la **membrane plasmique** qui l'entoure (voir la figure A6.2 ci-dessous). Cette membrane contrôle le passage des substances entrant dans la cellule et en sortant. On la dit semi-perméable, parce qu'elle ne laisse passer que certains éléments sélectionnés. Ainsi, l'eau, l'oxygène et plusieurs nutriments passent facilement à travers la membrane plasmique, alors que les grosses molécules protidiques et les acides nucléiques ne passent pas. Enfin, plusieurs composés servent d'intermédiaires dans l'accomplissement des diverses fonctions d'une cellule. Certaines de ces fonctions sont communes à toutes les cellules, alors que d'autres sont exécutées uniquement par des cellules spécialisées.

L'intérieur d'une cellule comprend deux parties, le noyau et le cytoplasme (voir la figure A6.2). Le **noyau** est le centre de commande ; il exerce un contrôle sur les fonctions cellulaires grâce à une de ses molécules constituantes, l'acide désoxyribonucléique (ADN). L'ADN renferme les indications nécessaires à la synthèse des protéines qui assument les fonctions cellulaires ; il constitue le matériau génétique transmissible de génération en génération. Quant au **cytoplasme**, il est situé à l'intérieur de la cellule, autour du noyau. Il est constitué d'eau, de protéines, de minéraux, de glucose et d'autres substances. On y trouve aussi les divers organites cellulaires. Parmi ceux-ci, les mitochondries produisent de l'énergie en procédant à la dissociation finale des glucides, des lipides et des protéines (voir le chapitre 2). La synthèse des protéines s'effectue dans des organites appelés ribosomes ; ces derniers sont reliés à un système à double membrane, nommé réticulum endoplasmique (voir le chapitre 5).

Figure A6.2   La cellule

Les organites illustrés ici jouent des rôles importants dans le métabolisme des aliments.

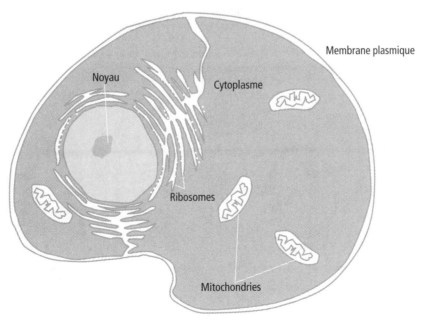

Des cellules aux organes, des organes aux systèmes

Il existe plusieurs types de cellules et chacun d'eux s'acquitte de fonctions essentielles au bien-être de tout l'organisme. Quatre types de cellule se distinguent de façon particulière : les **cellules nerveuses (neurones)**, qui émettent et transmettent des impulsions électriques ; les **cellules musculaires**, capables de produire des forces et des mouvements ; les **cellules épithéliales**, qui contrôlent les échanges entre le milieu interne (l'organisme) et le milieu externe ; enfin, les **cellules conjonctives**, comprenant divers types de cellule, comme celles des os, du tissu graisseux et du sang.

Pour remplir leurs fonctions de façon organisée, les cellules se regroupent en tissus, en organes et en systèmes (voir la figure A6.3 ci-dessous). Les **tissus** sont des ensembles de cellules d'un même type, tandis que les **organes** sont des structures composées de tissus variés. Ainsi, le pancréas comporte une forme de tissu qui sécrète des enzymes digestives et un autre type de tissu produisant des hormones. L'estomac, pour sa part, comporte trois sortes de tissu : tissu musculaire, tissu sécrétant une hormone et tissu produisant des sucs digestifs. Enfin, un **système (ou appareil)** est constitué de plusieurs organes qui contribuent à une même fonction organique (voir le tableau A6.2). C'est ainsi que l'estomac, l'intestin grêle et le côlon sont des parties intégrantes du système digestif, puisqu'ils participent tous les trois, chacun à sa façon, à la digestion des aliments.

Nous pouvons donc constater que l'organisme est structuré de façon hiérarchique (voir la figure A6.3) ; les fonctions des tissus, des organes et des systèmes résultent de l'activité spécifique de leurs cellules constituantes. De la même façon, les fonctions d'une cellule ainsi que celles de ses organites résultent de l'activité chimique de leurs substances constituantes. Il devient donc incontestable que les processus vitaux ont une base chimique.

Homéostasie : tissu nerveux, hormones et enzymes

Les activités organiques visent en grande partie à maintenir un milieu interne favorisant un fonctionnement optimal de l'organisme. Pour cela, toutes les cellules doivent conserver un niveau d'activité approprié. La concentration de certaines substances dans les liquides organiques doit aussi être maintenue dans des limites assez étroites. Cet état d'équilibre s'appelle **homéostasie**. L'organisme fonctionne harmonieusement et demeure en santé tant que cet équilibre persiste. Quand l'homéostasie est rompue, le déséquilibre conduit à un état pathologique, lequel tend cependant à déclencher des mécanismes compensatoires visant à rétablir l'équilibre.

Trois éléments importants permettent à l'organisme de maintenir son homéostasie : le système nerveux, le système endocrinien et l'activité enzymatique. Le **système nerveux**, composé du cerveau, de la moelle épinière et de

Figure A6.3
L'organisation de la matière dans le corps humain

La structuration des éléments s'effectue à divers niveaux dans l'organisme. Chaque niveau comporte des structures plus complexes que les niveaux précédents.

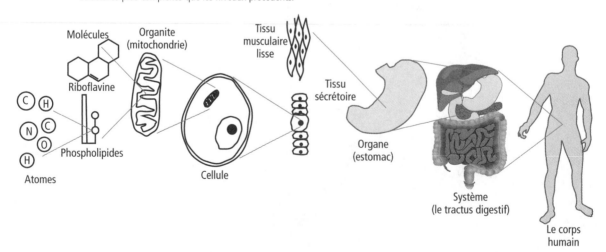

TABLEAU A6.2   Les systèmes organiques

Systèmes	Principaux organes et tissus constituants	Fonctions
Système digestif	Bouche, œsophage, estomac, intestin grêle, côlon, organes auxiliaires (foie, pancréas, vésicule biliaire, glandes salivaires)	Dissociation des aliments en composés simples et absorbables.
Système circulatoire	Cœur, vaisseaux sanguins, sang	Transport de diverses substances dans tout l'organisme.
Système respiratoire	Trachée, bronches, poumons	Apport d'oxygène et élimination de gaz carbonique.
Système urinaire	Reins, vessie	Élimination des déchets, maintien des balances hydrique et électrolytique.
Système musculosquelettique (ou locomoteur)	Muscles, os, cartilages, tendons	Mouvements et support structural.
Système nerveux	Cerveau, moelle épinière et autres tissus nerveux	Surveillance et adaptation aux changements dans les milieux interne et externe. Contrôle des processus organiques et mentaux.
Système tégumentaire	Peau	Protection du milieu interne contre le milieu externe.
Système reproducteur	Organes génitaux	Reproduction.
Système endocrinien	Hypophyse, surrénales, thyroïde et autres	Sécrétion d'hormones contrôlant de nombreux processus biologiques.
Système immunitaire	Ganglions lymphatiques, rate et autres tissus lymphoïdes	Défense de l'organisme contre divers microorganismes et autres corps étrangers.

milliers de fibres nerveuses, contrôle les fonctions cellulaires, tissulaires et organiques par des influx électriques afférents et efférents ; il permet ainsi à l'organisme de réagir adéquatement aux stimuli internes ou externes en inhibant ou en stimulant certaines activités cellulaires. Le **système endocrinien** intervient également en produisant des messagers chimiques appelés hormones. Les hormones sont sécrétées par des glandes endocrines (voir la figure A6.4, à la page suivante) en réponse à certains stimuli tels que la modification du taux de glucose, de calcium ou de sodium dans le sang. Enfin, les **enzymes** sont des catalyseurs qui accélèrent le rythme des réactions chimiques à l'intérieur des cellules ; sans les enzymes, ces réactions se produiraient beaucoup trop lentement.

On peut comparer les enzymes à la machinerie d'une usine. Dans les cellules, ces intermédiaires favorisent la synthèse et la dissociation d'un grand nombre de composés organiques, tels les graisses, les sucres et les protéines. Les substances sur lesquelles les enzymes agissent sont des substrats. Le processus enzymatique se déroule ainsi : un substrat se combine à une enzyme pour former un complexe à l'intérieur duquel l'enzyme provoque des changements moléculaires. Quand la réaction est achevée, l'enzyme libère le produit fini mais demeure elle-même inchangée (voir la figure A6.5, à la page suivante) ; elle peut alors se combiner à un nouveau substrat et provoquer de nouvelles réactions chimiques. Certaines enzymes auraient la capacité de réagir avec des milliers de substrats moléculaires en moins d'une minute. Notons que les enzymes sont souvent organisées en circuits ; elles parviennent ainsi à transformer diverses substances grâce à des réactions en chaîne. Par exemple, une molécule de glucose parcourt un circuit biochimique comportant plus de 25 étapes avant de se transformer en gaz carbonique et en eau.

Grâce à leurs interactions, le tissu nerveux, les hormones et les enzymes constituent un **système de rétroaction biologique négative**. En effet, quel que soit le stimulus initial, il suscite une série de réactions opposées qui contribuent à maintenir l'homéostasie. La rétroaction biologique négative permet de régulariser la plupart des processus biologiques.

Figure A6.4   Le système endocrinien

Ces glandes et organes sécrètent des hormones qui passent dans le sang et se répandent dans tout l'organisme. Chaque hormone peut stimuler ou inhiber l'activité de tissus particuliers.

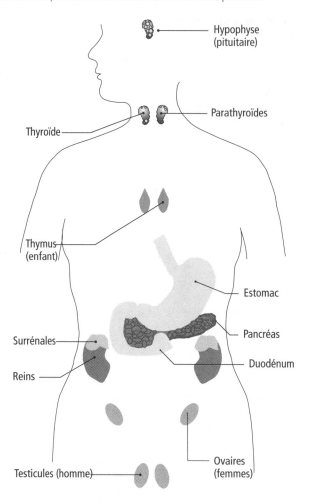

Figure A6.5   Le processus enzymatique

Afin de catalyser une réaction chimique, une enzyme doit se combiner avec une substance spécifique (son substrat). Le produit ainsi formé est libéré et l'enzyme peut de nouveau se combiner avec une nouvelle molécule de substrat pour recommencer le processus.

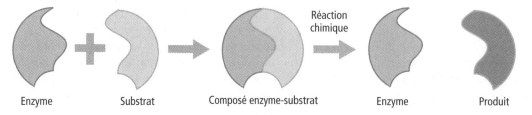

Annexe 7

La grille d'évaluation d'un supplément de vitamines et de minéraux

Pour évaluer un supplément de vitamines et de minéraux, remplir la grille suivante :

- **Nutriments** : donner le nom des vitamines et des minéraux que le supplément renferme (ne pas tenir compte des autres composés).
- **ANREF/jour** : pour chaque nutriment, indiquer l'apport nutritionnel de référence (voir l'annexe 1) pour la personne à qui s'adresse le supplément (p. ex. : femme de 19 à 30 ans) en précisant l'unité de mesure : milligramme (mg) ou microgramme (µg ou mcg).
- **Quantité par comprimé** : pour chaque nutriment, indiquer la quantité contenue dans un comprimé (ou une dose). Pour les vitamines suivantes, il peut être nécessaire de transformer les quantités apparaissant sur le supplément pour pouvoir les comparer aux ANREF :
  - Vitamine D : diviser les UI par 40 pour obtenir la valeur en mcg (µg) ;
  - Vitamine E : multiplier les UI par 0,45 pour obtenir la valeur en mg, à moins que l'on précise que la vitamine E est de « source naturelle » ; dans ce cas, multiplier les UI par 0,67 pour obtenir la valeur en mg ;
  - Vitamine A : additionner la teneur indiquée en vitamine A (en UI) avec la teneur indiquée en bêta-carotène (s'il y a lieu), puis diviser le total des UI par 3,33 pour obtenir la valeur en mcg (µg).
- **Quantité par jour** : pour chaque nutriment, indiquer la quantité consommée chaque jour quand on respecte la posologie ; pour les vitamines D, E et A, indiquer les quantités corrigées (s'il y a lieu).
- **AMT/jour** : pour chaque nutriment, indiquer l'apport maximal tolérable pour la personne à qui s'adresse le supplément en précisant l'unité de mesure.

Nom du supplément : _____

Fabricant : _____

Posologie : _____

Nutriments	ANREF	Quantité par comprimé	Quantité par jour	AMT

Discussion : Indiquer pour quel usage le supplément pourrait être utile et expliquer pourquoi (voir *Les suppléments de vitamines et de minéraux sont-ils nécessaires ?*, à la page 211). Considérer à la fois les besoins nutritionnels et les risques d'excès.

Annexe 8

ALIMENTACTION

Préparation des repas à la **maison**

Ce document d'information constitue un guide de bonnes pratiques, préparé à l'intention de la personne responsable de la préparation des repas à la maison.

Pour votre bien-être et celui de vos convives, vous devez respecter les règles de base en hygiène et salubrité alimentaires, car toute manipulation inappropriée d'aliments peut être la cause d'une intoxication alimentaire. Les enfants et les personnes âgées sont plus vulnérables à la présence de micro-organismes dans les aliments; il faut donc porter une attention particulière à la préparation des repas qui leur sont destinés.

L'achat des aliments

- Achetez les aliments chez des marchands reconnus et de bonne réputation.
- Terminez toutes vos courses par l'achat des viandes.
- Évitez de laisser séjourner les aliments périssables dans le coffre de la voiture.
- Retournez rapidement à la maison pour entreposer les denrées aux températures requises.
- Recherchez le sceau " Approuvé Québec " ou " Approuvé Canada " lors de l'achat de grosses pièces de viande.
- Soyez vigilant lorsque vous achetez des aliments de vendeurs itinérants. Veillez à ce que les grosses pièces de viande portent un sceau d'inspection, que les températures de conservation soient adéquates, que les emballages soient intacts et que les étiquettes de ces produits soient complètes.

Entre autres, on doit y trouver le nom du produit, la liste des ingrédients, la quantité ainsi que le nom et l'adresse d'un responsable.

- Assurez-vous que les produits réfrigérés sont froids et que les produits surgelés sont bien demeurés congelés.
- N'utilisez pas d'oeufs fêlés ou coulants car ils peuvent être contaminés par des bactéries et présenter un risque pour la santé.
- Jetez les boîtes de conserve bombées ou bossellées, celles qui giclent lorsqu'on les ouvre, de même que celles qui contiennent des aliments à l'apparence ou à l'odeur douteuse. Ne goûtez même pas !
- Ne servez pas de lait provenant directement de la ferme. Seul le traitement de pasteurisation permet de détruire les micro-organismes présents dans le lait cru.
- Rincez les fruits et les légumes à l'eau courante avant de les consommer ou de les préparer.

L'entreposage des aliments

- Gardez au réfrigérateur à une température qui ne dépasse pas 4 °C (40 °F) les aliments périssables tels que les produits laitiers, les oeufs, les viandes, les volailles, les poissons ainsi que les aliments mis à mariner. Les aliments surgelés doivent être gardés au congélateur à une température d'au plus - 18 °C (0 °F) et ce, jusqu'à leur utilisation. Placez-les dans des sacs à congélation ou des contenants prévus à cette fin. Prenez soin d'identifier vos produits et inscrivez toujours la date.

- Effectuez la rotation des stocks d'aliments : premiers entrés, premiers utilisés.
- Vérifiez, à l'achat et au moment de l'utilisation, la date de péremption ou la mention " meilleur avant " des produits périssables. Il est préférable de consommer ces aliments avant la date indiquée. Après, ils peuvent être encore sains, mais on doit s'attendre à une diminution de leur qualité.

Québec

- Protégez les aliments contre les éternuements, les poussières, les insectes et les animaux en les couvrant d'une pellicule de plastique jetable ou d'un couvercle lavable.
- Emballez les aliments périssables dans des contenants hermétiques afin d'éliminer le contact et l'écoulement des liquides sur les autres aliments.
- Évitez de surcharger le réfrigérateur. La circulation d'air froid peut être bloquée et provoquer une élévation des températures jusqu'à la zone de danger, qui s'étend entre 4 °C (40 °F) et 60 °C (140 °F).
- Placez un thermomètre dans le réfrigérateur et le congélateur afin de vérifier régulièrement la température. Veillez à la propreté de ces appareils et assurez-vous de dégivrer le congélateur lorsque la glace s'accumule.
- Pour plus de détails sur la conservation des aliments, consultez le feuillet " Frais c'est meilleur ", publié par le MAPAQ.

La préparation des aliments

- Empêchez les bactéries de se développer en gardant les aliments congelés à - 18 °C (0 °F) et moins, réfrigérés à 4 °C (40 °F) ou moins, chauds à 60 °C (140 °F) ou plus.
- Rappelez-vous que la zone de danger se situe entre 4 °C (40 °F) et 60 °C (140 °F). Il est important de ne jamais conserver un aliment périssable plus de deux heures à la température de la pièce.
- Prévenez la contamination croisée lors de la préparation des aliments. Cela signifie qu'à aucun moment, les aliments cuits ou prêts à manger ne doivent être en contact avec des aliments crus tels que les viandes, les volailles, les poissons crus, ou des surfaces de travail et des ustensiles qui ont été en contact avec des aliments crus. Ainsi, après avoir découpé de la volaille fraîche, il faudra laver et désinfecter la planche de travail avant d'y trancher des sandwiches ou des crudités.
- Lavez-vous les mains avant de commencer la préparation des aliments, car la contamination croisée peut aussi se produire par les mains. Rappelez-vous que les mains qui ont manipulé des viandes ou de la volaille crues, doivent être lavées avant de manipuler des aliments cuits ou prêts à manger. Le lavage des mains demeure une pratique élémentaire mais primordiale dans la prévention de la contamination des aliments. Les mains sont le principal véhicule qui contribue à la transmission des microorganismes.
- Abstenez-vous en tout temps de consommer la viande hachée crue et même de goûter cette dernière.

- Sachez que les épices, les condiments, les marinades et les sauces fortes ne détruisent pas les bactéries.
- En tout temps, gardez votre cuisine propre (évier, surfaces de travail, plancher) et évitez que votre animal favori ne s'y retrouve !

Cuisson

La cuisson, en plus d'améliorer la saveur et la texture des aliments, détruit la plupart des microorganismes qu'ils contiennent à la condition qu'elle soit effectuée sans interruption et qu'elle permette à l'aliment d'atteindre une température sécuritaire.

TEMPÉRATURES INTERNES DE CUISSON RECOMMANDÉES

Boeuf, veau,	à point	70 °C - 160 °F
agneau	bien cuit	77 °C - 170 °F
Porc	rosé	70 °C - 160 °F
	bien cuit	77 °C - 170 °F
Jambon à cuire, saucisses fraîches		70 °C - 160 °F
Volailles entières:		
poulet, dinde, faisan, pintade, caille, oie, canard, etc.		82 °C - 180 °F
Pièces:		
poitrines, cuisses, ailes		77 °C - 170 °F
Hachées, farce (seule ou dans l'animal)		74 °C - 165 °F
Gibier d'élevage:		
cerf, sanglier, lapin, etc.		70 °C - 160 °F
Gibier sauvage:		
lièvre, caribou, etc.		77 °C - 170 °F
Ratites		
Autruche, émeu, nandou	Saignant à point	63 °C - 145 °F 70 °C - 160 °F
Viandes préparées:		
Les viandes hachées (*sauf les volailles*), piquées, attendries, délicatisées		70 °C - 160 °F
Poissons:		
entier, en tranche		63 °C - 145 °F
émietté		68 °C - 155 °F
Oeufs:		
mets à base d'œufs		70 °C - 160 °F

Insérez, pour évaluer la température, un thermomètre dans la partie la plus épaisse du morceau de viande ou au centre de la préparation en évitant de toucher un os ou du gras, ce qui fausserait la lecture.

Retournez fréquemment les aliments lors de la cuisson au four à micro-ondes, pour répartir la chaleur uniformément. Afin d'assurer une cuisson complète, prévoyez une température additionnelle de 14 °C (25 °F) à la température de cuisson recommandée dans le cas d'un four conventionnel.

Service

- Servez les aliments le plus tôt possible après leur préparation. Évitez de les préparer longtemps à l'avance.

- Maintenez les aliments à servir chauds à une température minimale de 60 °C (140 °F) jusqu'à leur service. Gardez-les au four ou dans un réchaud.

- Conservez au réfrigérateur, à une température d'au plus 4 °C (40 °F), les aliments périssables, comme les produits laitiers, les salades et les sandwiches, jusqu'au moment de les servir. Si cela est impossible, utilisez des sacs réfrigérants (Ice Pak) ou des lits de glace concassée.

- Présentez les aliments en petites quantités, dans des contenants peu profonds et utilisez des ustensiles de service différents pour chaque plat.

- Jetez les restes d'aliments périssables qui ont séjourné plus de deux heures à la température ambiante.

- Réfrigérez les surplus de nourriture le plus tôt possible. Vous pouvez accélérer le refroidissement des aliments de différentes façons :
  - en découpant en tranches les grosses pièces de viande;
  - en transvasant les liquides dans des petits contenants.

Utilisez les restes moins de 3 jours après leur préparation, après les avoir réchauffés à 74 °C (165 °F), ou congelez-les à - 18 °C (0 °F) et moins pendant 3 mois ou moins.

Décongélation

La meilleure méthode de décongélation d'un aliment est tout simplement de le placer au réfrigérateur. Pour une décongélation plus rapide, l'utilisation du four à micro-ondes est pratique, à la condition que l'aliment soit cuit immédiatement après la décongélation. Dans ce cas, suivez les instructions du fabricant de l'appareil.

Une autre méthode consiste à immerger dans l'eau froide le produit préalablement placé dans un emballage étanche. Changez l'eau régulièrement ou laissez-la circuler de manière à ce que sa température ne dépasse pas 4 °C (40 °F).

Il ne faut jamais laisser décongeler les aliments à la température de la pièce. Cette méthode est dangereuse car les parties extérieures du morceau, qui décongèlent en premier, sont exposées trop longtemps à une température qui occasionne le développement des bactéries.

Si votre congélateur tombe en panne ou s'il y a interruption du service d'électricité, évitez d'ouvrir inutilement la porte de l'appareil. Avant de consommer les aliments, examinez-les avec attention. Ceux qui présentent encore des cristaux de glace à leur surface peuvent être congelés de nouveau. Jetez tous ceux qui sont à la température ambiante. Faites cuire immédiatement les aliments périssables décongelés dont la température est encore inférieure à 4 °C (40 °F).

L'hygiène personnelle

L'une des principales sources de contamination des aliments est la personne qui manipule les aliments. Une hygiène personnelle déficiente annule les effets de toutes les autres mesures sanitaires.

Toute personne ayant une blessure infectée ou une maladie contagieuse, ne doit pas être en contact avec les aliments. Les blessures non infectées doivent être couvertes d'un pansement étanche. De plus, dans le cas de contact direct avec l'aliment, la blessure couverte doit être protégée par un gant à usage unique.

Revêtez un tablier propre avant de commencer à travailler. Il est aussi important d'attacher ou de retenir ses cheveux afin qu'ils ne tombent pas dans les aliments.

Les mains sont la plus importante source de contamination potentielle, car elles sont en contact direct avec les aliments. Il est donc essentiel de se laver les mains avant de commencer à travailler et ensuite chaque fois que c'est nécessaire, particulièrement après avoir manipulé des viandes crues, avoir toussé, éternué, être allé aux toilettes, avoir touché des déchets et des animaux. Utilisez du savon et de l'eau chaude et séchez vos mains avec une serviette propre.

Abstenez-vous de fumer lorsque vous préparez les aliments. Le contact des mains avec la bouche est une source de contamination.

Le nettoyage et la désinfection

La propreté des appareils ménagers et des ustensiles de cuisine que vous utilisez a un impact sur la qualité des aliments. Veillez donc à n'utiliser que des accessoires propres et à les nettoyer après usage. Cela est particulièrement important lorsque l'on manipule de la viande ou de la volaille crues. Il faut alors nettoyer et désinfecter la surface de travail et les accessoires utilisés avant de s'en servir de nouveau, afin de ne pas contaminer les aliments que l'on manipulera ensuite. Pour y arriver, il suffit de suivre ces étapes :

- retirez les restes de nourriture;
- utilisez une eau propre, maintenue à une température d'au moins 43 °C (110 °F) et ajoutez-y du détergent. Changez l'eau lorsqu'elle devient trop sale. S'il est nécessaire de récurer, utilisez un tampon à récurer de nylon car les tampons métalliques se désagrègent;
- rincez avec une eau propre à une température d'au moins 43 °C (110 °F);
- désinfectez : une solution d'un litre d'eau et de 5 ml d'eau de Javel domestique suffit.

L'utilisation de torchons dans la cuisine domestique est souvent une source de contamination. Prenez soin de les laver avec du détergent et de les rincer à chaque usage. Il faut les changer ou les désinfecter quotidiennement.

La mise en conserve

Il existe deux méthodes pour préparer des conserves maison :

- la stérilisation à l'eau bouillante, dans le cas des aliments acides, comme les confitures et les marmelades aux fruits. Compte tenu que les tomates n'ont pas toujours un niveau d'acidité suffisant, il est préférable de leur ajouter de l'acide citrique ou du jus de citron reconstitué;
- la stérilisation à l'autoclave, dans le cas des aliments peu acides, soit la plupart des légumes. Seul l'autoclave assure une température sécuritaire, soit 116 °C et une pression suffisante, 70 kPa.

Utilisez des pots et des couvercles expressément conçus pour la mise en conserve (de type Mason).

Ne jamais utiliser les pots usagés de moutarde ou de marinades pour la mise en conserve. Les joints d'étanchéité ne doivent être utilisés qu'une seule fois.

Rangez les conserves maison dans un endroit frais, à l'abri de la lumière. Les conserves maison bien faites peuvent être gardées pendant environ un an.

La mise en conserve des viandes à la maison n'est pas recommandée, car les risques inhérents sont trop élevés. La méthode de conservation conseillée pour toutes les viandes (poulet, boeuf) et les plats cuisinés contenant de la viande (sauce à spaghetti) est la congélation.

En conclusion

Les intoxications alimentaires sont la cause de douleurs abdominales, diarrhées, crampes, nausées, vomissements, fièvres et maux de tête chez les personnes qui en sont atteintes. La plupart des intoxications alimentaires sont bénignes et ne durent que quelques jours. Cependant, elles peuvent quelquefois avoir des conséquences graves, surtout si la victime est une personne âgée, un enfant, une femme enceinte ou une personne dont le système immunitaire est affaibli ou déficient.

Si vous croyez être victime d'une intoxication alimentaire, consultez le médecin. Si cela est possible, conservez les restes d'aliments et avisez le bureau de la Direction générale de la qualité des aliments et de la santé animale du MAPAQ dans votre région ou composez sans frais le 1 800 463 5023.

Pour des repas nutritifs et pleins d'énergie, pensez à inclure un des aliments de chacun des quatre groupes alimentaires : produits laitiers, produits céréaliers, fruits et légumes et viandes et substituts.

Le respect de ces conseils est un gage de sécurité. Ainsi, vous pourrez offrir à votre famille et à vos convives des repas savoureux, sains et nutritifs, préparés dans des conditions d'hygiène optimales.

Gouvernement du Québec
Ministère de l'Agriculture,
des Pêcheries et de l'Alimentation
Direction générale de la qualité des aliments et de la santé animale

98-0055

Pour obtenir de plus amples informations :
composez le 1 800 463-5023
ou adessez-vous au bureau de la **Direction régionale de la qualité des aliments et de la santé animale** le plus près de chez vous (voir pages bleues du bottin téléphonique sous la rubrique « **Gouvernement du Québec : Agriculture, Pêcheries et Alimentation** »)
Courrier électronique: DSOCI@agr.gouv.qc.ca

Annexe 9

Les mesures métriques et les mesures anglaises

TABLEAU A9.1   Les abréviations métriques

micro	= 1/1 000 000
milli	= 1/1 000
centi	= 1/100
deci	= 1/10
deca	= × 10
hecto	= × 100
kilo	= × 1 000

Unités de longueur

1 millimètre	= 0,03937 pouce
1 centimètre	= 0,3937 pouce
1 mètre	= 39,37 pouces
1 kilomètre	= 0,6214 mille
1 pouce	= 2,54 centimètres
1 mille	= 1,609 kilomètre

Unités de masse ou de poids

1 milligramme	= 0,0154 grain
1 gramme	= 15,43 grains ou 0,03527 once
1 kilogramme	= 2,2 livres
1 once	= 28,35 grammes
1 livre	= 0,454 kilogramme

Unités de volume

1 millilitre	= 0,034 once liquide
1 litre	= 1,05 pinte liquide
1 once liquide (u.s.)	= 29,6 millilitres
1 pinte liquide	= 0,946 litre

Pour faciliter l'utilisation de ce système, voici les formules de conversion des températures ainsi que des tableaux d'équivalents approximatifs pour les mesures de poids (masse), les mesures liquides et les mesures sèches.

TABLEAU A9.2   La formule de conversion des températures

Pour convertir les degrés Farenheit en degrés Celsius ou vice-versa, utilisez les formules suivantes :

$$\frac{(°F - 32) \times 5}{9} = °C$$

$$\frac{(°C \times 9)}{5} + 32 = °F$$

Pour convertir approximativement les températures de four en degrés Farenheit à des températures en degrés Celsius, divisez par 2. Ainsi, 400 °F équivaut à 200 °C.

TABLEAU A9.3   Les mesures de poids

Onces Livres	Grammes Kilogrammes
1 oz	30 g
1/4 lb	100 g
1/3 lb	150 g
1/2 lb	250 g
3/4 lb	350 g
1 lb	500 g
1 1/4 lb	600 g
1 1/2 lb	700 g
1 3/4 lb	800 g
2 lb	900 g
2 1/2 lb	1,25 kg
3 lb	1,35 kg
3 1/2 lb	1,5 kg
4 lb	1,75 kg
4 1/2 lb	2 kg
5 lb	2,25 kg
5 1/2 lb	2,5 kg
6 lb	2,75 kg
7 lb	3,25 kg
8 lb	3,5 kg
9 lb	4 kg
10 lb	4,5 kg
12 lb	5,5 kg
14 lb	6,25 kg
15 lb	6,75 kg
16 lb	7,25 kg
18 lb	8 kg
20 lb	9 kg
25 lb	11,25 kg
30 lb	13,5 kg

TABLEAU A9.4 Les mesures liquides et sèches

Petites mesures (liquides et sèches)

1/4 cuillerée à thé	1 ml
1/2 cuillerée à thé	2 ml
1 cuillerée à thé	5 ml
1 cuillerée à soupe	15 ml

Mesures liquides

1 oz liq	30 ml
2 oz liq	60 ml
3 oz liq	100 ml
4 oz liq	125 ml
6 oz liq	200 ml
8 oz liq	250 ml

Mesures sèches

1/4 tasse	50 ml
1/2 tasse	125 ml
1 tasse	250 ml
2 tasses	500 ml